Wilbrandt, A

Adams Söhne

Wilbrandt, Adolf

Adams Söhne

Inktank publishing, 2018

www.inktank-publishing.com

ISBN/EAN: 9783747785539

Adams Söhne

Roman

von

Adolf Wilbrandt

Dritte Auflage

Stuttgart und Berlin 1907
J. G. Cotta'sche Buchhandlung Nachfolger

Erstes Buch

I

Es war Julis Anfang, und ein richtiger, heißer, korn-reifender Sommertag. Wittekind war am Morgen vom Hintersee über die Schwarzbachwacht nach Reichenhall gewandert, und seinen fünfundvierzig Jahren tat es doch wohl, in dem tiefen Schatten eines menschengefüllten Wirtsgartens auszuruhn und sich an einem leiblichen Mittagsmahl zu stärken. Er hatte den Ranzen, mit dem er ganz nach seiner alten Weise dahinzog, neben sich ge-legt, fühlte diese angenehme Erregung und behagliche Glut, die nach einer heißen Wanderung noch so sachte fortglüht, und beobachtete die Hunderte von Sommer-gästen an den kleinen Tischen. Indessen eine gewisse Unruhe in ihm ward nicht ganz beschwichtigt; und sie galt in diesem Augenblick weniger dem lieben Jungen, seinem Sohn, den er heute wiedersehen sollte, als dem Untersberg, dem ihn seine Wanderung so nahe gebracht hatte. Der Untersberg ragt aus den Tälern, die sein breites Fußgestell umgeben, inselgleich hervor; wie ein verwildertes Dreieck, von etwas unsicherer Hand bei ge-schlossenen Augen gemacht. Von welcher Seite man ihn auch sehen mag, immer ist er einer Riesenburg ähnlich, mit langgestreckten Mauern, hinter denen sich eine Welt von Höfen und Häusern verbergen könnte; auch das Haus

des alten Kaisers, den die Sage hier im „Wunberberg"
sein Leben fortträumen ließ, — was nun nicht mehr not
tut. Wittekind hatte die Wege, die am Untersberg hin-
führen, schon in jungen Jahren alle unter seinen Füßen
gehabt, nur den einen nicht, der am Nordrand, von
Reichenhall her, gegen die Salzach führt. An dem großen
Dreieck fehlte noch ein Stück. Er mußte selber lächeln,
als er daran dachte; aber wie einem oft aus der Jugendzeit dieser oder jener unerfüllte Wunsch, ein Plan, eine
Sehnsucht bleibt, die wie Luftblasen im stillen Wasser
immer wieder auftauchen, so erging es ihm mit diesem
letzten Stück Weges, das von je zu seinen Wanderträumen
gehört hatte. Zwischen den Bäumen durch, über kleinen
Häuschen an der Straße, konnte er ein Stück vom „Wunberberg" sehen. Ihm war, als schaute der Berg ihn mit
Vorwurf an, daß er von hier auf der Bahn nach Salzburg fahren wollte, und dann so weiter seinem Sohn
entgegen, statt ihm, seinem alten Freund, endlich Wort
zu halten. Er setzte sich den Hut wieder auf und sah nach-
denkend in sein Glas.

Ich muß und soll nun doch endlich diesen Weg machen!
dachte er. Die Hitze, die tut mir nichts. Er wartet auf
mich nun schon fünfundzwanzig Jahre. So lange kann ich
ihn wohl nicht wieder warten lassen. Geh' ich noch über
Glanegg nach Gröbig, so find' ich da meinen Jungen an
der neuen Bahn, und hab' gegen den Untersberg ein reines
Gewissen. Also auf nach Gröbig!

Die alte Rastlosigkeit, die ihn in der Einsamkeit immer
überkam, schnellte ihn empor. Er hatte hier ausruhen
wollen, bis die kühleren Stunden kämen; mit der plötzlichen Unruhe eines Jünglings stand er auf, zahlte, hängte
sich den Ranzen über die etwas unlustigen Schultern — sie
waren an solchen Druck nicht mehr gewöhnt — und ver-

ließ den Garten. Als er in die Sonne kam, schüttelte er
doch den Kopf. Es war noch mittagsheiß. Die Straße
blendete ihn. Der Himmel war blau wie Stahl. Die
Sohlen brannten ein wenig; das von Speise und Trank
erregte Blut lag ihm auf den Augen. Es fuhr ihm ein
flüchtiges Mißvergnügen durch den Kopf, mit einem so
ruhelosen Menschen zu tun zu haben, der sich immer
wieder plagen müsse und nicht Frieden halte. Dann aber
lächelte er, stieß mit dem Stock auf die Erde, summte ein
altes Studentenlied, das ihm plötzlich einfiel, und wanderte durch die heißen Straßen des Orts seinem Feldweg zu.

Wittelind war eine kraftvolle, noch schlanke Gestalt von
auffallender Größe; sein blondes, ein wenig lockiges Haar
ward an den Schläfen grau, die blauen Augen hatten
aber das reinste jugendliche Feuer, den fast naiven, aber
festen und unternehmenden Blick, der so viele Nordländer
auszeichnet, und seine leuchtende, weiße, rosig gebräunte
Haut war von großer Frische. Während er ging, wechselte
er oft zwischen neugierig lebhaftem Umherschauen und
tiefem Sichversinnen; stieß zuweilen einen herzhaften, aber
gemütlichen Fluch aus, der der Hitze galt, weidete sich
dann wieder mit treuherzigem Lächeln an dem schönen
Tag, der so rein, so blau über den Bergen lag, so leise
in den gelben Kornfeldern spielte und — was seinem
Landmannsherzen wohltat — so reichlichen Erntesegen
versprach. Von dem Hügel, an dem die letzten und vor-
nehmsten Villen stehn und auf Reichenhall hinunterschauen,
sah auch er noch einmal auf das Städtchen zurück, ehe er
über die Felder ging; setzte sich auf eine schattige Bank,
da ihm das Blut doch gar zu unruhig in den Augen tanzte,
und saß eine Weile still. Er schloß sogar die Augen; nur
auf ein paar Minuten! dachte er. Eine kleine Siesta; es
war noch zu früh! — Indem er sich zurücklehnte, drückte

ihn der Ranzen; er war im Begriff, ihn abzuwerfen; mitten in der Bewegung hielt er aber inne. Ihm fielen die wandernden Handwerksburschen ein, die er so oft beobachtet und in seinem menschenfreundlichen Herzen mitfühlend bedauert hatte. Die schonen sich nicht. Und die wandern anders als du, dachte er; nicht weil das Treieck um den Untersberg noch nicht fertig ist, sondern weil das Handwerk oder die Not es will. Sollen wir Glücklichen, wir Verzogenen es denn immer besser haben als die Stiefkinder des Schicksals? Er soll nur drücken, der Ranzen ... Heute wenigstens, am Tag eines so ersehnten Wiedersehens, wollte er es nicht besser haben als sie. Er setzte sich aufrecht, um den Ranzen stärker zu spüren, um weniger auszuruhn. Auf einmal flog, wie ein Vogelschwarm, eine ganze Kette von Erinnerungen vor ihm auf, und mit geschlossenen Augen ließ er sie vorbeiziehn.

Als junger Student, auch so mit dem Ranzen, wanderte er zum erstenmal dem Untersberg entgegen! Die Welt, das Leben erschien ihm ein Paradies ... Dann kamen die schwarzen Wolken, die aus diesem Paradies so oft ein Leichenfeld oder ein Schlachtfeld machen; plötzlich starb der Vater, neben dem stillen, wachsbleichen Gesicht stand die bisher ungekannte Sorge. Der lustige Student ward Landwirt, er übernahm das Gut, den einzigen Besitz, für sich und die Schwestern; verschuldet war's und etwas verkommen: denn der gute, hochgesinnte Vater hatte zu sehr in Projekten, Idealen und Phantasien gelebt. Umso ernster packte nun das Leben seinen Sohn.... Nach langen Mühen ward's licht; eine liebe, zarte, zärtliche Frau kam ins Haus; liebe Kinder dazu. Das Gut, das Vermögen gedieh. Die zarte Frau schwand dahin. ... Endlich lag sie da, mit stillem, wachsbleichem Gesicht. Die Sorge

kam nicht wieder; das Gedeihen blieb; aber das reine
Glück der Jugend fand sich nicht wieder ins Haus. Auch
die Kinder schwanden ihm wieder dahin, ihrer Mutter
nach. Nur dieser eine blieb ihm, der Bertold, der Blond-
kopf, der heute von Salzburg kam, den er noch vor Nacht
ans Vaterherz drücken sollte. ...

Seltsam, dachte er: und diese Freude ist doch nicht voll-
kommen; es liegt mir eine Art von Nebel ums Herz.
Das sind nicht nur die Toten; auch sonst. ... Eine eigene,
weiche Wehmut, die zum Trübsinn ward, beklemmte ihm
die Brust; ein Ungenügen am Leben, das ihm zuweilen in
das heiterste Glücksgefühl hineindämmerte. Er kannte
diesen Feind sehr wohl, aber er gab sich nicht gerne Rechenschaft über ihn. Solche Feinde wachsen, wenn man über
sie nachdenkt. Irgendwo war in seinem Leben eine große
Lücke. ... Seine Tätigkeit tat ihm wohl, an Leib und
Seele, seine Studien aller Art erhoben ihn über die All-
täglichkeit, er liebte das Landleben, die Unabhängigkeit,
auch die Einsamkeit; seinem Ehrgeiz winkte die Politik,
das Parlament, er brauchte nur zuzugreifen, wenn er
wollte; sein deutsches Vaterland gedieh unter der Kaiser-
krone, wie es seine glühendsten Jünglingsträume ersehnt
hatten. Dennoch war in seinem Leben eine große Lücke. ...
Fünfundvierzig Jahre! Das ist ein Stück Zeit; und er
hatte viel darin genossen und besessen. Aber wenn man
noch so voll Kraft, Gesundheit, Lebensfeuer ist. ... Wenn
man noch zu jung ist, um sich nur auf das Wiedersehn
mit seinem erwachsenen Sohn, dem Herrn Studenten, zu
freuen. ...

Wittekind sprang auf, um diesen Gedankengang abzu-
brechen; er wollte nicht weiter, und er hatte die Kraft,
sich darin zu zwingen. Bald war er unten auf der Straße,
die die Felder durchschnitt; die Sonne brannte zwar frei

aus der Höhe herab, aber in der reinen Luft schwebten all die kräftigen und süßen Sommerwohlgerüche, die unfer Juli bringt. Von den Wiesen herüber duftete frischgeschnittenes Heu; der dorffüße Holunderduft kam von allen Wegen und Gehöften; wo eine Linde blühte, war sie schnell zu spüren; und auch das reifende, nickende, sonnenwarme Getreide gab seine Würze dazu. Wittekind brach sich von den Holunderbüschen am Weg einige mächtig blühende Zweige ab, die ihm als Fächer hätten dienen können; er mußte sie aber bald zu einem unerwarteten Liebesdienst benützen. Als er in die Tiefe eines langsam ansteigenden, von der Sonne stark durchglühten Waldes eingedrungen war, fiel auf einmal, wie Wegelagerer, eine Wolke von Stechfliegen über ihn her, wie er noch keine erlebt hatte. Es war, als wäre diese Horde durch irgend einen Vorgang in der Natur aufgeregt und zum wildesten Blutdurst aufgestachelt worden: so ungestüm fielen sie den Wanderer an, und so unermüdlich zogen sie neben ihm her. Er holte nach rechts und links gegen sie aus, um sie wegzuscheuchen; das war verlorene Mühe. Sie warfen sich umso wütender, in ganzen Scharen, gegen sein Gesicht. Eine Weile ward er ganz verblüfft; dann sah er, daß er gegen dieses besessene Raubgesindel keine andere Waffe hatte, als mit den Holunderbüscheln vor seinem Gesicht auf und ab zu fahren, dann wieder einmal in die Wolke hineinzuschmettern, dann wieder durch rastloses Auf und Nieder Stirn und Augen zu schützen. Er ging rascher und rascher; die Wolke zog immer mit; oder hinter jedem Baum schien ein neues Geschwader von Bremsen hervorzubrechen. Es war ein wildes, minutenlanges Gefecht. Endlich mußte Wittekind in aller Erregung über sich selber lachen; er war in eine richtige Berserkerwut geraten, wie ein alter Germane, der sich im Hohlweg mit Tod und

Teufel herumschlägt. Von seinen fünfundvierzig Jahren
waren ihm höchstens zwanzig geblieben. In diesem kampf-
lustigen Vernichtungsgrimm hätte er vielleicht noch eine
Weile fortgewütet, aber der Anlaß hörte plötzlich auf.
Der Feind ließ von ihm ab. Als er die Waldhöhe über-
schritten hatte und in der kühleren Senkung hinabstieg,
war das ganze Heer der Bremsen aus seinem Wege verschwunden.

Ein sonderbares, dröhnendes Lachen kam dagegen aus
dem Wald herüber. Wittekind wandte den Kopf. Auf
halber Höhe eines unbedeutenden Tannenbühels, hinter
dem die Mauern des Untersberges aufstiegen, stand eine
auffallend mächtige Gestalt, ein Mann in grauer Lodenjoppe und steirischem Hut. Ein langer weißer Bart hing
ihm unter dem Kinn. Der Alte lachte noch einmal, herzlich, aber gedämpfter; dann kam er vollends den Bühel
herab und ging, mit der rechten Hand zutraulich grüßend,
auf Wittekind zu.

„Nichts für ungut,“ sagte er ohne weiteres, in bayrischer
oder österreichischer Klangfarbe, aber in reinem Teutsch;
„mein Lachen war nicht übel gemeint. Ich hab's eine
Weile mitangesehn, wie Sie sich mit diesem kleinen Raub-
zeug — — Ein rechtes Gesindel das! Ich kenn's! Hab'
zuweilen auch gedacht: die ganze Erde schlag' ich in den
Grund hinein!“ — Indem das hagere, lange Gesicht des
Alten behaglich lächelte, setzte er hinzu: „Mir war, als säh'
ich mich selbst, als Sie so kriegerisch, so ganz bei der Sache
— — Hat mir sehr gefallen. Verzeihn Sie, daß ich das
sage. Hat mir halt gefallen!“

Wittekind sah diesem sonderbaren Wanderer etwas befremdet in die grauen Augen. Fast hätte er gedacht, der
Alte mache sich über ihn lustig; es lag aber ein zu treu-
herziger Ausdruck auf dem braunen, faltigen, scharf-

geschnittenen, ungewöhnlichen Gesicht, als daß er dieses
Mißgefühl hätte behalten können. „Was sollte ich machen?" erwiderte er höflich. „Ich mußte notgedrungen
eine komische Rolle spielen, und hab' sie gespielt."

„Wieso eine komische Rolle?" sagte der alte Herr und
bewegte seine mächtigen, etwas ausgefransten Brauen
mehrmals auf und nieder. „Alles was man tut, soll man
g a n z tun. Auf das F e u e r kommt's an, und nicht,
wo es brennt. Feuer — — Ja so. Mit Verlaub: könnten
Sie mir für meine Zigarre etwas Feuer geben?"

„Mit Vergnügen," entgegnete Wittekind, der ein
Schächtelchen hervorzog und ein Wachskerzchen anzün-
dete. Der Weißbärtige machte eine Verneigung, deren
vornehme Grazie Wittekind überraschte, nahm das Kerz-
chen und setzte seine große, dicke Zigarre langsam in Brand.
Zwischen je zwei Zügen warf er einen Blick auf Wittekinds Gesicht, und jeder schien etwas zu fragen oder zu
ergründen. Endlich nickte er vor sich hin.

„Ich danke Ihnen," sagte er; dann setzte er langsam
hinzu, mit seiner tiefen, etwas rollenden Stimme: „Eine
Frage ist frei, und die Antwort kostet Sie nichts. Sie
haben auch das rechte Gesicht für meine Frage; sonst behielt' ich sie bei mir. Wollen Sie mir deutsch, das heißt:
ehrlich, sagen, ob es Ihnen angenehm ist, wenn ich Sie
ein Stück Weges begleite, oder ob Sie lieber allein gehn?
Sehn Sie meine weißen Haare; schenken Sie mir aus
Achtung ein wenig Aufrichtigkeit."

Der Alte hatte diese seltsame Anrede mit einem gewissen feierlichen Ernst begonnen; sie endete aber mit
einem sehr anmutigen, liebenswürdigen Lächeln. Dann
bewegte er leise, wie fragend, seine Kniee, und stützte
beide Hände auf seinen Stock. Wittekind vergaß eine
Weile zu antworten, so sehr beschäftigte ihn alles an diesem

merkwürbigen Menschen. Lächelnb sagte er bann: „So hat man mich noch nie gefragt — unb boch sollte es eigentlich immer so sein! Ich banke Ihnen für bie gute Meinung, bie Sie von mir haben. Ganz aufrichtig: ich ginge sonst gern allein; aber S i e — S i e möchte ich kennen lernen."

Ein tiefes „Hm!" war bie Antwort. Der Alte nahm bie rechte Hanb von seinem Stock — es war ein einfacher, oben gekrümmter Bergstock — unb ergriff Wittekinbs Hanb, um sie stumm zu brücken. Darauf setzte er sich sogleich in Bewegung, mit zuerst langsamen, bann immer größeren Schritten; es war erstaunlich, wie elastisch unb jugenblich er ausschritt. „Sie wollen nach Gröbig, benk' ich, an bie neue Bahn," fing er an zu sprechen.

Wittekinb nickte.

„Wie kommen Sie benn auf biesen Weg, wenn ich fragen barf? Von ben norbbeutschen ‚Touristen‘ — unb Sie sinb offenbar ein Norbbeutscher — gehen hier nicht viele."

„Daran ist ber U n t e r s b e r g schulb," entgegnete Wittekinb. „Dem war ich bas schulbig. — Eine alte Liebe," setzte er lächelnb hinzu.

Der Alte riß bie Augen auf; ohne Zweifel aus Wohlgefallen. „Sie lieben ben Untersberg! — Sehn Sie! Sehn Sie!" rief er aus, als wäre nun bie gute Meinung bestätigt, bie er von Wittekinb hatte. „Das ist ja m e i n Berg, lieber Herr; ohne ben möcht' ich nicht mehr leben. Um ben kreis' ich eigentlich bas ganze Jahr herum; in Salzburg, Reichenhall, Berchtesgaben, Hallein; j e t z t komm' ich von o b e n. Von ber Vierkaseralp — unb so weiter. Eine alte Liebe! Sehn Sie!"

„Unb ich bachte wohl, baß Sie vom Untersberg kämen," erwiberte Wittekinb, „als ich Sie vorhin an bem Tannenbühel entbeckte. Sie sahen aus —"

Er stockte.

„Nun, wie sah ich aus? — Nun, wie sah ich aus?"

„Wie der ‚Alte vom Berge‘," sagte Wittekind heiter. „Wie einer von denen, die in den ‚Wunderberg‘ verzaubert sind; — mit dem weißen Bart da —"

„Und mit dem langen, ledernen Gesicht!" setzte der Alte vergnügt hinzu, und begann zu lachen.

„Und bei alledem haben Sie's getroffen," fuhr er ernsthafter fort. „Ich gehör' nicht mehr zu euch in die Welt — sondern in den Berg!"

„Wie meinen Sie das?" fragte Wittekind.

„Wie ich das meine? Daß ich ein S i e b z i g e r bin; — ja, ja; schütteln Sie nicht den Kopf. Nächstens zweiundsiebzig. Darum leb' ich auch nicht mehr in der Welt. Sondern wie die Hindu — — Sie wissen wohl, wie die alten Indier dachten: der Jüngling kämpft, der Mann schafft, der Greis geht in den Wald, das heißt, er hört auf zu kämpfen und zu schaffen; er sieht nur noch zu. Er geht in die Beschaulichkeit. Ein weises Volk, diese alten Hindu! Der Arm nimmt ab und das Hirn nimmt zu; also lebe mit dem Hirn, wenn die Arme alt werden, laß deine Hand von der Welt und denke über sie nach, um sie zu begreifen!

„Worüber lächeln Sie?" setzte er nach einer kleinen Stille hinzu.

Wittekind lüftete seinen Hut, wischte sich den Schweiß von der Stirn, und sagte: „Verzeihen Sie! Ich lächelte nur, daß S i e schon ‚in den Wald gehn‘, wie Sie sagen —"

„Nun, warum ich denn nicht? Zweiundsiebzig, Herr! — Ich hab' mir das Leben um die Ohren geschlagen, kann ich Sie versichern; hab' immer zuletzt Feierabend gemacht; hab' toll und voll gelebt. Nun ist's Abend geworden. Also in den Wald gehn. Es gibt keine weiseren Leute, sag'

ich Ihnen, als die alten Hindu ... Warum stehen Sie
still?"

Der Alte hatte bemerkt, daß er allein vorwärts rannte,
hielt an und blickte zurück. „Warum stehn Sie still?"
wiederholte er.

Wittekind lächelte wieder. „Weil Sie — bei dieser
Hitze — so gewaltige Schritte machen. Kurz, weil Sie,
der Sie ‚in den Wald gehn‘ — weil Sie mir zu jung
sind!"

Einen Augenblick flog eine herzliche Heiterkeit über des
Alten Gesicht. Plötzlich zog er aber die zerpflückten Brauen
zusammen und stieß die eiserne Spitze seines Stocks mit
solcher Gewalt zu Boden, daß sie in der trocknen, spröden
Erde zitternd stecken blieb. „Zum Teufel hinein!" dröhnte
seine Baßstimme. „Das ist ja der Unsinn, daß wir nicht
alt werden, wie es sich gehört; daß wir keine Hindu,
sondern unvernünftige Germanen sind! ‚Gewaltige
Schritte‘ ... Nun ja, ich kann keine Damenschritte machen.
Ich bin ein Bergsteiger, und ein Wandersmann. Und das
alte Mark in den Knochen — das ist wie der Saft in so
’nem alten Eichbaum; wächst und steigt immer wieder
nach. Wo bleibt da die Philosophie!" — Mit einem komisch grimmigen Gesicht rief der Alte so laut, daß die
Luft erbebte: „Herr, ich bin manchen Tag noch wie ein
junger Mensch!"

„Ist das ein Unglück?" fragte Wittekind, der zu lachen
anfing.

„Herr, ich sage ja nicht, daß es ein Unglück ist! Aber
dabei kommt man nicht zur Ruhe, zur Weisheit, zur Beschaulichkeit. ... Wir Germanen, mein’ ich! Sehn Sie
doch nur unsre T e u t s c h e n an; ein merkwürdiges
Volk —" er begann zu lächeln und seinen Stock in der
Erde hin und her zu drücken — „ein unvernünftiges,

übersaftiges, ewig junges Volk! Wenn sie siebzig sind,
so fangen sie von vorne an; so liefern sie erst ihr Stück
Weltgeschichte ab! Der alte Blücher — da sehn Sie's —
der alte Wilhelm — der alte Moltke; und so manches alte
Haus, das mir nicht gleich einfällt." — Er schlug auf
seinen Schenkel und auf seine Brust: „Da geh' einer in
den Wald, mit solchen Muskeln — und mit so 'nem dummen,
affenjungen Herzen!"

„Nun, so gehn Sie noch nicht," sagte Wittekind.

Der Alte warf ihm einen Blick von der Seite zu, zog
seinen Stab aus der Erde und schritt wieder weiter. „Verehrter Herr," sagte er im Gehn, den Stock leise schwingend,
— „sehn Sie, ich mag nicht mehr. Hab' wohl zu viel
erlebt. Das Leben ist ja eine gute Sache, aber ein Kinder-
spiel ist es nicht. Und dann — dieses Sterben! Rechts
fällt einer, links fällt einer; all die alten Bekannten, die
Freunde — Weib und Kind ... Man marschiert immer
weiter; endlich sieht man sich um und sieht lauter fremdes
Volk. Für wen soll man schaffen? — Ja, wenn man ge-
zwungen wird — durch das große Schicksal, wie diese
Alten, von denen ich eben sprach — oder auch durch die
Not ... Beides trifft mich nicht. Mit dem großen Schicksal hab' ich leider nichts zu schaffen. Gegen die Not schützt
mich mein bißchen Hab und Gut. Na, da leb' ich so hin;
seh' dem Weltlauf zu, denke mir das Meine — und bereite
mich vor auf — —"

Er brach ab. In seine Augen war ein tiefer Ernst,
ein gesteigerter Glanz gekommen; es schien aber, daß er
ihn verbergen wollte. Sie hatten, aus dem Wald hervor-
tretend, eine freiere Stelle von großer und stimmungs-
voller Einsamkeit erreicht: von der hohen Mauer des
Untersberges senkten sich die waldigen Vorberge bis zu
einer finsteren, schwarzgrauen Felsmasse herab, die man

vielfach zerschlagen und zerrissen hatte, um den nutzbaren
Stein zu brechen. Geformte und ungeformte Trümmer
lagen überall umher; die schwärzliche Farbe des Gesteins
machte das ganze Bild düster und ernst; nur ein paar rohe
Holzhütten standen in der Nähe, Menschen sah man nicht.
Der Alte blickte umher, zog die Stirn herunter, und seine
Lippen drängten sich zusammen. Er schien in Erinnerungen zu versinken. Nach einer Weile legte er dem
andern seine lange, schöngeformte, auffallend wohlerhal-
tene Hand leicht auf den Arm und sagte: „Das ist der
Veitlbruch. Wie man mit der Natur doch zusammen-
wächst, wenn man viel erlebt. Hier hab' ich einmal —
es ist gar nicht so lange her — einer jungen Dame gesagt,
die ich recht gut kannte: ‚Gib acht, nimm den nicht ... es
wird dein Unglück; glaub mir's ...'"

Er lächelte ein wenig und stieß einen kurzen Laut aus,
durch den verhaltener Schmerz hindurchklang. „Nun,
natürlich hat sie mir nicht geglaubt! Und ich — — ich
hab' leider recht behalten. — Ja, hier war's! Das ist
der Veitlbruch!"

Plötzlich winkte er, wie um sich loszureißen, seinem Be-
gleiter stumm mit dem Kopf, und ging mit seinen großen
Schritten über die Steine weg, bis er auf einem kleinen
Vorhügel stehen blieb. Über eine waldige Senkung hinweg tauchte hier in der Ferne, im leuchtenden Sonnenlicht, die Festung von Salzburg auf. Es war ein überraschender Anblick, wie ein Gruß aus einer andern, reizenden Welt in diese finstere Öde hinein. Die herrlichen
Formen der Festung, auch in dieser Entfernung noch
wirkend, wenn auch sonderbar zierlich, fast zum Spielzeug
geworden, schimmerten in zartem Duft und zogen die
Seele auf einmal wie an einem Faden ins ebene Land
hinaus. Wittekind ward zu einem Ausruf der Über-

raschung und Bewunderung hingerissen, der den Alten
ergötzte.

„Ja, ja!" sagte dieser. „Das ist unser Salzburg! Da
liegt's! — Die schönste von allen deutschen Städten; und
ein wahres Wunder, wie sie daliegt in der abgestimmten
Natur. Alles im großen Stil: der Fluß, die Ebene, das
Hochgebirg, die beiden Berge, in die sie sich hineinschmiegt.
Da fehlt nur eins... Wissen Sie, was da fehlt?"

Wittekind sann und schwieg; der Alte rief aus: „Ein
S e e fehlt! weiter nichts! — Und sehn Sie, die N a t u r
hätte nichts dagegen, so ein See wäre noch zu machen:
da unten das flache Land zwischen Glanegg und Salzburg,
grün und eben wie ein Billardtuch — Sie können's von
hier nicht sehn — das w a r ja einmal ein See, und heißt
noch das ,Moos' — oder ,Moor', wie ihr sagt — und
stäche man die Erdrinde wieder ab, so wäre das Wasser
da. Herr, das gäb' einen See — bis Leopoldskron und
so weiter — zwischen dem Glanbach und dem Almkanal
— der sich ansehn ließe! Mehr als halb so groß wie der
Mondsee oder der Wolfgangsee; und bei dieser Stadt und
bei diesen Bergen; bis an die Wurzel unseres Untersbergs, Ihrer ,alten Liebe'!"

Es war ein Feuer über den Alten gekommen, das nun
wieder W i t t e k i n d ergötzte; die bronzenen Wangen
fingen sacht an zu glühen, und der lange weiße Bart,
von der linken Hand ergriffen, stieg bis zu den Lippen
hinauf. „O ja," murmelte Wittekind. „Wohl ein schöner
Traum!"

„Geben Sie mir Macht und Geld," rief der Alte aus,
„und ich mache Ihnen Wahrheit aus dem Traum! — Sehn
Sie, d a s könnte mich noch wieder ins Leben ziehn, ver-
jüngen: wenn ich der Herzog von Salzburg wäre — oder
wie er nun heißen soll — und könnte graben und graben,

ein umgelehrter Faust, um Land zu Wasser zu machen —
aber w a s für ein Wasser dann! Der ‚Untersberger See!'
Da würden bald die Landhäuser aller Nationen an den
Ufern stehen, um sich in dem See zu spiegeln und dies
Paradies zu bevölkern; weiße Segel wie die Schmetter-
linge; Wälder, Dörfer, und Gärten; und die Salzburger
Feste sähe in den See hinein — und der Untersberg. Und
zuletzt würden die klugen Leute noch sagen: Der Saltner
war gar nicht dumm, das Geld, das er da hineingegraben
hat, das kommt auch wieder heraus. Der See trägt noch
Z i n s e n. Und die ‚dankbaren Salzburger' würden dem
Saltner ein Denkmal bauen, nachdem sie im Anfang gesagt hätten: Der muß ins Narrenhaus; und ich — — ich
wollte mich dann ganz zufrieden aufs Ohr legen und zu
meinem Sterbekissen sagen: ich bin bereit, es war gut,
ich hab' doch gelebt!"

Wittekind war still. Er blickte von der Seite, in einer
eigentümlichen Bewegung, auf den verjüngten Alten.
Nach einer Weile fuhr dieser, wie zu sich kommend, fort,
indem er ein Auge schloß und dazu lächelte: „Bei dieser
Gelegenheit hab' ich mich Ihnen ja auch vorgestellt.
Saltner. Ja, Saltner ist mein Name."

„Ich heiße Wittekind," entgegnete der andre.

„Ah! Der richtige Norddeutsche!"

„Zu dienen. Von der Ostsee."

„Von der Ostsee! — Und ich aus dem richtigen Hoch-
land: ein Tiroler Kind. Aber hier im Salzburger Land
leb' ich nun schon lange; fühl' mich hier zu Haus. Dort
hinter der Salzburger Festung sehn Sie den langen Rücken,
den Kapuzinerberg: an dessen Fuß steht mein Haus. Das
schaut hierher, auf den Untersberg. Da bin ich noch in
der Welt — und bin doch schon draußen. Hab' zu viel
erlebt ... Gehn wir weiter, wenn es Ihnen recht ist; daß

wir nach Gröbig kommen. Ja, da hinten am Kapuzinerberg, da träum' ich noch zuweilen einen herzhaften Traum,
wie den vom Salzburger oder Untersberger See; — sie
enden auch alle so. Lebendig werden sie nicht. Vielleicht
ist's auch besser. Damit man desto mehr zurück und in sich
geht, und sich vorbereitet... Kurz — gehn wir weiter!"

II

Man schrieb 1887, den dritten Juli. Die Tage waren
lang; als die beiden Wanderer — nach etwa vier Stunden
Wegs vom Wirtsgarten in Reichenhall — gegen Gröbig
kamen, hatten sich die Schatten noch nicht ins Abenteuer-
liche gestreckt, die Sonne wirkte noch kräftig. Saltner betrachtete aufmerksam eine Photographie, die Wittekind im
Gespräch aus der Brusttasche gezogen und ihm hingereicht
hatte; das Brustbild eines auffallend schönen, aber zarten,
blonden, noch völlig bartlosen Jünglings. Die Lippen
waren besonders edel geformt; der Blick der hellen Augen
war nach oben gerichtet, mit einem Ausdruck weicher
Schwärmerei, der lieblich und befremdend zugleich war.

„Sie haben nur diesen einzigen?" fragte der Alte.

Wittekind nickte stumm.

„Und ich auch nicht einen mehr! — — An dem da
haben Sie aber nichts Gewöhnliches. Man muß immer
hinschauen. Anders als die Jugend von heute. Gar romantisch; unschuldig; rührend ... In Italien hab' ich
früher so alte schöne Heiligenbilder gesehn, mit rührenden
Schwärmeraugen; an die muß ich denken."

„Es ist ein lieber, holder Junge!" murmelte Wittekind, mit einem weichen, väterlichen Lächeln.

„Ihre Statur scheint er nicht zu haben ..."

Wittekind schüttelte den Kopf. „Er ist kleiner, und

zart gebaut; aber schlank, wohlgeformt. Kurz, wie im Gesicht, so auch darin seiner Mutter Bild!"

„Ja, ja, so ein Muttersöhnchen!" sagte Saltner ernst, aber ohne jede Härte; immer die Augen auf das Bild geheftet. „Ich verschau' mich ganz in das feine G'fiesert; — verzeihen Sie mir das österreichische Wort. So ein wenig vom Christuskopf; — aber gefährliche Augen. Gar gut; gar weich; fast wie die lieben Augen einer schönen und guten Frau."

„Sie haben recht," sagte Wittekind und tat einen langen, leise seufzenden Atemzug. „Ich kann Ihnen nicht sagen, wie freundlich und gut das Herz dieses jungen Menschen ist; gut bis zur Schwärmerei. Er leidet geradezu an der Menschenliebe: so nah geht ihm alles Elend, all die Ungleichheit, diese ganze Welteinrichtung, die so ungerecht aussieht."

„Und sie wär' es auch," entgegnete der Alte, „wenn mit diesem einen Leben die ganze Schule schon aus wäre!"

„Wie meinen Sie das?"

Saltner antwortete nicht auf diese Frage, er sah wieder auf das Bild. „Ach was!" sagte er plötzlich, „'s ist ein edles Gesicht. Sie sind ein glücklicher Vater mit so einem Sohn!"

Wie es so oft ergeht, antwortete Wittekind nicht auf diese Worte, sondern auf das Unausgesprochene, das dahinter lag, das sich in dem „Ach was" leise angekündigt hatte. „Ich bin vielleicht nicht ohne Schuld," sagte er treuherzig, wieder leise seufzend. „Hab' vielleicht seine Natur zu ruhig gewähren lassen; zu viel auf ihr Edles, Tüchtiges gebaut ... Aber wann hatt' ich ihn auch! Da ich auf dem Lande lebe, konnt' ich ihn nicht bei mir behalten, denn ohne Schulkameraden wollt' ich ihn nicht lassen; so gab ich ihn gleich weiter fort, zu meiner Schwester, die mit ihrem gelehrten Mann, dem Gym-

nasiumsbirektor, in einem aufblühenden, freundlichen
Städtchen lebt. Aber sie ist ähnlich zart, weich und schwärmerisch, wie seine Mutter war; zu einer festen kleinen Eiche
konnt' er da nicht werden . . . Nun ist er ein junger Student;
auf sein flehendes Bitten hab' ich ihn nicht erst im Lande
behalten, wie ich wollte, auf unserer Universität, eine Meile
von meinem Gut — sondern nach Süddeutschland, nach
München hab' ich ihn ziehen lassen. Plötzlich schreibt er
mir: mit seinen Nerven sei es nicht in Ordnung, sein Arzt
hab' ihn fortgeschickt, ins Gebirg, da solle er eine Weile
umherspazieren, bis er sich erholt habe. Das werde bald
geschehen sein; im übrigen fehle ihm nichts . . . Nach diesem
Brief hatt' ich keine Ruhe. Das einzige, letzte Kind . . .
Ich lasse die Ernte im Stich, helfe mir, so gut ich kann,
fahre hierher ins Gebirg, zum Bertold. Am Hintersee,
von dem er mir geschrieben hatte, als von seinem Haupt-
quartier, — am Hintersee find' ich nichts als einen neuen
Brief: er ist nach Salzburg gegangen, will von da
zu Fuß gegen Berchtesgaden, bei Gröbig oder Sankt Leonhard könnten wir uns treffen. Und so bin ich nun hier
— und da ist ja Gröbig; da gehn wir ja schon ins Dorf.
Aber wann kommt mein Sohn? Er ist leider ebenso unpraktisch, wie er edel und gut ist! Wer weiß, vielleicht
kommt er erst bei stockdunkler Nacht. Und dabei lieb' ich
ihn so sehr, diesen — — denn ich sage Ihnen, er hat ein
vornehmes, großes Herz. . . . Aber unpraktisch ist er. Und
während ich, sein Vater, noch wie von Eisen bin, sind seine
jungen Nerven ‚nicht in Ordnung‘, muß er ‚spazieren-
gehn‘. . . . Da hält ein Wagen vor dem Wirtshaus; und
da sitzt jemand vor der Tür. Verzeihen Sie, wenn ich
etwas rascher gehe; — er könnte doch — — Zwar, im
Wagen kommt er ja nicht. Was will ich. Aber wenn er
etwa — — Bertold! Bertold! Bist du's?"

Die letzten Worte rief Wittekind schon von weitem, während er mit großen Schritten durch die Dorfgasse stürmte. Es kam aber keine Antwort; die Gestalt vor der Wirtshaustür saß still, ohne sich zu rühren. Als die beiden Männer nun herankamen und die untere Hälfte dieser Gestalt nicht mehr durch ein junges Gebüsch verdeckt ward, sahen sie, daß es ein M ä d c h e n war, das an einem Tisch saß und etwas Käse mit trocknem Brot verzehrte; ein Glas Bier stand daneben. Sie trug das schwarze Kopftuch mit den langen Zipfeln, das „Salzburger Tüchel", das dort weit und breit getragen wird, sonst die gewöhnliche städtische Kleidung und eine einfache Korallenschnur um den Hals. Von ihrem Käse aufblickend zeigte sie ein Paar feurige, braune, schöngefärbte Augen und wahre Rosen von Wangen, während die Lippen in der sinkenden Sonne wie Kirschen glühten. Sie war sicher kein Kind mehr, aber sie schien noch sehr jung zu sein.

„Da kommt er ja!" rief sie auf einmal aus, sprang auf wie ein Federball und lief den Männern entgegen. „Grüß' Sie Gott!" rief sie dann dem überraschten Saltner zu und ergriff seine Hand, die sie küssen wollte. Der Alte aber machte sich los, nahm ihren Kopf zwischen seine Hände und küßte sie auf die Stirn.

„Dumme Kathi!" sagte er. „Laß doch das Hände-küssen; großes Mädel du! Machst du mir das noch einmal, so werd' ich sehr bös und küss' dich ohne weiteres auf den Mund. Ei, Kathi, wo kommst du her? Oder ‚wo kommen Sie her,' muß ich nun wohl sagen —"

Sie schüttelte hastig den Kopf.

„Nun, wo kommst denn her? Bist der ‚Gems' etwa durchgegangen, du Bachstelze du?"

„Aber nein! aber nein!" rief das Mädchen in drolliger Entrüstung aus, mit einer weichen, klangvollen, eher tiefen

Stimme. „Herr von Saltner! Das fragen Sie mich ...
Und bloß um Ihretwegen hab' ich mich auf den Weg gemacht! und such' Sie und frag' nach Ihnen, wo Sie denn
wohl stecken — am Hangenden Stein, und in Sankt Leonhard, und nun hier in Gröbig —"

„Kind, da bin ich ja! — 's ist ja alles in Ordnung:
hab' euren rührenden Schreibebrief erhalten, daß ihr
meinen Namenstag wieder feiern wollt — hab' vor Rührung geweint, wie sich's gebührt, und meine Einsiedelei
verlassen und mich aufgemacht —"

„Aber eine A n t w o r t geschrieben haben Sie uns
nicht!" rief das junge Mädchen.

„Hab' ich das nicht? — Nein, das hab' ich nicht. Nun,
warum denn auch: ich war ja auf dem Weg — und vor
Nacht bin ich noch oben in der ‚Gemse'!"

„Aber wir wußten halt nichts! Und weil gar kein
Brief kam, hat heut endlich der Onkel gesagt — nein, i ch
hab' gesagt: der Herr von Saltner ist doch — — Nein,
ich will's lieber nicht sagen. Und dann hat der Onkel
gesagt: ‚Nun, so fahr du mit, Kathi, der Herr Verwalter
fährt nach Sankt Leonhard an die Bahn, und da herum
soll der Herr von Saltner jetzt zu finden sein, der Verwalter hat ihn gesehn.' Na, da hab' ich mich schnell zu-
rechtgemacht —"

„Und bist nun hier," fiel Saltner ein, „um den alten
Mann an seinen Namenstag zu mahnen, den ihr feiern
wollt ..." Er fuhr sich mit der gebräunten Hand durch
den weißen Bart: „Da bin ich aber schön zerknirscht! Ich
schreibe den Brief nicht, ich kann mich nicht mehr benehmen,
wie es sich gehört; diese kleine Goldkathi aber fährt in
die Welt hinein, um mich wie ein verlorenes kleines Kind
zu suchen. Blitz, Wetter und Mädel du! Bist doch eigentlich ein ganz süßes Geschöpf. Und dabei lächelt sie wie

ein Kind. Sag mir zur Strafe, Kathi, daß ich ein alter
Narr und ein dummer Kerl bin, und dann sei wieder
gut!"

Die rosige Kathi erglühte noch rosiger, vor Vergnügen
über seine Reden und dann wieder aus Zartgefühl; dabei
stieß sie ein eigentümliches, zitterndes, liebliches Lachen
aus. „Was Sie alles reden," sagte sie mit leiser Stimme.
„Kommen Sie jetzt nur mit!"

„Freilich komm' ich mit," entgegnete der Alte, „obwohl
ich dann diesen lieben Herrn verlassen muß, den ich am
Untersberg in einem mörderischen Kampf mit Stechfliegen
angetroffen hab': denn diese zwei Tage bin ich dahinten
herumgestiegen. Ja, sehen Sie, werter Herr, das ist die
Gemsenkathi! Jetzt reicht sie mir an die Brust; als sie
mir nur bis an die Hüften reichte, da bin ich zum erstenn-
mal in der ‚Gemse' eingekehrt und sommerlang geblieben;
und seitdem kam ich jedes Jahr, wenn auch nur auf Wochen,
oder für einen Tag. Und der kleine Flittich von damals
bringt nun den Gästen ihres Herrn Onkels das Bier und
heißt Kellnerin. Ist das ein Röslein geworden, oder
nicht?" — Er legte dem Mädchen, das so klein und zierlich vor dem Riesen stand, eine Hand auf den Kopf: „Haben
Sie schon viel so angenehme Kellnerinnen gesehn? so
liebe, gute und hübsche?"

Die Kathi, rot bis ans Kopftuch, sah den Alten vor-
wurfsvoll an; dieser aber strich ihr so herzlich und weich
über die Wange, daß sie zu zittern anfing: „Ei!" sagte er,
„die Wahrheit muß man nicht unter den Scheffel stellen.
Oder kannst du's etwa nicht vertragen, daß man dich lobt?
Macht dich das eitel wie die andern dummen Mädels,
denen ein gutes Wort gleich den Kopf verdreht? — Nein,
das glaub' ich nicht von unsrer kerngesunden Kathi; die
ist nicht so herzschwach, was? Die ist stolz und grab'

gewachsen, und wenn man sie lobt, so gibt's ihr nur, wie
der Sonnenschein, einen frischen Mut."

Das Mädchen lächelte flüchtig, verschämt, was sie sehr
verschönte, blickte ebenso flüchtig zu Saltner auf, und nickte.

„Na, also da sind wir einig," fuhr der Alte fort; „und
wenn du mir die Dummheit mit dem Brief nun christlich
vergeben hast, so bestell mir einen Wagen zur ‚Gemse'!
— Oder nein: ich geh' mit hinein; denn ich muß nun endlich auch ein Glas gegen meinen Durst trinken, in der
kühlen Stube. Sie nicht auch, Herr? Was meinen Sie?"

„Ich danke," sagte Wittekind, der an die Türschwelle
gelehnt stand und die beiden mit stillem Vergnügen betrachtete. „Durst hab' ich nie."

„Sie haben nie Durst? auch nach so einer Wanderung
nicht?"

„Nein. — Ich kann nichts dafür. Ich bin so geschaffen."

„Sie trinken also auch nie?"

„Ah," sagte Wittekind lächelnd, „das ist etwas anderes.
Einen edlen Wein oder ein edles Bier trink' ich so, wie ich
eine gute Musik höre oder ein schönes Bild sehe: aus
reinem, göttlichem Vergnügen."

„Da sind Sie also um eine Klasse weiter als ich,"
entgegnete Saltner. „Ich trinke noch, weil ich muß. Na,
so komm denn, Kathi!" — Er legte ihr einen Arm auf
die Schulter — nun sah sie völlig aus wie ein Kind —
und sie ging in gleichem Schritt wie er, die kleine Gestalt
drollig dehnend, ins Haus.

Wittekind sah ihnen nach, mit heiterem Wohlgefallen;
dann blickte er wieder, nachdenklich, die Dorfgasse hinab.
Das umherschwimmende goldene Licht verklärte alles, die
zerstreut stehenden Häuser, denen die Bäume über den
Kopf wuchsen, die umherlungernden Kinder, geschäftige
alte Weiber, ein paar Hunde, die sich in der Sonne wälzten.

Der „Salzburger hohe Thron" des Untersbergs zeigte
auch hier, über den Dächern aufsteigend, seine Felsenstirn.
Dem Wanderer erschien es auf einmal wie ein Traum, daß
er aus seiner Ebene, von seiner Ostsee an diesen Märchen-
berg verschlagen sei; dann fuhr ihm die zurückgedrängte
Sehnsucht nach seinem Jungen wie ein Pfeil durchs
Herz. Er schob sich den Hut von der Stirn zurück. Wenn
er nun plötzlich käme! Dort um das Haus, an der Ecke! —
— Die Brust stand ihm still. Die Gasse hinunterspähend
sah er etwas Staub emporsteigen; es durchzuckte ihn einen
Augenblick; aber: nun ja! dachte er dann. Das kann
ja nicht Bertold sein. Was ist's? Ein Wagen. Und von
dort, von Süden her, käm' er ja auch nicht ...

Plötzlich mußte er lächeln: ein so jugendlicher, ro-
mantischer Gedanke tauchte in seinem erregten Innern
auf und flog wie ein Vogel vorbei. Nun, und wenn da
mein Sohn nicht kommt, kommt vielleicht mein Schicksal ...

Er wandte den Kopf, als blicke er diesem Vogel nach.
Was heißt das? dachte er verwundert weiter; mein Schicksal? Was kann mir denn kommen? Was erwart' ich denn
noch? — Mir geht's wohl auch wie diesem Alten, diesem
Theoretiker der Greisenruhe und Waldeinsamkeit: die
Jugend rennt immer wieder mit mir davon. Das, was
da „kommt", ist ein Wagen; mit zwei hübschen Braunen
davor. Nicht einmal Schimmel sind's. Und er fährt
vorüber ... Nein; er hält hier an. Also das wäre „mein
Schicksal". Auf dem Bock oder im Wagen säß' es. Sehn
wir zu, wie es aussieht!

Ein offener Wagen, die Dorfgasse heraufgefahren,
hielt vor dem Wirtshaus; die Pferde schwitzten stark,
schnoben und schüttelten sich; der Kutscher stieg vom Bock,
um sie abzusträngen. Im Wagen saßen zwei Herren

auf dem Rücksitz, zwei verschleierte Damen ihnen gegenüber; die, welche Wittekind zunächst saß, war in einen
hellen, eleganten Staubmantel gehüllt.

„Aber, lieber Himmel!" sagte diese Dame mit einer
schmachtenden, beinahe weinerlichen Stimme; „wozu
dieser Aufenthalt! Ich finde, daß es ein Unsinn ist, ein
paar Minuten vor Salzburg in diesem öden Nest noch eine
Rast zu machen!"

„Meine Liebe," erwiderte der Herr, der ihr gegenüber
saß, eine schlanke Gestalt mit einem aristokratischen, aber
unbedeutenden Gesicht: „die Pferde haben es nötig, wie
der Kutscher behauptet. Und wir sind nicht ein paar
Minuten von Salzburg entfernt, sondern eine Stunde."

„Zehn Minuten!" entgegnete die Dame, wieder mit
der klagenden Stimme; ihr Gesicht konnte Wittekind durch
den dichten Schleier nicht erkennen. „Was tun wir hier
in Gröbig? Da wollt' ich doch wahrhaftig, wir wären
in Berchtesgaden geblieben!"

Die andre Dame — halbverdeckt durch die erste —
hob eine Hand, bewegte sie ein wenig hin und her, und
sagte: „Liebste Frau Baronin, in Berchtesgaden erlaubte
ich mir zu sagen: bleiben wir doch noch hier. Aber um
jeden Preis wollten Sie ja fort!"

Das ist eine merkwürdige Stimme, dachte Wittekind,
indem er den Kopf neugierig vorstreckte. Was für ein
edles Metall. Offenbar eine Altstimme. Und wie schön
sie spricht. Das Gesicht zu dieser Stimme möchte ich wohl
sehn! — Er neigte sich aber vergebens vor und zur Seite:
der Schleier verhüllte auch dieses andre Gesicht, unter
einem feinen Strohhut, zu sehr; er war blau und doppelt.
Wozu denn diese dichten Schleier? dachte Wittekind etwas
entrüstet. Auf den Landstraßen ist ja fast kein Staub,
nach all den Gewittern!

„Bei alledem sind wir hier, meine Damen," sagte jetzt eine vierte Stimme, „und wir sollten wohl aussteigen!" — Wittekind horchte auf. Es fiel ihm bei dieser kalten, etwas näselnden Stimme ein Knabe ein, den er einmal als Schuljunge — obgleich der andre zwei Jahre älter war — durchgeprügelt hatte. Wie kam ihm der auf einmal hier am Untersberg in den Sinn? Könnte der Herr dahinten, den der Aristokrat verdeckte, wirklich Friedrich Waldenburg sein?

Die Gestalt erhob sich, lang und etwas schwerfällig, zeigte ihren breiten Rücken, stieg auf der andern Wagenseite vorsichtig aus, und wandte sich dann herum, vermutlich um den Damen beim Aussteigen zu helfen. Jetzt sah Wittekind das Gesicht dieses langen Menschen, und nach einem raschen, scharfen Blick konnte er nicht mehr zweifeln. Es war ein Kopf, den man nicht vergaß (wenn er ihn auch vor fünfzehn Jahren, in Italien, zuletzt gesehen hatte); ein auffallend großer, aber wohlgeformter Kopf mit bedeutender Stirn, großen, aber durch breite, schwere Lider halb bedeckten Augen, deren helles und kaltes Licht eigentümlich strahlte; unter einer starken, feingeschnittenen Nase ein geistreicher Mund, den ein schöner, lichtbrauner Bart überschattete und sich in einen ebenso schönen Backenbart verlor. Das Kinn war ausrasiert, der Kopf nur noch mit dünnem, schlichtem Haar bedeckt, der kurze Hals durch eine kropfähnliche Anschwellung entstellt. Kurz, man sah einen schönen Menschen und wußte nicht, ob man sich nicht täuschte; einen von diesen Köpfen, bei denen man sich fragt, ob mehr die Natur von vornherein, oder mehr der Geist nach und nach, und von innen heraus, ihn so gewinnend geformt hat. Und was für ein Geist? Seele oder Verstand? Wärme oder Kälte?

„Wahrhaftig, das ist Friedrich Waldenburg!" rief

Wittekind unwillkürlich aus, doch mit halber Stimme. Der Angerufene horchte auf und spähte zwischen den Insassen des Wagens herüber. Dann stieß er einen hellen Ton der Verwunderung aus, und ein kaltes Lächeln lief ihm über die Lippen. „Alle guten Geister!" sagte er, mit einem gewissen schönen Vortrag wie auf dem Theater. „Das ist ja Karl Wittekind, der ‚Biedere‘, der ‚Gerechte‘!"

„Jedenfalls heiße ich Wittekind," gab dieser, etwas kühler als vorhin, zurück.

„Warte einen Augenblick, mein Teurer!" rief nun der andere etwas herzlicher aus; „bis ich die landesüblichen Ritterdienste geleistet habe!" — Er hielt der Dame in dem blauen Schleier die Hand hin; leicht darauf gestützt sprang diese auf die Erde. Der Lange ging dann um den Wagen herum, nicht mühsam oder ältlich, aber mit einem sonderbaren Schein von Unsicherheit, wie wenn seine hohen Beine doch etwas zu schwach wären, um den breit entwickelten Oberkörper zu tragen. Eh’ er an dem andern Wagenschlag angekommen war, hatte die Dame mit der schmachtenden Stimme sich erhoben und mit Hilfe des andern Herrn, nicht ohne einen leidenden Seufzer, den „Landauer" verlassen. „Komme ich zu spät?" sagte Walbenburg. „Nun, so sei mir gegrüßt, Karl Wittekind, edler Freund!" — Mit der vornehmen Grazie eines Prinzen hielt er ihm die Hand hin, bewillkommnete ihn aber zugleich durch ein vertrauliches, behaglich schmunzelndes Lächeln.

„Meine Damen, ich stelle Ihnen hier einen Mustermenschen vor," setzte er dann hinzu; „Herrn Wittekind, den Mann, wie er sein soll. In diesem verkommenen Zeitalter noch ein echter Idealist!"

Wittekind machte eine zuckende Bewegung; er wollte auf diese sonderbare Anpreisung, die ein kalter Spott

zu begleiten schien, eben etwas erwidern, als ein unerwarteter Anblick ihn abzog. Die Dame mit der merkwürdigen Stimme war Waldenburg um den Wagen
gefolgt und warf eben, gleich der andern, ihren Schleier
zurück. Sie enthüllte ein Gesicht, das vielleicht weniger
schön, als auffallend und bedeutend war; von herrlichem
blondem Haar umrahmt, großgeformt, aber überraschend
bleich und so mager, daß die großen dunkelblauen Augen
übergroß und fast beängstigend wirkten. Daher erschien
sie wohl auch älter, als sie war; denn die hohe Gestalt,
durch ein anschmiegendes hellgraues Sommerkleid und
einen Ledergürtel in all ihrer Schlankheit gezeichnet,
machte einen durchaus mädchenhaften Eindruck. Ihr
Blick schien aber ebenso unmittelbar zu berühren, zu treffen,
wie der Waldenburgs; nur daß dieser klug und kalt, der
der jungen Dame warm und zurückhaltend traurig war.
Fast auf den ersten Blick dachte Wittekind: So jung die
ist, hat sie viel gelitten!

Er betrachtete sie so aufmerksam, daß Waldenburg zu
lächeln anfing. Dieser nahm wieder das Wort: „Ich habe
meinen alten Freund wohl zu grob angepriesen; das
macht die unverhoffte Freude, und die Erinnerung an die
alten Zeiten! Wir haben uns oft gesehn, aber zuerst auf
dem Schulweg, und auf dem Schulhof in den Zwischen-
stunden; da haben wir Griechen und Trojaner gespielt
und ritterlich gekämpft —"

Ja, ich hab' ihn durchgeprügelt, dachte Wittekind.

Waldenburg unterbrach sich selbst: „Bei alledem vergesse ich, meinen Kommilitonen auch mit den Herrschaften
bekannt zu machen! — Meine werten Freunde, Baron
und Baronin Tilburg; mit mir aus Wien gekommen, und
für die nächsten vier Wochen noch mit mir verheiratet.
Frau Marie von Tarnow" (er deutete mit einer an-

mutigen Kopfbewegung auf die Blasse), „unsre Amerikanerin, die wir der Neuen Welt wieder abgerungen haben;
sie bleibt nun hoffentlich in der immer noch interessanten
Ruine, unserm alten Europa!"

„Der weibliche Leibarzt meiner Frau," sagte Baron
Tilburg lächelnd, und schlug mit dem abgezogenen Handschuh der rechten in die linke Hand.

„Warum sehen Sie mich so verwundert an?" fragte
die junge „Amerikanerin", da Wittekind sie mit neuem
Erstaunen und Interesse betrachtete. „Glauben Sie nicht
an den Leibarzt?"

Ja, die Stimme ist ein schöner Alt! dachte Wittekind.
„Verzeihen Sie," sagte er dann laut, nicht ganz unbefangen: „ich hatte mir einen weiblichen Arzt nicht so —
so w e i b l i c h gedacht. Mehr — wie soll ich sagen —
r o b u s t, mit männlichem Stehkragen; Übergang zum
Mann. Und da sah ich nun — Sie —"

Alle Wetter, dachte Waldenburg, wie der Herr sie
anstarrt!

Die junge Dame erwiderte schlicht: „Ich hab' in
Amerika etwas Medizin studiert, weil mein Vater Arzt
war; es lag mir so nah. Und meinen Vater machte es so
glücklich," setzte sie zu den andern gewandt hinzu. „Übrigens
brauchte man mich der Neuen Welt nicht wieder abzu-
ringen; ich kam nach Deutschland zurück, weil ich da geboren bin und dahin gehöre!"

„Ja," sagte Frau von Tilburg, deren Klagestimme diesmal etwas herzhafter einsetzte, „meine liebe Marie hat
uns nie verleugnet, ihr Herz ist deutsch geblieben —
deutsch avant tout!"

Die Blasse errötete flüchtig, wohl wegen dieser fran-
zösischen Bekräftigung. „Ich hab' sie immer gehaßt,"
sagte sie, „diese braven Landsleute, die da drüben auf

einmal Eingeborne wurden und über Deutschland mit den
Achseln zuckten. Sollen wir nicht auf unser Vaterland stolz
sein, wohin wir auch kommen? und ihm Ehre machen
— wie Sie, Herr Geheimrat" (sie wandte sich zu Waldenburg), „der Sie aus Deutschland nach Österreich hinüber-
gezogen sind, und dem Kaiser dort gewiß mit aller Hingebung dienen, aber Ihre Heimat nie verleugnen werden —"

Sie brach plötzlich ab, und auf eine Weise, die den
voll Anteil beobachtenden Wittekind aufs äußerste überraschte. Saltner trat in diesem Augenblick wieder aus der
Wirtshaustür, der Alte, mit der Kathi; Frau von Tarnow
warf einen verlorenen Blick zu ihm hin; auf einmal fuhr
sie zusammen. Ihre Blässe ward geisterhaft. Sie hatte
ihr Taschentuch in die Hände genommen und im Reden
zusammengedreht; jetzt fiel es auf die Erde. Eh' aber
noch einer der Herren hinzutreten konnte, um es auf-
zuheben, bückte sie sich rasch, als wünschte sie ihr verändertes
Gesicht zu verbergen, und hob es selber auf; blieb dann
noch eine Weile gebückt, und schien ein wenig hin und her
zu schwanken. Wittekind sah das alles. Nach einer Weile
hatte sie sich, wie es schien, gefaßt, und ging mit einer
raschen Bewegung auf den Alten zu. „Grüß' Sie Gott!"
sagte sie und streckte ihm die Hand hin. Zugleich beugte
sie sich aber vor, und Wittekind glaubte zu hören, daß
sie ihm etwas zuflüsterte, während die beiden Köpfe sich
beinahe berührten.

Saltner machte ein betroffenes Gesicht, und mit einem
verwirrten, rollenden Blick überflog er die Gesellschaft. Er
faßte sich indessen geschwind, drückte die Hand der jungen
Dame mit einem höflichen Lächeln und lüftete seinen Hut.
Es stieg ihm aber nachträglich eine Röte in die bronzenen
Wangen, als schämte der Alte sich, eine Komödie zu spielen. So erschien es wenigstens Wittekind. Frau von

Tarnow trat dann langsam zurück, hielt aber die Augen noch auf Saltner geheftet.

Plötzlich wandte sie sich, wieder wie nach einem raschen Entschluß, und stellte „Herrn von Saltner, einen alten Freund," der Gesellschaft vor. Der „Alte vom Berge", der Waldmensch, verneigte sich mit einer vornehmen Würde und Anmut, die von diesem Riesen in der Lodenjoppe offenbar niemand erwartet hatte. Er trat dann auf den Baron und die Baronin zu und begann in leichtem Ton — nur daß die Stimme ein wenig zitterte oder schwankte — über Wetter und Reisen zu sprechen.

Die Baronin hörte andächtig zu, stieß einmal einen sanften Reiseseufzer aus, und betrachtete diesen „Urmenschen" mit einem gewissen bangen Respekt, der Wittekind ergötzte. Bald ward es ihr aber lästig, aus ihrer zierlichen Untermittelgröße zu einem solchen Turm hinaufzusehen, der noch den langen Waldenburg überragte. Sie fühlte auf einmal, daß sie nach „dieser endlosen Fahrt" völlig steif geworden sei und sich bewegen müsse; nahm Frau von Tarnows Arm, hängte sich hinein und ging mit einem etwas schleppenden, schmachtenden Gang die Dorfgasse hinunter. Saltner sah ihr und der Amerikanerin nach. Er stand still, seine Augen starrten regungslos, es schien ihm ein schmerzliches Zucken über die Wangen zu gehen.

Was ist zwischen ihm und dieser blassen Frau? dachte Wittekind. Was für ein Geheimnis haben sie miteinander?

Er sah gleichfalls den Damen nach. Der Baron Tilburg hatte sich ihnen angeschlossen; Waldenburg folgte, blieb dann aber stehen, als fiele ihm etwas Besseres ein, und zog eine Zigarre hervor, die er mit seiner etwas feierlichen Grazie in Brand setzte. Wittekind, von einem unklaren Gefühl gezogen, trat zu dem „Jugendfreund".

„Ist diese junge Dame leidend?" fragte er. „Sie hat ja fast kein Blut im Gesicht."

„Die Amerikanerin?" fragte Walbenburg zurück und blies einige zarte, blaue Ringe in die Luft. „Lieber Freund, ich wollte, ich wüßte, was ihr fehlt; — um sie zu heilen," setzte er mit einem leichtfertigen Lächeln hinzu.

„Ich fragte nur nach ihrem körperlichen Befinden," sagte Wittekind trocken.

Walbenburg sah ihn an: „Ist das bei Frauen je vom seelischen zu trennen? — Sieh, wie sie geht; eine Thusnelbagestalt. Sie hat ihre Fülle verloren; aber das kommt wieder ... Was ihr fehlt, weiß niemand. Eine verschlossene Schweigerin; die aber, wie es scheint, allerlei Interessantes zu verschweigen hat. Um den Mund lauter Geist, Übersinnliches; dagegen um die Augen — — —"

Wittekind unterbrach ihn: „Und wie kommt sie zu — euch?"

„Zu uns? Du hörtest ja: der ‚Leibarzt'. Weniger vornehm ausgedrückt: sie ist die Gesellschafterin dieser Baronin Tilburg; einer sehr gesunden Dame, die sich beständig für krank hält. Die arme Transatlantische hat offenbar kein Geld!"

„Und der Baron Tilburg?"

„Was der ist? Ein sogenannter Diplomat; ein Herr ohne Kopf, aber mit guten Beinen, auf denen er das ganze Jahr herumläuft, um sich nützlich zu machen. Einer von den kleinen Schmetterlingen der ‚auswärtigen Angelegenheiten'."

So spricht er von seinen „Freunden", dachte Wittekind, mit denen er „für die nächsten vier Wochen noch verheiratet ist". — Aber vielleicht ist er das nicht um ihretwillen, sondern wegen der Gesellschafterin, der „Thusnelba" ...

„Nun, und du?" fragte er dann. „Du bist nun ‚Geheimer Rat'?"

Walbenburg lächelte, stieß eine Rauchwolle aus und seufzte. „Weil mich die Transatlantische so nannte?" sagte er langsam. „Die versteht das nicht. So ein bißchen Hofrat, das bin ich; und ein bißchen ‚Geheimes' auch; aber der richtige ‚Wirkliche Geheime Rat' — nein, das bin ich nicht. Wär' ich das, dann wär' ich E r z e l l e n z. Danach tracht' ich, mein Sohn; aber diesen großen Vogel kann ich noch immer nicht erjagen. So einem blaublütigen Dummkopf fliegt er zuletzt ganz von selbst ins Maul; uns ‚Plebejern', uns ‚Parvenus' schwebt er hoch überm Kopf, wie ein schwarzer Punkt, an den unsere Kugel nicht reicht, und verachtet uns. Das ist unser Marthrium; davon weißt du nichts. Ich könnte E u r o p a regieren" — Walbenburgs etwas vorgebeugte Gestalt richtete sich hoch auf — „und ich bring' es nicht einmal bis zur Erzellenz!"

Wittelind lächelte still über diesen Kummer, den sein Herz nicht verstand. Er wollte etwas entgegnen, als er hinter sich, irgendwo im Dorf, eine jugendliche Stimme singen hörte, deren Klang ihm ins Herz schlug. Er konnte nicht irren, er kannte diese Stimme zu gut. Sie schwang sich weich und hell über die Häuser herüber. „Das ist mein Junge! mein Bertold!" rief Wittelind aus und stand einen Augenblick vor Freude wie angewurzelt. Dann aber, ohne weiter ein Wort zu sagen, drehte er sich um, und mehr laufend als gehend flog er der Stimme entgegen.

III

Östlich von Gröbig, unter dem Hellbrunner Fels, liegt das Schloß und das Dorf Anif; parkähnlicher Wald und Wiesen trennen dann noch Anif von der breiten Salzach,

die in rauschender Eile nach den Hügeln, Türmen und
Brücken von Salzburg strebt. Auf dem Waldweg, der
nah an dem Flusse hinführt und bald rechts, bald links
einen ahnungsvollen Ausblick auf die Gebirge hat, die das
Tal begleiten, war an eben diesem Nachmittag, von Salzburg her, ein einsamer Wanderer stromauf geschritten;
von den sonnig leuchtenden Bergen hatte er aber wenig
gesehn, denn er war in seine Gedanken versunken. Sein
Hut saß im Nacken; den abgetragenen schwarzen Rock
hatte er ausgezogen und über den Arm gelegt; er trug
einen Knotenstock, den er nur zuweilen schwenkte, ohne
sich auf ihn zu stützen. Die Gestalt war stämmig, plebejisch,
doch bewegte sie sich mit elastischer Leichtigkeit; so war
denn auch das bartlose Gesicht jung und kraftvoll, wenn
es auch nicht eigentlich jugendlich zu nennen war. Ein
altklug nachdenklicher Zug hatte sich darin eingenistet; die
Schärfe eines trotzigen und zersetzenden Denkens, die
zwischen Nase und Mund allerlei Falten gegraben und
auf die knochige Magerkeit des Gesichts gleichsam noch
den hinweisenden Zeigefinger gelegt hatte. Das schlichte
Haar lag feucht und wirr auf der breiten Stirn, die von
Schweißtropfen perlte; die grauen Augen waren tief
unter die Stirn versenkt, während das Kinn hervortrat.

Der junge Mann war bis an den Rand der schmalen
Waldung gekommen, die zwischen Anif und der Salzach
liegt; er wollte weitergehen, aber ein Anblick, der auch
für diesen versonnenen Grübler merkwürdig war, hielt
ihn auf. Am letzten Baum, einem großen Ahorn, lag ein
junger Mensch im Gras, den Kopf auf seiner schwarzen
Reisetasche, und schlief. Die im Westen weiterwandernde
Sonne schien ihm jetzt gerade auf die Augenlider, doch ohne
ihn zu wecken; sie vergoldete seine verwirrten blonden
Locken und goß eine sanft glühende Verklärung über die

auffallende Schönheit seines Gesichtes aus. Die zarten
und eblen Formen waren in vollkommener Harmonie;
Nase und Kinn überaus fein gebildet, die Wangen schienen
ein wenig eingefallen, der Mund, fest geschlossen, war
von fast rührendem Liebreiz, ohne doch unmännlich oder
unentwickelt zu sein. Es war die allererste Blüte eines
schönen Jünglings; der leuchtenden Haut fehlte nur dieser
rosige Schimmer, der sonst bei so rein blonden nordischen
Menschen aus den Adern durchscheint. Er war blaß.
Selbst die Lippen hatten ein etwas verblaßtes Rot. Vielleicht verstärkte das den eigentümlich idealen, rührenden,
an Heiligenbilder erinnernden Ausdruck, der über dem
zarten, bartlosen Antlitz lag; der in diesem Zeitalter so
befremdend und überraschend war, daß der Wanderer
stehen blieb und ihm ein Laut der Verwunderung ent-
schlüpfte.

Der Schläfer rührte sich nicht. Er war fein gekleidet;
ein blaues, lose geschlungenes Halstuch lag auf der hellen
Weste; sein Panamahut war nach hinten gesunken. Eine
goldene Uhr, die an goldener Kette hing, schaute ein wenig
aus ihrer Tasche hervor, die Sonne spielte auf ihr.

Wenn man nicht so ein anständiger Mensch wäre,
dachte der mit dem Knotenstock, so tauschte man jetzt dem
seine Uhr ab; der junge Aristokrat schläft so gut, der würd'
es nicht merken. Es ist eigentlich verrückt, daß man so
anständig ist! — Allerdings, meine alte silberne, gehn tut
sie auch. Ich brauch' dein goldenes Spielzeug nicht, junger
Aristokrat. — Ein schöner Kerl. — Ein gar feines Bürsch-
chen. — Adieu!

Er wollte weitergehn. Eben begann der Schläfer zu
lächeln, offenbar im Traum. Der andre sah hin, blieb
stehn; es war ein so unschuldiges, gutes Lächeln. Wovon
mochte er träumen? — Der junge Mensch fing an zu

sprechen; doch zuerst so haslig und undeutlich, daß kein Wort zu verstehen war. Dann lächelte er noch einmal, und sagte langsam: „Ach ja! Ein Eierkuchen! Sehr gut!"

Murmelnd wiederholte er: „Eierkuchen!" und machte eine Bewegung mit dem Arm, als wollte er ihn essen.

Das finstere Gesicht des Zuschauers erheiterte sich. „Ob der Hunger hat?" sagte er vor sich hin. Ihm fiel darüber ein, daß er eigentlich s e l b e r Hunger habe, und daß seine Zeit gekommen sei, zu essen. Er zog aus einer seiner großen Rocktaschen ein Päckchen in grobem, grauem Papier hervor, und setzte sich zwei Schritte von dem Schläfer unter den nächsten Baum. Dann öffnete er das Päckchen, indem er das Papier auf seinem Schoß zur Tischplatte machte, holte ein starkes Messer aus der Tasche, und fing an, sein einfaches Mahl: Käse und Brot, zu verzehren.

Während er die vorspringenden Kinnbacken in Bewegung setzte, blickte er wieder auf den „Aristokraten" hin. Dem war das Lächeln vergangen; der geträumte Eierkuchen war offenbar nicht bis zu ihm gekommen. Die seinen Brauen zogen sich leicht zusammen. Um den Mund zuckte eine schmerzliche Bewegung, und ein schwacher Laut des Bedauerns entstand hinter den geschlossenen Lippen. Als der andre dies hörte, machte er eine Gebärde des Mitleids, die er aber sogleich wieder unterdrückte. „Nu!" sagte er vor sich hin, „warum soll so ein ‚Feiner' nicht einmal im Schlaf hungern? Andere hungern im W a c h e n. Seufz' du nur weiter!"

Er vertiefte sich in seine wohltuende Beschäftigung, — selber noch ein Stück von einem „Aristokraten", da er Brot und Käse mit dem Messer schnitt, statt allein mit den Zähnen zu arbeiten. Eine Weile vergaß er seinen Nachbar, der nichts mehr von sich vernehmen ließ. Als er dann wieder aufblickte, wäre er fast erschroden: das bleiche Ge-

ſicht des Schläfers ſtarrte ihn aufgerichtet an. Der junge
Menſch mußte ſich faſt unhörbar leiſe erhoben haben; er
ſaß. Seine großen, hellblauen, etwas matten Augen
waren auf das „Tiſchtuch" mit dem Brot und Käſe geheftet,
als wollten ſie ſich daran ſatt ſehen, nachdem jener Traum-
kuchen ſich ſo unredlich verflüchtigt hatte.

„Aha, Sie ſind aufgewacht!" ſagte der andre trocken.
„Sie ſehen meinen Käſe an. Wenn Sie mittun wollen,
— gerne. Oder haben Sie ſelber was, da in Ihrer Taſche?"

Der Jüngling ſchüttelte den Kopf.

„Nun dann langen Sie zu! — Oder nein: das muß
ja feiner gemacht werden. Da haben Sie die ganze Mahl-
zeit, und hier iſt das Meſſer; — wenn Sie nicht lieber Ihr
eigenes nehmen. Aber meins iſt rein. Kurz, bedienen
Sie ſich, wie es Ihnen beliebt!"

„Ich danke Ihnen," ſagte der junge Menſch mit einer
weichen, faſt gerührten Stimme. „Ich — ich eſſe jetzt
nicht."

„Iſt Ihnen mein Käſe zu ſchlecht? — Oder bin ich
Ihnen zu ſchlecht?"

„O nein; ganz und gar nicht. Wie können Sie das
ſagen. Ich eſſe nur nicht — weil ich keinen Hunger habe."

„Sie haben keinen Hunger?" — Der „Plebejer" ſah
den „Ariſtokraten" ſehr verwundert an. „Sie haben doch
eben erſt Eierkuchen eſſen wollen, — im T r a u m, mein'
ich. Und haben dann geſeufzt. Und dann haben Sie auf
meinen Käſe einen Blick geworfen — einen Blick, daß mir
ſogleich der halbe Appetit vergangen iſt!

„Ja, ja!" ſetzte er hinzu, mit einem Lächeln, in dem
wirklich Güte lag und das dieſes knochige, harte Geſicht
verſchönte.

Der Blaſſe errötete. „Ich hab' alſo im Schlaf geſprochen?" fragte er.

„Ja freilich. Vom Essen. Und dann dieser Blick ...
Wie können Sie dann sagen, daß Sie keinen Hunger haben?"

Der Jüngling zuckte hilflos die Achseln. Er war noch
schöner, als vorhin im Schlaf; auf den erröteten Wangen
lag es wie hingemalte Rosenblätter, die nur allzubald
wieder verschwanden. Eine sonderbare Schwäche schien
dann über seine feine, schlanke Gestalt zu kommen. Er
sah sich um, wie nach einer Stütze, lehnte sich gegen seinen
Ahornbaum und schloß flüchtig die Augen.

„Was haben Sie? — Fehlt Ihnen was?" fragte der
andere.

„Das nicht," erwiderte er sanft. „O nein!" — Er
raffte sich dann auf und suchte männlich gleichgültig zu
lächeln: „Ich muß Ihnen nur — — Ich hab' Ihnen noch
nicht einmal gedankt. Wie gut sind Sie. Das wenige,
was Sie haben, wollten Sie mit mir teilen. Und dabei —"
Er sah an den einfachen, stark verbrauchten Kleidern des
andern hinunter, und auf den abgetragenen schwarzen Rock,
der im Grase lag. „Dabei sind Sie wahrscheinlich kein
Rothschild ... Und mancher reiche Mann hätte nicht daran
gedacht, gleich mit mir zu teilen!"

„Ja, die Reichen! die Reichen!" murmelte der andre.
Er setzte dann lauter hinzu, mit einem Blick über die Achsel:
„Sie wissen ja, was die Bibel von den Reichen sagt. Eher
wird ein Kamel — — Übrigens, Bibel oder nicht: diesen
Reichen wird man's noch ganz anders sagen!"

Er hob seinen Knotenstock und schlug damit gegen die
weiche Erde.

„Oder gehören Sie auch dazu?" sagte er dann mit
einem kurzen Lachen. „Da oben" — er deutete auf sein
Gesicht—„sehn Sie nicht so aus; aber da unten: die Kleider
und die Kette. Und meinen plebejischen Käse essen Sie ja
doch nicht. Lieber hungern Sie. Einer ist wie der andre!"

„Da irren Sie sehr," sagte der blasse Jüngling mit einem wunderbaren, schlicht überzeugenden Ton seiner weichen Stimme.

Überrascht sah der „Plebejer" auf. Es war ihm, als hätte er einen jungen Christuskopf vor Augen; etwas, das ihn zum Lächeln reizte, aber dieses Lächeln ging dann in Erstaunen unter. Er hatte nie so einen Menschen gesehn. Die jungen, blauen Augen strahlten von Güte und Menschenliebe; in dem schrägen Blick, im Lächeln zeigte sich eine schwärmerische Erhebung der Gefühle, die nach Worten zu suchen schien, aber zu keusch war, um sich auszusprechen. Die Schwäche, die ihn vorhin befallen hatte, schien verflogen zu sein. Er neigte sich etwas vor, sah seinen Reisegefährten ruhig an, und drückte sich den Hut in die weichen Locken.

„Inwiefern irr' ich denn?" fragte der Grobknochige, nachdem er eine Weile gezögert hatte.

Der Jüngling bewegte die Lippen, antwortete dann aber nicht. Er warf einen Blick auf die Sonne, und verwunderte sich. „Wie lange hab' ich denn geschlafen?" sagte er, wie mit sich allein. Er sah auf die Uhr. Er schüttelte den Kopf.

„Nun, wie lange haben Sie denn geschlafen?" fragte der andre, der wieder seinen Käse anschnitt.

„Zwei Stunden, glaub' ich; und mehr! — Das ist doch des Teufels!"

Der andre horchte hoch auf; es überraschte ihn, daß dieser Jüngling „aus einer anderen Welt" auch so menschlich und natürlich den Teufel in den Mund nahm.

„Und ich weiß nicht einmal, wie ich eingeschlafen bin," fuhr der junge Mensch fort. „Es kam so auf einmal — eine Art von Schwäche — kurz, ich wurde müde. Aber ich warf mich nur ins Gras, um einen Augenblick auszuruhen. Und machte die Augen zu ... Als ich sie wieder aufmachte, saßen Sie da und aßen; — und z w e i S t u n d e n lang hab' ich fest geschlafen!"

„Und Sie hungerten im Schlaf," setzte der andre hinzu. „Sie müssen schon erlauben, junger Herr, daß ich mir bei allebem etwas denke; ich bin auch nicht auf den Kopf gefallen. ‚Da irren Sie sehr,‘ sagten Sie vorhin. Und dazu haben Sie so ein — merkwürdiges Gesicht ... Inwiefern irr' ich denn?"

Der Jüngling hob den Kopf, wie um zu antworten, blieb aber wieder still.

„Wann haben Sie denn heute zuletzt gegessen, wenn ich fragen darf?"

„H e u t e?" — Der Jüngling lächelte und sah auf seine Füße, die er sacht, wie spielend, aneinander rieb. „Heute hab' ich noch nicht gegessen."

„Was? — Noch gar nicht?"

„Nein."

„Und wann denn zuletzt?"

„Wozu fragen Sie? — Sie werden die ganze Sache komisch finden. . . "

„Nein," sagte der andere trocken. „Ich werde die ganze Sache gar nicht komisch finden; das versprech' ich Ihnen. Also wann aßen Sie denn zuletzt?"

„Vorgestern abend — wenn Sie's denn wissen wollen."

„Nu, das ist mehr, als ich je geleistet habe! — Und was m i c h betrifft, ich tat's unfreiwillig; aber Sie — — Sie sehen so aus, als hätten Sie's nicht nötig. Als hätten Sie nur zum Spaß — — Nein, nicht zum Spaß. Das ist ein dummes Wort; das paßt nicht zu Ihnen. Warum haben Sie denn gehungert? — — Sagen Sie mir das nicht? Bin ich Ihnen zu schlecht gekleidet, oder sonst zu ordinär, um mich mit einer offenen Antwort zu beehren?"

Der Jüngling machte eine haftige Bewegung, seine sanften Augen blitzten. Er zwang sich aber wieder zur Ruhe, indem er mit der linken Hand langsam an sich hinunterstrich. „Ich werd's Ihnen also sagen ... Aber so müssen Sie nicht reden. Was gehen Sie oder mich unsere Kleider an? Sie sind ein Mensch, ich auch. — Warum ich hab' hungern wollen? Nun — um einmal zu fühlen, wie's tut."

„Und warum wollten Sie das? Ihnen kann's ja genug sein, daß a n d r e dazu verdammt sind."

„Das ist ja eben der Jammer, daß es solche gibt! und daß — — kurz, daß die einen mehr leiden als die andren; — und daß die andren so gern die Achseln zucken und sagen: das ist nun einmal so verteilt, was ist da zu machen! — Es wäre aber doch wohl etwas zu machen, wenn nur alle wollten ... Kurz und mit einem Wort: beffer muß es werden. Das Glück soll zu a l l e n kommen, alle sollen gleich sein. Und jeder muß dazu tun, was er kann!"

„Hm!" murmelte der andere. Er warf wieder einen staunenden, halb verblüfften Blick auf diesen sonderbaren Menschen. Dann stieß er scheinbar spöttisch oder unwirsch heraus: „Und darum haben Sie gehungert?"

„Nun ja!" sagte der junge Mensch, über sich selber lächelnd. „Nur so ein Versuch ... Um es nicht besser zu haben; und um mir's wirklich vom Munde abzusparen, was ich andren gebe. Daß ich doch sagen kann: ich hab' gefastet, damit ein anderer satt wird. — Was wollen Sie? Warum sehen Sie mich so grimmig an?"

„Seh' ich Sie grimmig an? — Das wußt' ich nicht. So hab' ich's nicht gemeint. Ich dachte nur —"

„Nun, was dachten Sie?" fragte der junge Schwärmer, da der andere stockte.

„Ich dachte nur: ist der wirklich lebendig? Solche

Leute, meint' ich, hätt' es nur im Mittelalter gegeben. Herr, Sie sind also wirklich so einer? So ein Pelikan, der sein Blut für die andern hingibt — — Nein, der tut's nur für sein eigenes Fleisch und Blut. Das ist nichts Besondres. S i e tun's für die a n d e r n, für die, welche vor der Tür stehen. Darum auch dies Gesicht!"

„Was denn für ein Gesicht? — Was hab' ich denn getan? Ich kann ja noch nichts. Ich erwerb' ja noch nichts; bin ein Student, im ersten Semester, also ein halber Mensch. Während S i e — — Sie sind doch wohl auch noch jung; aber Sie leben gewiß nicht mehr aus des Vaters Tasche. Sie bringen sich selber fort. O lassen Sie mich erst auch so einer werden: dann — dann —"

Er sprach nicht zu Ende, weil auf einmal die innere Bewegung sich nicht mehr unterdrücken ließ und durch die Glieder ihren Ausweg suchte. Er hob die Arme, bewegte sie in der Luft — mit einer gewissen ungeschickten Anmut — und dehnte, tief atmend, die Brust. Seine Augen leuchteten, nach oben gerichtet. Der junge „Plebejer" konnte nicht umhin, diesen schönen Schwärmer mit einer Art von Andacht anzustarren. Es rührte sich dabei auch ein Mißgefühl, das ihm etwas in die Brust schnitt; er spürte es, ohne zu fragen, was es von ihm wolle.

„Nu, Sie wissen ja, ein Schelm tut mehr, als er kann!" sagte er nach einer Weile, fast brummig. „Wer für andere hungern kann, der kann wohl eines Tages noch m e h r. Davon reden wir noch, wenn es Ihnen recht ist... Nun sollten Sie aber doch von meinem Käse essen; denn gefastet, mein' ich, haben Sie nun genug!"

„Apage, Satanas!" erwiderte der Jüngling lächelnd, mit einer abwehrenden Bewegung der Hand. — „Verzeihen Sie!" setzte er dann etwas verlegen hinzu.

„So viel Lateinisch versteh' ich noch," sagte der andre,

der dies „Verzeihen Sie“ wohl begriffen hatte. „Ich bin auch eine gute Strecke weit durch die Schulen gelaufen; wenn ich auch als ein armer Hund im Handwerk stecken geblieben bin: Mechaniker, Kunstschlosser. Afinger ist mein Name. Rudolf Afinger.“

„Bertold Wittekind,“ erwiderte der Student mit einer Art von Verneigung.

„Nicht von Adel?“ fragte der andre verwundert.

„Nein.“

„Ich dachte; wegen der Nase — und der feinen Hände ... Also von meinem Käse wollen Sie nichts essen?“

„Nein, nein, nein; reden Sie mir nicht mehr zu. Eh' ich meinen Vater nicht gesehen habe, will ich nichts mehr essen. Ich war etwas hungerschwach, das ist wieder vorbei. Es tut mir gut — inwendig, mein' ich — noch etwas zu fasten. Und mein Körper ist stark, dauerhaft; viel zäher, als man ihm ansieht. Kommen Sie, wenn es Ihnen recht ist; gehn wir wieder weiter.“

„Also Sie haben Lust, noch eine Weile in meiner Gesellschaft zu bleiben?“ fragte der Kunstschlosser, wieder mit seinem irreführenden „grimmigen“ Gesicht.

„Ja, ich habe Lust. Kommen Sie, Herr Rudolf Afinger!“

„Ich bin so frei, Herr Bertold Wittekind!“

Ein etwas spöttisch klingendes Lachen folgte diesen Worten. Afinger stieß den Rest von seinem Brot und Käse mit der Hand ins Gras — schon wieder mehr Aristokrat, als zu ihm gehörte — und stand langsam, sich reckend auf. Der junge Wittekind war schon auf den Beinen. Die beiden Gestalten standen sich nun aufrecht gegenüber: die schlanke, feingebaute neben der untersetzten, kraftdurchwachsenen. „Wo wollen Sie denn Ihren Vater sehn?“ fragte Afinger.

„In Gröbig, an der neuen Bahn, denk' ich ihn zu finden."

„Da gehn Sie also durch Anif; und bis Anif haben wir denselben Weg: von da will ich auf der Bahn nach Salzburg zurück. Denn in Salzburg wohn' ich jetzt. Als Mechaniker — und Weltverbesserer.... Denn ich bin auch so einer wie Sie: ich will die Welt auch nicht so lassen, wie sie ist; will sie anders machen. Aber auf m e i n e Art; nicht so sanft wie Sie!"

„Was verstehen Sie unter Ihrer Art?" fragte Bertold arglos.

Der Mechaniker sah ihn, während sie schon ausschritten, von der Seite an; offenbar mit sich uneinig, wieviel er diesem jungen „Idealisten" im ersten Anlauf davon verraten solle. Nach einem leisen Summen antwortete er: „Na, es ist ja gewiß eine schöne Sache, wenn dieser und jener aus reiner Menschenliebe — so, wie Sie — für die Elenden, die Unterdrückten, die Sklaven etwas opfern will; ich bin gar nicht verknöchert, Herr, ich weiß das zu schätzen. Aber so ein paar Tropfen höhlen nicht den Stein! Sie können sich als Pelikan ganz zu Tode bluten, die Welt bleibt doch so schofel, wie sie ist. Die, welche etwas haben, wollen's auch behalten; so freiwillig wie Sie geben sie's nicht her. Darum muß man nachhelfen! Und dann muß man eine solche Ordnung machen, daß dieses Unkraut von Blutsaugern, Prassern und Selbstvergötterern nicht wieder nachwachsen kann!"

„Wie meinen Sie das?" fragte Bertold.

Der andre antwortete nicht; er zog nur die Achseln. „Nun, wie war Ihnen gestern und heute beim Fasten?" fragte er dann zurück.

„Wie mir war?" — Bertold lächelte: „Gut war mir nicht. So krampfig. So hohl... Und so wenig Leben im Kopf; bis die Phantasien kamen, die nicht enden wollten. Phantasien vom Essen und vom Trinken, mein' ich. Grausame Phantasien!"

„Und b e n e i d e t e n Sie nicht all die andern, die was essen konnten?"

„Wie sollt' ich sie denn beneiden? Ich tat's ja, damit andre essen konnten. Wenn ich unterwegs ein paar alte Leute, die nach Armut aussahen, oder ein zerlumptes Kind sah, die führt' ich zum nächsten Wirtshaus, ließ ihnen zu essen geben, und sah ihnen zu. Es tat mir weh und wohl. W u n d e r b a r tat's wohl; eben weil's auch weh tat. Es gab mir so eine sichere Kraft, fröhlich auszuhalten!"

„Aber kam Ihnen nicht die W u t auf die andern, die es nicht so machen, die sich übersatt fressen und uns hungern lassen?"

„Wut? — Ich dachte mehr: wenn ihr wüßtet, wie so ein Opfer wohltut, ihr ließt euer Schlemmen sein und tätet mir's nach!"

„Können Sie denn nicht hassen, Herr?" fragte Asinger etwas ungeduldig, den Stock heftiger aufstoßend.

„O ja; ein edler Haß ist auch eine gute Sache. Aber der Haß kann doch nur vernichten; und nur die Liebe kann aufbauen."

Asinger lachte kurz auf. „Meinen Sie? Kann die Liebe das? — Herr Wittekind, Sie sind sehr jung. Nehmen Sie's nicht übel. Da will ich Ihnen doch gleich zeigen, wie diese schofle Welt beschaffen ist, und was darin zu tun ist! — Sehn Sie nur einmal auf; Sie haben noch gar nicht bemerkt, wo wir sind, Sie in Ihren idealen Gedanken. Das ist der Park von Anif; und das ist das Schloß. Da wohnt auch so einer von den großen Herrn, denen unser Schweiß Milch und Honig ist, die sich's wohl sein lassen!"

Sie waren einen Fußweg gegangen, der durch das gepflegte Baum- und Wiesenland in den eigentlichen

Schloßgarten von Anif geführt hatte. In einem kleinen See, den herrliche alte Bäume umstanden, lag das Schloß wie eine alte Burg, vom regungslosen Wasser umflossen, durch eine Brücke mit dem Land verbunden, und spiegelte seinen Turm, seine Zinnen, die das Sonnenlicht übergoldete, in der verklärenden Flut. Bertold blieb betroffen stehen, mit einem Ausruf der Bewunderung.

„Wie schön das ist!" sagte er in jugendlicher Freude.

„Ja, ja!" murmelte Afinger. „So sagt ihr immer; ihr geschulten Herren und gebildeten Damen: wie schön das ist! — Wer hat's denn so schön gemacht? Die ‚Stiefkinder der Natur' — so nennt man sie ja — die ihr Dasein verwünschen. Tausend leiden für einen! Millionen für tausend! Die tausend aber sagen dann: die Welt ist schön, und der Mensch ist groß! — Da sehn Sie zum Beispiel diese Buche an; die B l u t buche hier mein' ich. Wie groß, und wie schön gewölbt! was? Und so 'ne richtige Blutbuche, über und über blutrot. Nun treten Sie aber gefälligst zwischen den hängenden Ästen durch, stellen Sie sich an den Stamm, wie ich. So. Was sehn Sie nun? Sehn Sie ein rotes Blatt? All die Blätter da, rund um Sie her und über Ihnen — zu denen die Sonne nicht durchkommt; die ‚Stiefkinder der Natur' — sind sie nicht alle grün geblieben? alle?"

Bertold erstaunte sehr: Afinger hatte recht. Er sah nur dunkelgrüne, wenn auch rotgerippte, Blätter, wohin er auch sah. Daß er unter einer „Blutbuche" stünde, wäre ihm vermutlich nicht in den Sinn gekommen, wenn er's nicht gewußt hätte.

„Nun, und wenn Sie b r a u ß e n stehn," fuhr Afinger fort, indem er wieder heraustrat, — „was sagen Sie dann? Dann sagen Sie wie alle andern: das ist eine Blutbuche und hat rote Blätter! So ist alles Betrug,

Herr! in der Natur wie bei uns! — Kommen Sie, ich will Ihnen noch so einen Prachtbaum zeigen . . ."

Er ging voran, zu einem gewaltigen Kastanienbaum, der sein dichtes Laub in herrlicher Rundung ausgebreitet hatte. „Bitte, treten Sie auch hier gefälligst unter, sehn Sie drinnen um sich! sehn Sie überall hinauf!" — Bertold tat es und war überrascht: so viele verkümmerte, gelbe, herbstlich vergehende Blätter zeigten ihm ihr trauriges, verborgenes Dasein, im Innern dieser entzückenden Laubkrone.

„Nicht wahr," rief Asinger aus, „da sagen Sie nicht: wie schön das ist! — Und so ist's bei den andern Bäumen auch, überall; treten Sie unter welchen Sie wollen. Glauben Sie auch nicht, weil wir ‚Juli' schreiben, erst die Sommerhitze hätte das gemacht; das war schon im M a i so. Herr, so ist's auch bei u n s! Alles ungerecht! Die einen haben alle Sonne, die andern nicht einen Strahl. Die einen grünen und gedeihn vom ersten bis zum letzten Tag, die andern kommen schon als elende, kranke Blätter auf die Welt. Warum? Weil ihnen die andern alle Sonne nehmen. Das ändert man nicht mit der ‚Liebe', Herr! Da muß was anderes helfen!"

„Und was soll man denn tun?" fragte Bertold nachdenklich.

„Was? Luft und Licht schaffen! Die zu üppigen Zweige weghauen, damit die ‚Stiefzweige' auch ihre Sonne kriegen!"

„Die edlen Bäume verstümmeln?"

„Ah bah!" rief Asinger mit seiner harten, schneidenden Stimme. „Was liegt daran! — In den Ofen mit ihnen, wenn nicht Licht wird für alle!"

Bertold erwiderte nichts. Er sah in das Gesicht des andern, das sich gerötet hatte, und fühlte sich von einem

heißen, fanatischen Glanz in dessen Augen getroffen, der
in ihm selber etwas gefrieren machte. Dennoch fesselte
ihn dieses harte, grobgeformte, aber schwärmerisch ver-
geistigte Gesicht. Ein Kunstschlosser, dachte er, und mit
was für Augen sieht er in die Welt, mit was für einem
Herzen eifert er für die „Stiefkinder der Natur". Was
tut denn ihr, ihr Gebildeten? ihr Reichen? Ist der da
mit dem Knotenstock nicht hundertmal mehr als ihr? Er
haßt euch, er will euch zu Boden drücken; aber wer ist
daran schuld?

Bertold trat schweigend unter dem Baum hervor und
ging langsam weiter. Das Elend der Welt lag ihm schwer
auf dem jungen Herzen. Auch der andere schwieg, und
forschte nur von der Seite in dem rosig angehauchten,
erregten Antlitz. Sie gingen in gleichem Schritt nebeneinander her.

„Daß Sie mich nur auch recht verstehn," sagte Afinger
endlich, indem er seinen Stock langsam, von Zeit zu Zeit,
durch die Luft niedersinken ließ. „Für mich will ich nichts!
Ich kann mein Handwerk und ich hab' mein Brot. Ein
Schloß wünsch' ich mir nicht. Ehrgeiz hab' ich nicht. Ich
kann's nur nicht ruhig mit ansehen, daß die Welt verkehrt
steht; und wenn ich einsehe: damit sie richtig wird, muß
man sie auf den Kopf stellen, — so stell' ich sie auf den
Kopf! — Jetzt nur in Gedanken, versteht sich — aber
von ganzem Herzen. Und das tun Sie auch, Herr, oder
— nehmen Sie's nicht übel — oder Ihre ganze Menschenliebe ist nur Kinderei! Alte Weiber gibt's — von beiderlei
Geschlecht — die wimmern und winseln so von der Menschenliebe, und stricken Strümpfchen oder schmieren Trat-
tätchen, und legen sich dann zufrieden aufs Ohr und auf
ihr ‚gutes Gewissen'. Zu diesen frommen Mißgeburten
gehören Sie ja doch nicht. Sie mit Ihrem feinen Gesicht,

Sie haben das Feuer in sich, das den Märtyrer macht. Oder wären Sie nicht ganz bereit dazu, für Ihre armen, unterdrückten Brüder sich aufzuopfern? für eine große Sache zu sterben?"

Bertold begann vor Erregung leise am ganzen Körper zu zittern. „Ob ich das möchte!" sagte er nur, weiter nichts. Seine blassen Wangen erglühten.

„Ich wußt' es ja," entgegnete Afinger. „Es gibt Leute genug, die uns ausholen, die uns täuschen wollen; aber Sie können nicht täuschen. In Ihnen — — in Ihnen steckt etwas Großes, glauben Sie mir das; wenn Sie nur nicht zu sanft und fromm bei der ‚Liebe‘ bleiben. Ich hab' einmal ein Bild vom heiligen Georg gesehn, wie er den Lindwurm tötet; er sitzt zu Pferd, mit seinem langen Spieß; — der hatte auch so ein junges, feines, sonderbar schönes Gesicht. Nu ja, warum soll ich's nicht sagen; 's ist die reine Wahrheit; schmeicheln tu' ich nicht. Aber der schöne Jüngling, der Georg, fackelte nicht lange, er stieß dem großen Ungeheuer, dem Drachen, dem Weltscheusal seinen Speer in den Leib!"

„O, ich wollte wohl," sagte Bertold, dem die Stimme vor Bewegung stockte. „Große Dinge müssen geschehen, das weiß ich. Schonen würd' ich mich nicht!"

„Nun also!"

„Aber was soll man tun?"

Afinger blieb stehn. Mit beiden Händen auf seinen Stock gestützt sah er dem Jüngling so fest und scharf in die Augen, daß dieser sich anstrengen mußte, den Blick auszuhalten. „Das könnt' ich Ihnen sagen," fing er dann langsam an. „Aber jetzt — — jetzt sind Sie erschöpft von dem langen Fasten; und Sie wollen zu Ihrem Vater nach Gröbig, und ich muß nach Salzburg. Wie lange bleiben Sie in dieser Gegend, Herr Wittekind?"

„Ich weiß es noch nicht. — Nach Salzburg komm' ich ganz gewiß zurück."

„Wollen Sie mich da besuchen, Herr? und noch so ein paar Schwärmer und Lindwurmtöter bei mir kennen lernen? junge Kerle von Herz, die Mark in den Knochen haben?"

„Wo wohnen Sie?" fragte Bertold.

„Am Kapuzinerberg; aber auf der Nordseite, an der Straße nach Ischl." — Er beschrieb ihm das Haus genau. — „Eine kleine Bude, mein Zimmer; ich gehör' ja eben auch zu den ‚Stiefkindern'. Würden Sie kommen, Herr?"

„Ganz gewiß. Da haben Sie meine Hand!"

„Teufel, ist das eine feine Hand," sagte Asinger lächelnd, indem er sie mit seiner herben, rauhen Faust eine Weile umschlossen hielt. „Aber das tut nichts; Sie haben das Herz auf dem rechten Fleck. Wie der Sankt Georg. Also ich zähl' auf Sie! Jeden Abend in dieser Woche, gegen sieben Uhr, träfen Sie mich gewiß."

„Ich komme!"

„Nun, dann leben Sie wohl. Da geht Ihr Weg weiter gegen Gröbig; dort liegt's. Eine gute Viertelstunde, wenn Sie ausschreiten; — ich wundre mich nur, daß Sie nach diesen Hungertagen noch so rüstig sind. Ja, ja, es ist Kraft in Ihnen. Mein Weg geht hier rechts zur Bahn. Sie müssen aber heute noch essen; lieber Herr, Sie sehn doch erbärmlich aus. Sie können Besseres tun, als fasten; und Sie werden es tun! Abieu!"

Er gab ihm noch einmal die Hand, und nickte ihm zu, mit einem wirklich warmen, herzlichen Blick. Dann lüftete er höflich den Hut. Im nächsten Augenblick ging er mit großen Schritten nach rechts auf das Schienengeleise zu, auf dem eben vom Gebirge her ein Bahnzug heranrollte.

Bertold sah ihm noch eine Weile nach; darauf schritt
er auch seines Weges weiter. Eine Art von Nebel lag
ihm vor den Augen, ein Gefühl von Taumel im Hirn;
war es nur die Hungerschwäche, die ihm wieder fühl-
bar ward, oder auch die Erregung, die Nachwirkung
dieses merkwürdigen Gesprächs? Seine Füße gingen
nicht sicher, und darum besto hastiger. Sankt Georg!
dachte er; und mit halblauter Stimme sagte er dann
mehrmals, wie von einer gewissen Freude trunken,
vor sich hin: „Sankt Georg! — Ja, etwas Großes tun;
etwas tun für die arme Menschheit; sich zum Opfer
bringen . . .“

Er suchte den stechenden, wühlenden Schmerz nicht
zu fühlen, der sich in ihm rührte. Er bemühte sich, über
diesen neuen Menschen, diesen Asinger nachzudenken, sich
ein klares Bild von dessen Seele zu machen: was war er
denn eigentlich, dieser derbknochige, harte, aufgeregte,
dann kalte, dann schwärmerisch bewegte Mensch? War
er edel? gut? verbittert? rücksichtslos revolutionär? —
Sein junger, unerfahrener Kopf, jetzt von diesem Taumel
durchwogt, konnte die Fragen nicht lösen, die Gestalt
nicht fassen. Die Sonne, die ihm gegenüberstand, glühte
ihm so blendend in die umnebelten Augen; er zog sich den
Hut tiefer in die Stirn und schwankte eilig auf der ebenen
Straße hin.

Auf einmal war ihm, als spüre er die Nähe seines
Vaters, des geliebtesten aller Menschen, und eine selige
Empfindung ging ihm durch die Brust. Er fühlte keinen
Schmerz, keine Schwäche mehr; er fing an zu singen.
Dann war ihm, als höre er seines Vaters Stimme. Er
sang lauter, wie toll, wie ein Trunkener. So kam er an
den ersten Häusern vorbei, kam um die Ecke, und plötzlich
lag er in Vater Wittekinds Armen.

IV

Vor dem Wirtshaus in Gröbig waren die Pferde
wieder eingespannt; ein zweiter Wagen, auch ein vier-
sitziger Landauer, kam vom Hof gefahren, für Saltner
und Kathi bestimmt. Die Gesellschaft hatte sich versammelt,
die Baronin Tilburg war schon eingestiegen. Saltner,
der bei seinem Wagen stand, sah nach der Uhr. „Der
Herr Wittekind kommt nicht wieder," sagte er ungeduldig.
„Ich hätt' ihm so gern noch die Hand gedrückt. Zum
Teufel, was für eine Halluzination hat ihn denn genarrt,
daß er seinem Buben so entgegenrannte, der vielleicht
noch in Salzburg steckt!"

Waldenburg lächelte: „Sie irren; da kommen sie, offenbar Vater und Sohn. Obwohl sie auch für ein Paar
B r ü d e r gelten könnten; ein saftstrotzender Mann und
ein feiner Jüngling. Wie dieses Landleben seine Leute
konserviert! — Freilich ist's auch nicht viel mehr als eine
Räucherkammer!"

Wittekind Vater und Sohn kamen in der Tat von der
Ecke, wo die Straßen zusammenliefen, langsam heran-
geschritten; sie gingen Arm in Arm, und sahen sich fast
beständig in die Augen. Bertold erschien klein neben
seinem Vater; in der Art zu gehen, die Schultern zu bewegen, zeigte sich das geerbte Blut, auch das blonde Haar
und der Blick konnten darauf deuten. Die Freude hatte
Bertold gerötet, man sah seine Blässe und seine Schwäche
nicht. Es ward ihm nicht bewußt, daß sie sich einer ganzen
Gesellschaft von zuschauenden und lächelnden Menschen
genähert hatten; er umschlang den Vater plötzlich und
küßte ihn auf den Mund.

„Nun ist's aber genug!" sagte Waldenburg mit seinem
gemütlichsten Lächeln, ein paar Schritte entfernt. Bertold
wandte sich überrascht herum. Wittekind lachte laut.

„Hier hat sich inzwischen der Feldzugsplan geändert,"
nahm Waldenburg wieder das Wort. „Herr von Saltner
hat uns so anziehend geschildert, wie es bei der ‚Gemse‘
aussieht, und unsere liebe Frau von Tarnow hat so leb=
haft den Wunsch geäußert, dieses Wirtshaus einmal zu
sehn, daß sich auch in der B a r o n i n die Neugier geregt
hat, die doch sonst nur bei Männern vorkommt. Kurz,
wir haben Zeit, und wir fahren heute noch das Stünd=
chen bis zur ‚Gemse‘, und erst m o r g e n nach Salzburg.
Wie steht's mit Vater und Sohn? Schließen sie sich an?"

Wittekind blickte auf Saltner und auf die blasse „Ameri=
kanerin"; die beiden sahen sich eben flüchtig in die Augen,
aber, wie es ihm schien, mit heimlichem Einverständnis.
Will Frau von Tarnow auf einmal zur „Gemse", dachte
er, weil der A l t e hin will?

Er wußte noch nicht, was er erwidern sollte, als Saltner
auf ihn zutrat. „Machen Sie uns die Freude!" sagte der
Alte herzlich; „wenn Sie nicht durchaus die nächsten vier=
undzwanzig Stunden mit Ihrem Junker allein sein wollen,
so lassen Sie mir, und uns, a u ch etwas davon zukommen,
und fahren Sie mit! Das da ist mein Wagen. Platz genug,
wie Sie sehn. Ich müßte doch eigentlich den ‚Mutter=
sohn‘ etwas kennen lernen. Morgen sind Sie dann frei
und vergraben sich mit ihm, wenn Sie wollen, in den
‚Wunderberg‘!"

„Wie denkt Wittekind junior?" fragte der Vater
lächelnd. Bertold hatte mittlerweile die schöne blonde
Frau und Kathis braune Augen gesehn, faßte sich schnell
und nickte.

„Aber du solltest erst etwas essen — und trinken —"

„O nein," sagte Bertold rasch. „Noch nicht. Ich hab'
weder Hunger noch Durst. Bin überhaupt gesünder, als
du glaubst — als ich selber wußte. Fahren wir nur mit!"

„Gut; wir sind also entschlossen," sagte Wittekind. „Heute tät' ich nichts ohne meinen Sohn. Der will. Also die Firma will. Sind wir den Herrschaften willkommen, so sind wir bereit!"

Alles stieg in die Wagen; er selber zu seinem alten Herrn, indem er sich im stillen sagte, daß es ihn doch auch locke, der blassen Frau und ihrem Geheimnis eine Strecke weit nachzugehn. Kathi, die sich bisher in bescheidener Entfernung gehalten hatte, kletterte auf den Bock. Sowie Bertold das wahrnahm, zuckte es unwillig über seine Stirn; er hatte gesehn, wie gut sie gekleidet war und wie herzlich der alte Saltner mit ihr geflüstert hatte; sollte sie nun als „Paria" behandelt werden? Er neigte sich zu seinem Vater hinüber und sprach ihm ins Ohr.

Wittekind lächelte, blickte dann auf das Mädchen und auf Saltner. „Was gibt's?" fragte dieser.

„Der junge Demokrat da meint," sagte Wittekind leise, „Ihre kleine Freundin Kathi sollte bei u n s sitzen; — und ich mein' es auch."

„Ei, dann soll sie's auch!" rief Saltner sogleich mit seiner Kraftstimme aus. „Kathi, komm herein!"

„Ich sitz' gut auf dem Bock," antwortete das Mädchen.

„Widerspruch und kein Ende!" rief der Alte. „Im Augenblick kommst du, oder ich hol' dich im Namen des Gesetzes!"

Kathi kam, und nahm mit einem reizend verlegenen Lächeln neben dem schönen jungen Menschen Platz, den sie mit heimlicher Bewunderung betrachtete. Der Wagen setzte sich in Bewegung, dem andern voraus, gegen die südlichen Berge zu. Wie in halbwachem Traum fuhr Bertold dahin; nach der taumeligen Wanderung so bequem in einem tiefen, weichen Wagensitz ausgestreckt, die teure Gestalt des Vaters sich gegenüber, neben sich das

Mädchen mit den feurigen Augen, von dem ihn ein Duft
der Jugend und Gesundheit anflog. Die Sonne zehrte
nun nicht mehr an seinem Hirn, sie wärmte nur; das er-
habene Felsenschloß des Untersbergs, unter dem sie hin-
fuhren, das weite leuchtende Land, alles so festlich schön,
ließ ihn das ganze „Weltelend" vergessen. Wie männlich
schön war sein Vater; und wie liebte er ihn ... Er lächelte
ihm zu, nahm seine niederhängende Hand, hielt sie in der
seinen. Heute abend, dachte er, sage ich ihm alles, auch
daß ich gehungert habe — und noch hungere; vorhin beim
Wiedersehn konnt' ich's ihm nicht sagen! Da erklär' ich
ihm nur, es gehe mir schon gut; und das war keine Lüge.
Wie könnt' ich es sonst so gut ertragen, ein paar Tage
zu fasten? Mir ist so wunderlich wohl. ... Es war ihm,
als sättige ihn die herrliche, reine Luft, das Gefühl der
Freude, der Jugend, des Glücks, der sonnenwarme Kraft-
geruch, der von den Wiesen und Getreidefeldern herauf-
stieg, auch dieser Lebensduft, den das junge Mädchen zu
seiner Rechten auszuatmen schien. Und wie edel und
weise ihn der Vater erzogen hatte, dachte er dann wieder,
da es in seinem Geist immer hin und her sprang; wie er
von den ersten Jahren an alles auf die Liebe und das
Ehrgefühl gestellt, sich immer an das Herz, den Verstand,
die Einsicht, an alles Gute und Edle in der jungen Seele
gewendet, ihm die Lüge als das Erbärmlichste auf Erden
von Grund auf verleidet hatte. Dafür liebte und ehrte
er nun diesen Mann da gegenüber, seinen besten Freund,
über alle Maßen. ... Und wie lieblich sie zwitscherte, da
sie mit dem weißbärtigen, merkwürdigen Alten sprach,
diese kleine Kathi. Wie sonderbar ihm zu Mut war, als
sei er in sie verliebt. Ein anderes Gefühl aber mischte
sich mit diesem; es kam nicht aus der Herzgegend, doch
aus deren Nähe. Ein sehnsuchtsvolles, nagendes Ge-

fühl ... Schillersche Verse fingen an zu klingen, über die
Mutter Natur:

> — — erhält sie das Getriebe
> Durch Hunger und durch Liebe ...

Ja, ja, Hunger und Liebe! Auch Hunger. Da kam er
wieder, und wie! — Was hatte vorhin der Weißbart zur
holden Kathi gesagt, als sie einstiegen? „Nun, kleine
Kellnerin? Vorwärts!" Also Kellnerin. Wie gut. Ja,
der alte Schiller hat recht: Hunger und Liebe! — Mit
matten, halbgeschlossenen Augen so denkend, wandte sich
Bertold nach rechts, und in einem träumerischen Durcheinander zärtlicher Gefühle flüsterte er Kathi zu: „Liebes
gutes Fräulein! Gibt's da oben auf der ‚Gemse‘ auch
Beefsteaks?"

Sie lächelte und nickte. Was für ein holdes, herzliches
Lächeln! dachte er und fühlte sich halb beruhigt. Er nickte
wieder liebevoll dem Vater zu, dessen Augen ihn an-
strahlten. Nur reden mochte er nicht; es war ihm lieb,
daß die andern miteinander sprachen. Als er die Augen,
die ihm zugefallen waren, wieder öffnete, schien er eine
Weile geschlafen zu haben: denn der Wagen hielt, der
alte Herr stieg schon aus. Auch der andere Wagen kam
heran und hielt. Sie befanden sich auf einem ansteigenden
Platz in einem kleinen Städtchen, wie es schien; die Häuser
standen Wand an Wand, schöne alte Wirtshauszeichen,
kunstvoll aus Eisen geschmiedet, leuchteten in zierlichen
Windungen in der blauen Luft. Grüne, zum Teil bewaldete
Hügel erschienen oben über den Häusern.

„Warum steigen wir denn aus?" fragte die Baronin
vom andern Wagen herüber. „Sind wir denn schon am
Ziel?"

„Das nicht," antwortete Saltner, fast etwas verlegen.
„Aber diese großen, schweren Wagen können hier nicht

weiter; der Weg zur ‚Gemse‘ hinauf ist für sie zu steil.
Für uns, Frau Baronin, ist’s ein Katzensprung. Zehn
Minuten, so sind wir auf der Höhe!“

„Das sind merkwürdige Katzen,“ sagte die Baronin
leise zum Baron (doch Bertolds scharfes Ohr konnte es
hören), „die zehn Minuten lang springen! — Nun, in
Gottes Namen!“

Die Dame setzte sich mit elegischer Langsamkeit in Bewegung; Saltner schritt voran, die anderen folgten. Es
war ein unglückliches Wort gewesen, das von den „zehn
Minuten“; denn für rüstige Fußgänger waren es gewiß
nicht mehr, aber für eine Gesellschaft, zu der die Baronin
Tilburg gehörte, genügte kaum eine halbe Stunde. Der
Weg wand sich in rascher Steigung an einem Hügel hinauf,
den ein Bauernhaus krönte; indem er das Städtchen und
den stark strömenden Fluß unter sich zurückließ, gewann
er die schönsten Fernblicke ins Gebirge und nach Salzburg
zu; die seufzende Baronin aber, ihr keuchender Gemahl
und der zuweilen stöhnende Waldenburg hatten keine
Augen dafür, sie rasteten nur — und oft — um einander
klagende Blicke zuzuwerfen oder gegen den „verrückten
Riesen“, den „Bergfex“ heimliche Verwünschungen aus-
zustoßen. Auch Bertold wußte nicht, wie ihm war: so
matt, so schwer stieg er aufwärts; er, sonst ein Fußgänger
und Bergsteiger wie sein Vater, elastisch wie eine Feder,
er fühlte jeden Schritt. Seine Kniee zitterten bald; sein
Kopf war wie ausgepumpt, seine Glieder schmerzten. Er
schwankte zuweilen, einer Ohnmacht nahe. Nur sein Ehrgefühl, zäher als er selbst, blieb wach und trieb ihn immer
wieder eine Strecke weiter, heimlich, ohne ein Wort. Sie
hatten endlich die letzte Windung überstanden und sahen
an der Straße ein sehr einfaches, unmalerisches Haus,
das sich mit großen Buchstaben das „Wirtshaus zur

Gemse" nannte. Ein offenes Gärtchen stieß daran, und über diesem erhob sich ein kleiner, länglicher Fels, aus dessen Bäumen und Büschen ein halb steinernes, halb hölzernes, mit Schindeln gedecktes Häuschen im schlichtesten Alpenstil sehr anmutig hervorblickte.

„Das ist Ihre ‚Gemse'?" fragte die Baronin mit vernichtender Langsamkeit, und mit der klagendsten Miene der Enttäuschung.

„Treten wir in den sogenannten Garten ein, um wieder zu Menschen zu werden," sagte Waldenburg. „Eine Flasche Champagner, wenn ich bitten darf!"

„Ein gutes Bier können Sie haben," bemerkte Kathi schüchtern.

Waldenburg warf ihr einen Blick zu, wie wenn er sich an ihren rosigen Wangen, ihren Kirschenlippen für den mangelnden „Sekt" schadlos halten wollte; die Baronin aber trat mit der Majestät einer gefangenen Fürstin in das Gärtchen ein. Über die Hede weg sah sie in die Ferne. „Sie haben recht," sagte sie zu Saltner, „Berge sieht man von hier; aber leider die unbedeutendsten, unschönsten im ganzen Salzburger Land. Wo haben Sie denn in aller Eile die herrliche Aussicht versteckt, die Sie uns von hier versprochen hatten!"

„Von dem Felshäuschen da oben, meine Gnädige," erwiderte Saltner, der seine mächtige Gestalt etwas geknickt nach vorn hängen ließ; „oder von der ‚Hedwigsruhe' da rechts, noch zehn Minuten höher!"

„Das gefällt mir an Ihnen," sagte die Baronin, „daß Sie noch den Mut haben, von ‚zehn Minuten' zu sprechen! — Nein, lieber sterben, als noch eine von Ihren zehn Minuten steigen. Hier sitz' ich, hier bleib' ich. . Ach, meine liebe Marie, wären wir in Salzburg!"

Frau von Tarnow schwieg; sie wagte auch nicht,

Saltner anzusehn. Tilburg nahm einen der rohgezimmer-
ten hölzernen Stühle in die Hand, betrachtete ihn kritisch,
sah wie gelangweilt umher, und gähnte. Wittekind, den
diese Gesellschaft halb verdroß, halb belustigte, trat nun
auch in das Gärtchen ein: „Ich muß um Entschuldigung
bitten," sagte er, „wenn ich bei alledem dieses Plätzchen
heimlich und poetisch finde. Auch bitt' ich unsern werten
Führer, noch nicht an uns zu verzweifeln: zu einer letzten
kleinen Anstrengung bis zur ‚Hedwigsruhe‘ raffen wir uns
wohl noch auf!"

Die blasse Frau von Tarnow nickte ihm eifrig zu; ihre
Wangen waren durch die Bewegung aufgeblüht, was sie
sehr verjüngte. „Ich halte ja niemand zurück," sagte die
Baronin gutmütig, wiewohl noch immer elegisch. „Steige,
wer steigen kann; — Sie auch, liebe Marie, Sie auch.
Man soll mich ruhig allein lassen; ich gehe ins Haus,
strecke mich auf ein Sofa — wenn es hier so üppige Luxus-
artikel gibt — und entferne mich für eine Weile aus dieser
ewigen Luft!"

Von Kathi geführt, zog sie sich ins Haus zurück, nur
noch einmal, aber tief nach „ihrem Salzburg" seufzend.
Die Gesellschaft ging weiter, Saltner wieder voran; nach
wenigen Schritten verließen sie die Straße und stiegen
auf einem Fußpfad aufwärts, dem an der Berglehne
hängenden Buchenwald zu. Die Sonne war verschwunden,
aus nahen Schluchten kam eine erfrischende Kühle, die
erste an diesem Tag; in dem Wald aber schien die Sonnen-
wärme noch ungestört zu schweben und zu brüten. Als
sie ihn erreicht hatten, ging Waldenburg mit seinen schweren,
majestätischen Schritten sogleich auf eine Bank zu, die
unter den ersten Bäumen am Rand einer Wiese stand,
setzte sich und streckte die langen Beine aus. „Wozu
weiterschweifen?" sagte er. „Auch von hier hat man

ja eine wohlerzogene, stilvolle Aussicht. J'y suis et j'y reste!"

Baron Tilburg ließ sich sofort neben ihm nieder, lächelte und gähnte. Wittelind zuckte die Achseln und stieg neben Frau von Tarnow weiter in den Wald hinein. „Entnervte Großstädter!" dachte er. Gleich darauf hörte er Saltner, der voraufging, murmeln: „Verfettete Byzantiner!"

Der Fußweg schlängelte sich sehr angenehm, wohlgepflegt, zwischen den Buchen hinauf, die sich, so gut wie es ging, in den steinigen Abhang eingegraben hatten und ihn mit ihren Wurzeln bedeckten. Mit wahren Riesenschritten stieg der Alte voran; die blasse Frau folgte aber so leichtfüßig, daß Wittelind, den der lange Wandertag doch ermüdet hatte, nur mit Mühe an ihrer Seite blieb. Er erstaunte über ihre kräftige Lunge, und freute sich, wie jugendlich lebendig die schlanke Thusneldagestalt dahinschritt. Es währte nicht lange, so hatten sie das Ziel, die „Hedwigsruhe", erreicht: einen gelichteten und geebneten Vorsprung, den man mit Tischen und Bänken ausgestattet hatte. Rückwärts und höher, unter den Bäumen, stand eine luftige Laube oder Hütte aus Fichtenzweigen, mit Baumrinden bedeckt. Unter dem Vorsprung stürzte der Waldberg nach Osten und Süden jäh in die Tiefe; trat man an das schützende Geländer, so sah man auf den grauen Fluß und auf das Städtchen hinab, an dessen Häusern er hinfloß. Ein hochgetürmtes Kloster leuchtete auf einem sanften, grünen Hügel, von dem es die Stadt beherrschte. Fern im Norden schwamm die Salzburger Feste im letzten sonnigen Licht; im Süden aber erhoben sich lange Mauern und mächtige Gipfel felsigen Gebirgs, und die Gletscher des Dachsteins, im schönsten, rosigsten Rot, stiegen über fichtenschwarzen Berg-

rücken wie Grenzwächter eines fernen Landes in den er-
blassenden Himmel.

„Freilich ist das schön!" sagte Frau von Tarnow leise.
Sie trat dann einen Schritt zurück, denn der Blick auf den
jähen Absturz schien ihre erregten Sinne doch etwas zu
verwirren.

Wittekind schaute nach allen Seiten umher, und sah
sich dann zu seiner Verwunderung mit der Dame allein.
Saltner war verschwunden. „Und wo ist denn mein
S o h n geblieben?" fragte Wittekind laut.

„Ich hab' ihn nicht mehr gesehn, seit wir aufwärts
stiegen," erwiderte Frau von Tarnow. „Übrigens hab'
ich auch nie zurückgeblickt. Was für eine merkwürdige
Erscheinung, Ihr Sohn; wie zart, und wie liebenswürdig.
Beinahe hätt' ich gesagt: wie holdselig!"

Von ihrer Stimme gesprochen klang dieses Wort:
„holdselig" gar rührend und gut. „Ich danke Ihnen als
eitler Vater," sagte Wittekind, der zu lächeln suchte.

„Bitte," erwiderte sie, „sprechen Sie nicht so. Zwischen
Ihnen und Ihrem Sohn ist — — Ich hab's ja gesehn,
wie Sie beide kamen; Arm in Arm, so innig, so — brüder-
lich, so glücklich. Ach, es muß wohl eine Wonne sein,
wenn sich Vater und Sohn so von Herzen lieben!"

Wittekind erstaunte, mit welcher Bewegung die junge
Frau dies sagte. Ihre Stimme erzitterte. Er stand neben
ihr und sah nur ihr Profil; er glaubte aber eine Träne,
einen zarten, regungslosen Tropfen in ihrem Auge zu sehn.
Was ist d a s nun wieder? dachte er. Warum rührt es
sie so, an die Liebe zwischen einem Vater und seinem Sohn
zu denken?

Die Dame wandte sich eine Weile von ihm ab; sie
schien ihre Augen wie zufällig mit den Fingern zu berühren; Wittekind sah eine nicht kleine, auch nicht sonder-

lich schmale, aber wohlgebildete und charaktervolle Hand.
Sie hatte, während sie heraufstiegen, nur von Dingen,
die nichts bedeuten, von den kleinen Reiseerlebnissen gesprochen. Jetzt sah sie ihn auf einmal mit einem ernsten
Frageblick an und sagte, etwas zögernd: „Sie sind also
ein Jugendfreund des Geheimrats von Waldenburg?"

„Von der Schule her," erwiderte Wittekind. „Das
heißt, auf der Schule kamen wir einander nicht sehr nahe"
(außer mit den Fäusten, dachte er); „Waldenburg war der
Ältere, und Gescheitere; unternehmend, witzig, frühreif,
schon damals voll ehrgeiziger Träume und Gedanken;
und was man so gewöhnlich ‚Ehrgeiz' nennt, das hat mich
nie gequält. Aber auf der Universität trafen wir uns
wieder; und hernach auf Reisen. Der Unterschied der
Jahre, der war ausgeglichen; der an Geist und Witz freilich, der blieb. Keiner von uns allen, die miteinander
jung waren, kam ihm darin gleich; er hatte Geist für zwei,
und schon als junger Mann hatte er die Kunst, die Menschen
so zu führen, wie es ihm dienlich ist, und aus der Welt
das zu machen, was er von ihr will!"

Frau von Tarnow erwiderte nichts, sie ließ nur einen
unverständlichen, leisen Laut vernehmen und sah auf den
Mond, der als blasse, noch nicht ganz gefüllte Scheibe über
den östlichen Bergen schwebte. Wittekind fuhr fort von
Waldenburg zu sprechen; er erzählte heitere und witzige
Geschichten, die seiner Gewandtheit und Geistesgegenwart
alle Ehre machten. Eine Weile hörte sie zu, ohne sich zu
rühren. Dann entfuhr ihr aber eine ungeduldige Bewegung, und mit einem eigentümlichen Ausdruck von edler
Traurigkeit legte sie sich eine Hand an die Wange. „Warum
reden Sie so obenhin zu mir?" sagte sie, ihn fest anblickend.
„Denken Sie, ich weiß nicht, daß er einen guten Kopf,
aber kein gutes Herz hat?"

Überrascht starrte Wittekind sie an. Sie errötete leicht; sonst war ihr Gesicht wieder so blaß, wie da er sie zuerst gesehen hatte. Eine Welt von Schicksalen und Schmerzen schien auf diesem jungen Antlitz zu liegen. Er wußte nicht, was er denken, was er sagen sollte. Sein Herz zog sich zusammen; — warum? — — „Verzeihen Sie," sagte er endlich, um etwas zu sagen. „Ich wußte nicht — — Wie lange kennen Sie ihn?"

„Kurz — und lang!" antwortete sie langsam. „Aber a n d r e — — a n d r e kennen ihn," setzte sie wie sich verbessernd hinzu. „Sind Sie andrer Meinung? Glauben Sie an sein Herz?"

Sie blickte ihm in die Augen, als wünschte sie darin etwas Tröstliches zu lesen. Wittekinds Staunen und Verwirrung wuchs. Nicht weil er sich zu einer Fremden über den „Jugendfreund" offen äußern sollte: er war gewohnt, aufrichtig zu reden, und diese ernste junge Frau schien ihm gar nicht mehr fremd zu sein. Es beklemmte ihn nur ein banges Gefühl: was war dieser Waldenburg ihr?

Das letzte Licht auf den Dachsteingletschern war unterdessen erloschen, farblos und kalt dämmerten sie aus der blassen Ferne. Wittekind hob eine Hand und deutete hinaus. Mit etwas unsicherer Stimme sagte er: „Sehn Sie, wie die Eisfelder kalt geworden sind. Vorhin, als sie so schön rosig beleuchtet waren, sahen sie fast warm aus. So ungefähr dachten wir auch von Freund Waldenburgs Herzen, als noch der erste Glanz der Jugend — — Sie verstehn, wie ich's meine. Jetzt denk' ich: kalt wie Eis."

Sie antwortete nicht. Ein flüchtiger Schauer schien nur über sie hinzufliegen. Sie hatte auf einer der Bänke gesessen; leise und langsam erhob sie sich und trat wieder an das Geländer, das aus Fichtenästen roh gezimmert war. Vor sich hin murmelte sie: „Und ich muß doch versuchen ..."

Indessen wie vor ihrer eigenen Stimme erschreckend brach sie wieder ab.

Was ist ihr Waldenburg? dachte Wittekind wieder. Was mir da durch den Kopf fährt, das ist ja verrückt ... Sagte er mir nicht selbst in Gröbig: „Lieber Freund, ich wollte, ich wüßte, was ihr fehlt?" Und „um sie zu heilen," setzte er mit seinem Don-Juan-Gesicht hinzu. Also er wün s ch t etwa; weiter nichts ... Aber was fragt sie dann so? Was bewegt sie so? Was will sie „versuchen"?

Der Mond hatte mittlerweile, da die Nacht hereinsank, Gold und Glanz gewonnen; er schwebte höher hinauf, die Schatten, die man sah, waren Mondesschatten, die Farben der Häuser, der Dächer, der Felder, Straßen und Berge schienen die Wirkungen seines Lichts zu sein. Frau von Tarnow, beide Hände auf das Geländer gelegt, starrte in die Tiefe. „Wie anders die Welt nun aussieht!" sagte sie nach einer Weile, offenbar um das Gespräch über Waldenburg zu beenden.

„Der M o n d hat sie nun," entgegnete Wittekind.

„Ja, nun hat sie der Mond. Wie blaß, wie schwach nun da unten alle Farben sind. Das Haus da am Wasser, es erscheint wohl noch gelb, und sein Dach noch rot; und die Bäume grün; aber alles doch nur wie eine Ahnung von dem, was es war. Wie Farben ohne Körper — oder ohne Seele. Nicht wahr?"

Wittekind nickte nur. Alles, was diese Frau da sagte, ging ihm so eigen durchs Herz.

„Wenn das nun immer so bliebe," fuhr sie leiser fort; „wenn das unser T a g wäre — unser einziger! Eine Art von Tag wäre es ja auch. Wir gingen ‚im Licht‘ umher, könnten alles sehen und erkennen. Wir könnten auch

sagen wie jetzt: das ist gelb, das ist rot. Und wenn wir
keine Erinnerung an die Sonne hätten und all die glühenden Farben, so würden wir ja wohl auch mit diesem
Dämmerlicht ganz zufrieden sein."

„An was gewöhnte sich nicht der Mensch!" murmelte
Wittekind.

„Und wenn es nun auch i n u n s ebenso würde, wie
draußen!" fuhr sie nach kurzem, träumerischem Sinnen
fort. „Alles Dämmerung, Frieden. Mondseelen, statt
Sonnenseelen; ohne Sonnenschein, aber auch ohne Feuer,
ohne Glut, ohne Leidenschaften. Man ginge so still dahin;
etwas schattenhaft — aber man wüßte es ja nicht anders,
man vermißte ja nichts. Ach, es wäre wohl —

„Gut," wollte sie sagen; aber sie sprach es nicht aus.
Mit einer plötzlichen Bewegung, die noch viel von der
„Sonnenseele" hatte, schüttelte sie sich. „Nein, es wäre
nicht gut!" sagte sie mit stärkerer Stimme. „Wozu dann
noch leben? Dann lieber gleich ganz tot. Nein — es muß
nun so bleiben wie es ist . . .

„Aber ich kann den Mond nicht mehr sehn!" setzte sie
hinzu, indem sie Kopf und Schultern wieder schüttelte.
Sie wandte sich ab. Nun erblickte sie den vom Mond beleuchteten Saltner, der von der Hütte her über den
schrägen, steinigen Boden langsam herunterkam, und dessen
weißer Bart in diesem Licht fast geisterhaft schimmerte.
Sie stieß ein paar Worte aus, die Wittekind nicht verstand.

„Ich saß da in der Hütte," sagte der Alte ruhig; „in
Erinnerungen. Ein Abend, der sich dazu eignet!"

Frau von Tarnow sah ihn schweigend an. Obwohl
die beiden weder durch Worte, noch durch Gebärden ihren
Gedanken verrieten, fühlte Wittekind doch, daß sie den
Wunsch hätten, eine Weile allein zu sein. Er blickte in die

Senkung und zum Wirtshaus hinunter, in dem nun schon Lichter glänzten, und warf wie verloren hin: „Man muß wohl nach Hause gehn." Darauf schritt er langsam auf die Bäume zu und betrat wieder den Waldweg, den der Mond beschien.

Die beiden blieben stehn. Wittekind ging weiter. Er sah nicht zurück; in seine eigenen Gedanken über Mond- und Sonnenseelen versinkend. Es schreckte ihn dann aber ein unerwarteter, zitternder Ton auf, der wie plötzliches Weinen klang; unwillkürlich blickte er zurück. Zwischen den Bäumen durch sah er, wie die junge Frau sich an die hohe, breite Brust des Alten warf, und er konnte sich nicht täuschen: sie schluchzte, laut und unaufhaltsam. Saltner hielt sie stumm in seinen Armen, ohne sich zu regen.

Wittekind trat geschwind tiefer in den Waldschatten, wieder abgewandt. Dann ging er mit möglichst leisen Schritten bergab; sein Herz fühlte er klopfen.

V

In dem hölzernen, offenen „Salettl" des Wirtsgartens, das an das Haus angebaut war, brannten schon die Wind- lichter; Bertold saß ganz allein an einem der drei runden Tische, vor einem Fläschchen roten Tiroler Weins. So fand ihn Wittekind, als er in das Gärtchen eintrat. „Junge, wie kommst du hierher?" fragte er. „Warum bist du unter- wegs wieder umgekehrt?"

Der Jüngling ward rot, aber in sorgloser, weinfroher Heiterkeit. „Das will ich dir sagen, Vater: weil ich Hunger hatte. Einen solchen Hunger, daß — — Heute abend, vor dem Schlafengehen, erzähl' ich dir alles; komm, trink' auch ein Glas!"

„Und du hast schon gegessen?"

„Ja. Die gute Kathi hielt Wort: ein Beefsteal. Sehr
geschwind; und gut. Und einen Eierkuchen. Eine Weile
hat sie mir zugesehen; dann verschwand sie plötzlich. Ich
bin wieder ein Mensch!"

„Ich hätte dir a u ch gerne zugesehen," sagte Wittekind
lächelnd. „Wir wollen dich nun o f t so zum ‚Menschen'
machen!" — Auch in ihm regte sich der Hunger. Er rief
eben nach dem Wirt, als vom Hause her, um die Ecke,
Tilburgs und Waldenburg kamen; die Baronin frisch und
freundlich und wie aufgeblüht. Es verlangte sie aber
leidenschaftlich „in die Luft hinaus". „Wir haben inzwischen für die Nachtquartiere gesorgt," sagte Waldenburg; „da in dieser Herberge nur drei Zimmer sind —
von der rührendsten Unschuld und Einfachheit — so werden
die Damen und der Herr Baron unten im Städtchen
übernachten. Uns andern hat der kleine gute Hausgeist,
die Kathi, hier oben verteilt. Du mit deinem Sohn im
Hauptzimmer, das zwei Betten hat; der Riese in seinem
angestammten Bett nebenan; im dritten Kämmerlein ich.
So beschlossen und angeordnet, weil ich morgen in aller
Frühe die Bergbesteigung nachholen und auf der ‚Hedwigsruhe' auch meine Andacht verrichten will."

Wer dir das glaubt! dachte Wittekind. Du hast irgend
einen a n d e r n Grund, in so einem unwürdigen „Kämmerlein" zu übernachten und dich von deiner Gesellschaft
zu trennen ... Nun, was geht's mich an?

Die Baronin fragte nach Marie; in diesem Augenblick
erschien sie mit Saltner, von der Straße her, wieder mit
ihrem ruhigen, verschlossenen Gesicht. Auch der Wirt kam,
und eine Alte, die Getränke und Speisen brachten; Kathi
ward nicht sichtbar. Man begann sich zu stärken, alle
hungerten; in ihrer zarten, schmachtenden Weise griff auch
die Baronin zu, die jetzt diesen „Aufenthalt" sehr idyllisch

fand. Nur empörte sie sich, da der Mond so herrlich herab-
scheine, über das „ewige Lampenlicht" (es waren übrigens
Kerzen), und auf ihr Verlangen wurden die Windlichter
ausgelöscht. Es währte aber nicht lange, so fand sie dieses
„Halbdunkel" unleidlich, und die Herren zündeten die Windlichter wieder an. Die Gesellschaft saß im Salettl, an zwei
Tischen; der dritte war leer. Im Gärtchen hatten sich allmählich allerlei Gäste, bäurische und städtische, eingefunden,
und begnügten sich fast alle mit dem Mondlicht, das ihre
Biergläser und Weinfläschchen versilberte; einige saßen
auch am Fels, im tiefen Schatten, man bemerkte sie kaum,
hörte nur ihr Plaudern und Lachen.

Es trat dann aber noch eine Gesellschaft ins Salettl
ein, grüßte zutraulich-linkisch und pflanzte sich breit um den
dritten Tisch. Ein graubärtiger Bauer war's mit seiner
Bäuerin, die eine Brille auf der Nase hatte, ein fast aus-
gewachsener Bub und ein kleinerer, alle in der landesüblichen Tracht, die Buben mit Alpenstöcken. Sie forderten
zu trinken, unterhielten sich laut in breitem Dialekt; wandten
sich dann auch ohne weiteres an den Nachbartisch und
sprachen besonders in Saltner hinein, der ihnen zunächst
saß. „Um Gottes willen! was ist b a s?" flüsterte die
Baronin, der auf einmal das „Idyll" hier oben shocking
wurde. „Ist das in der ‚Gemse' Stil? Wir müssen wohl
gar noch aus e i n e m Seidel trinken?" — Der Baron bewegte sich auf seinem Stuhl, als werde es hohe Zeit, sich zu
entfernen. Indessen rückte der alte Bauer, in wachsender
Zutraulichkeit, näher an Saltner heran; beklagte sich über
das teure Bier und die schlechten Zeiten, in einem dumpfen
Baß, der sonderbar gedrückt und heiser klang, und schlug
endlich dem alten Herrn mit schwerer Hand auf das Knie.

Dies war doch auch Saltnern überraschend; er stand
auf. „Wären wir doch in Berchtesgaden geblieben!"

seufzte die Baronin. Auf einmal schlug der Bauer eine
helle, herzliche Lache auf, und drei andere helle Stimmen
lachten mit. Der Bauer zog sich den grauen Bart vom Kinn
und nahm seinen Hut ab. Man erkannte Kathis braune
Schelmenaugen und ihr rosiges, von kindlicher Heiterkeit
strahlendes Gesicht. „Schönen guten Abend all den ver-
ehrten Herrschaften!" sagte sie in ihrem besten Hochdeutsch, aber mit ihrer natürlichen Stimme.

„Das ist die K a t h i!" rief Saltner aus, zog die Brauen
auf und nieder und lachte. „Gut gespielt, Teufelsmädel
du! — Wer sind denn die a n d e r n?" — Er versuchte
der Bäuerin die Brille von der Nase zu nehmen; sie trat
aber zurück und zog sie sich selber ab. „Mich kennen Sie
wohl nicht mehr," sagte sie und knickste; „bin die Wabi
vom Mehlweg. Und der große dumme Bub' da, das ist
meine Schwester. Und der andere Bub' ist der Riesen-
bauer-Franzi!"

„Ja freilich, ja freilich," sagte Saltner, der sich vor
jedem dieser vier Komödianten aufpflanzte und ihm in
die lachenden Augen sah. „Wie das spielen kann! Ich
hör' euch alle reden und erkenn' eure Stimmen nicht!
Ich schau' wohl sechsmal hin und bleib' so blind wie 'ne
Schnecke! — O ihr Possenspieler! Wie kommt ihr dazu,
im Juli Fasching zu machen?"

„Wie wir dazu kommen?" fragte Kathi, die nun wieder
ernst und sittig dastand und in dem langen Bauernrock,
den vertragenen Kniehosen, der grauen Perücke umso
drolliger aussah. „Haben Sie denn vergessen, Herr von
Saltner, daß Ihr Namenstag ist? Dasmal fiel uns halt
nichts anderes ein, als das Bauernspielen. Die Wabi
und die andern haben mitgetan mir zulieb' — und weil
hier alle Sie gernhaben. Die Wabi ist in Sie verliebt,"
setzte die Schelmin hinzu. „Geben Sie nur nichts drauf,

wenn sie's leugnen will. Schau'n Sie, wie sie rot wird!
Rot werden" — sie sprach jetzt in etwas gekünstelten Hochdeutsch — „Rot werden ist, wie der Herr Lehrer sagt, das
erste Zeichen der Liebe. Er hat aber auch noch ein kleines
Gedicht auf diesen Tag gemacht; und das möcht' ich Ihnen
aufsagen, lieber Herr von Saltner, wenn Sie nicht meinen,
es schickt sich nicht vor den hohen Herrschaften!"

„Ei, es schickt sich wohl," sagte Saltner gerührt. „Die
Herrschaften werden dich und mich wohl nicht auslachen,
Kathi; — na, und wenn sie's täten, dann wären wir stolz
und machten uns nichts draus. Willst du mir durchaus
noch so was Zusammengedichtetes vorzwitschern, dann
tu's. Ich halte still!"

Die Baronin klatschte gnädig ermunternd in die
Hände: „Das ist ja ein allerliebstes Idyll! Nur zu, Kleine,
nur zu!" — Kathi nahm sich zusammen, wollte ihre
Schürze glattstreichen, merkte nun, daß sie über einen
alten Bauernrock fuhr, lächelte und fing an. Es war ein
Gedicht „zur Feier des hohen Namensfestes", offenbar
aus einem Buch für solche und ähnliche Feste entlehnt,
aber für den besonderen Fall ein wenig umgedichtet.
Kathi sprach es fließend, sie hatte es gewiß fleißig ein-
gelernt; die natürliche Anmut ihrer Rede aber war wie
weggewischt, sie trug die Verse, die nichts als gereimte
Redensarten waren, mit einem schwerfälligen Prunk vor,
den sie vermutlich herumziehenden schlechten Schau-
spielern einmal abgelauscht hatte. Als sie zu Ende war,
atmete sie tief. Nun sah sie auch wieder den Alten mit
ihrem treuherzigen, hold guten Blick an. „Kathi! Kind!
Was hast da alles zusammengeredt!" rief Saltner aus,
nahm sie bei den Ohren und küßte sie auf den Mund; sie
hielt lächelnd still.

„Der Glückliche!" murmelte Waldenburg.

Kathi legte ihren Bart wieder an, und indem sie zum
närrischsten aller Greise wurde, ward sie zugleich blutrot
wie ein Kind. Nach einem offenherzig befangenen Umher-
blicken fing sie zaghaft an: „Wir hatten jetzt eigentlich noch
— Aber es macht sich halt nicht."

„Was macht sich nicht?" fragte Saltner.

„Damals wollten Sie durchaus, daß wir Steirisch
tanzten; dumme Mädels haben Sie uns geheißen, weil
wir keine Kurasch hätten. Wir trauten's uns halt nicht!
Aber jetzt haben wir's ordentlich gelernt. Und Sie sind
so gut. Darum dachten wir — — Aber es geht nicht!"

„Warum nicht?"

„Weil hier im Salettl die hohen Herrschaften sitzen;
und drin in der Wirtsstuben, da ist's natürlich zu heiß."

Saltner blickte stumm auf die Baronin. Die war aber
schon aufgestanden, sie hatte offenbar ganz vergessen, daß
sie leidend war: „Soll hier im Salettl Steirisch getanzt
werden? Dann hinaus mit uns, das versteht sich! Diesen
himmlischen alten Bauer muß ich tanzen sehn. Meine
Herren, machen Sie gefälligst Platz!"

In wenigen Augenblicken waren die Tische und Stühle
hinausgetragen und standen auf dem Rasen im Mond-
schein; dort setzten die Damen sich wieder, einige der
Herren blieben stehn. Der Wirt zündete an der Hecke
bengalische Feuer an, die ihren roten und grünen Schein
mit dem Mondlicht wunderbar vermischten und alle die
neugierigen Gesichter der Gäste, die sich näher hinzu-
drängten, wie in farbige Flammen tauchten. Die „Bauern-
familie" trat in das Salettl und der „Steirische" begann;
Kathi ganz in ihrer Rolle als bejahrter Bauer, zuerst ein
wenig unsicher und schüchtern, einem Kinde ähnlich, das
etwas auswendig gelernt hat, allmählich freier und bald
überraschend naturwahr. Ebenso drollig war Wabi als

Alte mit der Brille, die feierlich und ehrenfeſt mit ihrem Alten tanzte, während doch die jugendliche Luſt in allen Gliedern zuweilen durch die Maske hervorzuckte. Die beiden Buben tanzten weniger kunſtgerecht, aber auch im Gefühl ihrer Rollen, hinterdrein. Die Muſik zum Tanz machte ein unſichtbarer Bauernknecht vom Nachbarhaus, der ſich in einer holzbedeckten Laube des Gärtchens mit ſeiner Handharmonika verſteckt hatte.

Die Baronin klatſchte vor Vergnügen Beifall; die ganze Geſellſchaft folgte. Vielleicht dadurch befeuert ward Kathi luſtiger, toller; ſie hörte auf, die wechſelnden Tanzfiguren mit ſo ſauberer altväterlicher Geſchicklichkeit und Genauigkeit auszuführen, ſie ſpielte mehr und mehr den Bauern, in dem das B i e r oder der W e i n tanzt, ward in ihren Bewegungen kühner, unternehmender, die „Alte" mit ſich fortreißend; endlich geriet ſie ganz in bacchantiſchen Übermut hinein, der durch den Gegenſatz zu ihrer Erſcheinung völlig phantaſtiſch wirkte und unbändiges Gelächter unter den Zuſchauern hervorrief. Dabei war die Anmut des Mädchens erſtaunlich; in ihren Armen, ihren Hüften war Rhythmus, Muſik, ſie ſchien für charaktervollen Tanz wie geboren zu ſein. Ihre Augen brannten vor Luſt, närriſch genug in dieſem grau eingerahmten Geſicht. Wenn ſie aufſtampfte, zitterten die Bretter, ihre Zähne blitzten, und ihre aufgeblühten Lippen ſchienen in der Luft irgend einen Wein- und Feuergeiſt zu trinken, der ſie ſelig berauſchte.

Sie hatte ſchon lange ſo getanzt, aber ſie ward nicht müde; daß noch ſonſt jemand da war als ſie und ihre Wabi, ſchien ſie ganz vergeſſen zu haben. „Eine richtige Alpenroſe!" ſagte endlich hinter Wittekind eine kalt begeiſterte, gleichſam feinſchmeckende Stimme. Es war Waldenburg. „Bei alledem," fuhr dieſer fort, da Witte-

kind ihm zunickte, „— so ein Steirischer wiederholt sich.
Ja, wenn die Mädels noch in antiken Schleiergewändern
tanzten ... Wollen wir uns beiseite stehlen und auf
meinem Zimmer eine stille Zigarre rauchen? Wir haben
uns ja seit dem unerwarteten Wiedersehen noch nicht ausgesprochen."

„Ja, das sollten wir tun," sagte Wittelind zerstreut.
Er hatte grade die Augen auf Frau von Tarnow geheftet,
die allen Figuren des Tanzes mit so verzehrender Aufmerksamkeit folgte, als lerne sie sie auswendig; ihre großen
Augensterne leuchteten, aber ernst, nicht lustig. Sie saß
neben der Baronin. Diese stand plötzlich auf und ging
auf die Tänzerinnen zu. „Genug! genug!" rief sie aus.
Als die Mädchen fast erschrocken stehen blieben, setzte sie
sanfter, aber doch mit nervös klagender Stimme hinzu:
„Entzückend, ich danke euch; aber nun hört auf. Es war
ein großer Genuß; aber ich werde krank! Mit mir bricht
sich alles. Woher nehmt ihr diese Ausdauer; das ist über-
menschlich!"

Kathi lächelte; auf ihrer Stirn perlten große Tropfen,
sie schien's aber nicht zu spüren. Die Baronin klopfte
ihr huldvoll auf die Schulter: „Machen Sie uns no ch
ein Vergnügen, mein Kind, singen Sie uns was! einen
Jodler, ein Lied!"

„Singen kann ich nicht," antwortete das Mädchen, das
seinen Bart langsam herunterzog.

„Dann spielen Sie die Zither; — die Harmonika bringt
mich um. Sie haben doch eine Zither?"

„Wir haben eine im Haus, weil ich's lernen soll. Aber
ich kann noch nichts; so zum Vorspielen nicht."

„Nicht? Das tut mir leid. Dann bringen Sie uns
die Zither; unsre liebe M a r i e wird singen!" fuhr die
Baronin fort und wendete sich ihrem „Leibarzt" zu; Kathi

war in demselben Augenblick aus ihrem Gehirn gelöscht.
„Und setzen wir uns wieder ins Salettl; hier auf dem
Rasen wird's kühl!"

Man trug die Tische und Stühle ins Salettl zurück.
„Beste Frau Baronin," sagte Frau von Tarnow, ohne die
philosophische Ruhe zu verlieren, mit der sie allen Launen
ihrer Dame folgte: „ich tue so gern, was Sie nur wollen,
aber diesmal, bitt' ich, dispensieren Sie mich. Ich habe
heute abend gar kein Herz zum Singen; — und wir sind
nicht allein," setzte sie leiser hinzu.

„Aber was tut das, Marie?" sagte die Baronin. „Wir
sind hier ja wie im Theater; alles produziert sich. Und
der romantische Mondschein. ... Da ist schon die Zither.
Singen Sie uns dazu ein paar von Ihren amerikanischen
Liedern!"

„Ich bitte Sie, das geht nicht. Diese Lieder werden
zum Klavier gesungen oder zur Gitarre."

„Ihre Gitarre," sagte die Baronin achselzuckend, „ist
mit unsern Koffern in Salzburg. Also Sie wollen nicht?"

Walbenburg war hinzugetreten, setzte sich der Ameri-
lanerin gegenüber und blickte ihr mit seinem schmeichelnd-
majestätischen Lächeln in die Augen. „Wenn man Sie
nun recht schön bittet?" sagte er nachdrücklich. „Damit
Sie diesem poetischen Abend seine Krone aufsetzen?"

Frau von Tarnow zögerte noch einen Augenblick; dann
antwortete sie aber mit einem so liebenswürdigen Lächeln,
daß es Wittekind überraschte und befremdete: „Ich möchte
Ihnen nicht nein sagen, Herr Geheimrat. Gut, ich werde
singen. In Gottes Namen mit der Zither statt mit der
Gitarre; es passe nun, wie es will!"

Sie legte die Zither vor sich hin, präludierte ein wenig
— offenbar war sie auch mit diesem Instrument vertraut
— und sang ein Lied mit englischem Text. Es war eine

zarte, wiewohl nicht sonderlich originelle Melodie; die
Worte waren von einem Mädchen oder einem Jüngling
an den Vater gerichtet, der nicht hartherzig sein, nicht
zu strenge richten, der liebend verzeihen soll. Frau von
Tarnow sah zuerst vor sich hin, auf die zitternden Saiten;
dann ruhte ihr Blick fast die ganze Zeit auf Waldenburg,
und so warm und herzlich, daß dieser eine eigentümliche
Erregung mit Anstrengung verbarg und Wittekind sich unruhig auf seinem Sessel bewegte. Er hatte sich nicht getäuscht, es war eine Altstimme; von edlem und reinem
Wohllaut, und besser geschult, als man hätte erwarten
dürfen. Er wäre entzückt, ja berauscht gewesen, wenn
ihn nicht das Benehmen der Sängerin verstimmt und
verwundet hätte. Wozu sagte sie ihm denn, daß Waldenburg kein gutes Herz habe, wozu wußte sie's, wenn sie
ihm so vertrauensvoll warme Blicke schenken konnte?

Er dachte schon daran, sich in seinem Winkel leise zu
erheben und hinwegzugehen, da sie ein zweites Lied zu
singen bereit schien, als die Baronin Tilburg aufstand und
erklärte: draußen warte der Wagen, es sei spät geworden,
und sie müsse zu Bett. Es mochte sie verdrossen haben,
daß Waldenburgs Bitten mehr vermocht hatten, als die
ihrigen. Frau von Tarnow erhob sich stumm, mit ihrem
versiegelten, marmorblassen Gesicht; auch die andern füg-
ten sich, ohne etwas zu entgegnen. Die Baronin hatte
aus der Stadt einen leichten Wagen kommen lassen, um
hinunterzufahren; der Kutscher knallte mit der Peitsche,
die beiden Pferde schnoberten munter in die mondhelle
Luft. Als jedoch die Damen mit Tilburg auf die Straße
traten, warf die Baronin einen sorgenvollen Blick auf das
Gefährt; sie sah den absinkenden Weg hinunter und schüttelte den Kopf. „Das ist Gift für die Nerven," sagte sie,
„so einen Berg in so einer Nußschale hinabzurollen. Wir

g e h n, liebe Marie, wenn es Ihnen recht ist. Fahren
Sie voran, Kutscher!"

Der Wagen fuhr im Schritt hinunter, und die andern
folgten. Die Männer gaben ihnen noch eine Weile Ge-
leit; die Baronin, durch die milde, verklärte Nacht romantisch gestimmt, schwankte edel und ohne Klage dahin, und
begann sogar leise zu singen. Nach einer Weile kehrten
die Herren, die oben übernachteten, um; Wittekind aber
blieb bald wieder stehn, auf die Schulter seines Bertold
gelehnt, und schaute still in das Tal, das so im Halbtag
träumte. Seine Verstimmung schwand, er dachte an
Mariens Worte von den Mondlichttagen und dem Däm-
merungsfrieden; etwas von diesem Frieden kam über ihn.
Er sah mit stiller Lust in das edle Angesicht seines teuren
Jungen, und drückte ihn stumm an die Brust.

„Gehn wir hinauf," sagte er, nachdem sie beide lange
geschwiegen hatten. „Du bist ja wohl ganz verzückt ...
Wer hat dir's angetan: der Mond, der Tanz, oder der
Gesang?"

Bertold lächelte träumerisch, ohne Antwort zu geben.
Sie gingen zur „Gemse" zurück. Die Gäste im Garten
waren großenteils verschwunden; Saliner und Waldenen-
burg auch. Von den „Bauernspielern" war nichts mehr
zu sehn. Der Wirt führte Vater und Sohn zu ihrem Zimmer hinauf; denn sie wünschten nun still mit sich allein zu
sein. „Geh," sagte Wittekind, „ich komme dir nach. Wir
haben noch viel zu reden und zu fragen! Ich versprach
aber dem andern, dem Waldenburg, eine Weile mit ihm
zu plaudern. Morgen reist er ab. Wenn ich von ihm
zurückkomme, sind wir ganz für uns, Vater und Sohn!"

Bertold nickte zärtlich; die Augen fielen ihm aber zu,
mit einem schlaftrunkenen Lächeln riß er sie wieder auf.
Wittekind ließ ihn allein, in ihrem mondhellen Zimmer,

und ging über den Vorplatz bis zu Waldenburgs Tür. Als
er sich näherte, hörte er leises, danach lautes Sprechen;
die laute war Kathis Stimme, sie klang wie abweisend,
oder gar wie empört. „Ich muß hinunter!" sagte sie zuletzt; „gute Nacht!" — Von innen öffnete sich die Tür,
Kathi trat hastig heraus; ohne Perücke und Bart, sonst
noch im Kostüm. Sie erschrak einen Augenblick, als sie
so unerwartet Wittekinds Gestalt vor sich stehen sah; rief
dann auch ihm „Gute Nacht" zu, und sprang die Treppe
hinab.

Waldenburg stand mitten im Zimmer, dem Mädchen
nachblickend. Da er Wittekind eintreten sah, richtete er
seine etwas zusammengesunkene Gestalt sofort majestätisch
auf, zu ihrer ganzen Länge, und faßte sich in olympischer
Heiterkeit. „Die Kleine ist sehr brav," sagte er mit einem
ruhigen, kalten Lächeln, das etwas Satanisches hatte.
„Setz dich, nimm eine Zigarre und rauch!"

Wittekind schwieg. Er glaubte zu erraten, weshalb
Waldenburg sich in der „Gemse" einquartiert hatte. Durch
das kleine Zimmer ging er bis ans offene Fenster, das zu
einem Kalkofen jenseits der Straße hinübersah, und horchte
auf einen Jodler, den heimwandernde Bursche in die stille
Nacht hinaufschickten.

„Dein Junge gefällt mir sehr," fing Waldenburg wieder
an. „Nimm doch eine Zigarre.... Er gehört zu einer
besonderen Gattung; nichts von der landläufigen Prosa,
nichts von Trivialität. Sein Gesicht hat etwas Raffaelisches
... Hoffentlich ist er nicht bloß Engel, auch ein wenig
Teufel!"

„Hoffentlich wird er ein ganzer Kerl," erwiderte Witte-
kind; „das meintest du ja wohl. Wo hast du denn b e i n e n
Jungen? Der muß nun ja schon vierundzwanzig alt sein.
Wie viele Jahre hab' ich nichts von dem gehört!"

Waldenburg warf sich auf einen Stuhl neben seinem Bett. Er sah seine spitzen Fingernägel an und sagte gedehnt: „Von dem wirst du wohl auch nicht viel mehr hören, denk' ich."

„Wieso? Ist er — —"

„Tot? Nein, das ist er nicht. Aber fort ist er. Fort aus meinem Leben. Von der Tafel gewischt. Kurz, du kennst die Geschichte vom ‚verlorenen Sohn'; das ist unsre Geschichte — und der wunde Punkt in meinem Leben!"

Er nahm ein gefülltes Glas, von dem roten Tiroler, den ihm Kathi vorhin gebracht hatte, und stürzte es hinunter.

„Vom ‚verlorenen Sohn'?" fragte Wittekind bestürzt.

„Du hörst. So ist es!" — Waldenburg schenkte ein, in ein zweites Glas, und schob es dem andern hin. „Da; trink wenigstens eins, wenn du nicht rauchen willst. Er ist sauer, aber echt! — Mein Sohn Eugen — um also von ihm zu reden — ist ein schmucker Mensch; er hat allerlei gute Gaben — nur nicht das goldene Band, das sie zusammenhält. Vielleicht war ich auch im Anfang nicht der richtige Lehrmeister: du weißt, ich hab' lächerlich früh geheiratet; es kam mir so über den Hals ... Kurz, er hat mein Talent, das Leben zu genießen, geerbt, aber leider nicht auch meinen Verstand. Ich liebe die Himbeeren sehr; aber die Würmer, die sich darin niederlassen, liebe ich nicht und schaffe sie beiseite. Mein Sohn gab nicht genug auf die Würmer in den Himbeeren acht; — das ist s e i n e Geschichte. Er wurde unreputierlich; ich mußte mich seiner schämen, statt auf ihn stolz zu sein, wie ich mir's gehofft hatte. Da schrieb ich ihm endlich: du hast genug auf meinen Namen gesündigt, sündige fortan lieber auf einen andern Namen; störe meine Kreise nicht mehr, geh, wohin du willst!"

Waldenburg stand auf, und bewegte sich mit seinen langsamen Schritten durch das Zimmer hin. Im Gehn, die Hände auf dem Rücken, sprach er weiter: „Eugen nahm es wörtlich. Er legte meinen Namen ab, wie ich hörte, und ging nach Amerika. Na, er wird wiederkommen, dachte ich, und wir werden dann auch die zweite Hälfte der Geschichte vom ‚verlorenen Sohn‘ spielen; — aber er kam nicht wieder. Er ist mir verschollen. Lebt er noch? Ich weiß es nicht. Lassen wir dieses Thema: es greift mich an; — ich hab' einmal viele ehrgeizige Hoffnungen auf diesen Jungen gesetzt ... Ich hatte viel Glück im Leben; D a s schlug mir fehl. Was ist da zu machen? So gut, wie ich weiß: seine Mutter ist tot, so denk' ich und sag' ich mir: auch ihr Sohn ist tot...." Er kam an den Tisch zurück und schenkte sich wieder ein. „Lassen wir's! Man lebt nur einmal; also weiterleben!" — Er sah in das Glas, setzte es an und trank.

Wittekind zögerte eine Weile; endlich sagte er bedächtig: „Freilich, wenn du zu seinem Namen einfach ein schwarzes Kreuz machst —"

Waldenburg unterbrach ihn: „Du meinst, ich w ü n s c h e ihn tot? O nein, so steht's nicht. Wenn er wiederkäme, in leidlicher Verfassung — — Er ist ja doch mein Fleisch und Blut. Ich habe ein Vaterherz. Aber er kommt ja nicht wieder. Du kennst ihn nicht; der Junge ist stolz! Seit ich ihn verleugnet habe, verleugnet er mich!"

„Hm!" murmelte Wittekind. „Das gefällt mir an ihm."

„Danke dir ergebenst! Du nimmst wohl gar Partei für den Sohn gegen den Vater ... Aber lassen wir's. Sprechen wir nun endlich von dir. Ich bekenne dir, ich hatte dich ganz aus dem Gesicht verloren; der Teufel soll mich holen, wenn ich weiß, was du geworden bist."

„Geworden?" entgegnete Wittekind, der noch immer

am Fensterbrett lehnte. „Ich wollte nie ‚etwas werden‘;
nur womöglich etwas sein." — Waldenburg wandte den
Kopf und sah ihn durch die halbgeschlossenen Augen ironisch bewundernd an. — „Ich meine, etwas Nützliches,"
sprach Wittekind weiter; „nicht ganz überflüssig. So ein
Stück vom Ganzen. — Worüber lächelst du?"

„Nur so für mich. — Und was bist du denn?"

„Bauer," erwiderte Wittekind ruhig. „Ich hab' mein
Gut, am Wasser, nicht weit von der See; es ist gut im
Stand, es ernährt mich, trotz der schlechten Zeiten für
die Landwirtschaft. Ich baue auch für die Rübenzucker-
fabrik, die wir uns angelegt haben; die ganze Wirtschaft
gewinnt dabei. Unter unsern Landwirten gelte ich für
einen weisen Mann, weil ich etwas mehr gelernt habe als
sie, mich mit dem Weltverkehr beschäftige, und sie durch
Vorträge, durch Flugschriften zu allerlei Nützlichem an-
gefeuert habe, von dem sie nun Segen spüren. Sie
wollen mich auch zum Abgeordneten für den Reichstag
machen; kommt es einmal dazu, dann wär' es freilich aus
mit dem schönen Landfrieden, mit der Seelenruhe, meinen
Büchern, meiner Musik. Aber was man für den all-
gemeinen Nutzen tun kann, nun, das muß man tun ...
Worüber lächelst du wieder?"

Waldenburg warf seine halbverrauchte Zigarre fort
und nahm eine andere vom Tisch. „Du bist also noch
immer der alte ‚Idealist‘!" sagte er mit gemütlichem Spott,
in behaglicher Heiterkeit. „Es macht dir noch immer Spaß,
für die andern zu leben —"

„Wenigstens für irgend eine Sache, die der Mühe
wert ist. Die Katze und der Pfau sind sich selbst genug;
das kann ich von mir nicht sagen."

Waldenburg streckte sich wieder auf seinem Sessel aus
und begann die neue Zigarre zu rauchen. „Lieber Freund,"

sagte er in seinem schönen, reinen, etwas theatralisch aus-
gefeilten Hochdeutsch, „— du kommst mir vor wie einer
von diesen freiwilligen Nordpolfahrern, der etwa zu einem
Neapolitaner sagte: auch wir leben da auf Jan Mayen
oder Spitzbergen ganz behaglich! Erst im März vereisen
wir ganz; im Juni wird's schon wieder eisfrei um uns her;
im Juli haben wir ganz nette Tage, beinahe wie Sommer,
und selbst im Winter kommen wir manchmal über Null!
— Der Neapolitaner würde darauf antworten: Aber zum
Teufel, ich will das g a n z e J a h r schöne Jahreszeit
haben, und ich will über die Schönheit dieser schönen Welt
außer mir geraten, schwelgen, wie ein Gott genießen! —
Was hast du auf deinem Gut, am Wasser, mit den Zucker-
rüben? Was hast du an deinen Vorträgen für diese bor-
nierten Bauern, die sich Pächter und Gutsbesitzer nennen,
und an deiner Hingebung für zehntausend oder zwanzig-
tausend Schafsköpfe, die dir achtungsvoll zublöken: du
sollst unser Hauptkopf sein?"

„Nun ja, du bist a u c h der alte," sagte Wittekind
lächelnd. „Wir reden wohl auch umsonst ... Ich auf
meinem Spitzbergen halte mich eben noch immer an
meinen alten Spruch: Wer sich für nichts begeistern kann,
den soll man begraben!"

„Geh mir doch, alter Träumer," entgegnete Waldenburg mit seinem überlegensten Lächeln. „Kinder spielen,
Jünglinge begeistern sich; Männer werden etwas. So
hat die Natur es gewollt. Das, wofür die Jünglinge
sich begeistert haben, muß den Männern dienen und gehören: Frauenliebe, Ehre, Bacchus" (er leerte sein Glas,
und schenkte wieder ein), „Kunst, Wissenschaft, der Staat
— und so weiter. Was ich erreiche, das bin ich; und für
den wahren Menschen ist nichts wahrhaft wirklich, als sein
geliebtes Ich!"

„Danach lebst du also."

„Gewiß!"

„Nun," sagte Wittekind trocken, die Arme übereinander legend, „so ungefähr spricht man auch von dir. Du bist ja ein sogenannter berühmter Mann geworden, von dem man viel spricht; ein witziger Kopf, eine gute Feder, eine von den Säulen im Staat, vielleicht noch einmal Minister — und dann also auch Exzellenz. Außerdem ein Liebling der Frauen, gefeierter Don Juan; na, diesem Beruf ergabst du dich ja schon auf der hohen Schule, — oder vielmehr schon auf dem Gymnasium. Du bist also der ‚wahre Mensch' und lebst für dein Ich!"

„Ja, mein Herr Idealist. Ich tue, was a l l e tun, nur mit mehr G e i st, als die meisten; ohne all den buntscheckigen Aberglauben, der diese Narren aufhält: darum bleiben sie eben hinter uns Klügeren zurück! — Laßt euch doch nicht auslachen, ihr mit euren ‚Idealen', die euch zum Narren halten. Die guten Köpfe haben so nach und nach alle die alten Aberglauben abgeschüttelt: Fetische, Gestirne, Feuer, gute und böse Geister, Nemesis und Vorsehung; nur der bleichsüchtige Philisteraberglaube an das sogenannte ‚Wahre, Gute, Ideale', der ist noch immer im Schwung. Mich narrt er nicht mehr; er liegt hinter mir. Ich bin auf der Welt, um sie zu genießen —"

„Wohl bekomm's!"

„Das tut's auch! — Es gibt Genüsse genug, wenn man nur Geist genug hat, um sie sich zu verschaffen: so eine gute Zigarre, Diners, gute Bücher, Theater, alle schönen Künste, Seebäder, Natur, Stellung und Macht, Orden und Titel; eine schöne Frau erobern, eine schöne Frau verlassen; hübsche Verse machen, angebetet werden, Befriedigung der Rache, Schadenfreude, Protegieren, den Herrgott spielen ... Alles, alles ist da! Vogue la galère!"

Wittekind betrachtete Walbenburg, er konnte nicht hinwegsehen; auf diesem geistreichen, beinahe schönen Gesicht schwebte ein eigentümlich teuflisches Lächeln, in das er sich mit stillem Grauen vertiefte. Lebten wir noch im Mittelalter, dachte er, so würd' ich vielleicht ernstlich glauben, daß ba der Teufel sitzt ... Ein Teufel, der alle Formen der feinen Welt angenommen hat, der sehr einnehmende Manieren hat und Geist und Witz und sogar Poesie; aber alles, was er sagt, ist im Grunde teuflisch ...

Mit äußerer Ruhe fragte er nach einer Weile: „Bist du gegen j e d e r m a n n so aufrichtig?"

„O nein," sagte Walbenburg, seinen Rauch majestätisch in die Luft blasend. „Im Gegenteil. Es ist mir zuweilen ein angenehmes Bedürfnis, ganz unverschämt offenherzig zu sein, — und dein bürgerlich kritisches Gesicht reizt mich eben dazu; aber noch öfter ist es mir Bedürfnis, mit den lieben Mitmenschen Komödie zu spielen. Jeder tut eben, was er kann! Ich habe mehr Talent zum Schauspieler als die meisten, die sich da auf der Bühne vor die Lampen stellen; und wer sein Pfund vergräbt, der ist ein fauler Knecht. Darum spiele ich Komödie, mein Herr Sittenrichter, und mit Urbehagen; aber nur auf der großen Weltbühne, zu meinem Benefiz. Da zeigt sich erst das Genie; und was ist all das Agieren auf den hohlen Brettern gegen meines! Der Komödiant muß die Rollen spielen, die man ihm geschrieben hat; ich spiele nur Rollen, die ich mir selber erfinde, die ich selber dichte, die immer wechseln und neu sind, — mit kleinen, interessanten Gefahren ausgestattet, mit kleinen verfluchten Aufregungen gewürzt. Dazu gehört Talent! Und das ist Lebensgenuß!"

„Und was man so W a h r h e i t nennt?" fragte Wittekind.

„Kommt man mit Wahrheit durchs Leben? Laß mich

doch mit diesem alten Aushängeschild in Ruh. Wenn ich,
Friedrich Waldenburg, das erreichen will, was die Dumm-
köpfe oder Strohwische zu besitzen pflegen: Rang, Ansehn,
Reichtum — kann ich das durch Wahrheit erreichen? Alle
Wetter auch! Ich, der ich zum Genuß geschaffen, ich, der
ich als ein echter Aristokrat auf die Welt gekommen bin —
wenn auch mein Vater das bürgerliche Wappen der Laden-
elle führte — ich, der ich mich in jeder Fingerspitze, in
jeder Gewohnheit des Lebens, in jedem Instinkt wie einen
Freiherrn fühle, ich soll im Parterre stehen bleiben, wo die
Schneider und Schuster stehn? Nein, mein Lieber, mein
Platz ist in der Loge, bei den hohen Herrschaften. Aber
um da hinzukommen, um mich da einzuwohnen, muß ich
hübsch mit Talent meine Rollen spielen, — zuweilen den
Bedienten, zuweilen den verruchten Kerl; — nun Gott
sei Dank, ich habe das Talent!"

Wittekind richtete sich auf und ging langsam vom
Fenster weg, gegen die Tür. Mitten im Zimmer jedoch
blieb er wieder stehn. Er sagte dann mit etwas bewegter
Stimme, doch bedächtig: "Aber du verlangst wohl nicht,
daß ich dich beneide. Was mich betrifft, so würd' ich lieber
in dem Hundestall vor meiner Haustür verfaulen, als für
so eine ‚Loge‘ mein bißchen Selbstgefühl, meinen alten
Aberglauben an Freiheit, Wahrheit, Menschenwürde
opfern.... Aber das führt zu weit. Und über den breiten
Fluß hinüber, bei so ungünstigem Wind, verstünden wir
uns doch nicht. Also nehmen wir einander lieber wie wir
sind, und damit holla. — Nur noch eine Frage!"

"Bitte!" erwiderte Waldenburg mit vollendeter Artig-
keit, und mit jenem diabolischen, behaglichen Schmunzeln,
als wären sie im schönsten Einverständnis, als sagten sie
sich lauter gute Dinge.

"Wenn ich nun deine Aufrichtigkeit mißbrauchte?"

„Bei wem?" fragte Walbenburg zurück. „Da, wo es mir schaden könnte, da verkehrst du nicht; die andern amüsiert oder ärgert es, ohne mir zu schaden."

Nach kurzem Schweigen erwiderte Wittekind: „Nun, eine gewisse Größe ist in deinem Zynismus; das muß man dir lassen. — Ich fragte selbstverständlich nur so beispielsweise; denn ich mißbrauche keines Menschen Aufrichtigkeit. — — Also gute Nacht. Morgen willst du fort. Wir sind dann wieder weit auseinander, wie bisher; und sehr oft werden wir uns wohl nicht sehn!"

Walbenburg lächelte: „Warum nicht? Als Männer von Geist können wir uns ja über hundert Dinge vortrefflich unterhalten, wenn wir auch über das hundertunderste verschiedener Meinung sind —"

„Über das erste, Walbenburg."

„Nun gut, über das erste. Dann fangen wir morgen bei dem zweiten an, wo wir uns verstehn. Willst du morgen in Salzburg mein Gast sein? Ich gehe ins Hotel N.... Ein sehr angenehmes Haus. Du würdest vermutlich die Gräfin Laua bei mir sehn —"

„Die Frau des früheren Ministers?"

„Ja. Eine ausgezeichnete Frau; — sie kann dir vielleicht einmal nützlich sein —"

Wittekind mußte lächeln. „Ich danke," sagte er. „Ich brauche sie nicht."

„Auch fändest du mit ihren Tilburgs die Blasse, die Amerikanerin, die dir gar nicht so übel zu gefallen scheint, du tugendhafter Mensch."

„Warum dürfte sie einem tugendhaften Menschen nicht gefallen?" fragte Wittekind. Er kam übrigens einen Schritt zurück, da er sich der Tür schon wieder genähert hatte. Auf seinen Hut blickend setzte er hinzu: „Was ist sie eigentlich? Witwe oder verheiratet?"

„Baronin Tilburg versichert, daß sie Witwe ist," antwortete Walbenburg, ohne eine Miene zu verziehen. „Infolgedessen kommst du?"

„Ich danke," sagte Wittekind. Ein Mißgefühl schüttelte ihn plötzlich. Sie bei i h m zu sehn ... Nein! — — Er ging wieder zur Tür. „Ich möchte jetzt mit meinem Sohn einige Tage allein sein," setzte er darauf hinzu.

„Nun, wie du willst! — Von Salzburg ziehn wir dann an die Ostsee, ins Bad; ganz in deine Nähe. Bist immer willkommen, alter Freund; — ich sage das nur als avis au lecteur. Denn du wirst wohl nicht kommen. Du bleibst nun also bis ans Lebensende auf dem schmalen Pfade der Tugend; und auf dem festen Land. Ich brauche mehr Platz — und ein weniger solides, ein etwas lockeres Element. Mein alter guter Wahlspruch ist halt: Vogue la galère!"

„Also noch einmal: wohl bekomm's!" sagte Wittekind mit ernstem Lächeln, und bot ihm zum Abschied die Hand.

Walbenburg schlug ein. „Leb wohl, Idealist!"

„Leb wohl, ,wahrer Mensch'!" — —

Wittekind verließ das Zimmer. Er sehnte und freute sich, in das seine zu kommen, und zu seinem Jungen. Leise ging er über den halbdunklen Vorplatz; nur ein Lämpchen brannte an der Wand. Im Hause war es still.

Als er aber in sein Zimmer trat, in dem der unsichtbar gewordene Mond noch durch die erhellte Luft wirkte, sah er, daß er zu spät kam. Bertold lag schon im Bett, und in tiefem Schlaf; durch die Stille horchend konnte Wittekind seine ruhigen, gleichen Atemzüge hören.

VI

Die Sonne schien früh in die Zimmer der „Gemse", so viele ihrer nach Osten lagen; sie schien auch auf die Betten von Vater und Sohn, doch ohne sie zu wecken.

Als Wittekind, spät eingeschlafen, nach einer traumreichen Nacht spät genug erwachte, schlief Bertold noch immer fort. Der Vater staunte, lag noch eine Weile, wartete und träumte; endlich stand er auf. Er kam in den Garten hinunter, um dort am Felsen zu frühstücken; Kathi trat ihm morgenfrisch entgegen und überreichte ihm einen Brief.

„Den hat der lange Herr mit den halben Augen für Sie dagelassen," sagte die Schelmin; „denn er ist schon fort. Und der Herr von Saltner ist auch schon in die Stadt hinunter."

Wittekind öffnete das Billett; es war von Waldenburgs Hand, gleichmäßig und sauber geschrieben. „Lieber Freund, das Schicksal hat gesprochen, wie gewöhnlich in Gestalt einer Frau! Unsere sehr verehrte Malade imaginaire, die Baronin Tilburg, hat in aller Frühe Botschaft heraufgeschickt: ihre Nerven verlangen ungestüm nach Salzburg. Ich gehorche. Wir brechen auf. Adieu! An deiner Ostsee, hoff' ich, sehen wir uns wieder!"

Wittekind lächelte über die ruhelosen Nerven der Baronin; dann gab es ihm auf einmal einen starken, schmerzhaften Ruck. Frau von Tarnow war also fort; die weiße Sklavin dieser Baronin, mit der philosophischen Geduld und den unergründlichen Augen. Wozu sollte er sich verhehlen, daß sie ihm einen Eindruck gemacht hatte, wie seit langen Jahren keine Frau. Ein paar Stunden lang; wie ein Frühlingstag im Winter war sie vorübergezogen; nun beginnt wieder die öde Zeit, wo der eintönige, kalte Schnee Vergangenheit und Gegenwart bedeckt. Er wird sie vergessen, wie so manches andere; — aber was heißt das: vergessen? Nur umso leerer wird sein Leben sein ...

Aus so trüben Gedanken, einer ungewohnten Last auf seinem gesunden Herzen, weckte ihn der Morgengruß

feines lieben Jungen, der nun endlich erschien. Bertolb
hatte blühende Wangen, fast wie ein so recht ausgeschlafenes
Kind; ein tröstlicher Anblick für das Baterauge. Auch
der lustigen Kathi, die ihnen das Frühstück brachte, schien
diese Rosenblüte seiner verjüngten Schönheit aufzufallen;
sie sah ihn wieder mit offenherziger Bewunderung an.
Aber sie hätte auch eine schöne Wachsfigur oder ein edles
Pferd nicht harmloser angesehn; dieser zarte Jüngling
war für sie aus einer andern Welt. Leise summend ging
sie ins Haus zurück; Bertolbs Augen folgten ihr mit nicht
so ganz unbefangener Freude.

„Du bist mir noch eine Erklärung schuldig,“ sagte
Wittekind, als sie nun in dem kühlen Felsenschatten allein
saßen; das ganze Gärtchen war um diese Stunde leer.
„Warum du gestern diesen gewaltigen Hunger hattest;
— und in Gröbig, beim Wiedersehn, sagtest du davon
kein Wort!“

„Bater, ich konnte nicht,“ erwiderte Bertolb mit seinem
treuherzigen Lächeln. Er erzählte dann stockend, aber
peinlich wahrhaft, wie lange er gefastet hatte, und wie
das gekommen sei. Er verschwieg auch nicht die Begegnung
mit Afinger, und daß er diesem „Weltverbesserer“ versprochen hatte, ihn an einem der nächsten Abende zu besuchen. Wittekind hörte mit äußerer Fassung zu, ohne
ein einziges Mal zu unterbrechen. Seine Augen waren
aber beständig auf dieses schwärmerische Antlitz gerichtet,
in Freude, Sorge und Nachdenken.

„Ich mache dir keine Vorwürfe,“ sagte er, als Bertolb
geendet hatte; „wozu! Du sagst dir, wie ich merke, schon
selbst, daß es eine unendlich jugendliche Unvernunft war,
so eine Hungerprobe auf dieser Erholungsreise anzustellen,
die dein Arzt dir verordnet hatte. Ich verwehre oder
widerrate dir auch nicht, diesen jungen Sozialisten auf-

zusuchen — denn dafür halte ich ihn — und ihn und seine
Gesinnungsgenossen näher kennen zu lernen. Die Welt
erkennt man nur in der Welt. Auch wenn du vorläufig
eine Weile mit den Irrenden irren solltest, das fürchte ich
nicht. Dein Herz wird deinem Kopf schon die Wege
finden. Aber eins muß ich dir sagen, Kind. Ob die Welt
nun aus Plan oder aus Notwendigkeit so ,unvollkommen'
ist, wie sie uns erscheint, — alle Bertolds der Welt können
das nicht ändern. Und wie heilig ernst wir's auch nehmen
sollen, zu ihrer Verbesserung mit allen Kräften zu helfen,
mit der einen großen Resignation müssen wir beginnen!"

„Ich weiß, Vater, ich war dumm," entgegnete der Jüngling; „mit dem Hungern, mein' ich. Ich weiß auch, daß
nur ein Narr die Welt n e u machen will. Aber so ruhig
und geduldig zusehn wie du — Vater, das kann ich nicht!
So wie es ist, frißt es mir am Herzen ... Gestern sagt' ich
dir, als ich gegessen und getrunken hatte: ,ich bin wieder
ein Mensch!' Wie falsch und wie dummstolz war das.
Eine Be st i e war ich wieder, die satt und zufrieden ver-
daut, nur um sich bekümmert. Und wenn ich diese sogenannten Menschen sehe, die vielleicht ihr ganzes Leben
lang nichts anderes tun, als mit oder ohne Grazie ver-
dauen — diese Tilburgs von gestern — oder diesen geistreichen Waldenburg mit den kalten Schlangenaugen, die
ihrer Beute nachgehn, ihrer schnöden Lust, denen das Leid
der andern wohl gar noch eine grausame Freude, eine
Erhöhung ihres Weltgenusses, ihres Selbstgefühls, ihres
Vorzugs ist — so wird mir hart, furchtbar hart zu Mut,
während ihr mich weich nennt; so wäre es mir eine Wonne,
Vater, diese hochmütigen Schmarotzer, dieses blutsaugende
Ungeziefer vom Erdboden zu vertilgen, damit für die
Besseren Platz wird, damit die Unglücklichen Luft, Licht
und Leben haben!"

Wittekind lächelte. Indem er seinem Jungen in die leuchtenden, fast brennenden Augen sah und heimlich erstaunte, sagte er: „Es scheint, dein Sozialist hat schon abgefärbt! — Nun, was tut das. Deine neunzehn Jahre ... Ich gebe dir auch gern diese Tilburgs preis; und auch den Waldenburg mit den Schlangenaugen; mir scheint, du hast ein ahnungsvolles Gemüt. Aber, guter Junge! Wenn wir anfangen wollten, auszurotten, was uns nicht gefällt, wo hörten wir dann auf? Und was würde dann aus dieser leidlich zivilisierten Welt, als ein einziger Urwald, in dem lauter wilde Tiere sich gegenseitig zerfleischen? Welcher Engel vom Himmel hat dir denn auch gesagt, daß die andern, die du bedauerst, wirklich die ‚Besseren‘ sind? daß sie nicht auch gebrechliche, selbstische Menschen sind, die dich treten würden, wenn sie über dich kämen, die zu Tilburgs würden oder zu Waldenburgs, daß du dann auch wieder ergrimmen und dir sagen müßtest: vertilgen wir sie vom Erdboden, damit für die Besseren Platz wird!?“

Der Jüngling rückte unruhig auf seiner Bank; er möchte sie leicht umgeworfen haben, wäre sie nicht bodenfest gewesen. Mit der Hand über den Tisch fahrend erwiderte er dann: „So soll man also alles gehn lassen, wie es eben geht? Die einen sollen es gut haben, und die andern nicht?“

„Kind, wer hat es gut? — — Doch das führte zu weit. Wir wollen jeder tun, was wir können, daß möglichst viele es gut haben; aber mit dem Ausrotten, denk' ich, fangen wir lieber nicht an. Besser noch die Welt, wie sie ist, als das große Chaos, aus dem mit vielem andern Guten und Schönen auch das Beste verschwinden würde: die edlen Schwärmer, wie du!“

Bertold lächelte jetzt; aber nur obenhin, einen Augen-

blick. Er antwortete nicht. Es trat eine Stille ein, wie
so oft zwischen zwei Menschen, deren Gedanken nicht zu-
sammenkommen. Der Jüngling fühlte sich auf einmal
weit vom Vater weg, den er doch so liebte. Seine neunzehn Jahre konnten die fünfundvierzig diesmal nicht verstehn; er sah das Gesicht des Afinger vor sich, den er besser
begriff, und drückte die Augen zu. Der Vater betrachtete
ihn, seine Tasse leise von sich schiebend. Noch so überschwenglich! dachte Wittekind. Schon so beruhigt! dachte
Bertold.

Die Stimme des alten Saltner fuhr in ihre Gedanken
hinein und weckte sie beide auf. Saltner kam aus dem
Städtchen zurück; vom Heraufsteigen glühten seine braunen
Wangen, seine mächtige Brust hob sich gewaltig bei dem
beschleunigten Atmen. Er stieß aber doch einen kräftigen
Jodler aus. Nachdem er dann Vater und Sohn begrüßt
hatte, fragte er: „Wie steht's? Wollen die Herren hier
ganz selbander bleiben — brauchen's nur zu sagen — oder
soll ich sie ein wenig in die Berge führen und ihnen von
da oben die Welt zeigen, wie der Teufel dem Herrn?"

Wittekind blickte fragend auf seinen Sohn. „Ich ginge
sehr gerne mit Ihnen, wenn Sie so gütig sein wollen,"
sagte Bertold, der bei Saltners Begrüßung aufgestanden
war. „Auch soll ich tüchtig wandern, meint der Doktor.
Übrigens — ich bin ja eigentlich schon gesund!"

Der Alte lächelte wohlgefällig und nickte ihm zu. Sein
faltiges Gesicht schien zu sagen: In dieser hübschen Schale
steckt doch wohl auch ein harter Kern! — Sie brachen bald
auf, in den sonnigen, fast schon heißen Morgen hinein.
Der Weg, den Saltner sie führte, ging die nächste, schmale,
felsige Schlucht hinauf, dann bald in Waldesschatten, bald
zwischen reifendem Roggen und Hafer, immer langsam
steigend. Einzelne hohe Gipfel erschienen über den wal-

bigen Abhängen zur Linken oder vor ihnen; endlich ward
auch erkennbar, daß eines dieser Steingebirge der Untersberg war, dem sie näher kamen. Wittekind freute sich, ihn
wiederzusehn, in veränderter, bedeutender Gestalt. Mehr
noch freute ihn, mit den unersättlichen Augen seinem
Bertold zu folgen, dessen feine Gestalt so elastisch und
unternehmend voraufstieg. Der Jüngling schien beweisen
zu wollen, daß ihm das törichte Hungern nicht geschadet
habe; er bewies aber gewiß, daß nicht irgend ein ernstes
Leiden an ihm zehrte, daß in dem jungen Baum die
Säfte der Jugend lebten. Rascher, als der Alte gedacht
hatte, kamen sie, an sonderbaren, wie von Menschenhand
zugehauenen, steilen Felsen vorbei, auf dem Erdbuckel an,
den Saltner die „schöne Aussicht" nannte. Dieser Ehren-
name gebührte ihm: nach allen Seiten — nur einen ab-
sperrenden Waldhügel ausgenommen — entwickelte sich
ein herrlich aufgebautes Alpengebiet, von den empor-
steigenden Dachsteingletschern an über die formenschöne
Berchtesgadener Gebirgswelt hin bis zum Untersberg,
der mit seiner Riesenmauer den ganzen Norden verdeckte.

Der Alte zeigte ihnen Berg für Berg, wie man je-
mandem die Zimmer seiner Wohnung zeigt; dann aber
führte er sie noch eine Strecke weiter, mit stummem Winken, als ginge es ins Allerheiligste. Durch das hügelige
Wäldchen hinter ihnen kamen sie bald wieder ins Freie
und zu einigen Aussichtsbänken, auf denen sie rasten konnten, um in die reichbelebte Ebene zu sehen. Die silberne
Schlange der Salzach wand sich am Grunde hin, bis sie
hinter der Salzburger Zitadelle für eine Weile verschwand.
Saltner zeigte lächelnd auf die weite grasige Fläche
zwischen Untersberg und Salzach: „Da sehen Sie meinen
See! Er liegt noch unter der Decke. Und dort am Kapuzinerberg sehen Sie mein Haus!"

Wittekind erwiderte nichts. Wie sie hier saßen, mußte er der „Hedwigsruhe" gedenken — und der blassen Frau. Es gab ihm wieder einen herzhaften Stich in die Brust. Seine Augen ruhten auf dem noch fernen Salzburg; sie suchten aber nicht Saltners Haus, sondern das, wohin man ihm diese Frau heute morgen entführt hatte. So saß er ohne Regung da; aber die andern auch. Alle waren still.

Da ist sie nun! dachte er. Wie wenn sein Gedanke Stimme bekommen hätte, hörte er im nächsten Augenblick den Alten vor sich hin sagen: „Da ist sie nun!" — Bertold sah auf und nickte. „Sie meinen Frau von Tarnow!" sagte der Jüngling mit gedämpfter Stimme.

Sie hatten also alle drei an Frau von Tarnow gedacht ...

Wittekind stand auf. Saltner folgte ihm. In den Augen des Alten bewegte sich, da er mit den Wimpern zuckte, ein feuchter Schimmer. „Ja, ja, Frau von Tarnow!" murmelte er dann, mit der blaugeaderten Hand durch seinen Mosesbart gleitend. „Glauben Sie mir, das ist keine üble Frau. Ich — — ich kenn' sie lange. So klein..." Er hielt die Hand bis zu seinen Knieen hinab. „Wenn's der so gut ginge, wie sie es verdient, dann platzten wir alle vor Neid! — Das heißt, die von uns, die für sie kein Herz haben. Ich wollt's ihr wohl gönnen, Herr!"

Er seufzte dann und schwieg. Wittekind wollte etwas erwidern; aus irgend einem unklaren Gefühl blieb er aber still. Sie traten den Rückweg an, alle in ihren Gedanken. Raubvögel kreisten über ihnen in der blauen Luft, oder zogen mit raschem, rauschendem Flügelschlag vorüber, man hörte ihre hellen Rufe; sonst waren nur Axtschläge aus den Waldbergen vernehmbar, die an den gegenüberliegenden Wänden mit sonderbar verstärkter

Stimme widerhallten. Die Sonne brannte jetzt in ihrer
Mittagshöhe. Die scheinbar behauenen Felswände, an
denen sie wieder vorbeikamen, schienen zu glühen; auch
der Wiesengrund, über den sie schritten, hauchte warmen
Dunst aus. Der Alte führte sie einen anderen Weg, in
den dichten Wald hinein, der an niedrigeren Fortsetzungen
jener Wände entlang lief; so im Schatten wollte er sie
über die „Hedwigsruhe" wieder zur „Gemse" hinunter-
bringen. Es war hier menschenstille Einsamkeit. Auch
alle Singvögel schwiegen. In zuweilen wieder ver-
stummendem Gespräch gingen die Männer langsamer
weiter; bis sie in der Nähe ein helles Hundebellen hörten
und Saltner stehen blieb.

„Warum bellt denn der?" sagte er verwundert. „Das
ist dort bei den Felsbrocken; da geht's drüben steil in das
Tal hinab. Da sieht man doch sonst weder Mensch noch
Hund! Und der kleine Kerl bellt so eigen, als hätte er
was Absonderliches zu melden; so polizeilich. Finden Sie
nicht auch?"

„Man sollte wohl hingehn," entgegnete Wittekind.
Bertold nickte eifrig; seine jugendliche Phantasie war sogleich erregt. Der Hund bellte lauter, sie folgten seiner
Stimme und standen bald neben dem zerrissenen, zer-
bröckelten Gestein, unter den Bäumen am Abhang. Ein
wohlgekleideter Mann lag dort hart am Rand, offenbar
in tiefem Schlaf; so unmittelbar über dem jähen Absturz,
daß kaum zu begreifen war, daß nicht irgend eine Bewegung
im Schlaf ihn in die Tiefe gestürzt hatte. Er lag auf dem
Gesicht. Sein Hut war ihm von dem braunen, lockigen
Haar herabgeglitten und hing an einer vorspringenden
Wurzel. Seine eleganten Schuhe glänzten; der eine war
abgestreift, man sah den kleinen, fast zierlichen Fuß in
seinem halbseidenen Strumpf. Ein auffallender, üppig

schwüler Duft, wie Blumengeruch, stieg von dem Schläfer
herauf. Der Hund, ein schmutziggrauer Rattler, hörte
auf zu bellen und sah die Männer erwartungsvoll, mit
klug wichtiger Miene an.

Eh' Wittekind noch hinzutreten konnte, hatte der
Alte sich hinabgebeugt, den Schlafenden an beiden Armen
gepackt, und hob ihn so in die Höhe, vom Abgrund hinweg.
Er setzte ihn dann sanft wieder nieder, mit dem Rücken
gegen ein rundliches, bemoostes Felsstück. Man sah nun
das Gesicht; es war jung, von ungewöhnlich schöner Farbe,
Nase und Mund auch von edlem Schnitt; die Haare fielen
in dichten Ringeln über die etwas niedrige Stirn. Die
grünlich-grauen Augen hatten sich geöffnet; sie schienen
sich wieder schließen zu wollen, aber der Anblick dieser
über ihn gebeugten Männer weckte doch in dem jungen
Mann das Bewußtsein, die Lebensgeister auf. Er blies
die Luft verwundert durch die Lippen. Er hob eine Hand
zum Ohr und bog es mehrmals zusammen, immer um sich
starrend. Endlich sah er auch die Baumwipfel, die aus der
Tiefe hier und da heraufragten, und schien zu begreifen,
wo er lag, wo er gelegen hatte. Seine Stirn zog sich, wie
vor Schmerz, zusammen. Er seufzte; dann aber suchte er
leicht und herzlich zu lächeln und zeigte dabei seine kleinen,
perlenhaft glänzenden Zähne.

„Aha! Lebensretter!" sagte er, mit wahrer oder erzwungener Heiterkeit. „Also eingeschlafen; am Abgrund.
Ich hätte mir's denken können — denn ich war so müde.
Ergebensten Dank, meine Herren; Sie retten ein junges,
hoffnungsvolles Leben. Na, das sehen Sie ja. Meinen
ergebensten Dank!"

„Gehört der Hund zu Ihnen?" fragte Saltner
trocken.

„Nein; ich weiß nichts von einem Hund. Der da?

Ich kenn' ihn nicht. Hat der mich etwa gerettet? Dann möcht' ich ihm' — —

„Wir werden ihm nachher eine große Wurst kaufen," setzte der junge Mann hinzu, statt den andern Satz zu vollenden, und lächelte wieder. Er erhob sich dann langsam auf die Füße. Seine Gestalt war klein neben der des Riesen, aber schlank, aristokratisch; nur die Schultern etwas hoch und spitz. Ein Brillant glänzte auf seiner farbigen Krawatte. Die etwas abgetragenen Handschuhe waren stark mit Erde bedeckt. Er sah das, lachte auf und schlug sie mehrmals stark gegeneinander, wie wenn er Beifall klatschte; dann nickte er dem jungen Bertold, den er verwundert betrachtete, in drolliger Heiterkeit zu und zog den Schuh wieder an, den er verloren hatte.

„Wie kamen Sie denn hierher?" fragte Wittekind.

„Ja, wie kommt man zu solchen Dummheiten!" erwiderte der andre, der sich nun auch den Bart von einigen Erdkrumen reinigte; denn ein lichtbrauner, schöngeformter Schnurrbart kräuselte sich über der Oberlippe. „Ich war da drüben in Salzburg; hatte einen Brief bekommen, daß ich da nichts zu tun hätte, daß ich a n d e r s w o — — na, kurz, einen Brief. Ich steige also auf den Mönchsberg, eh' ich wieder abreise; sehe auf die Stadt hinunter und in die Natur. Und da fallen mir hier so ein paar sonderbare, verrückte Felsen auf; die willst du besteigen! dacht' ich. Denn was sollt' ich sonst? Ich hatte ja nichts zu tun! — Das war heute früh. Ich fuhr auf der kleinen neuen Bahn bis an die Berge, kletterte dann herauf. Und zu guter Letzt — bin ich hier eingeschlafen. Aber die Vorsehung, ohne die bekanntlich kein Sperling vom Dache fällt — — Kurz, da steh' ich. Ein nützliches, wichtiges Leben ist gerettet. Und da ist ja auch noch mein Hut... Alles ist gerettet!"

Er lachte wieder auf. Es war ein etwas mühsam

leichtsinniges Lachen, das Wittekind nicht gefiel. Dagegen
erstaunte er, wie schön und dem Ohr sich einschmeichelnd
der Fremde sprach; fast ein wenig zu gut, wie oft Schauspieler oder Prediger sprechen. Er fühlte sich an Waldenburgs Art, zu reden, erinnert. Der junge Mann verzog auf
einmal das Gesicht, ward blaß, und fragte nach dem nächsten Wirtshaus; es hungere ihn heftig. Auch die Rettungs-
prämie für den Hund, die Wurst, müsse ja gekauft oder
gesotten werden. „Nun, so gehn Sie mit uns," sagte Saltner; „zur ‚Gemse‘. Da sorgt man für Mensch und Hund!"

„Ich schließe mich Ihnen also an, wenn Sie erlauben,"
entgegnete der Fremde und machte sich sogleich auf den
Weg. Im Gehn fiel ihm ein: „Ich hatte doch einen Überrock. Wo ist der geblieben? Wo ich lag, da liegt keiner.
Ah! Der ist also statt meiner —"

„Hinuntergerollt," ergänzte der Alte. „So scheint es."

„Der Glückliche!" sagte der junge Mann, mit einem
verzerrten, unsinnigen Lächeln, das Wittekind sonderbar
ergriff. Dann zuckte er die Achseln, und blickte einen der
Männer nach dem andern mit jugendlicher Heiterkeit an.
„Jetzt bin ich der weise Bion — oder wie hieß er —:
Omnia mea mecum porto! Denn mein bißchen Gepäck,
das hab' ich schon unterwegs verloren, eh' ich nach Salzburg kam; in irgend einem Coupé. Ich behalte nichts.
Das ist schon mein Schicksal. Also auf zur ‚Gemse‘!"

„Ich vergesse," setzte er hinzu und blieb wieder stehn:
„ich habe mich den Herren noch nicht vorgestellt. Dorsay
ist mein Name. Eugen Dorsay. Vierundzwanzig Jahre
alt; gegenwärtig — Reisender, oder was Sie wollen."

Er schob die Füße und die Kniee aneinander und verneigte sich mit vollendeter Grazie; die Schönheit seiner
Gestalt, seiner Bewegungen war noch auffallender als
zuvor. Die Herren erwiderten seine Höflichkeit. Als er

Wittekinds Namen hörte, stutzte er und betrachtete ihn aufmerksam; aber er blieb stumm. „Wo ist der Hund?" fragte er nach einer Weile, da sie weitergingen. Der „Lebensretter" hatte sich ihnen anfangs angeschlossen, stand nun aber hinter ihnen still, wo zwei Waldwege sich kreuzten, und schien noch zu schwanken, wohin er sich wenden sollte.

„Heda!" rief Dorsay. „Her zu uns! — Die Wurst! Vergiß nicht: die Wurst! Der Lohn deiner Tugend!" — Der Rattler ließ sich aber nicht locken; den Schwanz zwischen die Beine nehmend wandte er sich langsam und trabte in anderer Richtung davon.

Dorsay hob die Arme, und mit pathetischen Bewegungen, als stände er auf der Bühne, rief er dem Flüchtling nach:

„He, Romeo! mein Vetter Romeo! —
Bei Rosalindens hellem Aug' beschwör' ich dich,
Bei ihrer hohen Stirn, den Scharlachlippen ..."

Der Hund lief nur umso hurtiger in den Wald hinein. Endlich lachte Dorsay auf. Er wandte sich zu Bertold: „Sehen Sie," sagte er, „das ist der Lauf der Welt! Die Tugend geht ohne Lohn davon; und das Laster — — nun, das Laster setzt sich an die Tafel!"

„Bei alledem gestatten Sie mir die Frage," sagte Saltner mit einem fast grimmigen Gesicht, da er die dicken Brauen tief herunterzog: „was für ein starker, süßer Teufelsduft kommt denn da von Ihnen? Er ist gar nicht übel, aber von einer Gewalt — — Er liegt in der Luft, wie Weihrauch in der Kirche; man riecht ja den W a l d nicht mehr."

Statt zu antworten, griff der junge Mann in die Brusttasche, zog einen mit Goldbruck verzierten Brief heraus und hielt ihn dem Alten vors Gesicht.

„Sie meinen, von dem Brief da kommt's?

„Nun ja, von dem Brief. Das ist eben der, von dem ich vorhin sagte. Von einer Dame natürlich..."

Er lächelte, gar liebenswürdig leichtfertig, und steckte ihn wieder ein.

„Aber erlauben Sie," brummte der Alte: „von so einem Brief in der Tasche wird nicht eine ganze Gegend lasterhaft; denn das ist wirklich ein lasterhaft süßer Wohlgeruch. Wenn die Sünde als Weib herumginge, das wär' ihr richtiger Duft!"

Dorsay lachte laut. Es wirbelte wie eine Art von Musik zu den Wipfeln hinauf; denn diesem etwas bedenklichen Gesellen steckte ein eigener goldener Zauber in der Kehle. „Sie haben übrigens recht," sagte er darauf. „Mein ganzer Rock — — Mir fällt jetzt ein: von demselben Duft hatt' ich noch einen Rest, den hab' ich mir, eh' ich nach Salzburg kam, auf den Rock gegossen. Davon riech' ich nun so nach Sünde. Pardon! Wie alles vergeht, wird auch das vergehn. Sie werden in der ‚Gemse‘ staunen, werter Herr, wie tugendhaft ich auch sein kann. Wären wir nur erst dort! Ich hab' eine Sehnsucht nach allerlei Labsal — und nach Ruhe — nach Kühle — — Mir wird gar nicht gut!"

Er sagte das noch scherzend; es war aber eine letzte Anstrengung, mit der es zu Ende ging. Da sie aus dem Wald in eine Lichtung hinausgetreten waren, die in der Sonne glühte, schien sich dem Fremden ein Druck auf die Augen, auf das Hirn zu legen, wie in zu heißem Bad; er hob seine Hand zum Kopf, sein Gesicht überfüllte sich mit Blut, er begann zu seufzen. Endlich stand er still. Er schwankte. Saltner und Wittekind, schnell entschlossen und in schweigendem Einverständnis, faßten ihn rechts und links und führten ihn, so eilig wie sie konnten, über die Lichtung fort; der eine mehr als mannesstark, der andre von Riesenkraft: so trugen sie die schlanke, leichte Gestalt fast mehr, als sie sie führten. Er widerstrebte nicht, er sprach auch nicht; mit geschlossenen Augen seufzte er zuweilen leise vor sich hin. Als sie dann in neuem Wald, auf dem Wege, der Wittekind gestern zur „Hedwigsruhe" geführt hatte, vollends abwärts stiegen, schien die Schwäche von ihm zu weichen; er beteuerte mit freilich noch matter Stimme, er könne allein gehen, er bedürfe keiner Hilfe mehr. Doch in der Nähe der „Gemse", da ihm die Sonne wieder auf den Scheitel brannte, begann er in erschreckender Weise zu stöhnen, und seine Glieder wurden wie Binsen, alle Kraft verließ ihn. Sie schleppten ihn noch eine Weile auf der Straße fort; etwa zwanzig Schritte vom Wirtshaus sank er ihnen bewußtlos aus den Armen.

Kathi stand vor der Tür, unter dem kleinen Schutzdach. Sie stieß den Schrei aus, den der junge Mann im Fallen unterdrückt hatte, lief herbei und schlug die Hände über dem Kopf zusammen. Indessen hatten die beiden Männer den Ohnmächtigen bald emporgehoben, Bertold half ihn tragen, soviel man ihm übrig ließ, und so kamen sie in das Haus und die Treppe hinauf. Sie legten ihn auf das Bett, in welchem Waldenburg diese Nacht geruht hatte. Er lag blaß wie ein Toter da; einen Augenblick war Wittekind, als sähe er Waldenburgs kaltes, stilles Gesicht; aber der Ort, die Erinnerung an das hier geführte Nachtgespräch mochte ihn so täuschen und verwirren. Jedenfalls verflog die Ähnlichkeit bald. Dorsay lag lange, ohne sich zu regen; allmählich kehrte den blaßblauen Lippen ihre Röte wieder, er schlug auch die Augen auf. Es währte aber noch eine Weile, bis sein Bewußtsein erwachte und er mit einem eigentümlichen Ausdruck von Pein nach etwas Wasser verlangte. Kathi, die ihn

schon lange voll Mitleid betrachtet hatte, stürzte hinunter,
um ein Glas zu füllen. Sie kam aber zu spät zurück: denn
der jugendliche Körper hatte sich mittlerweile schnell entschlossen, die Stärkung im S ch l a f zu suchen, und wie
wenn er aus den Armen der Ohnmacht in die des Schlum-
mers sänke, war er mit einer Art von Lächeln, den Kopf
auf die Seite legend, friedlich eingeschlafen. Fast unhörbar seufzend kam und ging sein Atem, nur zuweilen bewegte ein leichtes Zittern seine Glieder.

Als er wieder erwachte, waren Stunden vergangen;
die Sonne, die schon tief im Westen stand, schien in sein
Gemach. Die gute Kathi stand neben seinem Bett. Sie
war mittlerweile oft hinabgestiegen, als Kellnerin auf-
zuwarten, und immer wieder hinauf, um das Erwachen
dieses armen Menschen ja nicht zu versäumen, um sogleich
zu hören, wessen er bedürfe. Sein erster Blick fiel, sehr
verwundert, auf das junge Mädchen. Er wandte sich
ganz herum; seine grauen Augen, deren grünlicher Schimmer eben erst erwachte, wanderten, noch wie im Traum,
über das unbekannte, blumenhaft blühende Gesicht. Der
gespannte Zug von kindlicher Sorge und süßem Mitleid,
der darüber hinzog, rührte ihn in dumpfer, gedankenloser
Weise, da er noch nicht begriffen hatte, wo er sich befand.
Auf einmal wußte er alles. Er war Eugen Torsah, und
lag auf einem fremden Bett, und lebte; und es war gut,
daß er lebte, da ein so reizendes Geschöpf ihn so gut und
mitleidig ansah. Er lächelte ihr zu. Er lächelte so zufrieden
und herzlich, daß sie tun mußte was e r tat. Die beiden
jungen Gesichter lachten einander an. Er grüßte sie mit
den Augen, dann mit freundlichem, wiederholtem Nicken.
Sie grüßte ihn ebenso.

„Kommen Sie!“ sagte er nach einer Weile mit seiner
einschmeichelnden Stimme. Sie kam, näher tretend. Er

nahm ihre Hand, betrachtete sie .und streichelte einmal
sacht darüber hin. Dann sah er ihr mit heiterem Ernst
schweigend ins Gesicht, hob seinen Arm bis zu ihrer Schläfe,
nahm eine der braunen Locken, die ihr seitwärts in die
Stirn fielen, die längste, und wickelte sie langsam um seinen
Zeigefinger. Das Mädchen blickte ihn verwundert und
mit stockendem Atem an, ohne sich zu rühren. Sie hielt
so still, als müsse das eben sein, als wäre es so bestimmt
und beschlossen. Als er dann die Finger wieder aus dem
Löckchen zog, atmete sie auf.

Er legte den Finger an seine Lippen, küßte ihn, und
lächelte ihr wieder zu. „Und wie heißen Sie?" fragte er.

„Kathi," sagte sie leise.

„Gute Kathi. Wenn es nun doch eine abgemachte
Sache ist, daß ich leben soll — so lassen Sie mich auch g a n z
leben. Verstehen Sie mich, mein Herz! Ein Glas Wein,
etwas Warmes, etwas, davon man satt wird, wenn man
hungrig ist. Denn der Hunger kommt. Da ist er schon,
dieser hagere Wolf. Er heult! Ich werde sterben, Kathi,
eh' Sie wiederkommen. Ich hab' l a n g e nicht —
Aber was kümmert das Sie, oder irgend einen Menschen.
Fragen Sie nicht, was; ich will i r g e n d w a s ..." Er
zog ein Goldstück aus der Westentasche und hielt es in die
Luft: „So viel, wie das wert ist, bringen Sie mir zu essen!"

Über Kathis mitleidig trauriges Gesicht flog ein
Kinderlächeln; sie sprang die Treppe hinunter. Unten erzählte sie den andern Gästen, Saltner und Wittelinds,
die im „Salettl" beim Schachbrett saßen, nur in fliegender
Eile, der Herr mit den Glanzschuhen sei wach und habe
Hunger. Aus der Küche eilte sie dann wieder hinauf,
um seinen Tisch zu decken; bald danach, um ihm den ersten
Hungertrost zu bringen. Man hörte sie oft die Treppe auf
und nieder laufen, immer mit einem fröhlichen Summen

ober Zwitschern auf den Lippen. Endlich kam sie wieder
ins Salettl: der Herr sei nun satt; aber er habe Papier
und Feder verlangt, und schreibe einen Brief. Denn er
bleibe hier, es gefalle ihm in der „Gemse". Es solle
jemand zur Stadt hinunter, ihm etwas Wäsche zu kaufen.
Er habe schon wieder gesungen und lasse die Herren schön
grüßen.

Nach einer Weile erschien er selbst; blieb im Eingang
des Salettls stehn, verneigte sich feierlich, und ging dann
mit seiner zutraulichen, strahlenden Heiterkeit auf die
Herren zu. Er hatte ein anderes Halstuch angelegt, —
die einzige Veränderung, die er machen konnte; an seinen
Händen, die nicht mehr in den Handschuhen steckten, sah
man nun mehrere kostbare Ringe, die auf die außerordentliche Feinheit seiner langen Finger, seiner fast
rosigen, sorgsam gepflegten Nägel aufmerksam machten.
Von der Schwäche, die ihn vorhin niedergeworfen hatte,
war nichts mehr zu spüren; dagegen leuchtete ein auffallender, heißer, übertriebener Glanz aus seinen Augen,
den die Männer bemerkten, als er sich zu ihnen an den
runden Tisch setzte. Saltner, der am Schachbrett gegen
Vater und Sohn gekämpft hatte und soeben unterlegen
war, betrachtete den jungen Mann mit scharfer Prüfung
und schüttelte den Kopf. Zuletzt sagte er in seiner berben
Aufrichtigkeit: "Haben Sie Fieber, Herr, oder zu viel
Wein im Kopf?"

„Weder das eine noch das andere," entgegnete Dorsay
lächelnd. „Der Wein ist gewiß ein guter Freund, aber
nicht der beste. Er wirkt erst wenn man ihm tüchtig zu-
gesprochen hat, und man kann ihn nicht so in der Tasche
bei sich tragen — wie den andern, den B u s e n freund.
Es lebe das Morphium!"

„Sie nehmen Morphium?" fragte der Alte verfinstert.

„Ja, ich bin so frei. Sie werden mich nicht aufessen, Herr, wenn Sie auch so ein Menschenfressergesicht machen; und auch die gute Laune werden Sie mir nicht stören. Das ist ja eben der Segen dieses besten Bruders: er gibt uns eine Götterlaune, er hüllt uns in eine Wolke von Heiterkeit und Glück, daß keine Sorge hindurch kann. Der Verdruß und der Kummer stehn draußen, man sieht sie noch durch einen Nebel, aber man spürt sie nicht. Und man vergißt, vergißt! Das ist das Höchste: vergessen!"

Saltners Brauendickicht ging immer auf und nieder. „Und nachher?" fragte er. „Die Folgen? Der Katzenjammer?"

Dorsay lächelte kalt. „Lieber Herr, Sie verlangen zu viel. Umsonst ist der Tod!"

„Und Sie haben immer so ein Fläschchen in der Tasche?"

„Ein Fläschchen, in das eine hübsche Menge hineingeht — eine Masse Glück!"

„Ich wollte, ich hätte Ihr Fläschchen —"

„Was würden Sie damit tun?" fragte Dorsay, den dieses Gespräch nur erheiterte.

„Ich würde es da unten in die Salzach werfen —"

„Wo sie am tiefsten ist!" setzte Dorsay hinzu. „Daraus schließe ich, mein Herr, daß Sie glücklich sind; daß Sie keinen Tröster, keinen Lebensbalsam, keine Lethe brauchen ... Ich höre und sehe Ihre Moral, mein Herr; aber sie steht da draußen, wo der Verdruß und der Kummer stehn. Und da steht sie gut. Das Leben ist ein Wahnsinn, Herr, ohne so einen Freund! O Asien, Land der Weisheit ... Der Obergott ist H a s c h i s c h. Dem kommt keiner gleich. In so einem grünen Haschischtäfelchen steckt das Paradies. Ich hab' einmal in einer Sommernacht, unterm Sternenhimmel, auf dem Verdeck gelegen, im Haschischwonnerausch; über mir stand ein Stern, der ward eine Sonne, seine

Silberstrahlen wuchsen über den Himmel hin, alles, alles ward Licht, die ganze Welt ward ein Meer von Licht, und ich mußte immer lächeln und staunen, daß so eine Herrlichkeit grade für mich geschaffen, und daß ich so heiter und so selig sei. Und ich war so leicht, ich fühlte mich fliegen, ich flog in das Licht hinauf. Ich war wie ein Gott. Herr, und so ein Glück gönnen Sie einem Menschen nicht? Nur Sorg' und Not und ein Hundeleben — und es nie vergessen? — Es lebe der Haschisch. Und es lebe das Morphium. Auch Morphium ist gut. Und auch Wein ist gut. Kathi — wo ist Kathi — bringen Sie mir Wein, Kathi; Ihren roten, sauren!"

Er lachte auf, er erhob sich, und mit drolligem Theaterpathos, mit dem gespielten Augenrollen eines Trunkenen reckte er den rechten Arm gegen Saltner aus. „Wie sagt Junker Tobias bei dem göttlichen Shakespeare? ‚Vermeinest du, weil du tugendhaft seiest, solle es keine Torten und keinen Wein mehr geben? Und der Ingwer soll auch noch im Munde brennen . . .'"

Kathi, die drinnen im Haus trinkende Bauern bedient hatte, kam herausgelaufen. Sie hörte die letzten, sonderbaren Reden, sah die närrischen Gebärden des Fremden, und bang an ihr Schürzchen greifend stand sie still. Als aber Dorsay sich wandte und wieder sein natürliches, fröhliches, unwiderstehliches Lächeln zu ihr hinüberflog, kam auch ihre kindliche Heiterkeit zurück. „Wein, liebe Kathi!" rief seine klingende, warme Stimme. Sie nickte und sprang ins Haus. Der alte Saltner trat, ohne etwas zu sagen, in den Garten hinaus und sah in die blaue Ferne, die sich im Widerschein des beginnenden Abendrots zu verfärben anfing.

Ein Mißgefühl, das er nicht ganz verstand, lag ihm auf der Brust; er sann nach und suchte. Warum faßte ihn

bei den Reden dieses Herrn Dorsay so ein Widerwille?
Warum mißfiel ihm sogar sein schönes, nicht gewöhnliches,
von geheimem Kummer gezeichnetes Gesicht? Was war
ihm dieser Mensch — und an was dachte er bei seinem
Anblick? Irgendwann, irgendwo hatte er jemand gesehn,
der ihm ähnlich war; der seinem Gefühl ebenso mißfiel ...
Plötzlich tauchte es auf, und traurig lächelnd wiegte er den
Kopf. Nur ein Bild, diesem Menschen ähnlich, hatte
er gesehn; eine Photographie. Er stand im Veitlbruch
am Untersberg mit Marie von Tarnow — damals noch
nicht „von Tarnow" — und nahm ihr die Photographie
eines jungen Mannes aus der Hand, die er schon dreimal
angesehen hatte, und sagte zu ihr: „Gib acht! nimm den
nicht! Glaub mir, es wird dein Unglück!" — Sie schien
ihm zu glauben; und ging wieder nach Amerika — und
nahm ihren Jüngling doch ... An jene Photographie ward
er nun erinnert. So ungefähr, wie der Dorsay, sah der
Herr von Tarnow auf dem Bildchen aus, das Unglück seiner
Marie. Darum war ihm so ungut ums Herz. Darum
wollte er lieber diesen Menschen nicht mehr sehn ... Was
tu' ich denn auch noch hier? dachte er. Wozu auf der
„Gemse"? Marie wieder fort — der Namenstag vorbei —
also zurück in die Einsiedelei am Kapuzinerberg — in den
„Wald" zurück!

Er ging langsam am Felsen hin und wollte von hinten
ins Haus; eine lärmende Lustigkeit riß ihn aber aus seinen
Gedanken und er sah über die Schulter zum Salettl hinüber. Dort trug eben Dorsay mit Kathi einen Tisch auf
den Rasen hinaus; Bertold folgte mit Stühlen; Wittekind
lehnte sich lächelnd an die Wand. Nach wenigen Augenblicken war die kleine Halle ebenso wie gestern geräumt,
und Dorsay, seinen Hut ins Gras werfend, einen richtigen
Jodler singend, sprang auf das Salettl zu und schwang

sich über die Brüstung hinein. Kathi folgte ihm, aber
sittig durch den offenen Eingang. „Die Musik mach' ich
selbst!" rief Dorsay. „Steirisch über alles!" — Und mit
kunstgerechter, angenehmer Stimme, bald mit Text, bald
nur trällernd, sang er die Tanzmelodie, während er in
allen Figuren des „Steirischen" mit dem Mädchen bahin-
schwebte.

Kathis Wangen glühten. War gestern, beim Tanz mit
der Wabi, eine bacchantische Lustigkeit in ihr erwacht, so
riß nun die närrische Wildheit ihres Gesellen sie bald wie
in einen R a u s c h hinein; der Tanzteufel schien sich in
ihren Gliedern zu wiegen, aus ihren Augen zu funkeln,
während die tollmachende Stimme des andern unermüdlich sang. Seine geschmeidige, biegsame Gestalt, in deren
natürlicher Grazie die Morphiumtrunkenheit zuweilen ver-
wildernd aufzulodern schien, umspielte, umschwebte das
Mädchen wie eine tanzende Flamme; ihre Augen sahen
ihn so, ihr Herz fühlte ihn so, im Dahingleiten jauchzte
sie still in sich hinein, sein Lächeln, seinen Gesang, seinen
Atem trinkend. Es war ihr, als sei sie nun, und zum erstenmal, in das Element gekommen, dem sie angehöre; als
gehöre auch zum „Steirischen" kein Bewußtsein und kein
Wille mehr. Sie schwamm so dahin, sie tat von selbst,
was sie sollte, alles kam von i h m. Wie wenn der Magnet
mit dem Eisen tanzte, so bewegten sie sich mit- und um-
einander, ohne zu ermatten.

Saltner sah vom Felsen aus ihnen lange zu, bewundernd, zuletzt den Kopf schüttelnd. Endlich ging er ins
Haus. Auch Wittekind, des Zuschauens müde, einen Arm
auf Bertolds Schulter gelegt, führte seinen Jungen an
der Straße hin dem Hause zu. Die Tänzer blieben allein.
Kathi schloß einen Augenblick die durchglühten Augen;
dann fühlte sie, daß Dorsan stehen blieb, fühlte seinen

Atem und blickte wie im Traum wieder auf. Sie sah, wie sein Gesicht über dem ihren schwebte. Seine Augen lachten. Sein Mund öffnete sich, wie sie junge Rosen oder Nelken hatte aufgehen sehn. Seine Zähne blitzten. Sein ganzes lachendes Antlitz schien zu sagen: du und ich, wir sind glücklich!

Er flüsterte etwas; sie verstand es nicht. Sie fühlte nur, daß sie bangen müsse, wenn es ein anderer hörte. Aber nun sah sie, umherblickend: alle waren fort. Das Herz schlug ihr leichter. Sie wollte ihm sein Lächeln zurückgeben; nur daß eine andere, plötzliche Bangigkeit sie erbeben machte und ihr Atem stehen blieb, sie wußte nicht warum.

„Kathi!" sagte er.

„Was?"

Er antwortete nicht. Mit ernsthafterem Lächeln legte er ihr beide Hände an die feurigen Wangen, hob langsam ihr Gesicht zu dem seinen hin und drückte ihre und seine Lippen aufeinander.

Sie ließ es geschehen, wie wehrlos; mit kaum vernehmbarem Seufzen. Ihre Arme hingen schlaff herab; wie bei einem Kind, das sich ohne eigenen Willen küssen läßt. Als er sie wieder freigab, sah er aber ihr kindlich trauriges, verzagtes Gesicht; ihre Mundwinkel zogen sich hinab, die Augen flehten ihn an. Leise, aber deutlich sagte sie: „Ach bitte, tun Sie das nicht!"

Er horchte verwundert auf. Unbewußt einen Schritt zurücktretend starrte er auf diese rührende Verwandlung ihrer Züge. Wie zur Erklärung setzte das Mädchen noch leiser hinzu: „Ich hab' noch niemand geküßt!"

„Ah!" sagte er, und seine Lippen verzogen sich zu einem Lächeln, das ironisch sein wollte. Aber die Ironie verflog über ihrem Anblick. Er sah den vollen, warmen,

hilflofen Ausdruck der Unfchuld auf ihrem erblaßten Geficht. Etwas vor fich hinmurmelnd ging er von ihr hinweg und fetzte fich auf die Brüftung, die er vorhin über-
fprungen hatte. Er blickte auf den Fußboden, feine Ferfen
fchlugen facht gegen die Holzwand, auf der er faß. „Ich
will's alfo nicht mehr tun!" fagte er nach einer kurzen
Stille. „Gehen Sie, gute Kathi. Geh weg, mein' ich;
laß mich hier allein!"

Sie atmete tief auf. Sie ftand noch eine Weile, als
wolle fie etwas fagen und könne es nicht finden. Endlich
murmelte fie mit fchwacher Stimme: „Ich danke Ihnen!"
und ging leife ins Haus.

Dorfay faß eine geraume Zeit, ohne fich zu rühren.
Aus feinem Geficht war das Leben fort; die Brauen
hatten fich zufammengezogen, der Mund feft gefchloffen,
die Lider fanken ein und die Augen verloren ihren Glanz.
Die Wirkung feines „Lebensbalfams" fchien verraucht zu
fein; nur der Bodenfatz feines Dafeins fchien zurückzu-
bleiben, und ein gewiffes ftumpfes Grauen zu erwachen.
Es ward dunkel. Von der Rückfeite des Haufes kam jemand mit Licht. Er fühlte es im Auge, fchüttelte fich und
ftand auf. Langfam, müde und fchwer ging er auf die
Straße zu, und von da in die Tür.

Wittekind trat eben aus feinem Zimmer, als Dorfay
die Treppe heraufkam; betroffen blieb er ftehn, da er den
jungen Mann fo verändert fah. Der Schein einer eben
angezündeten Lampe fiel ihm ins Geficht; es war grünlich bleich, ohne Jugend, die halbgeöffneten Augen hatten
einen müden, kalten Schlangenblick, der Wittekind an
Waldenburg erinnerte. Sie gingen aneinander vorüber;
plötzlich aber fühlte Wittekind fich am Arm ergriffen,
und ein fanfter Druck zog ihn fort. „Kommen Sie!" fagte
Dorfay flüfternd, faft heifer. „Bitte, kommen Sie!

Schenken Sie mir noch einige Minuten!" — Damit
öffnete er schon seine eigene Tür und führte den halb
widerstrebend Folgenden hinein.

Das beginnende Mondlicht erhellte die Nacht in
Dorsays Zimmer; dieser rieb auch ein Zündholz an, das
er aus einem Westentäschchen holte, in seiner unruhigen
Hand erlosch es aber, und er warf's auf die Erde. „Seien
Sie gut!" sagte er mit sich erregender Stimme; „ich kann
noch nicht allein sein, und nicht unter Menschen; bleiben
Sie ein wenig hier! Zu Ihnen hab' ich Vertrauen, muß
ich Ihnen sagen; Sie haben so die richtigen Menschen-
augen — ich meine, Augen, die mitfühlen, wie einem
andern zu Mut ist, die alles verstehn und begreifen.
Dieser Weißbart aber — Gott erhalte ihn — wenn ich dem
erzählte, wie es in mir aussieht, so würd' er vermutlich
sagen: Werft den Kerl ins Wasser! Und Ihr Sohn — verzeihen Sie — der ist in all seiner göttlichen Unschuld noch
eine Art von Kind! — — Starren Sie mich nicht so an;
nehmen Sie den Stuhl da. Mir ist schlecht zu Mut. Nur
ums H e r z , mein' ich; denn mit dem Hungertod" — er
lachte auf — „mit dem ist's ja vorbei!"

Wittekind fuhr auf. „Was sagen Sie da? Sie haben —"

„Ein bißchen verhungern wollen, ja!" erwiderte Dorsay, mit der Rückseite seiner Hand verächtlich über den
Tisch fahrend. „Weil ich dachte: mit meinen vierundzwanzig Jahren — und allem, was darin ist — hab' ich
genug gelebt! — Aber als ich merkte: das führ' ich nicht
durch, die Bestie ist zu stark — da hab' ich mich da oben
bei dem verrückten Fels an den Rand gelegt — ja, mein
Herr, so ist's — und in meiner tapfern Schlauheit hab'
ich mir gedacht: wenn ich hier, nach der schlechten Nacht,
vor Erschöpfung einschlafe, dann roll' ich bei irgend einem
unruhigen, tollen Traum — wie ich sie kenne, Herr — in

den Abgrund hinunter, und der Spaß ist aus! — — Ich
bitte Sie sehr, verdenken Sie mir's nicht. Ich braucht's
Ihnen ja nicht zu sagen, so wenig wie den andern; —
aber immer schweigen, schweigen, das ist a u ch entsetzlich;
und Ihre Augen machen einem Mut. Ich bin sehr unglücklich, Herr! Ich bin furchtbar unglücklich! Mir ist nichts
geglückt, alles ist verspielt; ein verpfuschtes Leben ...
Keinem zuliebe, allen nur zuleide ... Darum wollt' ich
fort!"

Wittekind schwieg eine Weile. Er war sehr betroffen;
so offene und so traurige Bekenntnisse hatte er nicht erwartet. „Was soll ich Ihnen sagen?" erwiderte er, nachdem er sich leidlich gefaßt hatte. „Daß ich Sie sehr bedaure? Das hilft Ihnen ja zu nichts. Daß ich Ihnen
recht gebe? Herr, das tu' ich nicht. Oder daß Sie sich
aufraffen, weiterleben, bessermachen sollen? Indem ich
das nur sage, schütteln Sie schon den Kopf!"

„So nehmen Sie mir erst mein E r b t e i l aus dem
Leibe!" sagte der andre mit einem so grimmigen, verzerrten Ausdruck, daß Wittekind erschrak. „Nehmen Sie
mir erst meinen V a t e r, Herr! Nehmen Sie mir das
faulige Blut — und das edle Beispiel — und alles, was
von Anfang da war, oder so nach und nach über mich gekommen ist — weil ich diesen Vater hatte — den ich verfluche, Herr! Ja, ja, ja, verfluche! Heben Sie nicht die
Hand! Ich verfluch' ihn doch! Es ist mein letzter, einziger
Trost, daß ich ihn verfluche! Er gab mir dieses elende
Leben, diese Eigenschaften, er hat mich gemacht, ich kann
ihm nichts Gleiches antun; und wenn ich sterbe, das tut
ihm nichts, er lebt ruhig weiter; ich kann nichts, als schreien,
laut in die Welt hinausschreien, daß ich ihn verfluche —
vielleicht hört es jemand da oben in den Wolken — vielleicht kommt es als Echo in sein Herz zurück — vielleicht

wird es ihm angerechnet — ich weiß nicht — aber mein
einziges Labsal ist, daß ich ihn verfluche!"

Die Luft schien von diesen wilden Worten zu beben;
ein Glas auf einem Teller klirrte; Wittekind schüttelte sich,
ein Schauder überlief ihn. Er schwankte eine Zeitlang,
dann ging er still nach der Tür. Zu reden widerstand
ihm, bleiben mochte er nicht. Ihm graute auch, in dieses
Leben tiefer einzudringen; die Flüche gellten noch zu hart
in seinem Ohr. Und doch lag ihm ein schweres Mitleid
auf der Brust. Er war tief bedrückt, uneins mit sich selbst.
Übrigens ließ ihn der andre gehn, ohne sich zu regen; er
wandte nur betroffen den Kopf.

Erst als Wittekind die Hand zögernd auf den Tür-
drücker legte, rief Dorsay ihn mit gedämpfter, weicherer
Stimme an. Wittekind blieb stehn. „Herr, Sie haben
recht!" sagte Dorsay. „Gehn Sie! Ich bin verrückt. Sie
sind selber Vater; haben auch einen Sohn. Weil ich den
vorhin beneidete, so brach es aus mir heraus ... Aber
meine Gründe, mein Leben, meines Vaters Leben — das
alles kann ich Ihnen ja doch nicht sagen, Ihnen, einem
Fremden; kann Ihnen nicht sagen, warum ich ihn verfluche ... Verzeihen Sie mir, mein Herr. Unglückliche
verlieren zuweilen den Verstand und vergessen, was
schicklich ist. Seien Sie gut, grollen Sie mir nicht!"

„Wie sollte ich Ihnen grollen?" sagte Wittekind, dem
jetzt nur Mitleid ums Herz lag. „Ich — — ich kann Ihnen
nur nicht sagen, Herr Dorsay, wie sehr ich Sie bedaure."

„Sehn Sie, das wußt' ich: Ihre Augen!" entgegnete
der Unglückliche mit einem unwiderstehlich liebenswürdigen
Lächeln. „Ich danke Ihnen; — gehn Sie. Versprechen
Sie mir nur eins, hochverehrter Herr: daß Sie den
andern nicht sagen wollen, was Sie hier gehört haben.
Sie schütteln den Kopf; das ist mir genug. Wenn Sie mich

morgen wiederſehn, ſoll Sie nichts daran erinnern, daß
ich heute toll war. Ich werde nur tun was ſich ſchickt!
Dulden Sie mich noch einen Tag, oder zwei, in Ihrer
Menſchengüte; baß ich jetzt nicht in der Einſamkeit ver-
komme; — dann wird ohnehin das Schickſal wieder an-
klopfen und mich forttragen — wohin es will!"

„Kommen Sie," erwiderte Wittekind; „gehn Sie mit
hinunter. Wir ſind alle Menſchen, da unten!"

„Ich danke Ihnen ſehr," ſagte Dorſay, der an ſeinen
Tiſch gelehnt ſtehen blieb. „Sie meinen es gut. Aber
ich will Nacht machen; ich bleibe nun ſchon beſſer allein.
Übrigens hab' ich ja meinen Bruder: den Morpheus, in
dem Fläſchchen. Mit dem lebt ſich's immer eine Strecke
weiter. Vogue la galère!"

VII

Am Nachmittag desſelben Tages — während Eugen
Dorſay den „hageren Wolf", den Hunger, mit Kathis Hilfe
bekämpfte — ſaß der Geheimrat Waldenburg behaglich
und zufrieden in einem breitlehnigen Rohrſeſſel auf der
Terraſſe vor ſeiner Tür. Er hatte ſich in einer der ſoge-
nannten „Dependancen" des Hotels N... in Salzburg
einquartiert, in einem kleinen, eleganten Haus, das durch
nichts an den Gaſthof erinnerte und über dem Erdgeſchoß,
in dem er wohnte, nur noch einen Oberſtock trug. Der
buſchreiche, duftende Garten trennte ihn vom Haupthaus,
wo Tilburgs nach alter Gewohnheit abgeſtiegen waren.
Waldenburg, der es liebte, auf Reiſen wie ein Fürſt zu
leben, hatte für die wenigen Tage dieſes Salzburger
Aufenthalts das ganze Erdgeſchoß beſetzt, obwohl nur ſein
Sekretär ihn begleitete, der dieſen Morgen von Wien
eingetroffen war. Er ſchwelgte jetzt in einem reizenden

Durcheinander von Genüssen: er las, sog den Duft der Gartenbeete ein, hörte vom Oberstock her, durch die offenen Fenster, die Gräfin Lana Klavier spielen, und sah, wenn er aufblickte, die Salzburger Zitadelle und das Kapuzinerkloster hoch im reinen Blau. Zu diesen Genüssen hatte er noch einen: die feste Überzeugung, daß niemand so zu genießen verstehe, wie er.

Nur das Buch, das er las, begann ihn zu ermüden; ein Roman mit starken Situationen, aber zu viel Reflexion und zu wenig Geist. Er hatte schon zweimal gegähnt. Mit einem leichten Ausdruck des Mißbehagens in seinem Paschagesicht wandte er sich gegen die Tür, die aus seinen Zimmern auf die Terrasse führte, und rief mit seiner klaren Kommandostimme: „Riebau! Ein anderes Buch! — Ja so," setzte er hinzu, „Riebau ist nicht hier."

„Doch, er ist schon hier," sagte der Gerufene, der geräuschlos von der Eingangsseite des Hauses her um die Ecke gekommen war und hinter Waldenburg stand. Es war ein wohlgebauter und sehr wohlgekleideter junger Mann mit einem auffallenden Kopf: schwarzes, lockiges Haar, üppige Negerlippen, kluge, unruhige, gelbliche Raubtieraugen, deren forschenden Blick ein gutmütiges, gewinnendes Lächeln zu verschleiern liebte. Riebau führte den Titel eines Sekretärs; seine Bestallung war, auch sonst noch alles zu tun, wozu ihn Waldenburg brauchte, und vor allem ein Buch mit sieben Siegeln zu sein.

„Sie sind ein unverbesserlicher Leisetreter," sagte Waldenburg, der sich nun nach der andern Seite wandte; „man hört es nie, wenn Sie kommen. Also was bringen Sie?"

Riebau trat vor: „Allerlei, Herr Geheimer Rat. Zuletzt war ich hier oben im Quartier Seiner Exzellenz —"

„Von dem ‚Zuletzt' spricht er zuerst!" unterbrach ihn

Waldenburg; „ein Anfänger fängt immer mit dem Ende
an. Also was haben Sie da oben erfahren, junger Diplomat?"

„Seine Exzellenz Graf Lana werden noch heute erwartet, gegen sieben Uhr. Die Frau Gräfin wird sehr er-
freut sein, vorher noch Ihren Besuch zu empfangen; sie
spielt jetzt Klavier."

„Junger Hansnarr, das hör' ich!" erwiderte Waldenburg. „Ohren hab' ich ja auch."

Riedau biß sich auf die hochgewölbte, fleischige Unterlippe und machte eine zuckende Bewegung; gleich darauf
aber stand er wieder in unterwürfiger, bescheidener Haltung da. „Kommen wir zur Hauptsache, Fritz," sagte
Waldenburg gnädig, seine Nägel feilend. „Was haben
Sie bei Ihrem Vertrauensmann über M a r i e erfahren"
— er verbesserte sich —: „über Frau von Tarnow?"

„Frau von Tarnow, meint er, sei nur so eine A b a r t
von Witwe. ‚Er' soll sie verlassen haben; nämlich der
sogenannte Ehemann, nach dem sie sich nennt. Die Ehe
wird sehr bezweifelt —"

„Das dacht' ich," sagte Waldenburg mit seinem kalt
heiteren Schmunzeln. „Ich bezweifle sie auch. — Was
sagt man ihr sonst noch nach?"

Riedau zuckte die Achseln. „Nichts Besonderes; sie
gilt für tugendhaft."

„Wie allerliebst er das sagt! — Also eine regelrecht
zu belagernde Festung ... Nun, an den Gestaden der
Ostsee haben wir ja Zeit! — — Holen Sie mir jetzt ein
anderes Buch, mein Sohn; das da stört die Verdauung."

Waldenburg schnellte die Finger gegen das verachtete
Buch, so daß es von seinen Knieen auf die Erde fiel.
Riedau ging schon über die Terrasse zur Tür. „Nun, so
heben Sie das Buch doch auf!" rief ihm Waldenburg nach.

Mit verbissenem Ärger kehrte der Sekretär um und murmelte: „Pardon." Er hob das aufgeschlagen daliegende Buch langsam vom Boden, klappte es zu und flüsterte in dieses Geräusch hinein: „Europäisches Sklavenleben!"

„Murmeln Sie etwas?" fragte Waldenburg.

„O nein," sagte Riedau. Er trat durch die offene Tür ins Terrassenzimmer. Erst drinnen murmelte er wieder, so laut, daß er selber es doch hören konnte: „Sultan! Tyrann!"

Waldenburg sah ihm nach. Er lächelte behaglich. Seine langen Beine dehnend sagte er vor sich hin: „Man muß diese jungen Sozialdemokraten kurz an der Leine halten! — — Übrigens täte ich besser, jetzt nicht mehr zu lesen, sondern hinaufzugehn, eh' der pünktliche Graf Lana kommt. Das Klavier ist still; Melanie spielt nicht mehr. Versuchen wir, ob wir aus diesem Tag einen Glückstag machen!"

Er nahm seinen schwarzen Hut, der auf einem Gartentischchen stand, ging um die Ecke der Haustür, und stieg mit etwas unlustigen Knieen, unterwegs einen Handschuh anziehend, die breite, teppichbelegte Treppe hinauf. Oben empfing ihn ein Diener in Livree, der ihn ohne weiteres zur Gräfin führte; sie erwartete ihn. Waldenburg trat mit großer Ehrerbietung ein und neigte schon an der Tür seine hohe Gestalt zu einer scherzhaft feierlichen Verbeugung vor der schönen Frau, die ihm entgegenkam. Erst als der Diener wieder verschwunden war, ging er vertraulich auf sie zu und küßte ihr mit der Zärtlichkeit eines alten Freundes die Hand.

„Ich habe Sie heute nur unter Menschen gesehen, liebe Melanie," sagte er, in noch immer etwas geneigter Stellung, um nicht allzu hoch auf die zierliche Gestalt hinabzublicken. „Das war mir nicht genug; ich mußte Sie allein sprechen — eh' Ihr Haustyrann da ist."

„Ah!" sagte die Gräfin und sah ihm klug forschend ins Gesicht. Sie hatte lebhafte, geistreiche Züge, zugleich aber war sie schön zu nennen: die noch unverwelkte Haut — obwohl die Frische der ersten Jugendblüte längst vergangen war — hatte den edlen Ton des Elfenbeins, und lag über einem bewunderungswürdig feinen, aristokratischen Knochenbau, wie bei den zartesten Gestalten der griechischen Skulptur. Die weiche Rundung der Formen drohte zu üppig zu werden; in diesem unentschiedenen Zustand des Übergangs wirkte sie aber umso verführender. Das braune, volle Haar wellte sich sehr reizvoll an den Schläfen; die Augen, fast von demselben Braun, schienen vor allem klug, verständig, lebendig; trat aber dieses geistige Feuer zurück, so entschleierte sich etwas Schmachtendes, Verlangendes, das auch mit der weichen Anmut aller Bewegungen inniger verwandt schien.

„Ich dachte, Sie b r ä c h t e n mir etwas," entgegnete sie, wie enttäuscht.

„Ja, ja, ja, die Briefe!" sagte Waldenburg und hielt ihrem Blick möglichst gelassen stand. „Ich habe mich also zunächst zu entschuldigen, daß Sie die verlangten Briefe noch nicht haben: sie sind leider noch unterwegs. Auf Ehre! Mein Sekretär soll es Ihnen auf der Stelle bestätigen! —" Er trat durch die geöffnete Glastür auf einen Balkon hinaus, der sich über seiner eigenen Terrasse befand, und rief hinunter: „Riedau!"

Riedau erschien sogleich auf der Terrasse; er verneigte sich gegen die Gräfin, die mit einiger Verwunderung über diesen Vorgang neben Waldenburg getreten war. „Sie befehlen?" fragte er hinauf.

„Das kleine Paket mit den Briefen, Riedau!"

Der Sekretär wandte sich zur Gräfin: „Ich bedaure sehr, Exzellenz," sagte er untertänig, halblaut — „sie sind noch nicht hier. Ich habe einen ganzen Koffer mit allerlei Papieren, unter denen sich auch diese Briefe befinden, von Wien hierher geschickt, mit Wertangabe, so daß ein Verlust ganz unmöglich ist. Ich erwarte ihn jede Stunde!"

Die Gräfin erwiderte nichts. „Sie können gehn," sagte Waldenburg. Riedau verschwand wieder ins Haus, und Waldenburg trat mit der leicht erröteten Gräfin in den Salon zurück.

„Sehen Sie, so steht es!" sagte er. Gräfin Melanie sah ihn mit dem gemischten Ausdruck von Verwunderung, Hochachtung, Furcht und Mißmut an, mit dem sie ihn, seit sie ihn kannte, schon so manches Mal betrachtet hatte, und sagte, ihre weichen Hände ineinanderlegend: „Merkwürdig, daß Sie diesem Menschen so ganz alles anvertrauen!"

„Dem Riedau?" fragte Waldenburg. „Das ist ein zuverlässiger Mensch; ein treuer Hund."

„Meinen Sie! Ich finde das nicht in seinem Gesicht; wohl das Hündische, aber nicht das Treue."

„Sie täuschen sich ... Aber sagen Sie, Melanie: wozu wollen Sie auf einmal diese alten Briefe? Ich war stolz auf sie; sie gehören zu meinen glücklichsten Erinnerungen —"

Er bemerkte eine unfrohe Bewegung Melanies, die sich auf einen Diwan gesetzt hatte, fuhr aber unerschüttert, wenn auch mit leiserer und zarter Stimme fort: „Sie waren ein Schatz, diese Briefe, für den ich Ihnen ewig dankbar war, ewig dankbar sein werde. Weshalb fordern Sie ihn mir ab? Trauen Sie mir nicht?"

„Ich traue dem Z u f a l l nicht," entgegnete Melanie.

„Dieser Koffer mit den ‚allerlei Papieren‘ kann in böse Hände fallen; — kurz, ich will nicht, daß — —"

„Sie waren sonst nicht so ängstlich, meine teure Freundin. Seien Sie doch offen gegen mich — wie ich es gegen Sie bin. Sie wissen, ich belüge die ganze Welt, und mit dem reinsten Vergnügen — sie verdient's nicht besser — aber gegen Sie war ich immer so ehrlich und wahr wie die alte Sonne. Melanie, Sie sind — — Sie haben — —"

„Was habe ich?"

„Ein — neues Gefühl," sagte Waldenburg zögernd; „einen neuen Roman. Leugnen Sie doch nicht. Einen neuen Roman, der so ernsthaft ist, daß Sie von dem alten, wenn auch längst vergangenen, nichts mehr wissen wollen; daß Sie ihn auslöschen, wegwischen, vertilgen möchten — oder wenigstens jedes Denkmal, das an ihn erinnert. Das Weiche in Ihren Augen, dieser schräge Blick, dieses Zucken mit den Schultern, Ihr ganzes Wesen verrät mir's, Melanie. Warum verbergen Sie's vor dem alten Freund? Er ist nicht eifersüchtig; — oder wennschon ein wenig — wie's nicht anders sein kann — noch mit der nötigen philosophischen Resignation!"

Melanie seufzte leise. „Sie sind zu klug," sagte sie, gleichfalls resigniert. „Sie sehen den Menschen ins Herz. — Nun ja denn, ja denn — es ist so."

„Und sehr ernst."

„Und sehr ernst; ja!" gab sie ihm zurück. Dann blickte sie ihn an, und ihre Augen wanderten auf seinem Gesicht. „Ich sag' Ihnen aber nur noch eins: ‚er‘ ist Ihnen in manchem ähnlich, auffallend ähnlich; hier und da sogar im Äußeren. Weiter sag' ich nichts."

„Also bescheid' ich mich," erwiderte Waldenburg, der ihr nun wie ein Vater gegenübersaß. „Ich hoffe, meine etwas leidenschaftliche Freundin ist v o r s i ch t i g : sie verrät sich nicht —"

Sie warf den Kopf zurück. „Der Graf weiß von nichts, ahnt nichts. Er würde uns beide t ö t e n, wenn er's wüßte. In der Eifersucht ist er von einer wahrhaft spanischen Energie; bei seinem sonstigen grandiosen Phlegma —"

„Wie reizend objektiv Sie darüber reden!" sagte Waldenburg heiter, mit seinem genießenden Schmunzeln.

Indessen diese Heiterkeit schien sie zu verletzen; sie stand plötzlich auf und ging einmal stumm durch das Zimmer hin. Am Klavier blieb sie stehn, und sich zu ihm wendend, mit einem bösen Feuer im Blick, sagte sie halblaut: „Wer hat mich so gemacht — als Sie? — ‚Reizend objektiv‘ . . . Wer hat mich denn durch seine satanischen Theorien aus einer harmlosen, unerfahrenen, einfältig enthusiastischen Landfrau — ja, das alles war ich — zu einer objektiven ‚Weltdame‘ gemacht? Glauben Sie, ich l i e b e Sie deswegen? ich habe nicht zuweilen einen H a ß auf Sie? — Darum will ich ja diese Briefe, diese gottverwünschten — —"

Sie brach ab, eh' sie das Wort noch ganz ausgesprochen hatte; sie biß sich auf die blaß gewordene Lippe, als hätte sie schon zu viel gesagt. Waldenburg rührte sich nicht, und auch sein Gesicht blieb majestätisch ruhig. Nur langsam entschloß er sich zu einem sanften, liebenswürdigen Lächeln.

„Aber lassen wir das," fuhr sie endlich fort, da er schwieg. „Sie sehn ‚ihm‘ zu ähnlich, wenn Sie so lächeln — und ich bin auch wieder zu gutmütig, um im Ernst zu hassen. Also Sie wollen etwas erreichen, ich weiß es; darum sind Sie jetzt heraufgekommen, mußten Sie ‚mich allein sprechen‘. Sie wollen nicht länger einfach der Herr von Waldenburg sein, wollen Baron oder Exzellenz werden; mein Mann soll's Ihnen verschaffen, — Ihr alter Lieb-

lingsgedanke; und da er heute kommt, wollen Sie geschwind das Eisen schmieden. Nicht wahr, ich bin a u ch
nicht dumm, ich kann a u ch erraten."

Waldenburg verneigte sich mit der heitersten Grazie:
„Ich bewundere Sie, meine Schülerin und Meisterin, und
sage weiter nichts!"

„Der Graf kann Ihnen auch nützen wie kein anderer,"
fuhr sie, nun doch etwas geschmeichelt, fort. „Er hat
einen ganz merkwürdigen Einfluß auf seinen Bruder, den
Minister, und der Minister hat das volle Vertrauen Seiner
Majestät. Aber, Unglücklicher, Sie gefallen meinem Mann
nicht. Sie, der Sie so geschickt sind, den Menschen zu
gefallen, sind ihm antipathisch. Er hält Sie für sehr frivol,
nicht bloß bei den Frauen; auch in anderer Hinsicht; und
Sie wissen, er selbst ist ein strenger Ehrenmann, ohne jeden
Makel!"

„Gehn Sie mir doch," sagte Waldenburg. „Der Herr
Graf hat es leicht, ein ‚strenger Ehrenmann‘ zu sein: ge-
borener Lord, reich, mit Seiner Majestät aufgewachsen
wie ein Kamerad, Mitglied des Herrenhauses, gewesener
Minister, von erhabener Unwissenheit und göttlich bor-
niert —"

„Wie der Neid übertreibt!"

„Brauchte nichts weiter zu lernen, als Reiten, Tanzen
und Schießen — nun, und d a s kann er allerdings: er
trifft die Taube im Flug; aber immer an der Wahrheit
vorbei, wenn sie ihm auch stillhält!"

„Nun," sagte die Gräfin etwas boshaft, „was S i e
betrifft, hat er's doch getroffen. Auch hält er Sie für —
nun, wie soll ich sagen — für einen Beförderungsjäger,
und die mag er nicht. Endlich: das E p i g r a m m !"

„Was für ein Epigramm?" fragte Waldenburg.

„Tun Sie doch nicht, als wüßten Sie von nichts! In

das Buch mit den satirischen Epigrammen, das Sie mir
vor Jahren einmal zeigten — Ihr sogenanntes ‚schwarzes
Buch‘ — haben Sie offenbar auch ein Epigramm auf
den Grafen aufgenommen; denn mehrere gute Freunde
haben mir davon erzählt. Kurz, das hat nun irgend
jemand auch dem Grafen verraten —"

„Ah! welche Niedertracht!"

Gräfin Melanie setzte sich aufrecht, über ihr weiches
Gesicht mit dem aristokratischen Näschen flog ihr geist-
reichstes Lächeln. Sie sagte langsam und jedem Buchstaben Nachdruck gebend, während sie die Fingerspitzen
leicht gegeneinander schlug: „Wie gut Ihnen die Empörung steht. — Ja, warum sind Sie denn so eine böse
Zunge, die ihre Mitmenschen nicht schonen kann?"

„Gute Melanie," antwortete Waldenburg mit einem
Ton wahrer Aufrichtigkeit, den sie nicht oft von ihm hörte:
„verkennen Sie mich doch nicht. Es muß zuweilen
heraus! Wenn ich vor all den Hohl- und Querköpfen
eine Weile gekatzenbuckelt und scherwenzelt habe, weil die
unendliche Dummheit der Welteinrichtung sie über mich
gestellt hat — wenn ich Thersites als Achilles und Kaliban
als Ariel behandelt habe — dann muß es heraus! Dann
greife ich zum stählernen Dolch mit der kleinen Spalte,
tauche ihn in schwarzes Tintenblut, und schlachte einen
dieser Ochsen — nur um im Vergleich zu bleiben — auf
dem Altar der Wahrheit, so daß sein bißchen Lebenssaft
in mein Epigrammenbuch hinüberspritzt. Schelten Sie
mir dieses ‚schwarze Buch‘ nicht! Es ist die Wiederher-
stellung meiner Menschenwürde; mein Hauptbuch, aus
dem ich am Jüngsten Tag Rechenschaft ablegen werde,
meine Ehrenrettung vor Lessing, Voltaire und den andern
Göttern!"

„Wie Sie doch alles zu vergolden wissen," sagte Melanie

gedämpft; „unheimlicher Mensch Sie. — Wenn Sie nun
aber die Insolenz begangen haben, auch m e i n e n
M a n n dahinein zu schlachten —"

Waldenburg stand plötzlich auf. Er wuchs so hoch in
die Höhe, daß die sitzende Gräfin den Kopf fast verrenken
mußte, um sein unendlich spitzbübisch lächelndes, diabo-
lisches Gesicht zu sehn. „Halt!" rief er aus. „Ich hab's!"

„Was haben Sie?"

„Den Grafen. Das heißt, ich w e r d e ihn haben;
ja, ja, geben Sie acht. Ich werde mir diesen beleidigten
Ehrenmann versöhnen, ihn für mich gewinnen — wenn
die liebenswürdige Melanie mir hilft! Wir machen eine
wunderschöne kleine Intrige miteinander..."

Die Gräfin blickte ihn bedenklich an und schüttelte den
Kopf.

„Eine Intrige, teure Melanie, die zugleich dieses böse
Epigramm auf den Grafen vernichtet, aus der Welt schafft:
also tun Sie ein gutes Werk, wenn Sie mir da helfen!"

„Und wie wäre das?"

„Wir — v e r t a u s c h e n das Epigramm!" Er seufzte
humoristisch auf: „Ich bringe ein blutiges Opfer des In-
tellekts und setze an die Stelle dieses treffenden, witzigen,
kunstgerechten Sinngedichtes ein elendes N o t epigramm,
das scheinbar und ungefähr dasselbe sagt, aber mit der
Samtpfote endigt... Ich drücke mich schief und unver-
ständlich aus; aber ich weiß was ich meine. Indem ich
so halb mechanisch zu Ihnen weiterspreche, dichte ich an
meinen Versen, an meiner Gaukelei... Erlauben Sie
einen Augenblick!"

Er ging durch das Zimmer und trat auf den Balkon
hinaus.

Melanie stand auf. „Was wollen Sie da?" rief sie
ihm nach.

„Ich obſerviere den Schauplatz; ich inſzeniere meine
Komödie. Denn es handelt ſich nicht bloß um das Epigramm: auch um eine kleine ſpitzbübiſche Komödie, hier
im Garten zu ſpielen — auf meiner Terraſſe und auf
Ihrem Balkon —"

„Ah! jetzt ſind Sie in Ihrem Element!" rief die
Gräfin aus.

Waldenburg kam mit ſeinen majeſtätiſch-unſicheren
Schritten langſam zu ihr zurück. Er nahm ihre linke
Hand zwiſchen ſeine beiden, ſtreichelte ſie ſanft und ſagte
mit ſeinen ſchmeichelndſten Tönen, indes ohne Zärtlich-
keit, die ihr mißfallen hätte: „Meine teure, angebetete
Melanie! Wann kommt er?"

„Der Graf?"

Er nickte.

„Jetzt gleich!" — Sie ſah nach ihrer Uhr. — „Ich muß
ihm entgegen, und Sie müſſen fort!"

„Bitte, einen Augenblick! — Er iſt noch immer der
abſolut regelmäßige Menſch?"

„O ja; bis zum Wahnſinn. Alles, alles tut er zu be-
ſtimmter Zeit —"

„Alles?"

„Ja."

„Was wird er heute abend tun?"

„Das kann ich Ihnen ſagen! Nach der Ankunft macht
er Toilette. Dann ſitzt er hier, bei mir; ſobald die Uhr
aber acht ſchlägt — und das wird dann bald geſchehen —
ſchöpft er noch etwas Luft —"

„Sehn Sie," fiel Waldenburg ihr ins Wort, wie
triumphierend: „das glaubte ich zu wiſſen. Punkt um acht!
Und in dieſem Fall hier auf dieſem Balkon!"

„Ja; offenbar. Er liebt die Balkons. Zehn Minuten
friſche Luft, dazu iſt ihm nichts ſo bequem und angenehm,

wie so ein Balkon. Nach diesen zehn Minuten eine Tasse
Tee; und um neun — als Frühaufsteher — ins Bett!"

„Gut, vortrefflich," erwiderte Waldenburg. „Um acht
werde ich da unten auf meinem Posten sein; verlassen Sie
sich auf mich! Wenn alles glückt, wie es soll, so werden
Sie zehn Minuten später mit ihm eine Tasse Tee trinken
und ihm dabei klarmachen, daß ich nun endlich Exzellenz
werden muß —"

„Sind Sie toll? — Wie fange ich das an?"

„Warten Sie's nur ab! — Und wenn es Ihnen gelingt,
so singen Sie mir zum Zeichen, an Ihrem Klavier, jenes
alte Lied:

Du schönes Fischermädchen,
Treibe den Kahn ans Land — —"

„Lassen Sie das alte Lied!" unterbrach ihn die Gräfin,
der ein unholdes Gefühl die Lippen verzog. „Es ist die
höchste Zeit! Adieu!"

„Melanie!" sagte er, nach seinem Hut greifend.
„Wollen Sie?"

Sie zögerte; dann murmelte sie, offenbar etwas widerwillig: „Wenn ich kann! — Aber dann werden — diese
Briefe kommen!" setzte sie mit Nachdruck hinzu.

„Gewiß, auf mein Wort!" erwiderte er, die Schwur-
finger hebend.

Sie entließ ihn mit einer schwachen Handbewegung:
„Mein böser Dämon! Adieu!"

Waldenburg trat auf den Vorplatz hinaus. Er blieb
stehn und horchte noch einige Augenblicke; sie schien etwas
zu murmeln, leider zu leise: er konnte es nicht verstehn.
Diese kluge Melanie! dachte er und lächelte kalt. Sie hat
allerlei gegen mich einzuwenden; sie wäre mich lieber los;
— aber noch halt' ich sie fest. — Wer wohl der neue Glückliche ist? — — Gleichviel. Jetzt zu unserm „Tanz" mit

dem Grafen! — Er ging gemächlich weiter und die Treppe
hinab. Dieser edle Graf, dachte er, ist neugierig wie ein
Weib, und weiß vor allem gern, was man über ihn denkt.
Außerdem gehört er zu den prächtigen und leicht zu lenken-
den Menschen — ich konnte nur bis heute nie an ihn heran-
kommen — die sich auf ihre geräuschvolle Energie, ihre
starken Worte viel zu gute tun; haben sie darin das Nötige
und auch das Überflüssige geleistet, so werden sie faden-
dünn und sind um den Finger zu wickeln — wenn man
diese nützliche Operation nur mit der nötigen scheinbaren
Unterwürfigkeit und mit vorsichtig applizierter Schmeichelei
vollzieht. So behandelt ihn offenbar diese talentvolle Frau,
unsre Melanie! Will sie etwas von ihm, so wartet sie ab,
bis sein Anfall von Schneidigkeit vorüber ist: dann erst
beginnt sie die Operation. Er hält sie für „schwach", für
„weich", darum fürchtet er sich vor ihr ganz und gar nicht,
der gute Graf, und darum wickelt er sich so gut über ihre
kleinen Finger. Mich hält er nicht für „schwach", wie
ich höre, aber für „leicht", „pas sérieux", „zu frivol" um
ein Charakter zu sein, der konsequent seine Zwecke durch-
setzt. Vielleicht überrasch' ich ihn heute. Vielleicht bringe
ich ihm eine ganz andere Meinung von mir bei. Vielleicht wundert er sich, der feierliche Graf. . . . Vogue la
galère!

Waldenburg kam auf seine Terrasse, wo schon die Tafel
gedeckt war; für vier Personen, denn Tilburgs und Frau
von Tarnow sollten bei einem einfachen, „kurgemäßen"
Nachtmahl seine Gäste sein. Er rief Riedau, der sogleich
aus dem offenen Gartenzimmer heraustrat. „Hier haben
Sie den Schlüssel zum Schreibtisch, mein Sohn," sagte
Waldenburg, der nie selber tat, was ein „besoldeter Sklave"
für ihn tun konnte; „holen Sie das ‚schwarze Buch'!" —
Riedau ging hinein. „Das neue Epigramm muß dem

alten ä h n l i ch sein," sagte Waldenburg leise vor sich hin,
über die Terrasse pendelnd; „so ähnlich, wie oft ein dummer
Bruder einem geistreichen ist; so ähnlich, daß, wer von
dem echten die Glocken hat läuten hören, denken muß:
ja, so war's! — — Den Teufel auch, so ein gut gearbeitetes,
braves Epigramm gegen einen faden, verbrauchten, saft-
losen Allerweltsspaß umzutauschen.... Aber die Sache
will's!"

Riedau kam mit einem schwarz gebundenen, sehr eleganten Buch in Albumform zurück. Waldenburg nahm
es, sah seinen Sekretär und Vertrauten mit fast zugeknif-
fenen Augen an und fragte: „Sagen Sie mal, können
Sie ein Blatt aus diesem Buch so geschickt herausnehmen
und ein anderes so elegant an die Stelle kleben, daß kein
Aug' es entdeckt?"

„Wenn ich d a s nicht könnte!" entgegnete Riedau mit
einem geringschätzigen Lächeln.

„Ich habe dich nicht beleidigen wollen, mein Sohn;
— also gut, du kannst es. Dieses Blatt soll heraus; dieses
leere soll da hinein. Ich werde aber vorher ein paar Verse
darauf schreiben; warten Sie so lange!"

Er setzte sich an ein Tischchen und überlas zunächst das
zu opfernde Gedicht:

„Der edle Graf! Ich kann ihn nicht gut leiden.
Warum nicht, fragst du? — Lieber Gott! Ich weiß,
Der Mann ist makellos, der Ehre Preis;
Mit seinen Orden kann er sich bekleiden,
War nie betrunken, hat kein Weib verführt,
Kein Holz gestohlen, keinen Witz gemacht,
Das Pulver nicht erfunden, nie gedacht,
Und jederzeit getan, was sich gebührt;
Kurz, stirbt er einst — doch sicher ohne Hast —
So wird ein Mustermann mit ihm begraben;
Nur eine Eigenschaft ist mir an ihm zur Last:
Die, keine einzige zu haben!"

Während Waldenburg die Verse las, formten sich ihm
die neuen, die ehrbar und langweilig an ihren Platz treten
sollten. Er ließ sich das Schreibzeug bringen, und nachdem Riebau mit großer Geschicklichkeit das verbrecherische
Blatt herausgeschnitten hatte, beschrieb Waldenburg das
leere, mehr als einmal seufzend. Diese Melanie, dachte
er, während er schrieb, wird ewig eine junge Frau bleiben;
eine scharmante Frau.... Aber ich hab' keinen andern
Gedanken mehr, als Marie von Tarnow! — — „Machen
Sie Licht," sagte er dann. „Wir wollen n o ch ein Opfer
bringen und die Wahrheit als Irrtum abschwören, wie
weiland Galilei." Er hielt das ausgelöste Blatt über die
Flamme der Kerze, die Riebau angezündet hatte, und ließ
es sich in der Glut langsam zu Tode krümmen, bis es in
schwärzliche Asche verwandelt war. „Ein Ketzer, der ver-
brannt wird," sagte er im Zusehn. „Ein Autodafé! —
Schau dir das an, mein Sohn: so ist diese erbärmliche Welt!"

Riebau lächelte, abgewandt, über dieses unzeitige
Pathos; dann ging er mit dem Buch ins Haus, um den
schwierigeren Teil seines Geschäftes zu verrichten. Waldenburg sah Anton, den Kellner, vom Haupthause her durch
den Garten kommen; er winkte ihn heran und sagte:
„Legen Sie die Gedecke um. Nicht eines an jeder Seite,
sondern hier auf der Hausseite zwei; da drüben, dem
Balkon gegenüber — dem Haus gegenüber, mein' ich —
da soll niemand sitzen."

„Warum nicht?" fragte der Kellner.

Waldenburg betrachtete ihn von oben herab mit seinem
Fürstengesicht. „Junger Mann," sagte er dann, „merken
Sie sich folgendes: Haben Sie stets für alles, das Sie tun,
einen guten Grund, aber sagen Sie ihn nicht jedem
Narren, der Sie danach fragt. — Also, wie gesagt, zwei
Gedecke hierher!"

Der Kellner ward rot, gehorchte aber schweigend; er hatte nicht den Mut, einem so langen und majestätischen Menschen zu widersprechen. Unterdessen lauschte Waldenburg, etwas zur Seite gebeugt; Graf Lana schien zu kommen und auf der andern Seite ins Haus zu gehn; Waldenburg glaubte seine etwas schwerfällig sprechende, fette Baßstimme zu hören. Also der große Mann war da. ... Bald darauf kamen seine Gäste: die Baronin Tilburg, auf ihren schmachtenden „süßen Füßen", wie der Spötter dachte, der Baron in seiner absoluten Tadellosigkeit vom Kopf bis zur Zehe, und die blasse Marie, heute m i n d e r blaß, den Kopf in einem Schleiertuch, das ihr vortrefflich stand, und das dem so gerne hoffenden Waldenburg zu sagen schien, daß sie ihrem neuen Freund zu gefallen wünsche.

„Nun? Sind wir heute pünktlich?" fragte die Baronin.

„Meine teure Baronin," sagte Waldenburg heiter und küßte ihr die Hand, „Sie zwingen uns i m m e r zur Bewunderung: entweder durch die Kolossalität Ihrer Verspätungen, oder durch das Unbegreifliche Ihrer Pünktlichkeit! — Also auf Verlangen der Damen essen wir hier draußen, bei dem schönen Abend; und auf Befehl der Baronin höchst kurgemäß einfach: nur einen Gang, und den Nachtisch. Leider, leider ohne unsre Gräfin. Anton, junger Mann, tun Sie Ihre Pflicht!"

Die kleine Gesellschaft setzte sich, wie der Hausherr es wünschte: die Baronin neben ihm auf der langen Seite, die andern rechts und links, gegenüber niemand. Auf das kalte Vorgericht blickend, das Waldenburg ihr anbot, sagte die Baronin mit beinahe mädchenhafter, begehrlicher Bangigkeit: „Meine liebe Marie, darf ich davon essen?"

Frau von Tarnow antwortete lächelnd: „Auf mein Wort, Sie dürfen."

„Ich esse nämlich nichts mehr ohne meinen ‚Leibarzt‘,“
sagte die Baronin zu ihrem Nachbar; „das ist das Be-
quemste und Sicherste, was es gibt! — Aber um Gottes
willen, warum sehn Sie nach der Uhr?“

„Ich?“ fragte Waldenburg, der sich bei seinem ver-
stohlenen Griff in die Westentasche ertappt sah. „Hatte
ich da eben die Uhr? So war das vermutlich noch ein
unbewußter Zweifel, ein Rest von Unglauben an Ihrer
Pünktlichkeit. Ich bin offenbar ein kritischer, schlechter
Mensch!“ — — Was man für Albernheiten sagt, dachte
er darauf, wenn man überrascht wird. Teufel, es ist schon
spät! bald die höchste Zeit! Riebau noch nicht fertig?
Ich hätt' ihm ja sagen müssen, daß ich das Buch augen-
blicklich brauche ...

Er war drauf und dran zu rufen. Aber Riebau kam.
„Das Buch ist fertig,“ hörte Waldenburg leise an seinem
rechten Ohr. Es war ihm unangenehm, den warmen
Atem dieses „Sklaven“ zu fühlen; aber was lag in diesem
Augenblick an so einem Mißgefühl. Gnädig wandte er
sich, nickte dem Sklaven zu, und sagte zu seinen Gästen,
um ein übriges zu tun: „Sie kennen ja wohl meinen
Sekretär noch nicht; da steht er. Fritz Riebau; ein hoff-
nungsvoller junger Mann, der sich in meiner Schule zum
Minister ausbildet; er sucht schon den Platz auf meinen
Schultern, auf den er einst treten wird. — Riebau!“ sagte
er dann leise. „Bleiben Sie da drinnen, bei der offenen
Tür. Geben Sie acht, Sie können etwas lernen. Aber
atmen Sie mich nicht so an! Was ist Ihre Uhr?“

„Drei Minuten vor acht,“ flüsterte Riebau. Waldenburg stand auf.

„Was gibt's? was gibt's?“ fragte die nervöse Baronin.

„Ich bitte, erschrecken Sie nicht!“ erwiderte Waldenburg mit seinem harmlosesten, unschuldigsten Lächeln.

„Meine Damen und Herren, fürchten Sie mich nicht, weil ich so feierlich dastehe; unterbrechen Sie auch nicht die heilige Handlung des Essens; ich fühle nur das Bedürfnis, einen Monolog zu reden, der gegen jenes leichtfertige, unedle Wort gerichtet ist: ‚Die Abwesenden haben unrecht'! In diesem verderbten Zeitalter ist es eine Herzensfreude, so edle und tugendreiche Gäste bei sich zu sehen; aber ebenso ist es ein Herzenskummer, daß —"

Unwillkürlich hielt Waldenburg inne, denn in diesem Augenblick schlug eine Turmuhr acht. Gleich darauf glaubte er hinter und über sich Schritte zu hören, auf den Balkon heraus. Er horchte auf die großen und schweren Füße des Grafen so gespannt, wie er als Primaner auf die Füßchen seiner heimlichen Jugendliebe gehorcht hatte.

„W a s ist ein Herzenskummer, lieber Waldenburg?" fragte Tilburg verwundert, da der Redner schwieg.

„Pardon!" sagte Waldenburg, der nun nicht mehr zweifelte: der große Graf Lana stand über ihm auf dem Balkon. „Meine Herrschaften, ich war nicht ganz bei Sinnen: mir fuhr etwas durch den Kopf! Also ein Herzenskummer, daß unsre gemeinsame Freundin, unsre hochverehrte Gräfin Lana, unter uns fehlt; bekanntlich verhindert durch die Erwartung ihres Herrn und Gemahls, der sich in diesem Augenblick vermutlich in den bequemen Hausrock der glücklichen Ankunft hüllt. M i r, meine Herrschaften, stört er unsre Freude; und ich glaube, Sie wissen längst, daß ich ohnehin gegen diesen Mann allerlei auf dem Herzen habe —"

Der Graf auf dem Balkon machte eine Bewegung, er trat etwas näher an die Brüstung; der verstohlen horchende Waldenburg glaubte es zu hören. „Sie kennen mich als einen offenherzigen Menschen," fuhr er fort; „warum sollt' ich auch heucheln! Dieser edle Graf — er ist überhaupt

etwas unbequem; er drückt die weniger erhabenen Naturen
durch seine vornehme, unanfechtbare, unbestechliche Größe;
unbestechlich in jedem Sinn, da er die Menschen unfehlbar
durchschaut und es lächerlich wäre, vor ihm Komödie spielen
zu wollen ..."

Melanie trat zum Grafen auf den Balkon; sie horchte,
beinahe verblüfft, noch nicht recht begreifend; wider Willen
aber mußte sie lächeln.

„So würde ich denn auch nie versuchen," sprach Walbenburg in fließender Rede weiter, „mich diesem Mann ernstlich zu nähern, weil ich meine Inferiorität fühle; mein
etwas leichter Sinn, der durch den Übermut meiner Reden
noch leichter scheint, als er ist, würde einem so durch-
gebildeten Mustermenschen nicht gefallen können; und
lieber will ich von ihm verkannt werden, als mich besser
machen, als ich bin! Es muß ein ähnliches Verhältnis
sein, wie zwischen Antonius und Cäsar Oktavian: mein
Geist fühlt sich gedrückt unter dem seinen ..." Walbenburg lächelte: „Und darum benütze ich jede Gelegenheit,
ihm ein wenig zu grollen — und so auch die heutige ..."
Mit wachsender, herzlicher Heiterkeit setzte er hinzu: „Und
bei aller Verehrung, Bewunderung und Liebe kann
ich ihn eigentlich nicht leiden! — Ja ich habe sogar in
eben diesem Sinn ein freches Epigramm auf ihn gemacht —"

Graf Lana hatte bei den voraufgegangenen Bekennt-
nissen würdevoll-behaglich gelächelt und der Gräfin mit
einer heiteren Kopfbewegung gewinkt; jetzt aber fühlte er
seine Pflicht als Kavalier, den Redner zu unterbrechen,
seine Anwesenheit kundzutun. Er beugte sich vor und rief
hinunter: „Guten Abend, Herr Geheimer Rat!"

Walbenburg schien zu erschrecken. „Seine Exzellenz!"
sagte er mit sinkender Stimme, und drehte sich herum.

Die andern erhoben sich. Sie sahen nun alle den Grafen auf der Altane stehen, über deren Brüstung er heruntergrüßte; neben ihm die Gräfin, deren Wangen errötet waren. Sie war trotz ihrer Fülle sehr zierlich neben der stattlichen Gestalt des Grafen, der breite Schultern und einen bedeutenden Leibesumfang hatte. Sein dünnes, schlichtes Haar, das ganz rasierte Gesicht mit den glatten, fetten Wangen, der etwas gebogenen Nase und dem schöngeformten Mund leuchtete im Abendlicht, in einer goldigen Verklärung, in der die gewohnte feierliche Würde der ganzen Erscheinung gleichsam geschmolzen war. Auch schwebte eine angenehme, gemäßigte Heiterkeit über den gewöhnlich unbelebten, starren, streng dressierten Formen. Das Gesicht hatte sein liebenswürdigstes Lächeln angelegt und wandte sich Walbenburg zu.

„Sie haben sich beklagt, wie ich höre," sagte der Graf mit Humor, „daß meine Frau nicht Ihr Gast sein konnte, weil sie mich erwartete. So schicke ich sie wenigstens jetzt noch auf ein paar Minuten; und werde mir erlauben, sie zu begleiten, wenn es Ihnen recht ist!"

Walbenburg verneigte sich mit vornehmer, doch bescheidener Grazie. „Eure Exzellenz erweisen mir eine hohe Ehre —"

„Also wir kommen!"

Der Graf und die Gräfin verschwanden vom Balkon. „Aber das ist ja drollig!" sagte die Baronin. „Es scheint, Ihre Tischrede hat wie ein Magnet gewirkt und den Grafen Lana auf den Balkon gezogen —"

„Was sagten Sie da zuletzt von einem E p i g r a m m?" unterbrach sie der Baron. „Mein Lieber, ich muß Ihnen sagen" — setzte er lustig hinzu — „von diesem berüchtigten Epigramm hatt' ich schon gehört!"

Walbenburg machte ein ernstes Gesicht. „Meine

Freunde, ich fürchte, auch S e i n e E x z e l l e n z hat
jetzt davon gehört; er stand ja auf dem Balkon!"

„Ist es denn so schlimm?" fragte die Baronin. Waldenburg antwortete nicht; er ging den Lanas entgegen, die
er kommen hörte. Sehr beglückt, aber mit einer etwas
scheuen, befangenen Zurückhaltung, die er vollendet spielte,
begrüßte er den Grafen: „Ich hätte nie gehofft, Exzellenz,
Sie an der Schwelle meiner Wohnung begrüßen zu
dürfen —"

Der Graf unterbrach ihn. Mit wohlwollendem Lächeln
sagte er: „Ich verstehe diesen etwas förmlichen, feierlichen
Ton; nicht weil ich ‚die Menschen durchschaue', wie Sie
meinen, sondern weil ich, offen gestanden, einen Teil Ihrer
Tafelrede von vorhin gehört habe. Da möchte ich nun
versuchen, Ihrer ‚Scheu' vor mir ein Ende zu machen" —
er reichte ihm die Hand — „aber ich bin auch neugierig:
auf das Epigramm."

„Exzellenz!" sagte Waldenburg scheinbar verwirrt, mit
leise vibrierender Stimme.

„Nach Ihrer Rede zu urteilen, wird es wohl auch so
schlimm nicht sein, dieses Epigramm. Fürchten Sie nichts,
ich kann etwas vertragen. Ich bitte, unterhalten Sie uns
mit diesem Epigramm!"

Mein lieber Graf, dachte Waldenburg, unter allen Umständen hätten Sie's gehört: wenn Sie mich nicht unterbrachen, hätt' ich's vorgelesen! — Er erwiderte, noch
zögernd: „Exzellenz — es ist eine Ausgeburt harmlosen
Übermuts —"

„Eben darum; lassen Sie nur hören!"

„Ich bin nicht feig genug, um es abzuschlagen...
Riedau! Holen Sie aus meinem Schreibtisch — die
Schublade ist offen — ein großes schwarzes Buch! — —
Der kleine, dürftige Scherz ist schon vor einem Jahr ent-

ftanben, wie Sie fehen werben; eine mutwillige Sommer-
fliege in ber Babezeit ..."

Riedau kam mit bem Buch. — „Sie beftehen barauf,
Exzellenz?"

„Ich beftehe barauf," antwortete ber Graf. Anton
hatte noch Stühle gebracht, alles faß um ben Tifch. Nur
Walbenburg blieb ftehn; er blätterte in bem Buch, fanb
bas untabelhaft eingeklebte Blatt, unb las mit bem grünb-
lich gefchulten, Scherz unb Ernft ineinanberfchmelzenben
Wohlklang feiner Stimme:

„Begründete Antipathie.

Der eble Graf! Ich kann ihn nicht gut leiben —"

„Ja," fiel ber Graf ein, „bas hat man mir erzählt: fo
fing es an!"

Walbenburg blickte ihn verwunbert an, als höre er
etwas ganz Neues; bann begann er von vorne:

„Der eble Graf! Ich kann ihn nicht gut leiben.
Warum nicht, fragft bu? — Lieber Gott, ich weiß,
An Gaben fehlt's ihm nicht; er ift ber Ehre Preis,
Vor Menfchen ftolz, vor feinem Gott befcheiben,
Der Guten Freunb, bem Teufel fehr verhaßt,
Ein Muftermenfchenbilb wirb einft mit ihm begraben;
Doch eine Schwäche macht ihn mir zur Laft:
Die, keine einzige zu haben!"

„Ja, ja, ja, fo fchließt es!" fagte ber Graf fchmunzelnb.
„Das wußt' ich zufällig fehr gut! — Alfo b a s war bas
berühmte Epigramm?"

„Ich kann's nicht ableugnen, Exzellenz. Verzeihen Sie,
baß ich es wagte — —"

Graf Lana blickte ihn freunblich lächelnb an. Er nahm
bas Buch in bie Hanb, vor bem er nun keine Scheu mehr
hatte, unb blickte hinein, inbem er fein Augenglas anfetzte.
Seine runblichen, rofigen Lippen bewegten fich, währenb

er leise las. Nach einer Weile sagte er, mit dem Glas
auf die Verse deutend: „Ich bin Ihnen also ‚zur Last‘.“

Waldenburg entgegnete heiter, wie befreit: „Seit Sie
mir so menschlich liebenswürdig gegenübersitzen, nicht
mehr!“

Der Graf gab ihm noch einmal die Hand. „Ich muß
Ihnen sagen, eh' ich wieder gehe: dieses Epigramm — —
man hatte mir eine falsche Vorstellung beigebracht von
diesem Epigramm. Und so auch von — I h n e n. Sie
sehn, ich sage Ihnen das offen, Herr Geheimer Rat. Ich
gehöre nicht zu den Leuten, die keinen Irrtum eingestehen
können. Bisher hatte ich nur Ihre vortrefflichen Arbeiten
im Ministerium loben hören; von Ihnen selbst wußte ich
zu wenig. Oder vielmehr — nicht das Rechte. Es würde
mir eine wirkliche Freude sein, wenn Sie mir einmal
Gelegenheit gäben, das wieder gutzumachen.“

Diese Gelegenheit wird man dir geben, und sehr bald!
dachte Waldenburg, dessen Blick den der Gräfin streifte.
Mit dem Ausdruck selbstloser Ergebenheit entgegnete er
dem Grafen: „Ich habe keinen andern Wunsch, Exzellenz,
als Ihnen zu gefallen!“

Graf Lana sah auf seine Uhr, stand auf und winkte
seiner Frau. Sich noch einmal zu Waldenburg wendend
sagte er: „Ich war leider viel abwesend, als Sie vorzeiten
oft in meinem Hause verkehrten. Jetzt hoffe ich Sie öfter
zu sehn. — Für heute gute Nacht, meine Herrschaften;
ich bin von der Reise müde, und um diese Zeit ruft der
‚häusliche Herd‘!“ — Er gab Marien die Hand: „Es freut
mich, auch meine scharmante Frau von Tarnow wiederzusehn! — Leider kennen wir uns erst wenig; das muß
besser werden. Vielleicht gehn wir auch ans Meer, und
dann in Ihre Nähe. Der ‚weibliche Leibarzt‘ ist mir gefährlich, so sehr gefällt er mir. ... Entschuldige dieses

offene Bekenntnis, liebe Melanie!" — — Er sah der
blassen Frau noch einmal in die „gefährlichen" Augen:
„Wenn ich Ihnen je einen Dienst erweisen könnte," sagte
er mit wahrem Wohlwollen, — „einen wirklichen Dienst —
so würden Sie mich glücklich machen. — Bon soir!"

Er verabschiedete sich von allen und ging mit der
Gräfin fort, der zuvor Waldenburg noch die Hand geküßt
und einen Gutes verheißenden, freundlichen Strahl aus
ihren Augen aufgefangen hatte. Auch die Baronin war
aufgestanden und rüstete sich zum Gehn. Mit gutmütigem
Lächeln sagte sie, während Tilburg ihr ein Tuch um die
Schultern legte: „Sie hatten aber Glück, lieber Freund,
mit dem Epigramm! — Es wird Nacht; ich habe geschworen,
kurgemäß zu leben. Auf Wiedersehn morgen, bei der
Fahrt nach Maria Plain!"

„Wie!" rief Waldenburg aus; „so unnatürlich früh
will man mich verlassen?" —

Tilburg zuckte die Achseln, mit einem Blick auf seine
Frau, und sagte, sich ergebend: „Es hilft nicht!" — Mit
einem freundschaftlichen Druck seiner schmalen Finger faßte
er Waldenburgs Arm beim Abschiednehmen und flüsterte:
„Lieber Freund, was hab' ich Ihnen immer gesagt? Sie
werden noch Minister!" — Er nahm Waldenburgs un-
gläubiges, abwehrendes Lächeln noch mit auf den Weg
und reichte der Baronin den Arm.

„Leben Sie wohl, Allerbeste!" sagte Waldenburg mit
halber Stimme zu Frau von Tarnow, die ihm stumm die
Hand gab. Einen Augenblick sah sie ihn so durchbringend
und mit so eigentümlichem Ernst an, daß ihn der Gedanke
durchfuhr: hat sie diese ganze Komödie erraten? oder hat
sie einen Argwohn? — Sie ging, Tilburgs folgend, und
schon warf er diesen Gedanken wie eine Dummheit weg.
Wie käme diese junge Frau zu so durchtriebenen Welt-

gedanken? — Er sah ihr nach, ihre schlanke Thusnelbagestalt fesselte ihn so lange, beschäftigte ihn so sehr, bis
seine Augen sich trübten. „Du wirst doch noch mein!
ja bu!" sagte er mit den Lippen, unhörbar, vor sich
hin.

Als er sich dann wandte, erblickte er Riebau, der mit
den lauernden Augen von der Seite schaute, als hätte er
seinen Herrn und Meister andächtig beobachtet. „Schließen
Sie das Buch wieder ein!" sagte Waldenburg etwas auf-
gebracht, mit harter Stimme. Riebau ging stumm ins
Haus.

Die Dämmerung brach herein; Waldenburg setzte sich
wieder an die Tafel, auf denselben Platz, an dem er seine
neueste Rolle mit so viel Beifall gespielt hatte, zündete
eine Zigarre an, rauchte und trank. Essen mocht' er nicht
mehr; es gefiel ihm so besser, zurückgelehnt, von blauem
Rauch umwirbelt, von Glück und Zukunft zu träumen.
Er blickte auf den gedämpften, milchigen Schein der
Lampen, die der Kellner gebracht hatte, und überließ sich,
als ausgelernter geistiger Sybarit, seinen selbstzufriedenen,
gegenwartsfrohen und hoffnungsvollen Gedanken.

Auf einmal begann Klavierspiel über ihm — eh' er
es gedacht. Nach einem wohlbekannten Vorspiel hörte er
Melanies hellen, noch immer frischen Sopran das er-
wünschte Lied singen:

„Du schönes Fischermädchen
Treibe den Kahn ans Land . . ."

„Ah!" sagte er mit seinem klugen, kalten Freudelächeln.
„Melanie hält Wort. Der harte Graf, scheint mir, ist
weich geknetet; wir werden Exzellenz. — Riebau!"

„Sie wünschen?" fragte Riebau, der auf die Terrasse
trat.

„Eine Flasche Champagner!"

„Für wen?" fragte Riebau verwundert, um den
leeren Tisch blickend.

„Hansnarr, für m i ch," antwortete Walbenburg.

Riebau ging, seine Schultern zuckten, als hätte sie ein
Schlag getroffen. Walbenburg bemerkte es, mit heiterem
Vergnügen. Er blies dem „Sklaven" eine Wolke aus
seiner Zigarre nach und summte zwischen den Lippen:
„Vogue la galère!"

VIII

Das Wetter war anbauernd schön; auch der folgende
Tag zog rein und golben herauf, und wanberte, von
leichten, sammetweichen Sommerwolken begleitet, reifend
über Berg und Tal. Die vier Gäste der „Gemse" verlebten
ihn gemeinsam; Saltner, der in seine Einsamkeit zurück-
gestrebt hatte, ließ sich durch die Bitten der beiden Wittekind halten, zumal durch Bertolds warmen, bringen-
den Eifer, der sein Herz erfreute. Den Jüngling zog etwas
Geheimnisvolles an dem „Alten vom Berge" an, seine
Mosesaugen, wie Bertold sie bei sich nannte, der tiefe,
sinnende, vielverschweigende, zuweilen schwärmerisch auf-
leuchtende Blick, der so viel Verwandtes in der jungen
Seele berührte. Wie gern hätte er ihm alles abgefragt,
was sich hinter dieser faltigen Stirn zu verbergen schien;
wie viel Rätsel, dachte er, möchten da seiner unerfahrenen
Jugend gelüftet und gelöst werden. Indessen mußte er
nun schon zufrieden sein, ihm nah zu bleiben, ihn oft still
zu betrachten; denn redselig war der Alte nicht, noch
weniger als gestern. Die Anwesenheit Dorsays mochte
ihn zurückhaltender machen; diesen sah er zuweilen über
die Schulter wie etwas Fragwürdiges mißlaunig an,
während er für das „feine G'frieserl" des jungen Schwär-

mers zutrauliche, sonnige Blicke hatte. In den kühleren
Morgenstunden waren die vier miteinander in die Berge
gewandert; Mittag und Nachmittag versaßen sie im Garten
und im Salettl, zumeist um das Schachbrett versammelt;
denn es fand sich, daß auch Dorsay diesem edlen Spiel sehr
ergeben war, und in den verschiedensten Gruppen kämpften
sie gegeneinander. Die heut etwas bleiche Kathi, die oft
ab und zu ging, triumphierte im stillen: denn Eugen war
der stärkste, er besiegte seine Gegner einen nach dem
andern. Seine flackernde Phantasie überraschte plötzlich
durch kühne, fast geniale Kombinationen, denen die etwas
schwerfällige Verteidigung der Alten und Bertolds Zer-
streutheit nicht gewachsen war. Auch wenn ihrer zwei
sich zusammentaten, setzte er sie matt. Kathi verstand das
Spiel nicht; aber sie las von Eugens beweglichem Gesicht
seine glücklichen Einfälle, seine Fortschritte, seine Siege
ab, und es freute sie. Ihre einzige Kränkung war, daß er,
ganz in sein Spiel vertieft — und überhaupt heute so gefaßt und ruhig, wie er gestern aufgeregt, fiebernd, über-
wallend gewesen — von ihrer kleinen Gestalt so wenig
Bewußtsein hatte; er sah zuweilen durch sie hindurch, wie
es schien, ohne sie zu sehn; nur manchmal flog ihr ein Blick
zu, ein halbverstohlener, wie ein Sonnenstrahl, daß auf
ihren Wangen plötzlich Rosen blühten und ihr warm ums
Herz ward, wärmer, als es wollte und sollte.

Als die Sonne hinter die Waldberge im Nordwesten
sank, waren nur noch zwei von den Kämpfern im Salettl
zurückgeblieben: Bertold versuchte ein letztes Mal, Dorsay
um den Sieg zu bringen, eh' er nach Salzburg abführe,
um den „Weltverbesserer" Afinger zu besuchen. Von
seinem Vater hatte er sich für diese Abendstunden schon
verabschiedet; vor elf Uhr nachts wollte er zurück sein.
Die kleinen Holzfiguren auf dem schwarzweißen Brett

hielten ihn noch fest. Sein Kopf war erhitzt vom Spiel; Dorsay war bleich und schien ruhig. Nicht weit vom Tische, zwischen ihnen, stand Kathi und sah, wie man denken mußte, sehr andächtig zu.

Dorsays Augen ruhten fort und fort auf dem Schachbrett; er spielte nur mit seinem schönen, lichtbraunen Schnurrbart, von der Welt sah er nichts. Plötzlich sagte Kathi, sich zu Bertold wendend: „Also Sie wollen uns untreu werden, Herr Wittelind, wollen uns verlassen?"

„O nein, Kathi, das nicht," antwortete Bertold und blickte mit all seiner warmen Freundlichkeit zu ihr auf. „Noch bleiben wir hier. Nur nach S a l z b u r g fahr' ich; komm' noch heute wieder."

„Könnt' ich doch mit I h n e n fahren!" sagte das Mädchen.

Bertold lächelte vor Überraschung und Freude, und der Bauer, den er eben ziehen wollte, glitt ihm aus den Fingern. Warum sagte sie das? Sie hatte ihn bisher nur so gleichmütig wie ein Bild betrachtet, auf seine herzlichen Worte und Blicke wenig acht gegeben; und dem guten Jungen hatte dieses reizende Alpenröschen es doch angetan. Er sah sie so gern; ihr hurtiger Gang, ihr Lachen, das unschuldige Feuer in ihren rehbraunen Augen war Poesie für ihn; er fühlte sich reif, Verse auf sie zu machen ...

„Warum möchten Sie mitfahren?" fragte er; die vier Worte machten ihm Mühe.

„Nu, mich würd's halt freun!" erwiderte sie, mit einer Hand in die andre klopfend. „Salzburg hab' ich gern, und — —"

Bertold versuchte zu scherzen: „Mich aber nicht?"

„Und Sie auch. Warum nicht? Sie muß man ja gernhaben ..." Sie lächelte: „Der Herr von Saltner sagt's ja, und der ist mir wie 's Evangelium. Und die Gutheit

schaut Ihnen ja aus den Augen heraus ... O, ich möcht'
schon mit!"

Nachdem die arme kleine Heuchlerin dies mit einiger
Anstrengung hervorgebracht hatte, holte sie lange Atem
und schwieg. Aus einem Winkel ihres Auges sah sie wie
von ungefähr auf Dorsay, den hartnäckigen Schweiger,
den sie mit ihren kindlichen Evaskünsten aus seiner Ab-
wesenheit, seinem kalten Gleichmut aufstören wollte. Der
schien nichts zu merken. Er wartete, wie versteinert, auf
Bertolds Zug und tat dann den seinen. Kathi zitterte.
Sie hätte wohl weinen mögen. Die Kniee leise hin und
her bewegend — irgendwas mußte sie tun — schloß sie
die Augen und öffnete die Lippen.

„Sie haben in Ihr Verderben gezogen, wissen Sie
das?" sagte Eugen, ohne aufzublicken.

Bertold nickte. Er sah eben ein, daß er vor Freude
über Kathis Reden den dümmsten Zug gemacht hatte, den
er machen konnte; — aber es tat ihm nichts. Er wiederholte sich in Gedanken: „Sie muß man ja gernhaben" ...
Was lag ihm noch an dem Spiel?

Auf einmal hob Dorsay den Arm, der auf seinen
Knieen geruht hatte, und noch immer die Augen auf das
Brett geheftet, ohne zu sprechen, griff er in die Luft und
faßte Kathis Handgelenk. Sie riß die Augen auf, als
erschräke sie. Er umspannte das Gelenk und drückte es,
immer stumm. Eine flammende Freude fuhr dem armen
Kind in die Wangen. Sie zitterte wieder, aber gern, mit
leise zuckenden Fingern.

So stand sie da, bis seine Hand sie losließ. Wo
waren Bertold und Salzburg? Sie dachte nicht mehr
daran; sie hatte vergessen, wovon sie gesprochen hatte.
Den Kopf zur Seite geneigt schien sie dann zu horchen,
als hätte man sie gerufen; mit einer plötzlichen Be-

wegung, wie ein Reh, sprang sie davon und ins Haus
hinein.

Verwirrt sah Bertold ihr nach. Was war ihr geschehn? — Er wollte lächeln, wollte ihr scherzend nach-
rufen: Nun, wie wird's mit Salzburg? Aber die Worte
kamen ihm nicht aus der Kehle, und das Lächeln mißlang.
Schwerfällig, langsam, wie aus einem tiefen Abgrund
stieg eine Ahnung in ihm auf, daß es sich um diesen a n-
d e r n da gehandelt, daß Kathi mit ihm gespielt habe.
Er sah Eugen forschend an. Der jedoch blieb ruhig. Nach
einer Weile hob er nur eine Hand und deutete mit einer
müden Bewegung auf das Spiel.

„Was soll ich noch weiter ziehn?" sagte Bertold, dem
die Stimme ein wenig zitterte. „Mit dem — verrückten
Zug vorhin hab' ich's ja verspielt. In drei oder vier
Zügen wäre ich ja matt —"

„In z w e i e n!" entgegnete Dorsay.

„Also gut, in zweien. Ich geb' es auf — und ich muß
zur Bahn. Es ist hohe Zeit. Für heute leben Sie wohl!"

„Auf Wiedersehn," sagte Dorsay mit seinem harmlosesten
Lächeln, und stand auf. Die seine schlanke Gestalt, der
des Bertold ähnlich, nur ein wenig höher und durch
einen vornehmeren Schneider vorteilhafter hervorgehoben,
schien sich leise wie in einem heimlich genossenen Triumph
zu wiegen; wenigstens erschien es so in Bertolds erregten,
eifersüchtigen Augen. Zum erstenmal empfand seine
reine Seele so ein unschönes, stacheliges Gefühl. Um
wen? Um eine Kathi. Er verachtete sich. Er war im Begriff, aus Mißmut über sich selbst auf den Boden zu
stampfen; das mißfiel ihm dann a u ch wieder, er bezwang
sich und rührte kein Glied. „Leben Sie wohl!" sagte er
noch einmal und griff an die Mütze. Darauf trat er hinaus
und ging die Straße hinab.

Durch das Städtchen kam er an die Bahn, die nach
Salzburg führte; es währte nicht viel mehr als eine halbe
Stunde, bis der Zug dort anlangte. Er hatte sich unterwegs des „heiligen Georg", der Bäume von Anif, des
ganzen Gesprächs mit Afinger erinnert und darüber Dorsay und Kathi vergessen; mit der glücklichen Beweglich-
keit der Jugend war er wieder seinen Lieblingsträumen
hingegeben und hoffte bei diesem „Mann aus dem Volk"
warmherzige, gleichgesinnte Jünglinge zu finden, an
deren Begeisterung er die seine stärken, vor denen er seine
Ideen in all ihrer Überschwenglichkeit frei entwickeln
könne. Nach einigem Fehlgehen in den Salzburger
Gassen fand er das alte Tor, das in die Vorstadt am
Kapuzinerberg, auf dessen Nordseite, hinausführte. Die
Häuserreihe lichtete sich; dem Berg gegenüber, zwischen
zwei andern, stand das kleine, schmucklose, aber reinliche
Haus, das Afinger ihm bezeichnet hatte. Er trat ein und
stieg eine schmale Holztreppe hinan, die in den oberen
Stock führte. Hier war an eine Tür mit Kreide „Afinger"
geschrieben, und irgend ein Spaßvogel hatte darunter
eine Karikatur, einen birnenförmigen Kopf mit über-
großer Nase, gezeichnet. Bertold zog die Glocke. Es
dauerte aber eine Weile, eh' jemand erschien. Er wollte
zum zweitenmal läuten, als er Schritte hörte; die Tür
ward geöffnet, Afinger selbst stand dahinter.

Das erste Gefühl Bertolds kam einer Enttäuschung
gleich: in seiner so gern vergoldenden Phantasie war
Afingers Erscheinung, ohne daß er es wußte, veredelt, ver-
schönert worden; der junge Mann kam ihm heute plebe-
jischer, derber vor; seine Züge abstoßender, härter. Einen
Augenblick stutzte er; dann überwand er diese „unedle
Regung", wie er sie bei sich nannte: mußte denn ein
Volksmann, ein „Stiefkind der Gesellschaft" schön und

gefällig sein? Er bot ihm treuherzig die Hand. „Da bin
ich," sagte er; „wenn ich Sie nicht störe. Sie sehn, ich
halte Wort."

„Hatt's auch von Ihnen nicht anders erwartet!" er-
widerte Asinger mit kräftigem Händedruck. Er trug eine
Art von Hauswams, das ihm sonst nicht übel stand,
aber die kurze und breite Gestalt fast noch breiter machte.
Die Haare hingen ihm wieder strähnig in die mächtige
Stirn herein. Er lächelte, nicht unangenehm: „Meine
Visitenkarte oder meine ‚Firma' haben Sie wohl draußen
gesehn. Das hat der Graser hingemalt, einer meiner
Kollegen. Ich lass' es stehn, es sieht so außerordentlich
harmlos aus; die Leute kommen umsoweniger auf den
Gedanken, daß hier ein ‚böser Mensch', ein ‚Revolutionär'
wohnt. ... Übrigens dank' ich Ihnen sehr, daß Sie gekommen sind. Bitte, treten Sie ein!"

Sie standen in einem kleinen Raum, einer Küche, die
aber jetzt ihren Zwecken offenbar nicht diente; es war
kaum etwas darin zu sehn, als ein paar Kisten, ein Koffer
und ein Sessel, der dreibeinig an der Wand lehnte. Von
einem geräumigen Hof fiel das nötige Licht herein. „Dies
ist mein Vorzimmer, wie Sie sehn," sagte Asinger. „Das
ist nützlich und notwendig: sonst könnten wir da drin in
meinem Zimmer unsre Stimmen nicht loslassen, ohne
daß man's auf dem Flur oder der Treppe hört. Besonders
der Metzner mit seinem Wachtmeisterbaß —"

Die Tür zur Wohnstube ward aufgerissen, eine auffallende Gestalt erschien in der Öffnung: ein breiter, kurz-
haariger Kopf mit dunklem Vollbart, der das halbe Gesicht
bedeckte, auf einem nicht sehr großen, aber mächtig entwickelten Körper, an dem alles Muskel und Kraft zu sein
schien. Es war ein noch junger Mann, mit etwas finsterem
Ausdruck im Gesicht, eine kurze Pfeife in der rötlich leuch-

tenden Hand. „Nu, wo bleibst so lange?" fragte er laut,
mit einer Stimme, in welcher Bertold sofort den „Wachtmeisterbaß" zu erkennen glaubte. Als er dann aber den
Fremden, den Bertold, sah, drückte er stumm die Augen
zusammen, um ihn scharf zu betrachten; legte den Kopf
etwas zurück, lächelte ein wenig, und machte plötzlich eine
Art von Verbeugung, tiefer und höflicher, als Bertold
erwartet hatte.

„Mach Platz," sagte Asinger kurz. Der andre wich aus,
und sie traten ins Wohnzimmer ein. Hier hatte sich schon
ein leichter, bläulicher Nebel vom Tabaksrauch ausgebreitet;
durch diesen Schleier sah Bertold zunächst ein bleiches,
junges, von schwachem Bart und Haar blond umrahmtes
Gesicht, das, eine Zigarre zwischen den Zähnen, hinter
einem Tisch hervor ihn neugierig anstarrte. Auf dem Tisch
lagen Bücher, Zeitungen, sonst nichts. An den getünchten
Wänden hingen in schwarzen Rahmen Ansichten von
Städten, einfache Holzschnitte und Lithographien; auch
ein paar harmlose Familiengruppenbilder und die Photographie einer alten Frau; nichts was an den Weltverbesserer und Umsturzmenschen erinnerte, außer einem
Bild Lassalles, wie er, die rote Fahne schwingend, den
Geldsack, das Symbol des „Kapitals", mit dem Fuß
niedertritt.

„Nun, seht ihn euch an," sagte Asinger trocken. „Hab'
ich euch zu viel gesagt? Ist das ein junger Sankt Georg,
oder nicht? — — Es ist schön von Ihnen, Herr Wittekind,
daß Sie gekommen sind; nehmen Sie nun Platz. Dieser
Kraftmensch mit dem Baß heißt Metzner; der hinter dem
Tisch Grabowski. Wir sind nur unser drei, wie Sie sehn;
ein vierter Mann wird wohl später noch kommen; — kurz,
'ne kleine ‚Gruppe'. Aber eine gute. Wir wissen, was
wir wollen, und wir werden auch etwas tun. So, wie

wir dasitzen, kommen wir oft zusammen, nach dem Tage-
werk; meist hier bei mir. Da reden wir dann und rauchen
— aber ohne zu saufen, wie die Herren Studenten; sehn
Sie, auf dem Tisch kein Glas und keine Flasche. Da sind
wir Ihnen wohl zu nüchtern? Da lachen Sie uns wohl
aus?"

Bertold schüttelte den Kopf. Metzner, der auf seinem
Stuhl ritt, verzog sein Gesicht zu einem breiten Lächeln
und sagte: „Wir trinken nur Blut!"

„F — F — Fürstenblut, meint er," stotterte der
Jüngere, der Bleiche, ohne den ernsthaft-heiteren Ausdruck seines unbedeutenden Gesichtes zu verändern.

„Ja, und allerlei ähnliches!" setzte Metzner hinzu.

„Laßt doch eure Späße," sagte Afinger, den dieses
Dazwischenreden zu verdrießen schien. „Ihr macht ja
den Herrn kopfscheu, eh' er uns kennen lernt. ‚F — F —
Fürstenblut . . .' Stoßen Sie sich nicht an solchen Redensarten, Herr Wittekind; ebensowenig wie an Grabowskis
schwerer Zunge: das eine wie das andere ist nur Neben-
sache. Wir sitzen hier nicht wie große Kinder und berauschen
uns in Blut; wir sind sehr ernst bei der Sache, und be-
denken alles; — nu, kommt es zuletzt bis ans Blut, weil's
nicht anders geht, dann werden auch wir unsern Mann
stehn! das ist abgemacht! — Herr Wittekind, unser Wahlspruch ist: ‚Alles für die Enterbten!' Sie stimmen mir
darin zu ... Das wollen die ‚Erben' nicht — natürlich
— die, die alles haben; die mit dem Schwert und dem
Zepter: darum verfolgen sie uns, spüren uns nach,
gönnen uns den Tag nicht, jagen uns in die Mauslöcher,
wie die ersten Christen. Denn sehn Sie, Herr Wittekind:
die ersten Christen — was waren die denn anders, als
wir? Leute aus dem Volk, die die verderbte Welt anders
machen, reinigen, umkehren wollten, daß das Höchste zu-

unterst käme; die alle gleichmachen wollten und wie
Brüder leben; die keine Sklaven wollten, keine Peiniger,
und auch keine Tyrannen, die sich für Götter hielten; —
alles, Herr, wie wir! — Und wie ging es ihnen? Wie
Hunde wurden sie verachtet von den hochnasigen Römern,
wie ‚Feinde der Menschheit‘ gehaßt, getreten, verfolgt;
wie lichtscheue Eulen mußten sie sich in ihren Höhlen versammeln, sich durch Zeichen verstehn, sich so nach und nach
in kleinen Gruppen und Häuflein zusammenfinden, bis
sie Haufen und Massen wurden; — alles, Herr, wie wir!
— Von ihren Glaubensartikeln red' ich nicht: das war
damals; jetzt sind andere Zeiten. Aber sie wollten freie,
gleiche Brüder sein, und sie wurden verfolgt — und sie
haben gesiegt. Herr, sie haben gesiegt! Und wir werden
a u ch siegen! Wir werden auch aus unsern Höhlen hervor-
kriechen, und eines schönen Tages wird die Welt unser
sein!"

„Das können Sie glauben, Herr," sagte Metzner, seine
riesigen Arme dehnend; „locker lassen wir nicht!"

Bertold betrachtete einen nach dem andern. Die Beredsamkeit Asingers hatte ihn erregt und mit fortgerissen;
Metzners Stimme und Gebärden und das sonderbar öde,
leblose Gesicht des dritten weckten aber in ihm einen Widerspruch, der fast wie Widerwillen aussah. „‚Wird die Welt
unser sein,‘" wiederholte er endlich. „Wir, sagen Sie.
Wer seid ihr? Wer ist mit euch? Wie heißt ihr?"

„Wie wir heißen?" fragte Asinger.

„Ja. Ich meine: als Partei, als Masse — was für
eine Fahne ihr tragt? Wie ihr euch nennt?"

Grabowski wollte antworten, er kämpfte aber mit dem
ersten Buchstaben, und Asinger winkte ihm ungeduldig,
daß er noch schweigen solle. „Wie wir uns nennen?"
entgegnete der Mechaniker, mit den Achseln zuckend, als

käme nichts darauf an. Das ist einerlei. Der eine kommt
mit d i e f e m Namen, der andre mit b e m; mir gefallen
sie alle nicht. Ich schwöre auch zu keinem. ‚Partei‘ ...
Eine feste Partei, lieber Herr, sind wir nicht. So wie die
andern nicht. Davon fabeln nur die da draußen, die uns
nicht kennen, die nichts von der Sache verstehn. Wir
haben keinen Ausschuß, kein Zentralorgan, kein Exekutiv-
komitee, nichts von alledem. Darum sind wir auch nicht
zu fassen; man kann uns den Kopf nicht nehmen, denn
wir haben keinen. Wir sind nur eine lange, lose Kette
von vielen Gliedern; und das Glied ist die ‚Gruppe‘!"

„Und was heißt das: Gruppe?"

„Das will ich Ihnen sagen; warum nicht. Nehmen
Sie an, irgend einer hat ein Herz für die Sache, hat allerlei
gehört, gelesen" (Afinger deutete auf die Flugschriften und
Zeitungen, die den Tisch bedeckten), „aber an seinem
Ort steht er noch allein; oder er war schon bei einer
‚Gruppe‘, wie ich, kommt aber an einen andern Ort, so
wie ich nach Salzburg; — was tut er? Er spürt unter
seinen Bekannten Gleichgesinnte heraus, oder entdeckt
sonst diesen oder jenen; er ladet sie zu sich ein, sie tauschen
ihre Meinungen aus, besprechen sich, es werden regelmäßige Zusammenkünfte daraus, Verabredungen, gemeinsame Beschlüsse; — eine neue Gruppe ist fertig.
Gibt sie sich nun damit zufrieden? Nein, das natürlich
nicht. Jedes Mitglied der Gruppe bemüht sich, d e r
V a t e r e i n e r n e u e n z u w e r d e n, neue Leute
zu gewinnen, zu schulen, um sich zu versammeln. So
dehnt die Sache in aller Stille sich aus; wie sich in einem
Wespennest Zelle an Zelle anbaut, so hängt sich Gruppe
an Gruppe. Kommt einmal ein Verräter, ein Polizeilump
hinein, das ist dann nicht so schlimm: er weiß nicht viel
mehr, als von seiner Gruppe, oder höchstens von zweien;

die kann er in des Teufels Küche bringen, aber das Ganze nicht. Der Organismus, der ist nicht zu packen. Der geht durch Feuer und Wasser, zwischen Kugel und Beil hindurch, bis er endlich siegt!"

„Und was hat er dann, wenn er siegt?" fragte Bertold. „Was will er?"

„A — a — alles," antwortete Grabowski.

Bertold lächelte: „Das ist leicht gesagt! — Und wie erreicht er das? Sie, meine Herren, als eine von diesen ,Gruppen', mit was für Mitteln wollen Sie denn kämpfen? Zu was sind Sie entschlossen?"

„Zu a — a — allem," entgegnete Grabowski mit derselben Ruhe.

Bertold trat unwillkürlich einen Schritt zurück. Irgend ein wilder Ausbruch hätte ihn nicht befremdet oder abgestoßen; aber dieser unbewegliche Gleichmut auf dem schläfrig blassen Gesicht weckte in ihm ein widriges Gefühl. Es durchfuhr ihn der Gedanke, ob er nicht lieber ginge. Afinger, der ihn aus dem Winkel des Auges beobachtete, hatte seine Bewegung bemerkt. Einen Schritt näher tretend lächelte er Bertold so gemütlich an, wie es seinem eckigen, knochigen Gesicht gelingen wollte. „Nehmen Sie nicht zu schwer," sagte er, „was Grabowski spricht. Der ist Schriftsetzer, und die gewöhnen sich so gern an die großen Worte. Urteilen Sie noch nicht ab, Herr Wittekind, lernen Sie uns verstehn!"

Metzner brummte etwas in seinen dichten Bart; Afingers diplomatisches Vorgehen schien ihm nicht zu gefallen. Der hinter dem Tisch war still. „Ich glaube Sie sehr gut zu verstehn," antwortete Bertold, dem in dieser fremden, sonderbaren Luft schwül zu werden begann. „Alles, was ist, soll zu Grunde gehn; das ist Ihre Meinung!"

„Wir wollen nur den g r o ß e n D r a c h e n töten,"

entgegnete Afinger, und setzte lächelnd hinzu: „Sankt
Georg! Sankt Georg! — Was für die alten Christen der
Antichrist war, das ist uns dieser Drache. ... Darum
sollten auch, wie bei den alten Christen, alle Stände mittun, Leute von jeder Art, von jedem Rang, von jedem
Geschlecht; — wie's die R u f f e n machen! Und darum
freut' ich mich, als ich Sie bei dem Wald da fand; als ich
Sie sagen hörte: ‚Alle sollen gleich sein.' Sehn Sie, der
Muskelmann da, der Metzner, ist Zimmermaler; Sie sind
Student; einer, der noch kommen wird, ist Sekretär bei
einem großen Tier, und durch alle Schulen gelaufen. Ich
bin übrigens auch nicht von Pappe: ich spreche Englisch
und Spanisch, denn ich hab' ein paar Jahre in Nord- und
Südamerika gelebt. Wenn wir uns gegenseitig unter die
Stirnschale sehn, so finden wir, daß wir alle denkende,
strebende, für die große Sache begeisterte Mannsleute sind;
und über das Wie und Wo kommen wir wohl zusammen!"

Ein kurzes Läuten, das sich zweimal wiederholte, fiel
ihm in die Rede. „Das ist Riedau!" sagte er und ging
hinaus. Nach wenigen Augenblicken kam er mit Waldenburgs Sekretär zurück; ein Bertold überraschender Anblick:
denn dieser auffallend gut gekleidete junge Mann mit den
sinnlichen Lippen und dem weltklugen Spürblick — der
schon im Eintreten umheräugelte — schien ihm zu dieser
Gesellschaft nicht so recht zu passen. Riedau mochte sich
über Bertolds Erscheinung ebenso verwundern. Er stellte
seinen Hut auf ein rundes Tischchen bei der Tür, warf
seine Handschuhe hinein, und betrachtete unterdessen den
schönen Jüngling von oben bis unten und von unten
hinauf.

„Herr Wittekind, Herr Riedau," sagte Afinger kurz.
„Mein Freund Riedau von Wien; denn da unten in Wien
haben wir uns gefunden. Er reist hier jetzt nur durch —"

„Und morgen vormittag reisen wir schon ab," setzte Riedau hinzu.

Afinger drückte ihn auf einen Stuhl nieder und nahm wieder das Wort: „Gegenwärtig nämlich hat er sich verkauft, als Schreibehand, an einen großen Geheimerat —"

„Eine große Canaille," ergänzte Riedau, indem er sich eine Zigarette drehte.

Bertold lächelte, ohne zu ahnen, von welchem Geheimerat die Rede war. Seine Augen irrten über den Tisch, er las die Aufschriften der Flugblätter: „An die Hungrigen und Nackten", „An die Arbeiter im Soldatenrock", „Proletarier aller Länder, vereinigt euch"; er flog über die Zeitschriften hin, den „Vorboten", die „Zukunft", die „Freiheit", den „Rebell" und noch andere mehr. „Die hält alle der Afinger," sagte Riedau, der seinen Augen folgte. „Ja, den kennen Sie nicht: der ißt nicht, der trinkt nicht, der nährt sich von Zeitungen und Broschüren; nur von verbotenen, natürlich. Dafür verbraucht er sein Geld; opfert sich für alle. Nun, ich kann Ihnen sagen, er hat auch was davon: denn wir achten und bewundern ihn, wir, die wir ihn kennen. Ich halte mich auch für einen ganzen Kerl; aber vor diesem Afinger bin ich eine hohle Nuß. Wenn der mir sagt: Riedau, die Sache will es, spring in die Salzach, oder vergifte deinen Geheimerat, oder erschieß den Kaiser — ich frag' weiter nicht, ich tu's!"

Afinger erwiderte nichts; er blickte nur, wie zufällig, auf Bertold, was für ein Gesicht der zu dieser Lobrede und ihrer Nutzanwendung mache. Dem unschuldigen Jüngling schien sie zu gefallen; denn er sah den Mechaniker nun auch mit wärmeren Augen an. „Was hilft das alles!" rief der seine kurzen Haare durchwühlende Metzner aus. „Wir brauchen große Männer! Mordskerle! die draufgehn und grade durch!"

Afinger verzog das Gesicht; dann glättete er es zu
einer schlicht bescheidenen Miene und erwiderte: „Große
Männer ... Wir brauchen nicht g r o ß e Männer, mein'
ich, sondern r e i n e Männer; untadelhafte, mein' ich,
selbstlose, und mit reinen Händen. Wo findet man das
bei den großen Männern? Der englische Lord, der auch
ein Umsturzmann war, der Byron, wie sagt der in seinem
Gedicht auf Napoleon? Es sind große Worte:

> Ein Name — Washington! — ist rein;
> Erröte, Menschheit! — er allein!

Na, und j e t z t? All die Weltverbesserer, die uns führen
wollen — was sind sie? Da hängt Lassalle; noch der
einzige, den man rühmen kann, vor dem ich Respekt habe;
aber — war ihm ganz zu trauen? Wenn man ihn in
diesem Weiberduell nicht erschossen hätte, wär' er bei der
Sache geblieben, wär' er t r e u geblieben? Eines Tages
hätt' er sich wieder an eine Schürze gehängt, oder an
irgend einen klugen großen Mann verkauft ... Geht mir
mit euren ‚Mordskerlen'! Wir werden es schon machen;
wir, die ‚Kleinen', das Volk. So war's bei den alten
Christen — und so wird es wieder. Wir finden schon
unsern Weg!"

„Den Weg, den Rudolf Afinger geht, den geh' ich
auch!" sagte Riedau, und warf den Rest seiner Zigarette
gegen die Ofentür. „Geht nur dem Afinger nach!"

„Reden wir nicht von m i r," nahm dieser wieder das
Wort, bescheiden vor sich hinblickend; „ich will nur so viel
sagen: ich weiß, worauf es ankommt, denn ich hab' was
erlebt! Der Reichtum muß aus der Welt, denn von dem
kommt alles: der trennt nicht nur reich und arm, hoch
und niedrig, Schwelger und Hungerer, der macht auch
Menschen zu Teufeln! Der macht Müßiggänger, Müßig-
gang macht üppig, geil, leichtfertig, gedeuhaft; endlich ist

so ein eleganter, geschniegelter, glatthäutiger, parfümierter, lajolierender Wüstling fertig — und die Mädels aus dem Voll, unsre Schwestern, diese lieben Gänschen, die der schöne Schein verrückt macht, fallen dem Kerl an den Hals, fallen ihm zum Opfer! — So ist es m e i n e r Schwester ergangen, Herr Wittekind; ja, ja, reißen Sie die Augen nur auf. Meiner einzigen. Und sie ist hin geworden — ins Wasser gegangen, mein' ich; denn sie hatte Ehre im Leibe — und ich hab' diesen Kerl nicht einmal töten können, er hat sich davongemacht, er ist mir entkommen!"

„Hätten Sie ihn getötet?" fragte Bertold, bewegt.

„Hätten Sie's n i c h t getan?" fragte der andre trocken zurück.

Bertold lief dieser trockene, harte Ton wie ein leichter Schauder über die Haut; er entgegnete jedoch: „Ja, ich hätt's getan."

„Nu also! Selbstverständ!" sagte Afinger, mit einem geöffneten Taschenmesser durch eine der Zeitungen fahrend.

„Man muß sie t — t — totschlagen! Alle!" stotterte Grabowski.

„Nu, das meint' ich ja," setzte Meßner hinzu. „Und wer richtig anfangen will, fängt von o b e n an; fallen die zuerst, dann purzeln die andern nach! — Was sagen Sie dazu, Herr?" wandte er sich an Bertold. „Sie machen schon wieder so ein frommes, bedenkliches Gesicht. Sie sagen noch immer nichts. Wollen Sie den Pelz nicht naßmachen? Sind Sie mit Ihrem sogenannten Sankt-Georgs-Gesicht doch ein Aristokrat?"

„Ich? — Was soll ich sagen?" erwiderte Bertold verwirrt. Er fühlte sich schon zum drittenmal heiß und kalt angeweht; er wußte nicht: war er unter Schwärmer oder Räuber und Mörder geraten. ... Sein junger Kopf, wie betäubt, fand seinen Weg nicht mehr. Einen hilflosen, gleichsam

fragenden Blick auf Riebau werfend, der ihn mit sonderbarem
Lächeln betrachtete, schüttelte er endlich stumm den Kopf.

„Laßt ihn gehn," sagte Afinger. „Er wird schon nach
und nach einsehn, wie wir's meinen. Dieser Metzner ist
immer wie ein Stier auf das rote Tuch! Herr Wittekind
hat ein Herz, wie ihr alle nicht, er ist auf dem guten Weg
— aber er ist jung. Hab' ich recht, Riebau, oder nicht?"

Riebau war aufgestanden und nahm seinen Hut.
„F r e i l i ch haben Sie recht," sagte er, als verstünde sich
das von selbst. „Alles braucht seine Zeit! — Aber ich muß
fort. Die Canaille erwartet mich. Bleiben Sie in Salzburg, Herr Wittekind, oder wollen Sie wieder fort?"

„Ich muß wieder fort," antwortete Bertold, den alle
diese Reden umschwirrten, verstörten, er verlor die Fassung.
Wie anders hatte er sich diese Stunde gedacht: seine schwär-
merischen Ideen hatte er hier begeistert ausströmen wollen;
nun war er mit wilden, halbtollen Reden überschüttet
worden, und ward ausgefragt wie ein Gymnasiast. — „Ja,
ich muß wieder fort," wiederholte er. „Mit dem letzten
Zug, gegen Süden."

„Dann wird es Zeit," sagte Riebau, indem er nach der
Uhr sah. „Also — gehn Sie mit?"

„Ja, ich gehe mit," antwortete Bertold rasch. Er nahm
sich zusammen: „Sie entschuldigen mich, Herr Afinger.
Meine Zeit ist um. Über die Fragen, die man hier an
mich richtet, kann ich mich nicht mehr aussprechen; — nicht
als ob ich den Mut nicht hätte, meine Meinung zu sagen —"

„Aber was reden Sie," fiel ihm Afinger ins Wort.
„Daß es Ihnen am Mut der Überzeugung nicht fehlt, das
steht Ihnen ja auf dem Gesicht. Wir werden uns noch
verstehn; kommen Sie nur wieder. Lassen Sie nicht nach.
Denken Sie: die gute Sache!"

„Wenn ich noch kann, werd' ich wiederkommen —"

„Und sagen Sie nicht zu andern," rief Meßner dazwischen, „was Sie hier gehört haben!"

Bertold erglühte bis zur Stirn hinauf; er zuckte, und
warf dem Maler einen Blick zu, der diesen fast verblüffte.
Dann sagte er, nach Worten ringend: „Ich sollte — —?
Wie können Sie —"

Asinger legte ihm eine seiner schweren Hände auf den
Arm: „Lassen Sie's gut sein! Verteidigen Sie sich nicht;
verschwenden Sie keine Worte an den alten Kindskopf.
Wir glauben Ihnen ohne Schwur, daß Sie kein Spitzel
sind, und auch kein altes Weib. Geben Sie mir die Hand;
wir kommen doch noch zusammen. In Ihnen steckt's. —
Gute Nacht!" — —

Bertold war draußen, fand sich auf der Straße, er
wußte nicht, wie; in seinem Kopf dunkelte es, seine Schläfen
brannten. Die frische, wehende Nachtluft gab ihm allmählich Sinn und Leben wieder. Vom nördlichen Abhang des Kapuzinerbergs kam eine feuchtliche Kühle, die
er mit unbewußter Begierde einsog, die ihm einen Nebel
von den Augen zog. Er sah die sich leise wiegende Gestalt
Riedaus neben sich hergehn; er glaubte ihn sogar leise
lachen zu hören.

„Das war — ein seltsamer Abend!" sagte er endlich,
mit Anstrengung, weil sein eigenes dumpfes Schweigen
ihn wie etwas Schmachvolles, Knabenhaftes zu verdrießen
begann. Riedau blieb stehn, zeigte ihm die großen,
weißen Zähne und nickte.

„Ein ganz seltsamer Abend!" wiederholte Bertold, da
der andre nichts sagte.

„Es sind eigene Bursche," fing nun Riedau an, sich
wieder auf seine geräuschlose, wiegende Art in Bewegung
setzend. „Sie wundern sich wohl sehr über diese blutige
Gesellschaft; Sie scheinen den Weg, den die gehen wollen,

noch nicht mitzugehn. . . . Übrigens kenn' ich eigentlich nur
den Afinger; denn ich bin zwar ein halber Salzburger,
aber — — damals dacht' ich noch nicht an so wilde Sachen!"

„Und warum denken Sie j e ß t daran?" fragte Bertold.
„Wenn Sie erlauben: wie sind Sie in diese Gesellschaft
gekommen? Sie sehn so ganz anders aus!"

Riebau stußte einen Augenblick über diese naive Frage;
er sah dem sonderbaren jungen Menschen forschend ins
Gesicht. Wie beruhigt sagte er dann, mit einem zynisch
offenherzigen Lächeln, das er seinem Herrn und Meister
abgelernt hatte: „Wie kommt man in diese und jene Gesellschaft, Herr Wittelind? Weil man denkt: die nützt dir;
kann dir einmal nützen! — Wär' ich Millionär, so säh'
mich Afinger schwerlich in seiner Stube; aber ich bin ‚Paria',
Herr, ich muß unterkriechen, muß mich von so einem hoch-
näsigen Schuft kujonieren lassen, apportieren wie ein Pudel,
auf Befehl in ein Mausloch kriechen; das macht Galle,
Herr. Und glauben Sie, es bleibt so? Riechen Sie denn
nicht die große Revolution? Die Paria, die Millionen,
die sind wild geworden; sie wollen sich diese Tretmühle
nicht mehr gefallen lassen; vor den Pfaffen und vor der
Hölle fürchten sie sich nicht mehr; in einem Augenblick
der Wut, wenn die Bremsen zu dicht sißen, dann schlagen
sie los! Nun, und wenn das kommt — und es kommt gewiß — dann will ich nicht bei den wenigen sein, sondern
bei den vielen; will nicht mit in die Erde gestampft werden,
sondern oben bleiben!"

Ah, so einer bist du? dachte Bertold. Und das sagst
du mir? — Fast außer Fassung geraten durch diese Aufrichtigkeit, die ihn beleidigte, warf er einen sehr ernsten
Blick auf den frivolen Gesellen. Der lächelte aber unbeirrt
in seinen schwarzen Bart, als hätte er nur ausgesprochen,
was alle Gescheiten denken.

„Sie wollen also nur bei den Siegern sein?"
fragte Bertold, sich noch zurückhaltend.

„Nun, das will wohl jeder!" antwortete Riedau
heiter, überlegen, sich ganz als Walbenburg der Zweite,
als „verfluchter Kerl" fühlend. „In diesem ‚Kampf ums
Dasein‘ wehrt man sich seiner Haut! — Aber ich bin kein
Schwachkopf, lieber Herr: ich bilde mir nicht ein, daß diese
große Sozialrevolution die Welt umdrehen kann. Sie
wird losbrechen wie ein Gewitter, und wie ein Gewitter
vergehn; und dann wird die alte Kugel wieder weiter-
rollen, und die Kanonen und die Geheimräte werden
wieder regieren — und es heißt dann nur: sieh wiederum
zu, daß du oben bleibst! Das ist dann unsre Sache; die
der Gescheiten, mein' ich. Haben Sie keine Bange
um mich; ich werd' oben bleiben. Wenn Sie es gut mit
sich meinen, machen Sie es auch so. ... Hier trennen sich
unsre Wege: Sie zum Bahnhof, ich zu meinem Hotel.
Morgen früh geht's ab. Es war mir ein Vergnügen,
Herr Wittekind; glückliche Reise und gute Nacht!"

IX

Bei Eugen Dorsay schien kein Tag dem andern zu
gleichen: nachdem er sich am ersten aufgeregt und phan-
tastisch, am zweiten ruhig, gesellig, fast behaglich gezeigt
hatte, blieb er am dritten menschenscheu in seinem Zimmer,
im Bett, wollte niemand sehn, mit niemand reden, auch
mit Kathi nicht, die ihm das Frühstück brachte, und entzog sich dem Morgengang, der die andern in die Berge
führte. Auch als sie zurückkamen, um die heißen Stunden
wieder im Garten zu verbringen, lag er noch, wie der Wirt
versicherte, und ließ sich nicht sehn; und die mitleidige
Kathi ging gedrückt und wie im Traum umher. „Er ist

wie ein Chamäleon!" sagte Wittekind, ihn zugleich im
stillen bedauernd. „Wie ein launenhaftes Frauenzimmer!"
brummte Saltner. Sie setzten sich unter einen dicht-
belaubten Kastanienbaum, der im Gärtchen neben dem
Felsen stand; auch dieser war hier von jungem Holz bedeckt und schattendunkel, die schwarze Erde des Abhangs
atmete noch einen letzten Rest von kühler Feuchtigkeit aus.
„Nun, was tun wir heut?" fragte der Alte, sich mit väterlicher Freundlichkeit zu Bertold wendend. „Kämpfen wir
wieder am Schachbrett — oder wollen Sie weiterträumen?"

Bertold errötete. Der kluge Alte hatte es nur zu gut
getroffen: wie er auch durch gesprächige Munterkeit darüber zu täuschen gesucht hatte, er war mit sich beschäftigt
und in sich versunken. Ihn verfolgten die Gestalten und
die Gespräche von gestern; ein bitterer Nachgeschmack be-
lästigte, eine Unklarheit der Gefühle verwirrte ihn, und
vollends mit Riedau wußte er sich gar nicht abzufinden.
Dieser fuchsartige, geistig geringe, seelenrohe Gesell, so
tief unter Bertold stehend, wie kam er dazu, ihn mit seinem
beleibigenden Vertrauen zu überschütten, seine niedrige,
freche Denkart ihm so preiszugeben? Sah er ihn für ein
Nichts an, zu dem man so offen spricht wie zu seinen
Wänden? Oder hänselte er ihn nur, eine Komödie
spielend? Oder führte er ihn nur aufs Eis, und nahm
eine Maske vor, um Bertolds eigene wahre Meinung zu
erforschen? Oder gibt es so redselige und eitle Menschen,
die es einfach nicht lassen können, zuweilen ihr Innerstes
auszuschwatzen, sich an ihrem Ich zu berauschen? — Beklommen fühlte der Jüngling, wie wenig er noch die Welt
verstand und die Menschen kannte. Und er wollte doch
die Menschen führen und die Welt verbessern! — — Um
seinen peinlichen, nebelnden Gedanken zu entrinnen, zog

er ein kleines Buch aus der Tasche, das ihm gelegen kam,
sein Reise- und Wanderbüchlein, in braunes Leder gebunden, und legte es auf den Tisch.

„Ich weiß etwas Besseres, glaub' ich, das mir eben
einfällt," sagte er zu Saltner, ohne auf das Wort vom
„Weiterträumen" zu erwidern. „Aus diesem Buch möcht'
ich den Herren vorlesen, wenn es ihnen recht ist; — ich
lese gern vor," setzte er mit einem treuherzig selbstver-
spottenden Lächeln hinzu. „Iwan Turgeniews ,Senilia'
oder ,Gedichte in Prosa'; erst in München hab' ich sie
kennen gelernt, und so mitgenommen. Ein gutes Reise-
buch; so voll Gedanken und voll Poesie. Hören Sie nur
gleich das erste: ,das Dorf'. Oder soll ich nicht?"

Er blickte Saltner und seinen Vater an. Beide nickten
ihm lächelnd zu. Er begann zu lesen. Eine jugendliche
Befangenheit legte sich ihm plötzlich auf die Stimme, sie
ward trocken, klanglos; doch auf einen verwundert fragenden Ton des Vaters faßte er sich zusammen, und seine
klare, wohllautende Stimme kämpfte sich ins Freie. Er
las mit Empfindung, noch nicht mit Kunstverstand; bald
zu hastig, die Worte überstürzend, die Bilder oder Gedanken gleichsam ineinanderschiebend, bald, um sich zu
verbessern, geriet er in eine breite, getragene Melodie,
in eine Art von Gesang, der sich auf den Sinn der Worte
wie ein Schleier legte. Arbeitete er sich aus diesem goldenen Strom mit redlichem Eifer heraus, so kam er wie
auf trockenen, harten Acker, in den Realismus, die Sachlich-
keit, den Vortrag nüchtern zerhackend und zerstampfend.
Diesen Fehler fühlte er am stärksten, und vor Verdruß
hätte er fast weinen mögen; er hielt aber aus und fand
sich zu den zarten, innigen Tönen zurück, die die Dichtung
verlangte. Sein sanft gerötetes Gesicht hatte sich belebt
und verklärt, Wittekind betrachtete ihn mit väterlicher Lust,

und auch der Alte, beide Ellbogen aufgestützt, die Hände
an den Wangen, die Brauen in langsamer, stetiger Bewegung, sah dem jungen „Heiligen" beständig auf die
schön bewegten Lippen und in die sprechenden Augen.

„Das Dorf" war zu Ende; plötzlich hörten sie über
sich eine laute Stimme, die einige wortlose Töne ausstieß;
unklar, ob Beifall oder Widerspruch. „Aber nein! Aber
nein!" rief es dann; nun erkannten sie Dorsays Stimme.
„So ist's nichts! Das ist kein Schwung, kein Vortrag!
Das ist keine Kunst!"

Sie sahen alle drei überrascht hinauf, durch das Jung-
holz spähend, konnten aber den unerwarteten Kritiker nicht
entdecken. Einige dürre Zweige knackten oben auf dem
Fels; Dorsay schien dort zu gehn. Bald darauf hörten sie
ihn wieder, nun in pathetischem, träumerischem, dann
leidenschaftlichem Vortrag; er deklamierte einen von Mac-
beths Monologen in die Luft hinaus. Als sie aufstanden
und auf den Rasen traten, sahen sie ihn oben vor dem
unbewohnten Alpenhäuschen stehn; mit unbedecktem Kopf,
ohne Weste, Hemd und Halstuch geöffnet, das geringelte
Haar in phantastischer Verwirrung. Er war bleich, aber
die ganze Erscheinung, mit ihren dramatischen Bewegungen, dem brennenden Blick und der wilden, rück-
sichtslosen Beredsamkeit, hatte etwas sonderbar Berückendes. Kathi kam aus der Küche des Wirtshauses gelaufen,
und hob vor Staunen die Arme; der Wirt und die alte
Sali folgten, Vorübergehende blieben auf der Landstraße
stehn und traten an den Garten.

Dorsay deklamierte unbekümmert fort, bis er den
Monolog beendet hatte. Darauf schlug er selber in die
Hände, als klatsche er sich Beifall, und brach in ein schallen-
des Gelächter aus. „So muß man's machen! verstehn
Sie!" rief er zu Bertold hinunter, den er mit den andern

dort stehn sah; lachte wieder laut auf, und lief auf dem
Felsen am Geländer entlang, bis er es überkletterte und
an dem bewachsenen, minder steilen Teil des Abhangs
zwischen den jungen Bäumen hurtig hinunterstieg. Er
kam zuletzt fast ins Rollen, aber an den Stämmen und
Ästen sich haltend glitt er behutsamer weiter. Unten an-
gelangt, neben dem Kastanienbaum, begrüßte er die
Herren mit aufgeregter Heiterkeit, indem er sich verneigte; schloß das Hemd, schlang das Halstuch zusammen,
und legte sich mit theatralischer Grazie eine Hand auf die
Brust.

„So spielte Herr Dorsay, ,der große Mime,'" sagte
er — seine Lustigkeit klang erzwungen, verwildert — „als
er noch die Bretter mit seinen schwebenden Fußtritten
beehrte! — Ich war auf den alten Fels oder ,Palsen'
da hinaufgestiegen, um einmal zu sehn, wie die Welt
dort aussieht; da hörte ich hier Herrn Bertold Wittekind
säuseln, und die Opposition fuhr mir in die Kehle. Herr,
das Feuer fehlt! das Dramatische, die Farbe — kurz,
dasjenige, welches. Sie haben eine schöne Stimme, auch
eine ,schöne Seele', aber noch keine Kunst!"

„Wie sollt' ich auch," sagte Bertold, der stark errötet
war. „Ich spreche, wie ich's verstehe; gelernt hab ich's
nicht. Zeigen Sie uns Ihre Kunst, ich wäre Ihnen dankbar."

„Ja, noch etwas Shakespeare, wenn es Ihnen recht
ist!" sagte Wittekind.

Saltner betrachtete den schlanken jungen Mann von
oben bis unten: „Sie waren auf den Brettern?" fragte er.

Ohne auf diese Frage zu antworten, trat Dorsay hinter
einen Stuhl, der nahe am Felsen stand, blickte einige
Augenblicke sinnend vor sich nieder, und begann Hamlets
Monolog „Sein oder Nichtsein" zu sprechen. Es hörte

sich sonderbar an, dieses schwermütige, nach innen gekehrte
Denken, in diesem sonnigen Licht, im Freien, vor so ver-
schiedenartigen Horchern; denn auch der Wirt stand noch
draußen, mit geöffnetem Mund, einige Bauern traten,
sehr verwundert glotzend, ins Salettl; nur die alte Sali
zeigte ihre breite Rückseite und schlarfte in die Küche
zurück. Dorsay schien nichts zu sehn, ganz Träumer, ganz
Dänenprinz. Es war eine etwas hohle, düstere Feierlichkeit, mit der er sich in die Leiden dieses Lebens vertiefte;
lebhaft gefühlt, aber in Manier getaucht; sein R schnarrte
stark, seine Stimme stieg auf der ganzen Tonleiter auf
und ab, nicht ohne pathetische Wirkung, aber wie nach
einem eingelernten rhetorischen Gesetz. Der alte Saltner
schüttelte leise den Kopf; ganz verzaubert stand Kathi da,
an das Haus gelehnt, regungslos. Ihre Wangen glühten.
Sie verzehrte Eugen mit den Augen, verschlang ihn mit
den Ohren. Als er dann nach diesem Monolog, rasch
hinüberspringend, auch noch den andern sprach, in dem
sich Hamlet nach dem Pyrrhusvortrag des Schauspielers
entladet, verging das staunende Mädchen vollends in
Verzückung. Fast ohne zu blinzeln, heftete sie die braunen
Augen wie gefangen auf den bleichen Sprecher; ihr
linker Fuß, ein wenig vorgetreten, bewegte sich unbewußt,
und seine Spitze ging, den Rhythmus der Verse begleitend,
leise auf und nieder. Nachdem Dorsay geendet hatte,
stand sie noch eine Weile still, holte Atem und schien vor
Glück zu seufzen. Endlich schlich sie, von dem Wirt gerufen, hinter ihm her ins Haus.

Wittekind und Bertold klatschten Beifall und dankten
dem jungen Künstler mit herzlich anerkennenden Worten;
Saltner, die Hand im Bart, nickte ihm zu. Eine innere
Unruhe ließ Dorsay offenbar nicht los; er fing an zu
summen, ohne etwas zu erwidern, und ging im Gärtchen

umher. „Ja, ja, es gibt viele Hamlets!" sagte er plötzlich, sich wendend. „Ich bin auch so einer ... Wie dieser Hamlet sich heruntermacht, das ist wundervoll; — sehr wahr, sehr wahr; — helfen tut's aber nicht! — — Ist kein Brief für mich gekommen?" fragte er dann, da der Wirt herzutrat.

Der Wirt schüttelte den Kopf: es sei nichts gekommen. Dorsay sah vor sich nieder und schwieg. Nach einer Weile blickte er wieder auf, starrte umher, zog die Lider zusammen: „Dieser ewige Sonnenschein!" sagte er und seufzte. „Zu viel Licht ..." Er schüttelte den Kopf und ging gegen das Haus. Im Vorbeigehen murmelte er dem Wirt etwas zu; dann verschwand er in die Küche und stieg die Treppe hinauf.

„Was hat er Ihnen gesagt?" fragte Wittekind.

„Er will oben essen, auf seinem Zimmer," antwortete der Wirt, der die Achseln hob. „Mir scheint, diesem Herrn ist auch nicht wohl in seiner Haut!"

Die Männer erwiderten nichts. Dorsay kam nicht wieder. Nach diesem flüchtigen, phantastischen Auftauchen ließ er sich nicht mehr sehn; er lag auf seinem Bett, wie Kathi trübselig berichtete, und schickte auch sein Mittagsmahl fast unberührt zurück. Als am Nachmittag Wittekinds und Saltner aufbrachen, um über das Salzachtal hinüber zu den Marmorbrüchen von Adnet zu gehn, ließ er hinuntermelden, daß er ruhen wolle. Die drei wanderten fort, Dorsay blieb im Zimmer. Kathi schlich zuweilen auf die Straße hinaus, um zu seinem Fenster hinaufzusehn; es war immer geschlossen, der Vorhang herabgelassen. Sie horchte auch von Zeit zu Zeit auf den Zehen an seiner Tür; drinnen war es still, nur ein schwaches, flüchtiges Seufzen glaubte sie wohl zu hören. So verging der Tag, die Sonne sank hinter die Berge. Das

Feuer im Kalkofen am Wald ward röter, scheinender, da
das Licht draußen schwand. Aus den rauschenden Schluchten kühlte es herüber. Dorsay lag noch immer, in allen
Kleidern auf sein Bett gestreckt; er hielt die Augen zugedrückt, ohne zu schlafen: so sah er den Tag nicht, der,
wenn auch verdämmernd, noch durch den Vorhang herein-
schien.

Endlich öffnete er sie einmal, da er in seiner Nähe
leise seufzen hörte. Verwundert sah er, daß Kathi vor
ihm stand; das arme Kind war langsam, geräuschlos durch
die Tür geschlüpft und herangetreten, und schaute ihn mit
so bangem Mitleid an, daß es ihm durchs Herz ging.
Sie war bleich, mehr als gestern; ein buntes Tüchlein hatte
sie um den Kopf gebunden, das ihr gar rührend zu Ge-
sichte stand, wie einem Verwundeten. Die Arme aufeinander gelegt, den Kopf etwas zur Seite gesenkt, blickte
sie wie eine stumme Frage auf ihn nieder.

Er bemühte sich zu lächeln. „Was wollen Sie denn,
Kathi?"

„Ich? Was ich will? — Essen sollen Sie."

„Ich hab' keinen Hunger, Kathi."

„Aber schon heute mittag haben Sie nichts gegessen,"
sagte das Mädchen betrübt; „und nun wird es Nacht, und
Sie sagen: ich hab' keinen Hunger. Ach, sagen Sie mir
doch, ich bitt' Sie gar schön: was haben Sie denn? Was
ist Ihnen?"

„Mir ist g u t, mein Herz," antwortete er, wieder mit
einer Art von Lächeln. „Was ich brauche, das hab' ich:
da steht's!" — Er deutete auf das Tischchen neben seinem
Bett, auf das Fläschchen, aus dem er vor einer Weile
wieder „Lebensbalsam" geschöpft hatte. „Aber S i e?
Was soll das Tuch da um Ihren Kopf?"

„Ach, reden Sie doch nicht von m i r," sagte sie und

nahm es ab. „Damit hat die alte Sali mich hinaufge-
schickt —"

„Wohinauf?"

„In meine Kammer."

„Warum?"

„Weil ich — Kopfweh habe," entgegnete Kathi zögernd.
„Ich soll nicht mehr aufwarten, s i e will's tun. Nur ein
paar Gäste sind drunten."

„Wovon haben Sie Kopfweh, Kathi?"

Sie antwortete nicht. Dorsay nahm sie bei der Hand;
sie zuckte. Er wiederholte seine Frage und sah ihr weich
ins Gesicht. Als sie das bemerkte, stiegen ihr zwei große
Tropfen langsam in die Augen; blieben da ruhig stehn,
nachdem sie sie bis zu den Wimpern gefüllt hatten, — wie
große Tautropfen an Blumenblättern hängen. So füllen
sich auch Kinderaugen, die nicht weinen wollen, denen das
Brünnlein doch, das so leicht erregte, sachte überquillt.
„Ach, fragen Sie doch nicht," flüsterte sie endlich. „Wollen
Sie nicht essen?"

Er richtete sich auf und setzte sich auf das Bett, ihre
Hand noch haltend. Die andre Hand legte er sich vor die
Augen. „Nein, ich will nicht essen," erwiderte er. „Aber
gehn Sie fort."

„Warum soll ich fortgehn?"

„Warum? — Nun — weil Sie da unten — —"

„Ich war ja nicht mehr unten. War in meiner
Kammer?"

„Nun, so gehn Sie wieder in Ihre Kammer, Kathi —"

„Warum?"

Er stand auf. „Weil Sie — — weil Sie hier in der
Höhle des Löwen sind; verstehn Sie mich, Kathi. Was
machen Sie für ein törichtes, zutrauliches Gesicht. Sie
sind hier schlecht aufgehoben, Kind. Sie — sind mir viel

zu gut; und ich Ihnen auch. Was sind Sie für ein dummes
Mädel, daß Sie vor mir keine Furcht haben ... Gehen
Sie doch fort!"

Sie blieb lächelnd stehen und schüttelte den Kopf.
„Wenn Sie selber so reden," sagte sie — doch mit leise
zitternder Stimme — „so hat's keine Gefahr!"

„So hat's keine Gefahr?" — Er trat auf sie zu, daß
sie scheu zurückwich, und fast rauh fuhr er sie an: „Du
einfältiges Ding, was weißt du? Kennst denn du die
Männer? Hast du eine Ahnung, du, was für Lumpen-
volk, was für Banditen wir sind, wenn uns die Lust übermannt, wenn so ein süßes Gewächs wie du uns zu nahe
kommt, wenn wir das Glück einmal in den Armen haben?
— Mach mich nicht toll, sag' ich dir, mach, daß du hinaus-
kommst. Wir sind alles, was gut ist, wenn wir euch nicht
sehen, wenn wir unter u n s sind; aber ihr — ihr — ihr
macht uns toll, macht uns schlecht! Lügner und Betrüger
werden wir um euch, treulos, ruchlos, herzlos — schwören
falsch, verraten, verderben, alles ist uns gleich — und
gegen die Besten von euch sind wir am schlechtesten...
Darum will ich dich nicht mehr sehn! Mach dich fort! Zeig
mir nicht mehr diese Kindertränen, dieses fromme, gute,
liebe Gesicht, diese roten Lippen — — geh dort aus der
Tür!"

Die arme Kathi stand wie erstarrt, sie rührte kein Glied;
nur ein Schauder nach dem andern rieselte über ihre Haut.
Sie sah ihn an: ob wirklich er, er so zu ihr gesprochen; so
wild, so schrecklich — so gut... Er ist unglücklich,
dachte sie. Das macht ihn so wild! — Weiter konnte sie
nichts denken; so sonderbar sauste und rauschte es in ihrem
brennenden Kopf. Er ist unglücklich! sagte sie sich
wieder, und vor Mitleid hingen die Arme an ihr herab.

„Nun, warum gehst du nicht?" fuhr er nach einer Weile

wieder auf. „Du sollst mir nicht traun! Ich bring' allen
Unglück! Allen! Ich will kein Unglück mehr anrichten
— verstehst du. Laß mich doch allein!"

„Ich fürcht' mich nicht," sagte sie und schüttelte den
Kopf. „Es ist nur so traurig. Wie müssen Sie unglücklich
sein. Und ich steh' so da; und ich darf Sie nicht einmal
fragen, was Ihnen fehlt!"

Er hörte halb abgewandt zu, ihre weiche, schmelzende
Stimme tat es ihm an; es kam ihm dasselbe Gefühl wie
in den Knabenjahren, wenn er die Sonntagsmorgen-
gloden hörte. Den Blick noch am Boden, drehte er sich
herum; dann hob er die geröteten Lider, und mit den
glühenden Augen sah er das Mädchen gerührt, weich,
zärtlich, verzehrend an, alles zugleich. Er legte ihr beide
Hände auf die Schultern, schüttelte sie langsam, seufzte
und lächelte. Bei diesem Lächeln entwichen ihre Augen;
sie blickte vor sich hinab. Auf einmal fühlte sie dann die
Wärme seines Gesichts; ganz nah, gegen ihre Wange,
hörte sie ihn gedämpft und halb flüsternd reden: „Kind!
Was mir fehlt? Nun ja, ich bin unglücklich... Was ist
da zu machen? Niemand nimmt mir das ab, auch die
Kathi nicht. Gute, gute Kathi... Diesen Tropfen da
muß ich dir aus dem Auge küssen... Wie deine Lippen
glühn. Wie Mohnblumen. Ach, und man lebt doch nur
einmal! ist nur einmal jung! Und wie bin ich dir gut...
Wie ein Kornfeld im Sonnenschein, so duftet deine Wange.
Warum soll man nicht glücklich sein? Laß uns glücklich
sein, Kathi..."

Das Mädchen war still. Sie fühlte jedes Wort auf
ihrer Wange; sie sah die rote Flamme des Kalkofens, die
wie eine untergehende Sonne durch den Vorhang schien:
weiter sah sie nichts. Nun hob er aber sanft ihren Kopf,
und behielt ihn zwischen seinen Händen; sie mußte seine

Augen, sein Lächeln, seine kleinen, blitzenden Zähne sehn;
so hatten die auch diese Nacht in ihrem Traum geblitzt.
„O Kathi! Kathi!" flüsterte er, und küßte ihre Stirn. „Wie
gut du lächelst; wie süß. Wie sanft und schön deine Augen
brennen. Unsre Jugend, Kathi! Liebe! Wonne! Glück!"
— Er küßte ihr Kinn, ihre Wange; endlich ihren Mund.
Zitternd ließ sie's geschehn. Glück, dachte sie. Ja, ihn
glücklich machen... Wie ein Blatt, das vom Baum auf
das weiche Moos fällt, sank sie ihm an die Brust.

X

Saltner und Wittekinds kehrten um dieselbe Stunde
aus dem Abneter Tal, von den Marmorbrüchen zurück;
sie durchschritten das stille Städtchen und stiegen langsam
die Bergstraße empor. Die Nacht schattete schon im Tal
und klomm an den Gebirgen hinauf. Ihr Schatten legte
sich auch den Wanderern aufs Gemüt, sie dachten an den
Abschied, der ihnen morgen bevorstand: Saltner wollte in
seine Einsamkeit zurück, und Vater und Sohn nach München, um sich dort zu trennen. Die drei gingen ungern
auseinander, diese wenigen Tage, fast immer gemeinsam
verlebt, hatten sie befreundet; Bertold aber, der sich ge-
stärkt, ja genesen fühlte, fühlte auch seine Pflicht, in die
Hörsäle und zur Arbeit zurückzukehren, die er vielleicht ohne
Not verlassen hatte. Wenigstens gestand er jetzt dem Vater,
und auch dem väterlichen „Alten", daß eigentlich eine
s e e l i s c h e U n l u s t ihn so arbeitsscheu und nerven-
schwach gemacht habe: ein wachsender Widerwille gegen
seine Wissenschaft, die Jurisprudenz, die ihm nicht gefiel,
neben seinen Idealen und Träumen so hart, trocken und
gemütlos dastand... Weiter verriet er sich und seine
Träume nicht. Der Alte stieg bedächtig weiter, ohne zu

äußern, was er dazu denke; Wittekind aber blieb stehn,
und dem Jüngling eine Hand auf die Schulter legend
sagte er, etwas mißmutig, aber liebevoll: „Ich hab' dir
die Jurisprudenz ja nicht aufgenötigt; auch die Universität
nicht. Hätteſt du mir geſagt: ich will Landmann werden
wie du, — das hätt' ich nicht ungern gehört. Aber dir
gefiel's nicht. Es zog dich zu den Büchern, zu den Wiſſen-
ſchaften —"

„Das war ein Irrtum, Vater!" rief Bertold aus, dem
nun das Herz über die Lippen floß. „Ich möchte — ins
L e b e n hinein; irgendwie — ich weiß nicht. Mit Kopf,
Herz, Muskeln, Gliedern, mit allem einer Sache dienen
— einer guten Sache — mich o p f e r n, wenn ſie mich
braucht — —"

Er brach wieder ab. Saltner war einige Schritte
weiter gleichfalls stehen geblieben, machte nun kehrt und
sagte, die Brauen herunterziehend: „Dann wundre ich
mich, daß Sie, am Waſſer und faſt am Meer geboren,
nicht zur M a r i n e gewollt haben, auf die deutſche Flotte.
Da hätten Sie ja das alles, was Sie eben wünſchen; und
die P h a n t a ſ i e, die ‚R o m a n t i k', Sie junger
Schwärmer, bekäme a u c h noch ihr Teil. Sie ſähen die
ganze Welt, die wilden und die zahmen Völker; Sie
brauchten Ihre welthungrigen Augen nur groß aufzu-
machen. Und außer der E h r e Ihres Vaterlandes hätten
Sie auch die Z u k u n f t an Bord: denn es geht nun los!
Auf der Erde, lieber Herr, iſt noch viel zu tun, und die
Zeit der Teutſchen iſt nun endlich gekommen! Meinen
Sie, ein Volk wie das wär' nur dazu da, in Europa
Friedenswachtmeiſter zu ſein und Profeſſoren, Zucker-
rüben und Soldaten zu züchten? Nein, glauben Sie mir"
— der Alte richtete ſeine Moſesgeſtalt beinahe feierlich auf
— „glauben Sie mir, die Hand des Herrn liegt auf unſerm

Scheitel: uns ist bestimmt, noch gar Großes zu tun,
Größeres, als wir ahnen. Deutsches Wort, deutscher Geist
und auch deutsche Kraft werden noch wurzeln und wachsen,
so weit die Erde rund ist. Und wer wird mit ihnen hinaus-
ziehn? Nun, die deutsche Flotte. Da können Sie einer
Sache dienen, einer guten Sache; und auch O p f e r,
denk' ich, werden angenommen, wenn Ihnen nach Opfern
ums Herz ist!"

„Ich hab' auch wohl daran gedacht," sagte Bertold
und sah vor sich hin. „Als Knabe träum' ich jahrelang
davon... Die ganzen Sommer lag ich auf dem Wasser;
Schwimmen, Rudern, Segeln — das trieb ich mit Leidenschaft. Dann aber kamen so ganz andere Ideen — Phantasien.... Und unsre Flotte — was ist das? Neben den
andern, den großen, so klein!"

„Nun, so wird sie w a c h s e n!" rief der Alte, seinen
Stock gegen die Erde stoßend. „Bäume machen Wälder!
— Aber gar so ein kleines Wäldchen ist sie schon nicht
mehr. Ich war einmal in Kiel, hab' sie mir angesehn;
hab' große Augen gemacht..." Sie stiegen wieder weiter,
im Gehen sprach er fort: „Ich bin alt, Sie sind jung, Sie
werden noch was erleben; und gingen Sie zur Flotte, so
würden Sie selber dabei sein: hübsche Seeschlachten, Herr!
nach Osten und nach Westen! Und da wird sich's zeigen
— denken Sie an mich — daß die See noch immer den
Germanen gehört — und daß die Deutschen wieder geworden sind, was sie lange verspielt hatten: der Germanen
Führer!"

„Glauben Sie an den Krieg?" fragte Bertold altklug.
„Wir wollen ja keinen mehr, und alles lechzt ja nach
Frieden!"

„Wir wollen keinen mehr? Haben wir zu wollen?
Die Weltgeschichte wird uns ihre Hunde schon auf den

Nacken hetzen: diese Franzosen mit dem revanchekranken
Herzen, diese Zarenknechte mit ihrem Größenwahn, die
werden nicht nur bellen, Herr, die werden endlich auch
beißen; das lebt ihnen im Blut, und das steht in den
Sternen!" — Der Alte blieb wieder stehn, es war vor
einem „Golgatha", das an der Straße gegen den Abhang
aufgerichtet war: in einem mächtigen Holzrahmen Christus
und die Schächer an drei hohen Kreuzen, geschnitzt und
bemalt; sie sahen aus der nächtigen Dämmerung auf die
Wandrer herab, Saltner stand vor ihnen, als gehöre er
mit dazu, als stünde da ein weißbärtiger, riesiger Apostel
dem Gekreuzigten zu Füßen. „Glauben Sie, junger
Mann," fuhr er bedächtig fort, „was ich Ihnen sage!
Wir haben noch viel zu tun; auch das alte Europa, das
ist noch nicht fertig. Heiß, heiß wird gerauft werden,
denn es sind tapfere, größentolle Völker; aber wir ‚ber-
machen"s doch, wie man hier zu Lande sagt: denn wir
sind berufen! Und dann wird man diese zudringlichen
Russen mit allen Ellbogen weiter nach O st e n werfen:
in Bessarabien — geben Sie acht — wird der Rumäne
Herr werden, in Polen der Habsburger, und die alten
Länder der Schwertritter, Kurland, Livland, Esthland
— darin keine Russen leben; lauter Protestanten — die
werden zu Deutschland kommen, ob es nun heute will
oder nicht. Denn Europa muß frei sein, und der russische
Alp darf uns nicht mehr drücken! Und der italienische
König wird in Korsika, in Nizza und in Tunis herrschen:
denken Sie an mich; — und das alles wird nicht geschehn,
ohne daß auch die deutsche Flotte sich mit Blut getauft
hat; ja, Ihre deutsche Flotte — — und vielleicht sagt
dann Karl Wittekind, seinen schönen Bart streichend:
Bertold Wittekind war dabei!"

Wittekind, der Vater, lächelte, ernst und gedankenvoll;

Bertold ging schweigend weiter. Diese Kriegsträume waren gerade jetzt nicht nach seinem Herzen; vom Seedienst stieß ihn auch die strenge soldatische Zucht ab, die seinen Freiheitssinn dort erwartet hätte, und ihm war, als würde ihn das kaiserlich deutsche „Schulschiff" für immer dem festen Land seiner menschenliebenden Ideale entführen, an die er trotz Afinger und Riedau noch glaubte. ... Sie kamen bei völliger Dunkelheit — denn der nun schon abnehmende Mond ging erst später auf — in der „Gemse" an. Der Wirt trat ihnen entgegen, um sie zu begrüßen; er hielt einen Brief in der Hand. „Der ist gegen Abend gekommen," sagte er, „für den Herrn von Dorsay; ich bin zweimal hinaufgegangen um ihn ihm zu bringen, aber seine Tür war verschlossen. Und es war ganz still. Wecken wollt' ich ihn nicht; denn er mag wohl schlafen. Was tun wir nun mit dem Brief?"

„Geben Sie ihn m i r," sagte Wittekind; „ich will ohnedies zu ihm, da wir morgen reisen!" — Er nahm den Brief, und ward sogleich durch einen starken Duft an den schwülen, „lasterhaften" Wohlgeruch erinnert, den Dorsay und jener andre Brief bei ihrer ersten Begegnung ausgeatmet hatten. Die Aufschrift schien von einer weiblichen Hand geschrieben, „Salzburg" stand auf dem Poststempel. Wittekind ließ die andern im Saletti, ging ins Haus und stieg die Treppe hinauf.

Oben war es dunkel, auf dem Vorplatz brannte keine Lampe, was ihn wundernahm. Er ging behutsamer weiter; in dem ungewissen Dämmer bemerkte er eine dunkle Masse oder Gestalt, die in der Ecke neben einem alten Bauernschrank zu lauern schien. Als er näher trat, erhob sich plötzlich diese Gestalt und glitt an ihm vorüber; es war aber kein Gesicht zu sehn, ein Tuch oder etwas Ähnliches mußte es bedecken. Das Frauenzimmer — denn

es trug lange Kleider — eilte die Treppe zu den Dach-
kammern hinauf; so geschwind und leicht, daß Wittekind
nur an K a t h i denken konnte. „Kathi!" rief er ihr nach.
„Sind S i e's?" — Es kam keine Antwort. Er zögerte
einige Augenblicke; dann tastete er weiter und klopfte an
Dorsays Tür.

Die wohlbekannte Stimme rief sogleich: „Herein!"
Wittekind öffnete — die Tür war nicht verschlossen — und
sah Dorsay auf einem Stuhl am Fenster sitzen; ein Licht
brannte vor ihm auf dem Tisch. Sein Gesicht war nicht
mehr bleich, sondern schwach gerötet. Als er den Eintretenden erkannte, stand er auf und ging ihm langsam
entgegen. „Hier bring' ich Ihnen etwas!" sagte Wittekind und übergab ihm den Brief.

Sowie Dorsay die Aufschrift erkannte, entfuhr ihm
eine zuckende Bewegung; er starrte auf das Papier, wie
man auf etwas Sonderbares, Unheimliches starrt, das wie
ein Schicksal in unser Leben eintritt. Indes er faßte sich
schnell, bat um freundliche Erlaubnis, öffnete und las.
Ein kurzes Auflachen brach aus ihm hervor — oder suchte
sein Gefühl zu verdecken — als er das Blatt überflogen
hatte. Dann hob er es näher an sein Gesicht, schloß die
Augen und schien den Duft in sich einzuatmen. „Das
ist nun, wie es ist," murmelte er endlich. „So geht's mir;
natürlich! — — Herr Wittekind, ich danke Ihnen. Sie
kamen selbst; um mich noch zu sehn ... Sie sind immer
gut. Bitte, lassen Sie mir nun ein paar Minuten Zeit.
Dann — — dann erschein' ich unten. Wir sehn uns noch;
das versteht sich; gewiß!"

„Desto besser," sagte Wittekind und ging wieder zur
Tür. Er fühlte sich aber plötzlich bei der Hand ergriffen;
Dorsay war ihm gefolgt. Als er sich umwandte, sah er,
daß dessen Gesicht wieder tief erblaßt und von einer

leidenſchaftlichen Bewegung ergriffen war. Die Lippen
verzogen ſich, die Augen zwinkerten lebhaft. Auch zitterte
ihm die Stimme, als er mit einem mühſamen Anlauf
ſagte: „Lieber Herr Wittekind!"

„Sie wünſchen?" fragte dieſer verwundert.

„Was ich wünſche?" entgegnete Dorſay. „Sie — noch
einmal zu ſehn! Ihr Geſicht ... Nun ja, Sie haben mir's
angetan, mir das Herz abgewonnen — ſo daß ich ganz
— — Ich weiß nicht, was ich ſage. Sie könnten mir erlauben, Herr Wittekind, Sie einmal zu umarmen; zum
Abſchied — — Morgen geht's ja fort!" ſetzte er wie zur
Erklärung hinzu. Ohne auf Wittekinds Zuſtimmung zu
warten, umſchlang er ihn mit beiden Armen und drückte
ihn heftig an ſich; ſeine Muskeln ſchienen ſich krampfhaft
zu bewegen.

„Lieber Herr Dorſay!" ſagte Wittekind gerührt. Das
Geſicht des jungen Mannes lag auf ſeiner Schulter; halb
erſtickt murmelte Eugen, ohne jedes Pathos: „Hätt' ich Sie
zum Vater gehabt! — Es ſtünde nicht ſo mit mir — —"

Er ſchluckte, mit ſtoßendem Atem, und machte ſich
dann haſtig los. Mit abgewandtem Geſicht ſagte er, wie
wenn nun ein a n d e r e r ſpräche, leichthin: „Alſo unten;
im Salettl, nicht wahr, finde ich die Herren. Alſo noch nicht
gute Nacht!"

Wittekind ging ſtumm hinaus; er hatte ein dunkles
Gefühl, als hieße das: ich reiſe ab, gute Nacht! — —
Auf dem Vorplatz brannte nun die Lampe. Er ſtieg hinunter, in allerlei fragenden und ahnenden Gedanken, und
kam zu Saltner und Bertold, die beim Nachtmahl ſaßen.
Auch für ſich beſtellend, dann eſſend, ſaß er wortkarg da.
Die alte Sali bediente ſtatt der Kathi; ſie erzählte, daß
das arme Ding nicht wohl ſei und ſchon lange im Bett
liege. Bertold war voll Mitleid; — es ſchien noch mehr

ein anderes Gefühl zu sein, das ihn gar so weich
stimmte. Er fürchtete wohl, das kleine Ding gar nicht
mehr zu sehn; es mißfiel ihm, sie zu verlassen; auch er sah
stumm in sein Glas, und Saltner störte ihn nicht, der, wie
es von Zeit zu Zeit über ihn kam, mit leisen Fingern den
Bart knetend sich in das Schattenspiel vorüberwandernder
Erinnerungen versenkte.

Wohl eine Stunde verging so; Bertold nahm wieder
das Wort, sich zum Vater wendend: er hab' es nun doch
bedacht und möchte noch einmal versuchen, ob er zu der
Rechtswissenschaft sich nicht ein Herz fassen könne. Vielleicht finde er auch für seine Lieblingsgedanken mehr darin,
als er bisher gedacht; einen andern Beruf, für den er sich
so recht geschaffen fühle, wisse er nicht ... Er unterbrach sich plötzlich; ein dumpfer, aber deutlicher Schrei
erklang durch die stille Nacht; alle hörten ihn. Sie horchten; es schien ein Klagen oder Stöhnen zu folgen, das
aber völlig gedämpft und ungewiß daherschwebte und
sich mit dem Rauschen der Waldbäche vermischte. Was
bedeutete das? Woher kam der Schrei? — Saltner wies
zu der kleinen Anhöhe neben der Straße hinauf: es stand
dort ein Bauernhaus, jetzt nächtlich dunkel und still; von
dort, meinte er, sei der Schall gekommen. Auch stöhne es
noch fort. Er sprang auf und stieg mit seinen gewaltigen
Schritten die Anhöhe empor; Bertold lief ihm nach;
Wittekind folgte langsamer, noch schwankend.

Sein Ohr hatte b e s s e r gehört: als er auf die Straße
trat, kam ein neuer Laut, über und hinter ihm, und er
zweifelte nun nicht mehr, wo die Stimme zu suchen sei.
Ins Wirtshaus eilend und die Treppe hinauf, öffnete er
Dorsays Tür, ohne anzuklopfen. Dorsay war nicht zu
sehn; über sein Bett hingeworfen lag aber K a t h i, in
allen Kleidern, wie eine Verzweifelnde; schluchzte, ächzte,

und schüttelte die Kissen. Auf dem Tisch brannte noch das
Licht; daneben lag ein aufgerissener und ein geschlossener
Brief. „Was ist geschehn?" fragte Wittekind. „Kathi!
Was ist Ihnen? Warum weinen Sie? — Hören Sie mich
nicht?" — Er trat hinzu und faßte ihren zitternden Arm.
Bei dieser Berührung sprang das Mädchen wie elektrisch
getroffen auf und zeigte ihm ihr von Schmerz und Leiden-
schaft ganz verzerrtes Gesicht.

„Er ist fort!" sagte sie; Wittekind erriet die Worte
mehr, als er sie verstand, da ihre Stimme heiser geworden
war und vom Schluchzen bebte. „Er ist fort, er ist fort,
er hat mich verlassen!" — Sie deutete auf den Tisch und
die Briefe, dann griff sie mit allen Fingern in seinen Arm:
„Lesen Sie den Brief da!" sagte sie; es sollte Flehen sein
und klang wie Befehlen. „Der eine ist an mich, der andre
an Sie; lesen Sie ihn, Herr! Ich will wissen, was darin
steht!"

Wittekind nahm den geschlossenen Brief, er war an
ihn gerichtet; unruhig riß er ihn auf. „Lieber, verehrter
Herr!" stand darin mit Bleistift geschrieben. „Mein
Schicksal ruft, ich muß fort. Ich möchte aber in diesem
Hause n i e m a n d w i e d e r s e h e n ... Kurz, ich ver-
schwinde so geräuschlos, wie es sich für unsereins schickt;
schleiche die Straße hinunter und wandre nach Salzburg;
dann von da in die Welt hinein. Die Nacht ist zum Wandern
gut. Die große Laterne da oben wird ja angezündet.
Meine Bezahlung für den Wirt liegt im Tisch, in der
Schublade. Ich bin so froh, daß ich Sie umarmt habe;
daß ich Ihnen noch gezeigt habe, wie ich für Sie fühle.
Leben Sie wohl!"

„Geben Sie mir den Brief!" sagte Kathi heftig, im
Schluchzen, nachdem er gelesen hatte. Sich ein wenig
fassend, und ihren eigenen Brief in die Tasche steckend,

wiederholte sie flehender: „O, geben Sie mir den Brief!
Lassen Sie mich's lesen!" — Sie schien zu fürchten, er
könne es ihr verwehren; denn sie griff schon zu und zog
ihn ihm aus der Hand. Als sie ihn halb gelesen hatte,
schrie sie auf: „Nach Salzburg! Zu Fuß! Ich will a u c h
nach Salzburg! Ich will ihm nach, ich laufe! Ich hol'
ihn ein! So kann er nicht fort, so kann er mich nicht verlassen!"

Sie wollte aus der Tür stürzen; aber Wittekind hielt
sie auf. Der Wirt und Sali, von dem neuen Schrei herbei-
gerufen, traten eben ein; Saltner und Bertold waren
zurückgekommen und stiegen die Treppe herauf. Wittekind erklärte den andern, was sich zugetragen hatte; was
er über Kathis Verzweiflung dachte, ließ er unerörtert;
alle ahnten es, in ihr armes, glühendes, verwildertes Gesicht stand es eingezeichnet. Sie verlangte immer von
neuem, man solle sie hinauslassen; sie wolle ihm nach,
ihn verwünschen, ihn töten, sie wolle bei ihm bleiben, sie
gehöre zu ihm: so warf sie all ihre zuckenden Gedanken
und Gefühle sinnlos durcheinander.

Endlich nahm der Alte das Wort, in seiner gebietenden
Art: „Wenn sie so redet, ist sie noch ein Kind; und sie ist
ein wenig auch m e i n Kind. ... Hier wirst du bleiben,
Kathi, hier in diesem Zimmer, da du uns nicht folgen und
keine Hand an dich lassen willst; Sali wird dir bringen,
was du brauchst, und ich schließ' dich ein. Ich schlaf'
nebenan, ich werd' dich bewachen. Morgen kommt die
Sonne wieder, und mit ihr die Vernunft. Jetzt denk
an dein Nachtgebet, an deinen Schöpfer, an die Ehre
dieses Hauses, dem du angehörst — und gute Nacht!"

Die feierliche Stimme schien das Mädchen zu beruhigen
oder einzuschüchtern; sie sagte nichts mehr, stöhnte auch
nicht mehr. Auf einem Stuhl an der Wand, in die Luft

starrend, saß sie fast ohne Bewegung da. Man ließ sie
endlich allein, hinter der verschlossenen Tür; das ganze
Haus begab sich nach und nach zur Ruhe. Wittekind hatte
noch einen letzten Blick auf die Unglückliche geworfen,
als er das Zimmer verließ; in ihren sonst so kindlichen,
lachenden Rehaugen schien ein wilder Entschluß auf-
zuleuchten, der ihr ein ganz anderes, unheimlich gereiftes,
frauenhaftes Gesicht gab. Er glaubte nicht, daß „die
Vernunft" so bald kommen werde. Ungern, lange zögernd,
ging er endlich schlafen, da ihn nach dem heißen Tag die
Müdigkeit übermannte.

Er hatte sich nicht getäuscht: der Morgen graute erst,
als Salis Stimme laut ward und in allen Zimmern die
unruhigen Schläfer weckte. Die Alte war zum Brunnen
und auf die Straße gegangen und hatte das Fenster,
hinter dem Kathi gefangen saß, weit geöffnet gesehn;
unter dem Fenster war das Gras von einigen Tropfen
gerötet, offenbar von Blut. Als Saltner die Tür nun
aufschloß, war das Mädchen fort; offenbar hinunterge-
sprungen, da man ihr den Ausgang verwehrt hatte. Sie
mußte glücklich davongekommen sein, denn die Blutspur
hörte nach wenigen Schritten auf; nur ihr Kopftuch,
das sie verloren haben mochte, fand sich auf der Straße.

„Was ist da zu tun," sagte Saltner in grimmiger Entschlossenheit. „Nichts, als — ihr nach. Sie ist nach Salzburg gelaufen, das tolle Ding, dem Rattenfänger nach.
Der Weg ist weit, sie wird noch auf der Straße sein. Ich
nehm' einen Wagen und ich fahr' hinterdrein!"

„Ich begleite Sie, wenn es Ihnen recht ist," sagte
Wittekind kurz, der sich bei Salis erstem Ruf auch erhoben
hatte. Bertold kam und verlangte gleichfalls mitzufahren.
Man verlor keine Zeit; während Sali ins Städtchen
hinunterlief und einen Wagen mit raschen Pferden be-

stellte, machten die Männer sich fertig. Sie gingen ihr
dann eilig nach und fuhren bald in den erwachenden Tag
hinein. Saltner kannte den Kutscher, einen stämmigen,
etwas mürrischen Postknecht, von früheren Fahrten her;
er spornte ihn durch die Aussicht auf ein dreifaches Trink-
geld an, die Pferde laufen zu lassen, was sie konnten.
Auf der glatten, staubigen Straße jagten sie dahin. Der
Himmel war sonnig hell, obwohl die östlichen Berge noch
das Gestirn verdeckten; die Wolken draußen im Norden,
in der Ebene, säumten sich mit Gold; die Zitadelle von
Salzburg ward sichtbar, fern, klein, dann heranwachsend
und im herrlichsten Morgenzauber leuchtend, bis sie endlich unter dem hochragenden Burgfels vorbei um den
Nonnberg fuhren und die Stadt erreichten.

Sie kamen bis zur alten Salzachbrücke, hier ließ Saltner halten. Auf seinen Vorschlag stiegen sie aus; „das
beste wird sein," sagte der Alte, der während der Fahrt
fast immer geschwiegen hatte, „wenn wir uns verteilen,
um das Mädel zu suchen! Wenn etwa Sie und Ihr Sohn
an der Salzach links und rechts stromab gehn, so können
Sie nicht verirren; ich, der ich hier zu Hause bin, schlängele
mich durch die Neustadt zum Bahnhof, und der Wagen
folgt mir. Da wir sie unterwegs nicht mehr angetroffen
haben, wird das Mädel h i e r sein. Und wär' sie zur
Stecknadel geworden, man sucht halt bis man sie findet!"

Wittekind nickte; sie trennten sich. Bertold übernahm
das r e c h t e Ufer und schritt an der Salzach hin, auf dem
neuen Uferdamm, neben den jungen Anlagen und Villen;
fast noch allein, denn das Leben des städtischen Tages begann erst zu erwachen. Er ging langsam, nach allen Seiten
umherspähend, in banger Unruhe, ob er auch nichts
übersehen, seine Aufgabe erfüllen werde. Wie anders
war er hier vor wenigen Tagen gegangen: als fastender

Märtyrer, aber doch voll heiterer Phantasien, auf das
Wiedersehn mit dem Vater sich freuend, die Welt mit
seinen Zukunftsplänen beglückend. Jetzt erschien er sich
wie ein Polizeimann, der einem Flüchtling nachspürt;
er suchte ein verzweifelndes Mädchen, von dessen Dasein
er damals noch keine Ahnung hatte, das seinem jungen
Herzen bittre Gefühle machte: wozu sollt' er sich's leugnen.
Seine gereizte Einbildungskraft berauschte sich in schreck-
lichen Szenen und Tragödien, in denen er Kathi und den
„Rattenfänger" finden könnte und als ratloser, unerfahrener Jüngling einzugreifen hätte. Auch gab ihm
jede dieser Phantasien einen Stich in die Brust ... So
kam er an der protestantischen Kirche, an der neuen Fußgängerbrücke vorbei und sah die große Eisenbahnbrücke vor
sich, die über die Salzach führt. Vom Bahnhof her rollte,
noch langsam, ein Zug, der nach Bayern wollte, die rhyth-
misch ausgestoßenen Wölkchen glänzten in der Sonne.

Plötzlich fuhr er zusammen, da ein Schrei ertönte, der
ihm durch Mark und Bein ging. Der Zug hatte die Brücke
erreicht, nicht weit davon, am Ufer, lief eine weibliche
Gestalt, die Bertold bisher nicht bemerkt hatte; sie hob
beide Arme, rief den Zug an, wie es schien, rief irgend
einen Namen, den er nicht verstand. In einem der Wagen,
die jetzt über die Brücke rollten, erschien ein Kopf am
Fenster, den Bertold zu erkennen glaubte ... Das Weib
schrie noch einmal, wie rasend. Es war Kathis Stimme,
er zweifelte nicht mehr. Im nächsten Augenblick lief sie,
die stehen geblieben war, gegen das Ufer zu, stand auf
der steinernen Böschung, mit unbedecktem, fliegendem
Haar, und warf sich in den Fluß.

Bertold wußte nicht, wie ihm geschah: sowie sie zu
laufen begann, setzte auch ihn jemand in Bewegung, ohne
Wollen und Denken; er rannte auf dieselbe Böschung,

auf denselben Fleck zu, und gleich nach ihr — denn er war
geschwinder — sprang auch er hinab. Ihn erschreckte das
kalte Wasser, als er unterging; aber sogleich hoben ihn
seine Kräfte wieder, und es erwachte in ihm eine wilde,
klare, bewußte Entschlossenheit, ein seliges Gefühl. Er
war in seinem Element, er schwamm wie ein Fisch. Vor
seinen tropfenden Augen sah er das sich ausbreitende,
schwimmende Gewand, das Kathi nach oben trug; nach
wenigen Stößen hatte er es gefaßt, er ergriff das Mädchen
am Arm und ruderte auf die Böschung zu. Der Strom
trug ihn fort, aber nicht mehr weit. An der nächsten
Landungsstelle, wo ein schwimmender Prahm zum
Waschen angekettet lag, hielt er sich fest; es standen
dort einige Männer und Frauen, die das Schreien und
Laufen herbeigezogen hatte, man zog sie beide ans Ufer
und trug das Mädchen hinauf.

Kathi schlug die Augen auf, sie schien aus einem be-
wußtlosen Zustand zu erwachen. Sobald sie begriff, wo
sie war, schüttelte sie wild die Haare und rief: „Was
wollt ihr! Laßt mich! Laßt mich ins Wasser, ich will
nicht mehr leben!" — Sie versuchte wieder aufzuspringen,
da sie am Boden lag; die Männer hielten sie fest. Sie
rang mit ihnen, sie knirschte mit den Zähnen. „Kathi!"
sagte Bertold, der neben ihr stand und sich über sie beugte,
so daß die Tropfen aus seinen Kleidern auf ihr Antlitz
fielen: „Kathi! Fassen Sie sich; wie können Sie so reden ...
Hören Sie mich doch an; ich bin's. Wir lassen Sie nicht ...
Haben Sie Vernunft!"

Sie starrte ihn jedoch mit wirren, leblosen Augen an,
sie schien ihn nicht zu erkennen. Immer wieder aufstrebend
sagte sie, fast heiser: „Laßt mich! Ich will da hinein!
ins Wasser! Er ist fort, ich will nicht mehr leben!" — Ihr
sinnlos zuckendes Gesicht mit dem klebenden Haar sah ihr

nicht mehr gleich; Bertold graute fast, sie anzubliden. Es
hatte sich schnell ein Haufe von Menschen um sie her gesammelt, Männer, die zur Arbeit gingen, junge Bursche
und Frauen; sie hörten die wilden Reden, fragten, was
geschehen sei, was zu tun sei, zuckten mit den Achseln.
Bertold stand ratlos da; ein Frösteln überlief ihn. Während
er verwirrt umhersah, fühlte er eine Hand auf seinem
Arm und hörte eine bekannte Stimme seinen Namen
nennen.

Er wandte sich um und sah Afinger und Metzner, die
hinter ihm stehend auf ihn und das Mädchen blickten.
„Die ist wohl auch so ein ‚Opfer‘,“ murmelte Afinger;
„wie? Eine von denen, die ins Wasser gehn, weil so ein
feiner Herr mit ihnen seinen Spaß gehabt hat. Das soll
man alles hinnehmen; wie?“

Bertold erwiderte nichts; ihm selber lag ein namen-
loses Gefühl schwer und hart auf der Brust. Er sah einen
Wagen heranrollen; eine mächtige, weißbärtige Gestalt
schob die Menge auseinander, S a l t n e r stand vor ihm.
Ohne Bertold zu bemerken, blickte der Alte auf Kathi
nieder, nickte, als hätt' er's gedacht: so werde er sie finden.
Dann kniete er, seine Bewegung bemeisternd, neben dem
Mädchen nieder und nahm ihre bläuliche, nasse Hand.
„Kathi!“ sagte er ruhig, halblaut. „Ich bin's, der Saltner.
Steh auf! Was tust du hier vor so vielen Leuten. Wir
fahren nach Haus; zu mir!“

Sie suchte ihm die Hand zu entziehn; „laßt mich!“
rief sie wieder, doch mit schwacher Stimme. „Ich will
nicht! Ich will —“

Der Alte ließ sie aber nicht ausreden; er umfaßte sie,
hob sie empor und trug sie wie ein Kind. Der Wagen
war herangefahren, Saltner öffnete die Tür und legte
seine Last auf den Wagensitz; „nach meinem Haus!“ rief

er dann dem Kutscher zu und stieg selber ein. Die Peitsche knallte, die Pferde zogen an. In ein paar Augenblicken war's geschehen, Bertold sah zu wie im Traum. Er sah den Wagen davonrollen; hinter sich hörte er seinen Namen, seines Vaters Stimme, der vom andern Ufer über die Fußgängerbrücke gestürmt kam, um zu erfahren, was geschehen sei, und seinen Jungen zu suchen.

———

Zweites Buch

I

Wittekind stand am Fenster, von der Morgensonne beschienen, und blickte auf den großen, feiertagsstillen
Hof vor seinem Hause hinaus. Die Tore der Scheunen und
Ställe, die den Hof rechts und links umgaben, waren alle
geschlossen, und gegenwärtig nirgends ein Mensch zu sehn;
nur eine schwarze Katze und allerlei Hühnervoll, großes
und kleines, wanderte auf dem sonnigen Hof umher. Es
war ein Sonntagsmorgen; der zweite Sonntag im Juli.
In der Ferne stand ein leuchtendes Gebirge, aus Sommerwolken gebaut; sonst war alles eben und flach. Wittekind
sah durch das offene Hoftor auf grünes Uferland, auf bräun-
lichen Schilf, den der Wind bewegte, auf den seeartig
breiten, dunkelblauen Fluß und die jenseitigen Ufer, an
denen sich ein einförmiger, ernster Tannenwald hinzog.
Er fühlte sich wieder in der Heimat; doch nicht recht daheim. ... Das Fenster war offen, von dem kleinen Teich
her, der links hinter dem Hofe lag, kamen die zarten,
piependen Stimmen junger Enten herüber, die ihren
gelben Flaum auf dem Wasser wiegten. Er konnte sie
schwimmen sehn; als geborene Künstler ruderten sie nach
allen Seiten über ihren leicht gekräuselten kleinen Ozean,
den hier und da niedriger, grüner Schilf begrenzte. Am
Ufer, bei der Entenbucht, irrte eine schwarze Henne um-

her, die einen Teil dieses Entenvölkchens ausgebrütet hatte; sie sah ihnen voll Unruhe und Muttersorge nach, auf der bretternen Einfassung der Bucht lief sie bis zum äußersten Rand hinaus, lüftete die Flügel, hob sich mehr als einmal zum Sprung, als müsse sie den Jungen nach, die so dreist davonschwammen; immer blieb sie aber wieder im Gefühl ihrer Ohnmacht verzagend stehn. Witte-kind schaute ihr zu, sie ergötzte und rührte ihn. Worüber lächl' ich denn? dachte er auf einmal. Ist's bei uns denn anders? Sehn wir nicht auch so vom Ufer zu, wenn unsre groß gewordenen Kinder auf allerlei Wasser hinaus-schwimmen, wohin wir nicht folgen können? Wir meinen wunder wie sehr sie unsresgleichen sind; auf einmal gehen sie ihre eigenen Wege, neue „Zeiten", neue In-stinkte führen sie, wir können's nicht ändern, können sie nicht halten. Da stehen dann wir alten Hennen. ... Ja, mein Junge, mein Schwärmer — der mir noch hinaus-schwärmen wird, Gott mag wissen, wohin; mein teurer Junge, mein Bertold!

Vor wenigen Tagen erst hatte er ihn verlassen, es dünkte ihn schon eine Ewigkeit. In seiner Sehnsucht durchwanderte er die Tage zurück bis zu jenem Morgen in Salzburg: wie er da erschrak, ihn triefend am Ufer zu finden, ihn ins Gasthaus brachte, bettete und pflegte; — bis dann von der „Gemse" ihr leichtes Gepäck kam, und der gute Alte zum Abschied, und sie gen München fuhren, über Kathi leiblich beruhigt, über Dorsay grübelnd und entrüstet, dem Untersberg noch wie einem Freunde winkend — und die eigene schwere Trennung auf dem Herzen ... Auch die war nun vorbei, Vater Wittekind in seinem Norden allein. Er sah staunend umher: so öde war ihm hier nicht mehr gewesen seit seiner Hausfrau Tod. Wie leicht täuscht sich der Mensch, wenn er, an

einem Ort heimisch eingewurzelt, alles um sich her selber
geschaffen, mit seinen Erinnerungen, seinem Geschmad,
seiner Sinnesart angefüllt hat und nun denkt, diese Welt
um ihn her habe ein L e b e n empfangen, werde immer
lebendig auf ihn wirken. Wie freute ihn sonst, in seinem
sinnlich kräftigen Lebensgefühl, dieses „warme Nest",
sein weiträumiges Wohnzimmer, von dessen olivengrüner
Tapete seine Büchergestelle, mit den edlen, farbigen Ein-
bänden, die alten, feierlich schönen Kupferstiche, die Büsten
und Statuen, der mächtige braune Kachelofen, das geliebte Klavier ihn wie erprobte Lebensgefährten ansahen
und den warmen Hauch ihres Daseins auszuatmen schienen.
Jetzt freute ihn nichts. Am Klavier, bei Beethovens seelen-
vollsten Sonaten, überfiel ihn bald eine entmannende Wehmut; auf dem riesigen Schreibtisch lag ein Buch neben
dem andern aufgeschlagen, keines hielt ihn fest: Shakespeare, Darwin, Ranke, Jhering, denn er ging allerlei
Wege; in diesen Tagen umsonst: selbst sein Lieblings-
heiltrank, der „Faust", wollte jetzt nicht helfen. Wie schön
war draußen der Tag! Es ging ein warmer, aber nicht
drückender Wind und tändelte mit seinem Sommer-
spielzeug, dem Getreide, dem nachgemachten wogenden
Meer; reicher Feldersegen durchgolbete das Land, schöne
Erntehoffnung. Es half alles nicht. Ihn freute weder
Feiertag noch Werkeltag. Eine der trüben Zeiten war
gekommen, wo das Leben kalt und bellemmend wie ein
nasses Tuch um die Seele liegt; wo der Tisch der Natur
nicht für uns gedeckt scheint, weil wir nach Versagtem
hungern, und unsere reinen Gesinnungen uns mehr zur
Last, als zum Troste sind. Ihm fielen Waldenburgs Worte
aus jenem vertraulichen Gespräch ein: „Du kommst mir
vor wie einer von diesen freiwilligen Nordpolfahrern ...
Was hast du auf deinem Gut, am Wasser, mit den Zuder-

rüben? — — Ich bin auf der Welt, um sie zu genießen."
... Er fühlte mit bitterem Lächeln, daß er Waldenburg
fast beneiden könnte: der packt das Glück mit frecher
Satyrfaust bei den Haaren und zwingt es an seine Brust;
dem macht es kein Herzweh, keinen Sohn zu haben; dem
fehlt seine Frau nicht mehr, er hat die der andern; und
er sitzt da irgendwo am Meer mit diesem interessanten,
begehrten Rätsel, dieser großäugigen, blassen Marie ...

Wittekind verlor die Ruhe, er verließ das Fenster und
ging im Zimmer umher. Seine Schwester Emma trat
hinter ihm in die Tür; eine kurze, breitschultrige Gestalt
mit großem Kopf, dem Bruder gar nicht ähnlich, auch in
den Gebärden nicht; seit einigen Jahren führte sie das
Haus. „Hast du mich gerufen, Karl?" fragte sie.

„Ich? — Nein."

„Du hast aber irgendwas gerufen, Karl. Ich hörte
deine Stimme."

„Sonderbar!" sagte er. „Das ist mir durchaus nicht
bewußt."

Sie sah ihn mit einer Art von mütterlicher Sorge und
Unzufriedenheit an, und blickte dann auf den Tisch, an
dem er gefrühstückt hatte. „Deine Tasse ist auch noch halb
voll," meldete ihre trockene Stimme.

„So bleibt sie auch," sagte er sanft, die Hand an seiner
Stirn. Sie hob die Achseln und ging wieder hinaus.

Wittekind sah ihr nach. Was nützte ihm jetzt diese
gute Frau! Sie ahnte nicht, was er wollte oder was ihm
fehlte. Gott hatte sie zur Wirtschafterin bestimmt, und
dazu allein; sie fühlte auch ihren Wert, sie sah mit halb
geringschätziger Hochachtung auf den Bruder herab, dem
sie, so oft er ausging, ein Stück Schokolade oder ein Butter-
brot oder seine Geldbörse in die Tasche steckte; den sie für
einen gut beanlagten, aber durch die Bücher auf Abwege

gekommenen, unpraktischen Menschen hielt. Was ist sie
mir? dachte er. So viel wie diese olivengrüne Tapete …
Einsam! Einsam! Einsam!

Er trat wieder ans Fenster; seine blauen Augen
starrten matt und leblos hinaus. Ein paar Lustjachten
mit hohen, weißen, leuchtenden Segeln, vom Südost getrieben, zogen wie Riesenschmetterlinge auf dem Fluß
vorüber; ein Anblick, den er oft von diesen Fenstern ge-
noß, der ihm die Brust zu schwellen pflegte, denn gleich
seinem Bertold war er ein leidenschaftlicher Segler seit
der Knabenzeit. Er kreuzte die Arme und sah ihnen nach;
es ging ihm wunderlich, seine Seele schien sich zu öffnen.
Ihm war, als zögen da beflügelte Seelen hin,
ins blaue Leben hinein. Freie, tapfere Seelen, die sich
aufgemacht … Spann deine Flügel aus! sagte seine
Stimme, ihn selber überraschend. Ja, wiederholte er sich
mit wachsendem, schwellendem Bewußtsein: spann deine
Flügel aus! Schwing dich auf! Sei ein Mann! — Ei,
das Leben wär' wunderleicht, wenn es nur gute Stunden
hätte, die von selber auffliegen. Heut aber heißt es: zeig,
was du kannst, wer du bist! — Er richtete seine männliche
Gestalt breitbrüstig auf, er dehnte sich und sprach mit
freier, tönender Stimme seinen Lieblingsspruch, den er
aus einem irgendwo gelesenen umgedichtet hatte:

> Der Ruf erscholl:
> So hall' ich still.
> Ich muß und soll:
> Ich kann und will!

„Nun ja denn," sagte er noch einmal, lächelnd und nach
seinem Hut an der Wand greifend: „ich kann und ich will!
Hinaus will ich vor allem; will auch meine Segelpferde
reiten lassen. Wozu hätten wir denn diesen Feiertag.

Aufs Wasser, aufs Meer hinaus!" — Er rief ins andre
Zimmer hinein, daß er „in See stechen" wolle und wohl
nicht vor Abend zurückkomme; rief draußen den Fritz,
einen fünfzehnjährigen Jungen, den er als seinen „Schiffsjungen" mitzunehmen pflegte, und ging mit großen,
jugendlichen Schritten über den Hof.

Wo seine Feldmark am weitesten in den Flußlauf
vorsprang, hatte er sich einen kleinen, schilfumsäumten
Hafen angelegt, in dem außer einigen kleineren Booten
auch eine Segeljacht schaukelte, die „Möwe" genannt;
ein starkes, seetüchtiges Fahrzeug mit zwei schlanken
Masten, ein gedeckter Raum im Vorderteil war eben groß
genug, daß zwei oder drei genügsame Männer darin übernachten konnten. In dieser Jacht hatte er schon manches
Mal den südwestlichen Winkel der Ostsee kreuz und quer
durchstreift, auch die nahen dänischen Inseln besucht;
es lebte in ihm nordgermanisches Seefahrerblut, das
ihn oft vom kornbauenden Land auf die große, himmel-
umflossene Wasserwüste hinauszog.   Der Wind war
günstig; und schon der Wasserdunst erfrischte ihm das
Herz. Fritz, vor Freude lachend — ein rotblonder Bursche
mit gewaltigen Knochen, der im nächsten Frühjahr als
wirklicher Kajütenjunge nach Amerika mitgehn wollte —
zeigte mit glühendem Eifer seine Seemannskünste; sie
schwammen bald mit gefüllten Segeln, mit dreiviertel
Wind, auf dem breiten Fluß, der noch eine Strecke abwärts sich bis zu zwei Seemeilen weitete, von dunklen
und helleren Wäldern oder langen Wiesenstreifen umschlossen. Die Wellen erhöhten sich hier, das Schiffchen
schnitt wie ein Pfeil hindurch. Schneller, als Wittekind
gedacht hatte, kam es an den „Durchstich", wo sich der
See zu einem schmalen Wasserfaden zusammenzieht, nur
eben breit genug, um der Schiffahrt ausreichenden Raum

Wilbrandt, Adams Söhne   13

zu laſſen. Dieſen Kanal hinab fuhren ſie an dem lang-
geſtreckten Hafenſtädtchen hin, an großen und kleinen
Dampfern und Segelſchiffen vorbei, endlich in die See
hinaus. Auf der blauen, bewegten Fläche blitzte hier und
da — draußen mehr und mehr — der Silberſchaum, den
der Südoſt aus ſeinen Flügeln ſpritzte. Phantaſtiſche
Wolken ſtiegen in der uferloſen Ferne wie Spielzeuge der
Meerweiber oder wie märchenhafte Seegeſchöpfe auf; da-
zwiſchen zog ſich der Rauch vorüberfahrender Dampfer
in lang geſegten Streifen wie endloſe Wimpel hin. Die
Lichter der Sonne tanzten auf den Wellen. Möwen und
Seeſchwalben, einzeln und in Haufen, ſtrichen über die
Brandung und weiter ins Meer hinaus; ihre hellen, halb
ſingenden Rufe ſtiegen wie aus dem Waſſer auf, vom
Wind verweht und verflatternd.

Wittekind ward wohl ums Herz. „Wohin fahren wir,
Herr?“ fragte der „Schiffsjunge“. Lächelnd zuckte Wittekind die Achſeln; was lag ihm daran, wohin? Nur ſo ins
Leben hinaus! — — Auf einmal errötete er, über ſeinen
eigenen Gedanken: ihm fiel das nächſte Seebad dort im
Weſten ein, hinter dem hohen Ufer, und daß dort Waldenburg ſein möchte und — andere mit ihm. Ob dieſer Gedanke ſchon in ihm dämmerte, als ihm die Luſt kam, wie
jene „geflügelten Seelen“ auch hinauszuſegeln? Was
ſollte er ſagen; ihm war's nicht bewußt. Er wußte auch
nicht, würde er ſie dort finden oder nicht? Er hatte vergeſſen, Waldenburg zu fragen; oder es nicht gewollt.
Umſo beſſer, dacht' er; ſo ſegle ich ohne Ziel, nur eine un-
beſtimmte Ahnung in der ſteuernden Hand, auf die Ferne
zu... Er ſteuerte aber ſchon nach Weſten; das Schiff,
dem der Südoſt nun in die Flanke fiel, tanzte lebhafter,
unruhiger dahin, ſeiner eigenen Seele gleich, die ein
innerer, warmer Wind zu ſchwellen, zu tragen ſchien.

Der letzte Rest von Lebensunmut hatte ihn verlassen; er
horchte auf die lieblich schrillen Töne der Meeresvögel,
die ihn ins Unbekannte hinauszulocken schienen, und seinen
Spruch wiederholend, obwohl er kaum mehr paßte, sang
er vor sich hin:

„Ich muß und soll,
Ich kann und will — —"

Die Ufer an dieser Küste fesseln das Auge nicht; nur
wo die bleichen Sandbünen sich höher auftürmen, gleich
erstarrten Wellen, oder auf steilen, gelblichen Uferrändern
sich edler Laubwald erhebt, wird der Gegensatz zwischen
Land und Meer anziehend und malerisch. Wittekind
segelte ungeduldig vorwärts, ohne die Augen viel auf das
Land zu richten; ihn erquickte mehr die salzige Kraft der
durchfeuchteten Luft, das Aufrauschen der Wellen an
seinem Bug und Bord, und die rastlose, stampfende Gewalt, mit der sein Seeroß, die „Möwe", sich den Weg
durch die Schaumflut bahnte. Die eintönige Küste zog
langsam an ihm vorbei, aber er sah schon sein Ziel: vor
einem dunklen Wald, der ans Ufer vorsprang, leuchteten
weiße Häuser, wie zurückgebliebener Schaum über dem
Wasser aufragend. Er kam näher, und die zierliche Bau-
art dieser villenähnlichen Häuser zeichnete sich gegen den
hohen, majestätischen Buchenwald ab; sie zogen sich in
langer Reihe, doch unregelmäßig am steinigen Gestade hin,
und wo aus dem Wald die Fahrstraße hervortrat und den
Strand erreichte, drängten sich höhere Gebäude, zum Teil
wie Burgen bezinnt und betürmt, zusammen. Wittekind
steuerte auf einen hohen Steg zu, der im Viereck ins Meer
gebaut war und auf eingerammten Pfählen schwebte;
hier legten die Schiffe an, und die Sommergäste ergingen
sich auf den langen Bretterwegen über der friedlichen
Brandung oder träumten auf Bänken, von der salzigen

Flut umrauscht. Die Sonne stand schon hoch, als er hier
landete; der erwärmte, schattenlose Strand war fast
menschenleer. Nur rückwärts im Wald bewegten sich hier
und da Gruppen von lichtgekleideten oder farbigen Gestalten mit bunten Mützen und Hüten; Kinder sprangen
umher oder spielten Ball, oder lagen im Schatten. Von
den Menschen, an die er dachte, sah Wittekinds scharfes
Auge nichts. Vielleicht war es nur ein Wahn, er werde
sie hier finden; gab es doch so viele Seebäder an der langen
Küste. Freilich schien nur dies, das vornehmste, eines
Mannes würdig, der „Europa regieren könnte" und danach rang, Exzellenz zu werden... Nun, ich bin wenigstens hier! dachte Wittekind; und ich genieße den Tag! —
Er hatte angelegt, übergab die „Möwe" der Obhut seines
Schiffsjungen, sagte ihm, wo er ihn am Nachmittag auf-
zusuchen habe, da sie dann heimfahren wollten, und ging
über den Steg ans Land.

Ihn lockte vor allem das westliche, ansteigende Gestade,
das sich zuletzt mit steilem Abfall über den Strand erhebt,
und der herrliche Wald, der diese Hochfläche bedeckt. So
weit er Wald ist und die Buchen — hier und da mit Eichen
gemischt — geschlossen beisammenstehn, ragen die grauen
Stämme schlank und grade wie edle, lebendige Säulen
auf; die aber dem Rand zunächst und oft nur in Paaren
oder vereinzelt stehen, zeigen in ihrem Wuchs den furchtbaren Kampf, den sie mit den Winterstürmen aus Nordwest und Nordosten kämpfen: sie erreichen den Himmel
nicht, sie winden sich in den abenteuerlichsten Gestalten,
wie Schlangen, die mit einem gewaltigen Feind um ihr
Leben ringen. Es war Wittekind immer ein wunderlicher,
fast ergreifender Eindruck, diese „Kämpfer" zu sehn, die
für den Säulenhain da hinter ihnen sich aufopfern; sie
erschienen ihm wie die Vorkämpfer in wilden, werdenden

Zeiten unserer Menschenvölker, denen die späteren Ge-
schlechter ihr Wohlsein, ihre edlere Bildung, ihr friedliches
Zusammenleben verdanken. Freilich, dachte er, als er an
den Zickzackformen und Schlangenwindungen dieser Vor-
hut entlangschritt, — auch so zu kämpfen, für sich und
die andern, ist schön! Lieber so ein „Barbar" als ein
Waldenburg sein; lieber der Sturmnacht die zerzauste Brust
entgegenwerfen, um den Wald zu retten, als wie ein
glattes, dünnes Schattenbäumchen „seinen Tag genießen"!
Mit solchen Gedanken beschäftigt hätte er fast über-
sehn, daß hinter einigen dieser Vorkämpfer, auf einer dem
Meer zugewendeten Bank, eine Dame saß, die über ein
Buch hinwegträumte und dem vorübergehenden Wittekind
mit den Augen folgte. Sie stieß aber einen Ton der Überraschung aus, der ihn zum Stehen brachte. Das unklare
Gefühl, das ihn durchfuhr, hatte ihn nicht getäuscht. Die
Gestalt erhob sich, und er erkannte Frau von Tarnow,
deren freundliches, erstauntes Lächeln ihn begrüßte. Er
erstaunte jedoch mehr als sie: denn sie hatte sich in dieser
einen Woche verändert, sie war kaum mehr bleich zu
nennen, die Wangen waren voller, das ganze Gesicht ver-
jüngt. Sie lächelte von neuem, und zwar über seine Verwunderung, die sie wohl bemerkte. Dann trat sie ihm
entgegen und reichte ihm die Hand.

„Ich freue mich, Sie zu sehn," sagte die schöne, tiefe
Stimme, die ihm noch klangreicher und herzlicher erschien
als beim ersten Begegnen. „Wie kommen Sie auf einmal hierher?"

„Ich bin in dieser Gegend zu Hause," antwortete er;
indem er das sagte, errötete er, ohne zu wissen, warum.
„Ich bin hergesegelt... Also Sie wohnen hier? Sie mit
Ihren Tilburgs?"

„Ja, und mit Herrn von Waldenburg," sagte sie un-

befangen. „Sie sehen mich noch immer so schrecklich verwundert an. Hatten Sie denn gedacht, ich werde und
müsse immer so gespenstisch aussehen, wie damals in
Gröbig?"

„Nein — o nein —" erwiderte er verwirrt. „Aber
dieses — außerordentliche Aufblühen — in so kurzer
Zeit — —"

Sie sah mit einem trüben Lächeln vor sich hin, während
ihr Sonnenschirm an einem der verrenkten Baumstämme
bohrte. „Nun," sagte sie, „— ich bin noch jung. Allerlei
Umstände hatten mich so kaltig, so alt gemacht. Hier am
Strand, die Salzluft — oder — — Kurz, ich weiß nicht.
Ich bin so furchtbar elastisch, lieber Herr Wittekind; bin
nicht umzubringen!"

„Wie mich das freut," murmelte er bewegt. Es tat
ihm wohl, dieses „lieber Herr Wittekind" zu hören; —
dann aber dachte er plötzlich: So spricht eine junge Frau
zu einem alten Mann! — Er fühlte einen Druck in der
Brust. Er blickte an Frau von Tarnows Gestalt hinunter;
ein helles, leichtes Kleid umfloß sie, ein lederner Gürtel,
wie damals, gab ihrem schlanken Wuchs das Mädchen-
hafte, das den großen, schicksalstraurigen Augen widersprach. Ihm war, als stünde da auf dem hohen Ufer die
J u g e n d vor ihm; und als wolle sie nun von ihm A b-
s c h i e d nehmen ... Auf einmal überlief es ihn sonderbar,
als Frau von Tarnow fragte: „Und Ihr S o h n? Ihr
Bertold? Wie geht es dem? — Ich hab' oft an ihn denken
müssen. Und wie glücklich Sie sind, so einen Sohn zu
haben ..."

Sie brach ab und blickte auf die See hinaus; ihre leicht
gefärbten Wangen schienen wieder zu erblassen. Wittekind bemerkte das und war eine Weile still. „Meinem
Bertold," sagte er endlich, „geht es wieder gut. — Ich

danke Ihnen sehr — daß Sie ihn nicht vergessen ... Sind
Sie oft so allein am Meer?"

„O ja," erwiderte sie. „Das ist mein Glück und meine
Medizin."

„Und kennen Sie auch den kleinen Spiegelsee, mitten
im Wald? Der ist hier in der Nähe —"

„Gewiß," sagte sie; „den kenn' ich seit dem ersten Tag.
Ich hab' ihn gern; mit und ohne Sonne. Ich wäre vor
Tisch auch noch hingegangen ... Wollen Sie? — Oder
wollten Sie allein —?"

„Nein," erwiderte Wittekind rasch. „Wenn es Ihnen
recht ist, daß ich Sie begleite —"

Sie lächelte ihn nur an, so liebenswürdig und gut, daß
seine Beklemmung verschwand. Darauf ging sie vorwärts, am Wald entlang, dann in ihn hinein. Sie erreichten bald ein Bächlein, das kein Wind bewegte, denn
zwischen den Baumriesen lag es wie eingebettet, und floß
so sacht, als rühre es sich gar nicht, dem unsichtbaren Strande
zu. Man hatte es künstlich geleitet und eingefaßt, und es
fiel in Stufen; der seichte Grund war mit den bunklen
Blättern vergangener Jahre bedeckt, und in dem tiefen
Schatten schien das Wasser schwarz, nur wo einzelne
Sonnenstrahlen hineinblitzten, zeigten sich die Blätter am
Grund wie braunrötliche Flecken. Es stimmte schon träumerisch und feierlich, an diesem schwarzen Gewässer in
dem hohen Buchentempel hinzugehn. Als sie dann ins
Lichte kamen, lag der „Spiegelsee" da, zu dem der Bach
sich verbreitete; ein kleines Eirund, fast ebenso dunkel gefärbt, aber der ganze Wald spiegelte sich darin. Die von
der hohen Sonne angestrahlten Stämme, die schönsten
natürlichen Säulen, weißlichgrau, von innerer Kraft
geschwellt, von der widerstehenden Rinde wie von
Eisen umschlossen, leuchteten wie regungslose, schlafende

Schlangenleiber in der schwarzen Tiefe. Um sie her grünten goldig die gespiegelten Laubkronen, ein verzauberter, umgekehrter Wald. Der blaue Himmel leuchtete zwischen ihnen herauf.

„Ja, auch hier ist es schön," sagte Frau von Tarnow, nachdem sie eine Weile beide geschwiegen hatten. „Aber, Herr Wittekind, — Sie sagten mir eigentlich noch nichts von Ihrem Sohn. Bei diesem heimlichen, märchenhaften See fällt er mir wieder ein ... Nicht wahr — verzeihen Sie meine Offenheit — er ist auch so etwas Absonderliches, Wunderbares; ein märchenhafter Jüngling, in dieser nüchternen Welt. Wie wenn sich auch so ein fremder Himmel, eine höhere Welt in ihm spiegelte; — ich weiß nicht, wie ich es sagen soll, es gelingt mir nicht —"

„Doch!" sagte Wittekind lächelnd; „es gelingt Ihnen ganz gut. Und es rührt mich herzlich, wie schön Sie von ihm denken!"

Sie sah gedankenvoll auf den Wald da unten im Wasser; schmerzliche Gefühle, so schien es, spannten ihre Züge. Mit gesenkter Stimme sagte sie: „Der wird der Welt nicht weh tun; aber die Welt ihm."

„Ich fürchte auch," erwiderte Wittekind. „Und sie werden sich beide nicht kennen: die Welt ihn nicht, und er nicht die Welt. Wüßt' er nur so recht, was er in ihr will! — Leider hat er meine Freude am Landleben, am ‚Wirtschaften' nicht geerbt —"

„Ah!" sagte Frau von Tarnow, die schönen, dunklen Brauen emporziehend, „Sie sind Landmann?"

Er lächelte: „Sehn Sie mir das nicht an? — Allerdings bin ich nicht so eine richtige Feldmaus, sondern eine Art von Amphibie: leb' auch viel auf dem Wasser; wie heute. So gehört mir die ganze Welt! Wird mir's auf meiner Feldmark zu eng, so fahr' ich auf die See hinaus;

und versperrt mir der Winter das, so fahr' ich in die Stadt
— meine alte Vaterstadt — die eine Meile von mir fluß-
aufwärts liegt; oder noch vier, fünf Stunden weiter nach
Berlin, wo ja jetzt die Bäume in den Himmel wachsen.
Da saug' ich mich dann voll, wie die Hummel auf dem
Kleefeld, und kehre beladen und zufrieden in mein Nest
zurück."

Die junge Frau nickte; auf einer der Bänke, die am
Ufer standen, hatte sie sich gesetzt und ihren Schirm in die
Erde gebohrt. "Sie haben recht," sagte sie langsam. "So
macht' ich's auch — wenn ich könnte. Zuweilen in die
Welt hinein, und dann wieder heraus! — Ich hab' nun
so viel in großen Städten gelebt; am längsten in New York;
in diesem ruhelosen Gewimmel dacht' ich oft: wenn ich
doch Farmer wäre! Besser war's dann in Wien, und auch
in Berlin; aber das ganze Jahr, das ganze Leben —?
Nein! Sich ,vollsaugen', wie Sie sagen, und dann wieder
in die Einfachheit, den Frieden, die Sammlung zurück ...
Sammlung! Das schönste Wort!"

"Sie würden also gern auf dem Lande leben?"

"So wie Sie: mit Meer und Stadt! — — Aber nun
seufzen Sie ja — und machen gar kein zufriedenes
Gesicht."

Wittekind erschrak. Hatte er geseufzt? so, daß sie es
hörte? — Ihm war auf einmal wieder eine Schwere auf
die Brust gefallen, ihre Worte, ihre Stimme gingen ihm
durchs Herz. Und sie sagte doch nichts, das ihn nicht erfreute ... Er sah ihr ins Gesicht. Dann bemühte er sich,
so ruhig wie möglich zu erwidern: "Ich dachte nur eben
— daß ich einsam bin."

"Sind Sie das? Dann bedaur' ich Sie. — — Aber
wie verschieden sind die Wünsche der Menschen. Ich wollte,
ich könnte so einsam sein, wie Sie!"

Sie sagte das mit einem Lächeln, das ihn sehr ergriff. Ihre Wimpern zuckten. Wittekind stand noch immer, an die Bank gelehnt; er setzte sich nun auch und faßte sich ein Herz. „Verzeihen Sie mir — oder gestatten Sie mir eine Frage —" sagte er, sich halb zu ihr wendend. „Nach allem, was Sie da sagen — — seien Sie mir nicht böse —" „Sprechen Sie nur. Alles, was Sie denken."

„D i e s denk' ich schon l a n g e . . . ‚Sammlung‘ sagten Sie. Wie halten Sie es dann bei diesen — Tilburgs aus?"

„Hab' ich Sie verletzt?" fragte er, da sie eine Weile schwieg.

„O nein," erwiderte sie, und ein Blick aus ihren großen Augen traf ihn, der für ihre Worte gut sagte. „Von I h n e n verletzt es mich nicht. Sie verstehn das Fragen so gut; — ich nur nicht das Antworten. Wie ich es aushalte? — Ich will es Ihnen sagen. Dann aber, bitte, fragen Sie nicht weiter... Es ist schwer, sehr schwer; bei den Tilburgs, mein' ich. Aber das will ich eben; das brauch' ich. Nur eine schwere Aufgabe, eine große Anspannung — bei der ich mich fort und fort zum Opfer bringen muß — nur die kann mir das erschütterte Gleichgewicht zurückgeben..."

Sie brach ab. Mit festgeschlossenen Lippen starrte sie ins Wasser. Ihr Schirm schnellte ein Steinchen, das am Boden lag, in die dunkle Flut, so daß der gespiegelte Wald in Verwirrung geriet. Dann aber saß sie still.

Auch Wittekind schwieg. Ich wußt' es, dachte er bewegt: sie hat viel erlebt... Nur um von ihrem persönlichen Geschick hinweg wieder ins allgemeine zu kommen, ergriff er endlich das Wort: „Ja," sagte er, „wie leicht man in diesem sogenannten ‚Kampf ums Dasein‘ das Gleichgewicht verliert! Wie schwer es überhaupt ist, sich den Lebenstrieb, die Lebensfreude gegen die unzähligen

Trübungen zu bewahren, die immer unterwegs sind: Sorge, Verdruß, Mitleid, Schicksale ... Ich hab' früh von meinem Vater gelernt, diesen Kampf zu kämpfen; meine gute Mutter war immer sorgenvoll, mein Vater hatte das göttliche Talent, jede gute Stunde gründlich zu genießen, jeden Druck wieder abzuschütteln. Aber er kämpfte auch redlich, wehrte sich mit Händen und Füßen gegen das Ermatten; — und da liegt eben unsere Pflicht. Wie ein Vogel, dem die Flügel gekürzt sind, muß man sich oft mit Gewalt vom Boden heben, sich in die Luft werfen, wenigstens eine Strecke weit — damit man doch von dem Fleck hinwegkommt, wo nicht gut atmen ist, oder ein Sumpf uns hinabziehn will. Über unsere kurzen Flügel dürfen wir wohl nicht klagen; der gute Wille macht sie länger, denk' ich; und erkämpftes Glück ist ja doppeltes — wie des Soldaten Löhnung im Krieg!"

Die junge Frau sah ihn zustimmend, herzlich und dankbar an. Sie bewegte mehrmals die Lippen, doch ohne etwas zu sagen. Endlich brachte sie, mit wenig Stimme, wie ein junges Mädchen, hervor: „Wie gern hör' ich Sie so reden. Wie gut ist das. — Es tut mir so gut!"

Plötzlich aber sprang sie auf. „Wieviel ist die Uhr?" fragte sie.

„Verzeihen Sie," setzte sie hinzu, „ich habe ja selber eine ... Ich bin ganz verwirrt!" — Sie zog eine kleine goldene Uhr aus ihrem Gürtel hervor, sah auf das Zifferblatt und stampfte mit dem Fuß auf die Erde; die erste drollig heftige Bewegung, die Wittekind an ihr wahrnahm. „Ich wußt' es ja!" sagte sie unwillig. „Ich muß fort!"

„Wohin?" fragte er erschrocken.

„Zu Tisch! — Wir essen heute beim Geheimrat Waldenburg; Graf Lana und die Gräfin auch ..." Ein helles, jugendliches Lächeln ging auf einmal über ihr Gesicht.

„Aber was tut das?" sagte sie. „Sie sind ja Herrn von Waldenburgs Freund, und Sie gehen mit."

„Ich? — Liebe gnädige Frau — das ist eine Gesellschaft, in die ich, ehrlich gestanden —"

Aber sie unterbrach ihn, mit einem unerwartet mutwilligen, reizenden Ausdruck im Gesicht: „Also liegt Ihnen nichts daran, mein Herr, noch länger mit mir zu sein? Ich freue mich darauf — verlängere meine kurzen Flügel, wie Sie es verlangen, werde mutig, unternehmend — werde offenherzig — und Sie wünschen sich's nicht?"

„Aber was denken Sie," entgegnete Wittekind, der über das ganze Gesicht wie ein Jüngling errötete; seine gebräunte, von Natur weiße Haut ward rosig angeflogen. „Ich, der ich von der ersten Stunde an — — und der ich heute nur — —"

Sie ließ ihn nicht ausreden: „Gut, so gehen Sie mit! Überwinden Sie sich nur auch; ‚erkämpftes Glück‘, wissen Sie, ‚ist ja doppeltes‘. Dem Geheimrat Waldenburg sind Sie sehr willkommen. Ich führe Sie quer durch den Wald!"

II

Waldenburg wohnte mit seinem Sekretär in einem der Häuser, die sich vor dem östlichen Teil des Waldes am Meerstrand hinziehn; er hatte auch hier das Erdgeschoß gemietet, sein „Arbeitszimmer" (in dem er französische Romane las) blickte auf die See, sein Speisezimmer auf den „Hain der Iphigenie", wie er diese stilvolle Buchenwaldung nannte. Tilburgs und Frau von Tarnow waren seine Nachbarn, sie bewohnten das nächste Haus; Graf Lana, der zur Überraschung aller sich plötzlich entschlossen hatte, von Salzburg sogleich mit hierher zu gehn, war mit der Gräfin in einem der großen Hotels geblieben, nah

am großen Steg. Walbenburg erwartete in „kleiner Gala"
seine Mittagsgäste; von seinem Wohnzimmer aus sah er
durch die offene Tür die gedeckte Tafel. Er hatte die
Zigarre schon weggelegt, um seinen vortrefflichen Appetit
nicht zu beeinträchtigen, lag in einem Lehnstuhl, feilte
seine kunstvoll zugespitzten Nägel, und dachte an Frau von
Tarnow. Wunderlich genug: er kam nicht weiter mit ihr.
Sie schien so träumerisch weich wie eine dieser schönen,
im Meer schwimmenden „Medusen", und sie war fest und
glatt wie eine Schlange ... Kein Zweifel, dachte er, es
ist irgend ein Mann im Spiel! Ein toter? Das mag
glauben, wer will. Man sieht es ihr an, sie hat schon „gelebt und geliebet"; aber wie eine schöne trauernde Statue,
die auf einem G r a b sitzt, so sieht sie nicht aus. Er l e b t
noch ... Wer? wo? — Den Teufel auch, was weiß ich?
— Gestern entfiel ihr so ein halbes, unbewußtes Wort,
bei dem ich auf einmal denken mußte: sollte sie jemand
e r w a r t e n? hier am Meer? — Es klang so. Sie
sprach mit dem Grafen, diesem alten Zeremonienmeister,
der sie so zärtlich bevatert; sie wußte nicht, daß ich's hörte.
Meine liebe Marie von Tarnow — wir wollen dahinter-
kommen! Es wäre Zeit zu einer hübschen kleinen Intrige,
denk' ich. Falls sie nicht nützt, kann sie auch nicht schaden.
Ich schiebe meinen Riedau vor ... Riedau! — Fritz
Riedau!

Der junge Sekretär kam aus einem Zimmer, das
jenseits des Korridors lag; Waldenburgs geschulte Stentor-
stimme war in seine Mausohren gedrungen. „Sie befehlen?" fragte er mit geneigtem Rücken; er war heute
besonders unterwürfig, weil Waldenburg ihn gestern, an
seinem Geburtstag, mit verschwenderischer Großmut be-
schenkt hatte.

„Kommen Sie näher," sagte Waldenburg. „Hören

Sie, mein Sohn. Ich habe eine Aufgabe für Sie, bei der
Sie Ihre diplomatischen Talente zeigen können. Wenn
die Herrschaften da sind und wir zu Tische gehn, werden
Sie der Frau von Tarnow leise sagen, ohne daß ein andrer
es hört: ‚er‘ sei gekommen. Wer? das geht Sie nichts an.
Sie sagen es mit einer gewissen geheimnisvollen, respekt-
vollen Ergebenheit. Das weitere findet sich, — je nachdem. Haben Sie verstanden?"

Riedau verneigte sich.

„Gut. — Du kannst gehn, mein Sohn. Ich höre die
Gäste kommen." — Waldenburg stand auf und dehnte
seine träge, vom Nichtstun steif gewordene Gestalt.
I r g e n d e i n Gesicht, dachte er, wird sie darauf machen;
w e l c h e s, das wird man sehn!

Lanas und Tilburgs erschienen, alle vier zugleich; die
Herren in bequemen, leichten Sommerkleidern, die
Damen in ausgesucht eleganter Toilette, Melanie auffallend geschmückt. „Wo ist Frau von Tarnow?" fragte
der Graf, nachdem man sich begrüßt hatte.

„Ich antworte als Ihr Echo, Exzellenz," entgegnete
Waldenburg und wandte sich zur Baronin: „Wo ist Frau
von Tarnow?"

„Noch im Wald, oder am Meer," sagte die Baronin.
„Ich lasse meiner lieben Schwärmerin so viel freie Stunden, wie möglich! — Aber leider, leider wird es so nicht
fortgehn: ich bin ein zu elendes Geschöpf, man kann mich
nicht mir selber überlassen. Was überfällt mich heute, als
ich da hinten, wo die Häuser aufhören, allein an der Düne
hingehe und am sogenannten ‚letzten Haus‘ vorüber-
komme? Eine so abscheuliche, hoffnungslose Beklemmung
— daß ich wirklich dachte — —"

Die Baronin schien vergessen zu haben, was sie dachte;
denn sie sprach nicht weiter, stieß nur einen langen, schmach-

tenden Seufzer aus und warf einen vorwurfsvollen Blick
zum Himmel hinauf. Übrigens ward sie nun unterbrochen: Frau von Tarnow erschien, mit Wittekind. Die
Gesellschaft war sehr überrascht, Marie in dieser Be-
gleitung auftreten zu sehn; Waldenburg stutzte und warf
einen flüchtig mißtrauischen Blick auf Wittekind. Er trat
ihm dann aber sofort mit seiner majestätischen Herzlichkeit entgegen, hielt ihm die lange, blau geäderte Hand
hin und hieß ihn freudig willkommen.

„Herr Wittekind wird mit uns essen," sagte Frau von
Tarnow.

„Das heißt," sagte Wittekind lächelnd, „Frau von
Tarnow hat es so befohlen. Ich muß ihr die Verant-
wortung zuschieben; sie behauptete, du würdest —"

„Das werde ich auch!" fiel ihm Waldenburg ins Wort.
„Was Frau von Tarnow sagt, das ist rechtsverbind-
lich! — Wir sind hier übrigens auf der Spitze der Zivili-
sation; ich brauche nur an das Haupthotel zu telephonieren:
ein Kuvert mehr. Denn man speist uns aus der großen
Küche. Riedau, besorgen Sie das!" rief Waldenburg durch
die offene Tür ins andere Zimmer hinein, wo Riedau
stand, wartete und horchte.

Wittekind ward der Gräfin und dem Grafen vorgestellt; nach wenigen Minuten erschien der erste Gang, aus
der nahen Hotelküche; die aufwartenden Kellner standen
schon an der Tafel. Man ging in das Speisezimmer,
Waldenburg mit der Gräfin voran. Marie, die noch ans
Fenster getreten war, wollte den andern folgen; sie
wandte sich um und sah Riedau, der sich ehrerbietig verneigte.

„Gnädige Frau," sagte der Sekretär leise, flüchtig und
tonlos, „ich erlaube mir, Ihnen mitzuteilen: er ist angekommen."

„Wer?" fragte Marie erstaunt

„Nun, Sie werden ja wissen —"

„Frau von Tarnow, darf ich bitten?" fragte Baron Tilburg, der in diesem Augenblick hinzutrat, um Marie zu Tische zu führen. Sie nahm etwas verwirrt und zögernd seinen Arm. Waldenburg war mit der Gräfin, wie im unbewußten Eifer des Gesprächs, in der offenen Tür stehen geblieben und warf einige beobachtende Seitenblicke auf Marie von Tarnow. Unterdessen hatte Wittekind ein Album mit reicher Perlmutterverzierung in die Hand genommen, das auf einem Spiegeltisch lag; mit halbem Auge hatte er im Spiegel gesehn, daß dieser junge Mann mit dem auffallend sinnlich-schlauen Mulattengesicht Marie anredete und die junge Frau zu erblassen schien. Was hat er ihr zugeflüstert? dachte Wittekind, der sich hier wie in einer Tigerhöhle fühlte. Kam das von Waldenburg? — Er suchte auch den im Spiegel auf; Waldenburg aber zeigte ihm schon seinen breiten Rücken und führte die Gräfin zu ihrem Platz am Tisch. Wittekind ging ihnen nach.

„Ich muß Ihnen übrigens sagen," fing die Baronin mit lauter Stimme an, nachdem die Unterhaltung eine Weile paarweise durcheinander geschwirrt und wie leise Brandung gerauscht hatte: „komm' ich übers Jahr noch lebendig wieder, so wohn' ich nirgend anders als im ‚letzten Haus'! Da ist man wirklich für sich. H i e r stehn die Häuser in einer Reihe, wie die Rekruten; aber da hinten, da ist eine himmlische Einsamkeit, Ruhe und Poesie. Und der Wald so recht vor der Tür —"

„Freund Waldenburg hat da früher gewohnt," warf Baron Tilburg ein, während er seinen Fisch zerlegte.

„O ja," sagte Waldenburg; „zwei Sommer hintereinander. Ich gehöre ja zu den ältesten Stammgästen dieses alten Seebads ... Es ist wirklich nicht übel da

hinten bei diesem ,letzten Haus', an der Düne; so etwas
unsagbar träumerisch Einlullendes; — unsagbar — aber
unsere träumerische Frau von Tarnow wird es auch un-
gesagt verstehn. Bei so einem sanften, langsam an-
schwelleuden Abendwind scheinen die See und der Wald
ihre Stimmen zu tauschen: das Meer rauscht wie der
Wald, der Wald wie das Meer; sie wetteifern, wer sein
erhabenes Lied feierlicher singt. Und der Mensch sitzt
da, der kleine große Mensch, wird immer stiller — feierlicher und besser. In ihm rauscht es mit; und so wird es
ein dreieiniger Gesang, der Akkord aller Akkorde; eine
Symphonie!"

Die wohlredende, kalte Stimme hatte ihre wärmsten
Töne angeschlagen; Waldenburg blickte zu Marie von
Tarnow hinüber, als wolle er auf ihrem Gesicht die
Wirkung seiner Rede sehn. „Mit wie viel Geist er das
sagt!" flüsterte die Baronin dem Grafen zu, der zwischen
ihr und Marie saß. Graf Lana nickte und wischte sich den
Mund. „Übrigens," sagte die Baronin laut, indem sie
ihren zierlichen Zeigefinger gegen Waldenburg richtete:
„Sie sprechen von ,dreieinigem Gesang'. Man sagt
Ihnen nach, daß Sie da auch z w e i e i n i g geschwärmt
haben!"

„Ja, ja, ja!" rief der Baron und lachte. „Man spricht
von einigen interessanten Romanen, die Freund Waldenburg in seinem idyllischen ,letzten Haus' erlebte; er hat es
berühmt gemacht. Die alte Frau Temme, die Hausverwalterin, oder was sie da ist, soll einen Berg von Ge-
heimnissen auf der Seele haben —"

Waldenburg fiel schmunzelnd ein: „Aber der Berg
liegt still!" — Nach einem fliegenden Blick auf Marie
nahm sein übermütiges Gesicht wieder einen würdigen,
ehrbaren Ausdruck an; er setzte mit zartem Lächeln hinzu:

„Ich denke, unsere ernste Amerikanerin mißversteht diese Scherze nicht. Ich mache mich gern aus jugendlicher Eitelkeit gefährlicher und schlechter, als ich bin; und meine guten Freunde helfen mir dabei. Übrigens, das ‚letzte Haus‘ war mir dann doch zu abgelegen, zu weit von der ‚großen Küche‘; ich ziehe nicht mehr hin!"

„Und es steht noch leer!" rief die Baronin aus.

„Ah!" sagte Walbenburg aufhorchend. Auch Gräfin Melanie hob den Kopf, mit gespanntem Blick. „Es steht noch leer?" fragte sie.

„Ja; ich hab' mich erkundigt," entgegnete die Baronin. „Das Haus lag so leblos da ... Alles ist besetzt, nur dies Häuschen nicht."

Die Gräfin sah wieder schweigend auf ihren Teller; sie schien zerstreut, mit etwas beschäftigt zu sein. Die mittägliche Wärme im Zimmer mochte sie belästigen, sie zog ihr kleines Spitzentaschentuch hervor und strich damit über ihre Schläfen. Ein starker, eigentümlicher Duft kam zu Wittekind, der neben ihr saß; ein Duft, der ihn plötzlich ins Gebirge versetzte. Er glaubte in der „Gemse" zu sein und Eugen Dorsay zu sehn. Wunderlich, dachte er: nichts wirkt so schnell auf unsere Phantasie, wie ein Geruch, der uns erinnert ... Das ist Dorsays Duft!

Graf Lana war in bester Laune; er kümmerte sich nicht mehr, als nötig war, um seine Nachbarin zur Rechten, die Baronin, und unterhielt sich eifrig — nach seiner Art — mit Marie von Tarnow, die ihm „gefährlich" war, wie er zu versichern liebte. Er wiederholte ihr, und nicht zum erstenmal, daß er nur ihretwegen Scheveningen aufgegeben und dieses Ostseebad vorgezogen habe. Sie lächelte ihm dankbar zu. Ein aufrichtiges, herzliches Wohlwollen verbreitete sich mehr und mehr über sein glattes, würdevolles Gesicht; endlich sagte er: „Wenn ich Ihnen

beteuere, meine liebe Frau von Tarnow, daß Sie meine
Eroberung gemacht haben, so meine ich das nicht im
banalen Sinn. Ich adoriere Sie. Ich meine es Ihnen
sehr gut; li voglio bene, wie die Italiener sagen. Das
heißt, in dem väterlichen Sinn, wie es meinen vielen
Jahren und wenigen Haaren zukommt. Kann ich Ihnen
je einen Dienst erweisen — wie ich Ihnen ja wohl schon
in Salzburg sagte — ist Ihnen irgend einmal um einen
wirklichen, selbstlosen Freund zu tun, so gebieten Sie
über mich!"

„Wie verdiene ich das, Herr Graf," erwiderte Marie
gerührt. „So viel Teilnahme für eine Fremde —"

„Nehmen Sie mich beim Wort! Gebieten Sie über
mich!"

Das Mahl ging zu Ende — Graf Lana liebte es nicht,
lange an der Tafel zu sitzen; Waldenburg wußte es — und
man begab sich ins Wohnzimmer, das aufs Meer hinaus
sah, um dort den Kaffee zu trinken. Riebau wartete hier,
dem Waldenburg gestern gnädig versprochen hatte, ihn
Seiner Exzellenz nach Tische vorzustellen. Frau von
Tarnow erblickte ihn schon aus dem andern Zimmer; sie
trat geschwind heran, vor den andern, und als sie neben
Riebau stand, fragte sie rasch, mit leiser, unruhiger Stimme:
„Sie sagten mir vorhin etwas — Rätselhaftes, Herr Riebau.
W e r ist angekommen? Bitte, erklären Sie mir —!"

Der junge „Diplomat" überwand seine Verlegenheit
und flüsterte dreist: „Gnädige Frau, ich bitte noch für eine
kleine Weile um Geduld. Sie sehn — wir sind nicht
allein ..."

Er brauchte nicht weiter zu reden, die ganze Gesellschaft trat ein. Riebau ging schnell an die offene Tür,
die in ein kleineres Nebenzimmer führte, und schlüpfte
hinaus. Waldenburg, der alles sah, bemerkte auch das,

verstand ihn und ging ihm nach. „Nun?" fragte er rasch.
„Was gibt's?"

„Frau von Tarnow will durchaus wissen," flüsterte
der Sekretär, „w e r denn angekommen ist . . ."

Waldenburg sah in die Luft. Es galt einen schnellen
Entschluß. Sein wohlbekanntes, wohlerprobtes ‚letztes
Haus' stand ihm vor den Augen; das noch nicht vermietet
war, wie die Baronin sagte ... Frau Marie mag sein,
wer sie will, dachte er; sie ist eine E v a s t o c h t e r. Man
muß etwas wagen! — — Er legte Riebau eine Hand
auf die Schulter und sagte leise: „Seien Sie geschickt, mein
Sohn. Sagen Sie ihr nur, dieser ‚Er' werde morgen
vormittag um zehn im ‚letzten Hause' sein . . ."

Damit brach er ab, denn er bemerkte, aus einem
Winkel seines Auges, daß Wittekind in der Tür stand und
herüberblickte. „Folgen Sie mir!" sagte er laut, „ich stelle
Sie nun vor!"

Riebau folgte ihm. Graf Lana nahm mit freundlicher
Herablassung die tiefen Verbeugungen des jungen Sozialisten entgegen; er ahnte sicherlich nicht, daß sein fürst-
liches Haupt einem Tyrannenmörder zunickte. Als die
kurze „Audienz" beendet war, ging Riebau bescheiden,
aber geflissentlich langsam wieder dem Nebenzimmer zu.
Ebenso langsam, trotz ihrer inneren Ungeduld, ging Marie
ihm nach.

„Nun?" fragte ihr Blick, als sie sich mit ihm allein sah.

„Gnädige Frau," sagte er behutsam, mit gut gespielter
Bangigkeit und fast ohne Stimme: „ich glaube, man
horcht. Ich kann Ihnen nur sagen: er wird morgen vormittag um zehn Uhr in dem Ihnen bekannten letzten
Hause sein —"

„Aber wer? wer?" flüsterte sie in wachsender Erregung.

Riedau zuckte die Achseln. „Sie werden ja sehn — —"
Man erlöste ihn wieder. Waldenburg und Wittekind
traten in die Tür; — Wittekind hinterdrein, ohne daß der
andre es wußte. Er stutzte, da er wieder Marie mit dem
Sekretär, und auf den Wangen der jungen Frau die blut-
loseste Blässe sah. Auf Waldenburgs Profil blickend
glaubte er ein rasches, kaltes, triumphierendes Schmunzeln
zu bemerken; dieses „satanische" Schmunzeln, das er
kannte. Er trat schweigend zurück und blieb an seinem
Spiegeltisch stehn.

Frau von Tarnow erschien wieder; noch bleich, aber
gefaßt. Es währte nicht lange, so brach Graf Lana auf,
und die andern folgten. Der Hausherr geleitete seine
Gäste bis zur Haustür, und verneigte sich noch einmal
in tiefer Verehrung vor Seiner Exzellenz. Als er ins
Wohnzimmer zurückkam, fand er Wittekind, der allein
zurückgeblieben war, mitten im Zimmer stand, und seine
noch immer nicht brennende Zigarre zwischen den Fingern
drehte.

„Nun, warum rauchst du nicht?" fragte Waldenburg mit
spöttischem Humor. „Sind dir meine Zigarren zu schlecht?"

„O nein. So gut rauche ich sie nicht."

„Trinken wir noch ein Glas Chartreuse?"

„Ich danke," entgegnete Wittekind, seine Arme kreu-
zend. „Ich möchte dir nur noch etwas sagen; dann geh'
ich auch."

„Ah! so feierlich?"

„Nicht gerade feierlich — aber immerhin ernsthaft.
Du hattest da so unter der Hand, wie ich vorhin bemerkte,
kleine Verhandlungen mit der Frau von Tarnow; durch
deinen Sekretär, oder was er ist. Verhandlungen, die die
junge Dame offenbar aufregten ... Darf man fragen,
was das bedeutet?"

Waldenburg richtete sich lebhaft auf, in seiner ganzen
Höhe. Nach kurzem Besinnen warf er sich aber in einen
Lehnstuhl, streckte die langen Beine aus und sagte mit
impertinenter Ruhe: „Nach dieser Frage stehst du ihr
also nahe? Bist etwa ihr Bruder? oder ihr Mann? oder
ihr Geliebter?“

„Nein. Aber diese Frau — — Ich schweige sonst von
Herzen gern zu allem, was du mit deinem Geist und
deinem — Mut unternimmst. Nur wenn du gegen
diese unschuldige, arglose junge Frau eine Intrige an-
spinnst —“

„Nun? Was dann?“ fragte Waldenburg kalt.

Wittekind suchte die Worte. Er preßte seine Finger
zusammen, weil er fühlte, daß sein Blut heiß und heftig
floß. Nicht ohne zu erröten, brachte er endlich hervor:
„Du — du willst — — du ‚w i r b st‘ um sie.“

„Ja,“ sagte Waldenburg mit einem herausfordernden
Blick seiner halb geschlossenen, matt leuchtenden Augen.
„Ja; auf Tod und Leben.“

„Du hast vor, sie zu heiraten?“

„Nein.“

Wittekind ballte die Fäuste und trat einen Schritt
auf den andern zu. Dann blieb er sich beherrschend stehn.
„Nun,“ sagte er scharf, doch mit äußerer Ruhe, „eben
diese Art von Werbung dulde ich nicht; verstehst du.“

„Willst d u sie heiraten?“ fragte Waldenburg, über
seine Fingernägel weg zu ihm aufblickend.

„Das wäre hier wohl gleichgültig ... Aber wer weiß;
vielleicht.“

„Und wenn sie noch verheiratet ist?“

„Dann — — dann will ich n i c h t s.“

„Heuchler!“ sagte Waldenburg mit einem stoßenden
Lachen.

„Ich glaube, aus deiner Froschperspektive siehst du nicht alles richtig —"

„Herr —!" fuhr Waldenburg auf. Er stand nun dem Feind aufrecht gegenüber; sein großer Kopf ragte noch fast zur Hälfte über Wittekind hinweg. Das Gefühl seiner körperlichen Länge, schien es, gab ihm die Ruhe wieder. Er faßte sich und begnügte sich mit seinem kalten Lächeln. „Also du willst mir einreden," erwiderte er langsam, „wenn diese schöne Amerikanerin einen sogenannten Herrn hat, so begräbst du alle deine Wünsche und ziehst dich tugendhaft resigniert in deinen Wahlkreis zurück?"

„Wozu reden wir miteinander," entgegnete Wittekind, sich halb von ihm abwendend; „wir verstehen uns nicht. Ich kündige dir nur an, daß ich diese Dame gegen deine ,Lebenskunst' zu beschützen denke —"

„Du d r o h st mir?"

„Ich w a r n e dich nur. — Ich — —"

Es widerte ihn plötzlich an, zu diesem Menschen zu sprechen; er schwieg.

Waldenburg verneigte sich graziös: „Ich nehme also mit respektvollem Dank diese Warnung an, und werde mich demgemäß zu verhalten wissen. Wünschest du eine schriftliche Empfangsbestätigung?"

„Ich wünsche von dir nichts mehr," antwortete Wittekind. „Ich bedaure, so von dir zu scheiden, nachdem ich an deinem Tisch gesessen habe. Ich tue aber, was ich muß. Guten Tag!"

Er ging mit seinen elastischen, festen Schritten zur Tür und hinaus. Waldenburg war stumm; er sah ihm nur nach, bis er draußen war. Eine ungewisse Blässe trat ihm nachträglich in die Lippen. „Alle Wetter," sagte er endlich vor sich hin, „ein schneidiger Herr! Und der sir kombiniert! — — Das tut nichts. Um eine Frau mit

diesen Augen und mit diesen Schultern sollte ich nicht
werben?" — Er füllte noch einmal sein Glas aus der
bauchigen Chartreuseflasche und goß es langsam hinunter.
— „Morgen um zehn bin ich im letzten Haus!"

III

Das „letzte Haus" lag gegen Osten, wo künstliche
Düne das Land zu schützen beginnt, während der Wald
allmählich zurücktritt, tief ins Land hinein. Es war nicht
weiß wie die andern Häuser, sondern rötlich getüncht;
übrigens ein schmuckloser, kleiner Bau, aber auf frisch
grünen Rasen gestellt und so recht an den Wald gelehnt.
In stürmischen oder regnerischen Zeiten mochte diese Ab-
geschiedenheit für gesellige Sommergäste sehr empfindlich
sein; vielleicht war es deshalb noch leer. Auch am nächsten
Morgen war es noch unbewohnt; nur Frau Temme saß
vor der Tür, eine alte verwachsene, einäugige Frau, der
man ein Hinterstübchen angewiesen und die Aufsicht über-
tragen hatte. Sie saß auf einer Bank und strickte. Die
Morgensonne, an der sie ihren frostigen, alten Leib ge-
wärmt hatte, verschwand eben hinter wachsendem Gewölk; mit dem blinzelnden Auge umhergudend sah das
verdrießliche Weib, daß sich der ganze Himmel weißlich
überzog. Ein schwüler Wind kam über den Wald herüber
und sauste und sang oben in den Kronen. Die schönen,
sonnigen Tage schienen zu Ende zu sein. Der Alten fuhr
ein Seufzer über die gewaltige, vorhängende Unterlippe,
auf der ein Kolibri hätte nisten können. Sie legte sich
ihr Tuch um die Schultern, rieb eine ihrer Stricknadeln
an ihrem fast enthaarten Schädel und stieß einen un-
christlichen Fluch aus.

Aus dem Wald kam ein junger Mann hervorgeschritten;

da, wo sich ein Fußpfad am Saum neben sumpfigen Wiesen hinzieht und Lustwandler selten sind. Er näherte sich langsam, indem er oft um sich blickte, kam aber zuletzt gradeswegs auf das Haus und die Alte zu. Sein neuer, schöner Anzug fiel ihr auf, ein lichter Sommeranzug aus feinster Wolle; auch die neuen, naturfarbenen Schuhe. Ein Brillant glänzte auf seiner Krawatte. Der schlanke junge Mann lüftete den Hut, zeigte ihr sein zartgebräuntes, feines Gesicht und die grünlich glänzenden Augen, und sagte nachlässig freundlich: „Schönen guten Morgen! Nicht wahr, dies nennt man ‚das letzte Haus‘?"

„Zu dienen," erwiderte die Alte.

„Aha! Dann heißen Sie Frau Temme, nicht wahr; oder so ungefähr."

„Ja, Herr, so heiß' ich!" — Sie stand auf und blinzelte ihn neugieriger an.

„Dann sind wir schon einig. Diese Wohnung ist für mich gemietet; gestern nachmittag. Wissen Sie das?"

„Ich weiß wohl. Indessen — —"

„Mein Name. Gut. Dorsay ist mein Name."

Sie nickte, und begrüßte ihn nachträglich durch eine kurze, eckige Verbeugung. Nur sah sie dann an ihm herum, als fehle da etwas.

„Aha!" sagte er, „meine Sachen! — Die sind unterwegs; werden heute kommen. Vorläufig bin ich da; das ist auch etwas. Also gehn wir ins Haus!"

„Spazieren Sie nur gefälligst hinein," erwiderte die Alte. „Alles ist in Ordnung. Ich bin immer hier, um Ihnen zu dienen, wenn Sie etwas brauchen." — Sie sah ihn erwartend an: „Ich stehe ganz zu Befehl — —"

„Ich danke," sagte Dorsay, indem er sich von dem Anblick ihrer erstaunlichen, beim Sprechen wie ein Zahl-

brett vortretenden Unterlippe losriß. „Für jetzt brauch'
ich nichts. Will ich etwas, so werde ich Sie rufen!"

Er trat ein, und über einen Vorplatz in ein kleines
Zimmer, an das zwei größere stießen. Das geräumigste,
das letzte, blickte durch zwei Fenster auf den dämmernden
Buchenwald hinaus; eine Tür, deren grüne Farbe ihm sogleich in die Augen fiel — wozu dieser Unsinn? dachte er
— führte von hier ins Freie. An der hellen Wand standen
moderne, stillose Mahagonischränke und was sonst zum
Leben gebraucht wird; alles nüchtern, langweilig; indessen
als ein die Welt durchschweifender „Vagabund", wie er
selbst sich nannte, war er nicht verwöhnt. Er sah umher,
setzte sich auf ein Sofa; es tat ihm wohl, wenigstens an
einem Z i e l zu sein ... Die letzte Nacht hatte er in D.
geschlafen, einem kleinen Städtchen, das eine Wegstunde
landeinwärts liegt; dort hatte er auf der Post einen Brief
gefunden, der ihn hierher beschied, in das „letzte Haus".
So kam er denn heute, zu Fuß, nicht auf der großen
Straße, sondern auf dem abgelegensten Pfad, wie ihm
eingeschärft worden war; in den neuen Kleidern, die er
von der „Gemse" aus, um sein verlorenes Gepäck zu er-
setzen, sogleich telegraphisch bestellt und in München vor-
gefunden hatte. Er betrachtete sich im Spiegel; ja, sie
standen ihm gut. Ich werde ihr gefallen, dachte er; freute
sich — und seufzte ...

Ein bekannter und geliebter Duft schmeichelte ihn an;
er suchte mit den Augen und sah nun: gerade vor ihm,
auf dem Spiegeltisch, in einer großen, perlmutterglänzen-
den Muschel lag ein Briefchen. Er nahm es in die Hand,
hielt es ans Gesicht, indem er die Augen schloß. Ach,
dieser verrückte Wohlgeruch, dachte er; so aus allem gemischt und doch so ein Ding für sich; der wahre Aristokrat
unter den Wohlgerüchen. So unsinnig einschmeichelnd;

— ja, ja, durch dich hat sie mich gefangen ... Aber ich lese ja nicht das Billett! — — Langsam riß er es auf; die interessante, kühne Schrift Melanies sah ihm draus entgegen. Er drückte sie an die Lippen; dann las er:

„Morgens früh, im Bett. Ich kann es nicht lassen, noch einmal an Sie zu schreiben; diese Zeilen sollen Sie in Ihrer Wohnung begrüßen — so unvorsichtig und töricht es ist. Da Sie ohne Zweifel früher kommen als ich, so erwarten Sie mich mit Geduld; doch nicht zu geduldig. Ach, in London war's anders, da war ich allein; hier hab' ich den Grafen bei mir, und wie selten bin ich hier Herrin meiner Zeit! — Mein einziger Trost ist das ‚letzte Haus'. Durch einen reinen Zufall — oder gibt es das nicht? — hörte ich gestern bei Tisch, es sei noch zu haben. Ich mietete es sofort, ohne Aufsehn ... Welches Glück! — Freuen Sie sich auch? Aber warum sind Sie dann noch nicht hier? Mein Brief mußte Sie in der ‚Gemse' vor fünf Tagen treffen—"

„Nun ja!" sagte Dorsay laut; „gewiß! Aber um dieser Kathi willen — — Das kann ich ihr allerdings nicht sagen; ich unheilbarer, ewiger Verräter. Wenn sie wüßte, daß — — O! — — Aber konnt' ich nach München fahren, nachdem ich diesen Schrei gehört, diesen Sprung gesehn hatte? Mußt' ich denn nicht zurück? und in Salzburg umherschleichen, bis ich endlich wußte: sterben wird sie nicht? — — Was für ein Leben führ' ich; heiliger Gott. Nun steh' ich wieder hier — versteckt wie ein Dieb — und lese dies Billett ...

„Nun, so lies doch!" sagte er mit rauher Schärfe zu sich selbst, da er zögerte. Er fürchtete, Vorwürfe darin zu finden, die er haßte; Klagen und Beschwerden. Doch als er endlich hineinsah, biß er sich beschämt auf die Lippe; denn er las:

„Aber nein, ich sage nichts; ich will nicht klagen, nicht anklagen. Das ist ja der Liebe Tod! — Seien Sie nur vorsichtig, ich beschwöre Sie. Mein Leben ist nur Un-ruhe und Angst, die Gefahr ist so groß; — ach, und doch kann ich es nicht lassen, Sie zu lieben. Solange ich Sie nicht gesehen habe, bleiben Sie allein, zeigen Sie sich niemand! Sollte irgend jemand kommen — wer auch immer — so entfernen Sie sich schnell durch die grüne Tür in dem großen Zimmer; da sind Sie sogleich im Wald. Bis auf Wiedersehn!"

Er steckte den Brief in die Tasche. „Also warten, warten," murmelte er vor sich hin. „Gut, so warte ich ... Wie ruhig ich das sage. Die ungeduldige, hitzige Sehnsucht von früher, ach, die ist es nicht mehr ..."

Er ließ die Vorhänge herunter, damit von draußen niemand hereinspähen könne, warf sich aufs Sofa, lang ausgestreckt, und schaute gegen die Decke. Das dumpfe Rauschen der Brandung mischte sich mit dem Sausen des Südwinds in den Buchen; eine eintönige Musik, die ihm nicht übel gefiel, bei der er hoffen durfte, einen süßen, träumenden Schlaf zu tun. Es begann auch schon dieses zitternde Auf und Nieder der Wimpern, das er liebte, dieses Sichfliehen und Entgegenkommen von oben und von unten — als ihn Stimmen weckten, von der Haus-tür her oder schon vom Vorplatz. Die eine war so leise, daß er sie kaum vernahm, die andere, laute, etwas heisere konnte nur die Stimme der Hausverwalterin sein. Er erhob sich und horchte scharf. Die Alte wollte offenbar jemand nicht hereinlassen; — also dieser Jemand war sicher nicht die Gräfin. „So entfernen Sie sich schnell durch die grüne Tür!" fiel ihm aus ihrem Brief ein. Was wollte er anders tun? Es mußte sein. Er ergriff seinen

Hut, den er weggeworfen hatte, und wie ein verfolgter Dieb schlüpfte er hinaus.

„Sie mögen sagen was Sie wollen," ereiferte sich unterdessen Frau Temme auf dem Vorplatz, „ich versteh' Sie nicht, kann Sie nicht verstehn!"

Eine verschleierte Dame stand ihr gegenüber, die sie nicht kannte; es war Frau von Tarnow. Die junge Frau, die mit ihrer Erregung und ihrer Verlegenheit kämpfte, wußte sich nicht zu helfen; sie sprach umso leiser, je lauter die andre sprach. „Aber wenn ich Ihnen sage," wiederholte sie noch einmal, doch verzagt, „daß man mich erwartet!"

„Sie werden erwartet?" sagte die Alte höchst ungläubig, ihr Auge zusammenkneifend. „Davon weiß ich nichts!"

„Auch war ja dieses Haus gestern noch nicht vermietet —"

„Und heute ist es vermietet," erwiderte Frau Temme.

„An wen?"

„Das ist einerlei. Ich weiß es noch nicht. Geht mich auch nichts an. Also Sie sehn, zu mieten ist hier nichts mehr —"

Die Alte machte ein paar Vorwärtsbewegungen mit ihrer ganzen Gestalt, um dadurch auszudrücken: möchten Sie also gehn!

„Aber man hat mir gesagt," erwiderte Frau von Tarnow, „daß um diese Zeit — hier — —"

Weiter konnte sie nicht. Was sollte sie ihr sagen? — Weiß ich doch selber nichts! dachte sie. Wenn man mich getäuscht hat? — Sie bewegte hilflos die Schultern und die Hände, mochte nicht mehr reden, mochte auch die mißtrauischen Blicke der Alten und diese grobe, hinauswerfende Unterlippe nicht mehr sehn, und ging gegen die Tür.

Auf einmal füllte sich diese, Waldenburgs majestätische Gestalt war darin erschienen. Er begrüßte die Dame, die er sofort erkannte, mit einer ehrerbietigen Verneigung, durch die sie sich wie gerettet fühlte; ein rascher Blick dankte ihm dafür. „Ei, meine Gnädige!" sagte er dann lächelnd, „warum wollen Sie fort?"

„Ah! Sie hier!" sagte sie nur. Die Alte aber, gleichfalls freudig überrascht, sank vor Waldenburg fast in die Erde hinein, indem sie dreimal wiederholte: „Mein Herr Geheimer Rat!"

„Guten Morgen, Frau Temme," sagte Waldenburg gnädig aus seiner Höhe herab; „in diesem Jahr hatte ich noch nicht die Ehre, Sie zu sehn. Rechtschaffene, alte Frau Temme" — er klatschte ihr sanft auf die Wange, die eigentlich nur noch Haut war — „ich mache Ihnen später meine feierliche Visite; jetzt hab' ich hier ein paar Worte für die gnädige Frau." — Er ging an ihr vorbei und flüsterte auf ihren halbnackten Kopf hinunter: „Machen Sie, daß Sie aus dem Hause kommen!"

Die rechtschaffene Frau Temme tauchte wieder knicksend unter; aus früheren Zeiten her verstand sie ihn sogleich. „Und nehmen Sie's nur nicht übel, gnädige Frau," sagte sie, während sie zur Tür ging. „Ich wußte ja nicht ... Ich empfehle mich!" — — Sie war schon hinaus.

„Was ‚wußte sie nicht'?" fragte Frau von Tarnow.

Waldenburg lächelte menschenfreundlich und erwiderte: „Sie weiß nie etwas; die gute Frau hat" — er deutete auf seine Stirn — „eine schwache Stelle. Vor allem aber bin ich glücklich, gnädige Frau, Sie zu sehn! Um Ihnen sogleich ehrlich zu sagen, was mich herführt: ich vermutete, Sie hier zu finden, und ich komme, Ihnen meine Ritterdienste anzubieten; denn durch ein zufälliges Wort meines Sekretärs habe ich erfahren, daß er irgend etwas weiß —

ober zu wiſſen glaubt — was Sie betrifft, und daß er für gut befunden hat, Ihnen das zu ſagen. Sie wiſſen, wie ſie ſind, dieſe jungen Leute ... Vielleicht hat er Sie un= nütz beunruhigt; vielleicht iſt er, nach der Art dieſer Ju= venile, mangelhaft unterrichtet; — ich hab' über das alles nicht i h n befragen wollen, ſondern Sie ſelbſt!"

Frau von Tarnow, die ihn bis dahin mit groß auf= geriſſenen Augen, aber ohne Unruhe oder Befangenheit angeſehen hatte, machte jetzt eine Bewegung, in der ſich Mißfallen auszudrücken ſchien. „Verzeihen Sie," ſagte er raſch; „es iſt nicht unziemliche Neugier, die kenne ich nicht" (mit einer Handgebärde warf er ſie ſeitwärts ins Meer); „ſondern einfach die natürliche Teilnahme eines Freundes: denn von der erſten Stunde an hab' ich für Sie wie ein Freund gefühlt. Sollten wir übrigens nicht in ein Z i m m e r treten —"

Er öffnete die nächſte Tür. Marie trat ohne jedes Zögern oder Schwanken ein; ſie ſetzte ſich aber nicht, ſondern lehnte ſich, einen Arm aufſtützend, gegen einen Tiſch.

„Wie geſagt," fuhr er fort; — „wie ſagte ich? Ah ja: ‚wie ein Freund'. Alſo, meine liebe Frau von Tarnow, gebieten Sie über mich! Wenn ich in Ihren perſönlichen Angelegenheiten Ihnen beiſtehen, nützen kann —"

„Ich danke Ihnen ſehr," unterbrach ſie ihn. „Es wird wahrſcheinlich die Stunde kommen, wo ich Sie an dieſes Wort erinnern und Ihr Wohlwollen in Anſpruch nehmen werde ... Aber für jetzt — hab' ich noch nicht das Recht."

Waldenburg blickte ihr verwundert und ungewiß in die großen Augen, die ihm rätſelhafter vorkamen als je. Er verſtand nicht, was dieſe letzten Worte ſagen wollten. Sie ſchien es zu bemerken, denn ſie lächelte. Mit einem eigenen Ausdruck ſetzte ſie dann hinzu: „Ich werde glücklich ſein,

Herr von Waldenburg, wenn Sie das nie verleugnen, was
Sie mir eben gesagt haben!"

„Aber was denken Sie?" entgegnete er. „Wer so für
Sie fühlt wie ich, kann der je wieder zurück? — — Nun
sollten Sie aber für so warme Freundschaft, Verehrung
und Zuneigung auch ein wenig erkenntlich sein; nicht so
magisch verschlossen, wie die Höhle des Ali Baba. Wir
ehren ja Ihre Geheimnisse, wie Sie sehen: denn wir wissen
nichts; auch die Baronin scheint die Lebensgeschichte ihrer
Gesellschafterin nur in den allgemeinsten Umrissen zu
kennen —"

Er wartete auf eine Antwort. Frau von Tarnow
schwieg aber. Mit einer leichten Handbewegung setzte er
hinzu: „Oder sie ist ebenso rätselhaft verschwiegen wie
Sie —"

Die junge Frau sah auf seine Weste und schwieg.

„Das ist alles gut," fuhr er mit derselben wohlredenden
Milde fort; „aber, meine Beste — wird es nicht endlich
Ihre bürgerliche Stellung erschweren und — nun, wie
soll ich sagen — und mißdeutet werden? — Verstehen Sie
mich nicht falsch! Ich frage nur als Ihr Freund, der für
Sie besorgt ist. Haben Sie irgend ein trauriges oder —
süßes Geheimnis, so haben Sie hier einen Mann, der zum
Vertrauten wie geschaffen ist; der in unzähligen Fällen
mit dieser ehrenvollen Aufgabe betraut wurde, und ich
kann sagen, mit gutem Erfolg; der die zartesten Empfin-
dungen versteht — und sie zu teilen versteht. Also ein
wenig Vertrauen, meine liebe Freundin! Ist der Jemand,
den wir hier erwarten, in irgend einer Bedrängnis, in der
ihm und Ihnen geholfen werden kann, so stehe ich mit
Schwert und Schild zu Ihrer Verfügung ... Ist er etwa
untreu," fuhr er lächelnd fort, indem er sich sanft zu
ihr niederneigte, „so lassen wir ihn laufen und suchen einen

Würdigeren — und der wird sich finden! Wenn einem die Mutter Natur so viel gegeben hat, wie Ihnen —"

„Viel Schweres, o ja!" warf sie ein, mit einer unbefangenen, ruhigen Traurigkeit, die ihn überraschte. „Sie wissen nicht, warum ich Sie so lange angehört habe, ohne Sie zu unterbrechen . . . Ich — ich erwarte niemand. Ich weiß nicht, warum ich hier bin; es hat keine Vernunft. Mir erschien nur plötzlich als möglich, daß — — Eine Phantasie. Ich gehe!"

Sie starrte wieder in die Luft, schüttelte ihr welliges Haar, als mache sie dieser Phantasie nun ein Ende, und wollte an ihm vorbei, hinaus. Waldenburg stellte ihr aber seine ganze Höhe und Breite in den Weg und warf ihr einen so gekränkten Blick zu, daß sie stehen blieb. „Warum wollen Sie fort?" fragte er. „Haben Sie kein Vertrauen zu mir? Mißtrauen Sie mir?"

Ruhig lächelnd schüttelte sie den Kopf.

„Nun also . . . Ich danke Ihnen. Liebe, schöne Frau, Sie ahnen ja nicht, wie ergeben ich Ihnen bin . . ." Er nahm ihre Hand, sie ließ sie ihm. — „Sie wissen nicht, wie sehnlich ich wünsche, Ihnen diese unbegrenzte Hingebung zu beweisen —"

Ein Klopfen an der Tür unterbrach ihn. Von jähem Ärger übermannt warf er den Kopf auf die Seite, gegen diesen Störer. Frau von Tarnow öffnete die Lippen, um „Herein" zu rufen; ihr fiel aber ein, daß sie hier nicht zu Hause sei, und mit einem leichten Erröten hielt sie inne, so daß der Mund offen blieb. Nach einer kurzen Stille ging die Tür auf; beide waren überrascht, sie sahen W i t t e l i n d eintreten.

„Guten Morgen, gnädige Frau," sagte Wittekind, der die Tür hinter sich zumachte und dann stehen blieb. Er bewegte die Finger etwas unruhig am Hut, den er in der

Hand hielt; seine weiße Stirnhaut zuckte; sonst erschien er
gleichmütig und harmlos, auch zeigte er durchaus kein
Erstaunen, die beiden hier zu finden. Er begrüßte Waldenburg durch eine Art von Nicken.

Dieser hatte Mariens Hand schon nach dem Klopfen
zögernd losgelassen; er maß den Eintretenden jetzt von
oben bis unten mit einem feindlichen, ehrlich hassenden
Blick. Der Elende hält Wort! dachte er, mit den Finger-
nägeln über sein ausrasiertes Kinn fahrend, so daß sie sich
in den angeschwollenen Hals gruben. Er zog dann die
Füße langsam ein wenig zurück, wie sich zur Verteidigung
bereit machend.

„Ich habe die Freude, Sie noch einmal zu sehn," sagte
Wittekind zu Marie, die ihn freundlich grüßte; „aus —
irgend einem Grunde bin ich gestern nicht nach Hause
gesegelt, sondern hier geblieben. Ich ging jetzt auf der
Düne hin, da sah ich die Herrschaften nacheinander hier
eintreten; und weil ich an Sie etwas auszurichten habe,
so nahm ich mir endlich die Freiheit, Ihnen nachzugehn.
Allerdings weiß ich nicht recht, wo ich bin. Draußen war
niemand, den ich fragen konnte, ob es gestattet ist — —"

Ich selbst hab' die Alte fortgeschickt! dachte Waldenburg; er war wütend.

Marie entgegnete etwas verlegen: „Ich — bin hier
nicht zu Hause. Ich kam nur zufällig her — um die leere
Wohnung für jemand anzusehn —"

Das Lügen ward ihr lästig und schwer; unwillkürlich
warf sie einen Blick von der Seite auf Waldenburg. Wittekind erriet, wie es stand: man hatte sie hierher bestellt,
unter einem Vorwand!

Er heftete seine scharfen, blauen Augen auf den „großen
Komödianten"; mit noch leidlich kaltem Blut überlegte er,
wie er den Angriff zu beginnen habe. Waldenburg sah

den heranziehenden Sturm. Dieser Puritaner, dachte er,
ist zu allem fähig ... In Gottes Namen dreist das Prä-
venire gespielt! — Er trat bescheiden beiseite, und deutete
mit einer runden, anmutigen Bewegung des rechten Arms
auf Wittekind. „Mein verehrter Freund", sagte er, „hat
etwas an Sie auszurichten; ich räume also das Feld."
Mit überlegenem, mildem Lächeln setzte er hinzu: „Es
handelt sich nämlich um eine kleine Differenz zwischen ihm
und mir! Er möchte, daß ich nicht zu viel mit Ihnen ver-
kehre; er glaubt, daß ich nicht der richtige Umgang für
Sie bin. Er zieht für Sie s e i n e n Umgang vor —"
　„Ich verstehe nicht," sagte Marie unmutig.
　„Sie werden schon verstehn! — Kurz, er hat Ihnen
Mitteilungen über mich zu machen, die ich mit dem ge-
bührenden Interesse anzuhören bitte. Er wird Ihnen erzählen — geben Sie nur acht — was für ein gefährlicher
Mensch ich bin: daß ich auf Dutzende von schönen Damen
schlechte Gedichte gemacht habe; daß diese schlechten Gedichte gute Erfolge gehabt haben; daß ich den Don-Juan-
Orden mit zwei Schwertern trage; daß eine Herzogin mich
jeden Morgen verflucht und betrogene Frauen in verschiedenen Sprachen um mich weinen. Mit einem Wort,
er wird der getreue Eckart aus dem Märchen sein, der Sie
vor mir warnt. W a r u m er das tut — das wird er Ihnen
nicht sagen; — wer weiß? vielleicht d o c h. Hören Sie
ihn geduldig an, liebe Frau von Tarnow —"
　Waldenburg schloß seine Rede mit gemütlichster,
schmunzelnder Heiterkeit: „Und vergessen Sie nur nicht,
wer ich w i r k l i c h b i n! — Guten Morgen!"
　Damit schritt er wie ein Fürst aus der Tür.
　Er versteht sein Handwerk! dachte Wittekind, den es
in aller Erbitterung wie ein Zauber zog, ihm mit den
Augen zu folgen und diese großen, mit Majestät schwan-

lenden Schritte zu beobachten, bis er verschwunden
war.

Als er sich dann zurückwandte, sah er in Frau von
Tarnows verfinstertes, beleibigtes Gesicht. „Ich bitte,"
sagte sie ungeduldig und kalt, „erklären Sie mir ... Ich
verstehe das alles nicht."

Mit einer jugendlich verlegenen Bewegung hob Wittekind seinen niederhängenden Hut und ließ ihn wieder zu-
rückfallen. „Ich weiß wirklich nicht," begann er, „wie ich's
sagen soll. Dieser Herr ist mir auf so eigentümliche Art
zuvorgekommen —"

„Sie hatten also wirklich vor," unterbrach sie ihn, „mich
vor ihm zu warnen?"

Er hob die Arme ein wenig, wie zum Eingeständnis.

„Ich danke Ihnen sehr," sagte sie gereizt. „Es scheint,
alle Welt — beschützt mich. Ich fühle mich aber gar nicht
schutzbedürftig, mein Herr. Ich bin zur Selbständigkeit
erzogen worden, und ich helfe mir gern selbst. Wenn Sie
nichts a n d e r e s an mich auszurichten hatten —"

„Sie machen mich völlig wehrlos, gnädige Frau," sagte
Wittekind, der stark errötete. Er zögerte einige Augenblicke, ihm ward abscheulich zu Mut; doch wohl oder übel
mußte er sich fassen, und in seinem schlichtesten Ton sprach
er weiter: „Ich bitte, beschämen Sie mich nicht; ich meinte
es wirklich gut! Es ist eine nichtswürdige Situation, den
— Angeber zu spielen; das ist auch sonst nicht mein Metier
... Aber da ich zufällig bemerkte, daß der Sekretär dieses
Herrn — — denn auf dessen Veranlassung sind Sie doch
wohl hier —"

Marie horchte auf.

„Und da ich nicht möchte — verstehn Sie — daß Sie
als das Opfer einer unpassenden Komödie — —"

Er zuckte wie hilflos die Achseln. „Sehen Sie," sagte

er nach einem Schweigen, das sie nicht unterbrach, — „es
ist wirklich nicht mein Metier. Weiter komm' ich nicht."

„Ich danke Ihnen," sagte sie leise, und blickte ihn wieder
mit dem vertrauensvollen, herzlichen Glanz in den weit
geöffneten, klaren Augen an. „Vielleicht — haben Sie
recht. Übrigens bin ich nicht blind. So gut, wie ich's
fühle, daß Sie's ehrlich meinen, so gut errat' ich wohl
auch, wenn man ein Spiel mit mir spielen will. Was
aber den Herrn betrifft, vor dem Sie mich warnen wollen,
so — so bin ich ganz außer aller Gefahr, und in jeder
Weise."

Er konnte nicht umhin, zu lächeln, nachdem er sie verwundert betrachtet hatte. „Sind Sie dessen gewiß?"
fragte er.

„Ja, ich bin dessen gewiß."

Er hob die Achseln: „So bin ich also wieder am Ende.
— Es ist eine ganz verteufelte Misere mit der sogenannten
‚guten Gesellschaft'... Verzeihen Sie. Ich wollte nur
sagen — — Ich drücke mich da unpassend aus. Da ich
mit all meinem guten Willen so hilflos vor Ihnen dastehe,
wollte ich nur sagen: sehen Sie, die Etikette in unserm
Stande trennt die Menschen zu sehr... Der Bauer kann
zur Bäuerin sagen: ‚Grete, nimm dich in acht! Der da
will dir was tun!' — Oder meint er ihr's gut, so kann er
sich ihr gegenübersetzen und sagen: ‚Du, Grete, ich mein'
dir's gut!' — Und da das alles doch eigentlich das
Natürliche ist, so wird es mir oft schwer, unsre gesell-
schaftlichen Konventionen zu bewundern, die uns das Wort
im Munde mitten durchschneiden, und dann über jede
Hälfte noch einen Handschuh ziehn. — Aber Sie denken
wohl umgekehrt, und sagen sich: Wo kommt dieser Bauer
her?"

„O nein!" sagte sie; „ganz und gar nicht! Warum

denken Sie das von mir? Hab' ich mich Ihnen gestern,
und damals, so gezeigt? — Ich dachte immer wie Sie.
Man wirft mir vor, daß ich schweigsam bin. Ich schweige
nur oft so still, weil ich nicht reden darf, wie ich reden
möchte — und wie die a n d e r n mag i ch nicht!"

„Ah!" sagte Wittekind, plötzlich so glücklich, daß ihm
die Wangen blaß wurden. „Dann — — dann bin ich sehr
froh ... Dann hab' ich Sie also nicht verkannt. Denn
das erste Mal, als ich Sie sah — auf der ‚Hedwigsruhe',
mein' ich, da oben — da dachte ich schon einmal: mit der
könntest du fast wie mit d i r s e l b e r reden; in der ist
Natur!" — — Er lächelte bewegt: „Und ich hab' dann
auch viel mit Ihnen geredet," fuhr er stockend fort; „Sie
waren aber nicht dabei. Und hab' Ihnen wohl zuweilen
alles gesagt, was ich auf dem Herzen hatte ... Nu, was
macht es Ihnen. Mir tat es wohl, und Ihnen tat es nicht
weh!"

„Warum reden Sie so," erwiderte sie und legte ihre
geschlossenen Hände in einer eigentümlichen Gebärde
gegen ihre Brust. „Wie könnte es mir weh tun? wenn
ich es auch hörte? — Sehnt man sich denn nicht oft aus
tiefstem Herzen, mit einem Menschen so zu reden, wie
Sie eben sagen ... Sie sprachen gestern von Ihrer
Einsamkeit. Ich — — ich lebe mit vielen sogenannten
Menschen; aber Sie wissen ja nicht, wie einsam ich doch
bin ..."

Sie ging von ihm hinweg, bis zum Fenster, legte eine
Hand gegen den Rahmen, den Kopf auf die Hand und
blickte auf das weißlich flimmernde Gewölk hinaus.

Ohne ihr zu folgen, sagte er nach einer kurzen Stille:
„Darf ich Ihnen hierüber etwas sagen, liebe Frau von
Tarnow? Darf ich offen sein?"

„Gewiß," antwortete sie und wandte sich herum. Mit

einem traurig reizenden Lächeln setzte sie hinzu: „Wie der
Bauer zur Bäuerin!"

„So muß ich Ihnen noch einmal sagen, was ich gestern
sagte: Sie bei diesen Tilburgs! Da sind Sie ja wie ein
Paradiesvogel unter den Schneegänsen; — verzeihen Sie
den Vergleich. Sie nennen es Ihre ‚Aufgabe‘, die Sie sich
gestellt haben; aber, mein Gott, wie müssen Sie da leiden,
Sie mit Ihrer Sehnsucht nach Wahrheit, mit Ihrer graden,
stolzen, von all dem Firlefanz unberührten Seele ...
Stehen Sie nur noch still; Sie haben mir erlaubt, auf
meine Weise zu reden. Sehen Sie, liebe gute — — nicht
gar oft im Leben findet man einen Menschen, zu dem
man sagen möchte: ‚was für ein Glück, daß du da bist!‘
So ein Mensch sind S i e! — — Lassen Sie das nur,
schütteln Sie nicht den Kopf. Ich weiß ja doch, was ich
sage ..."

Er blickte sie fort und fort an; sie stand in so rührender,
bescheidener Hoheit da, ein so einfacher, natürlicher Adel
floß um ihre Glieder, lag auf den gesenkten Augen; —
ein unaufhaltsames Gefühl trat ihm auf die Lippen. Es
riß ihn fort, alles herauszusagen ... „Ich hatte eine
Frau," fuhr er fort, „— ganz anders als Sie: zart, kindlich
— nichts Heroisches — sie verging so bald — aber auch
ein von Gott gesegnetes, herrliches Geschöpf. Wenn Sie
sie gekannt hätten! Sehen Sie, die — und Sie — —
Warum soll ich's nicht sagen: eine dritte, wie die und Sie,
werd' ich nicht mehr finden!"

Frau von Tarnow hatte den Kopf zur Seite geneigt;
mit einem zögernden, schrägen, schmerzlich dankbaren
Blick sah sie zu ihm hinüber. Ihr Gesicht war ganz ent-
färbt, die Lippen geöffnet; ihr Busen hob sich, von langen,
tiefen Atemzügen geschwellt. Dann schloß sie die Augen
und sagte langsam: „Verzeihen Sie mir ..."

„Was soll ich Ihnen verzeihen?"

„Daß ich Sie so lange — —" Zu lange, wollte sie hinzusetzen; es blieb aber eine lautlose Bewegung ihrer blassen Lippen. Fast unhörbar flüsterte sie dann: „Aber ich danke Ihnen. — Nochmals; verzeihen Sie mir ..."

Mit langsamem, schwerem Aufschlag öffnete sie die Augen. „Sie sagten von diesen Tilburgs, nicht wahr ... Ich will Ihnen noch einen Grund sagen, warum ich bei ihnen bin: von nichts kann ich nicht leben — und zu meinem Mann will ich nicht zurück."

Sie vermied es, Wittekind anzusehn, stand still da und horchte. Es kam aber kein Laut von ihm; kaum daß er sich regte. Als sie endlich hinübersah, bemerkte sie, daß er sich an die Wand gelehnt hatte und langsam eine Hand mit der andern rieb; seine Augen starrten blicklos, ein unbestimmtes Lächeln schwebte um seine Lippen; sonst verriet er nicht, was sich in ihm bewegte.

„Ich wollte gegen Sie nicht auch unwahr sein — wie gegen die andern —" sagte sie mit Mühe.

„Ja, ja," murmelte er. „Vielen Dank ..." Nach einer Weile fuhr er fort: „Ich hatte gehört, daß Sie Witwe seien. Und da Sie in einem fremden Hause leben —"

„Wenn man nicht zusammenstimmt," erwiderte sie, von ihm abgewandt, „so lebt man nicht gern zusammen ... Aber den andern sage ich das nicht, um nicht die Neugier, das Mitleid, die Schadenfreude der Menschen — — Sie verstehn wohl. — Ihnen mußt' ich's sagen!"

„Nochmals vielen Dank," murmelte er wieder. „— Unsinniges Leben auf dieser unsinnigen Welt!"

„Was sagten Sie?"

„Einen alten Segensspruch — nur so für mich. Übrigens ist es besser, wenn ich nichts mehr sage. Leben — —leben Sie denn wohl!"

Sie erschrak heftig. „Oh!" sagte sie, die geschlossenen Hände öffnend. „Sie wollen gehn? — Sind Sie mir so böse, daß ich nicht früher die Kraft hatte, Sie zu unterbrechen? — Ach, es tat so wohl, was Sie mir da sagten ... Und ich leide so viel!"

„Ich bin Ihnen auch nicht böse," entgegnete Wittekind mit gerührtem Lächeln. „Aber — — was soll ich nun hier? Wir wissen nun, wie es mit uns steht; wir wissen es und können uns nicht helfen. Das ist Menschenleben. Wie wenn eine Insel versinkt — der eine noch auf seinem Felsen über dem Wasser schwebt — der andere auf seinem zertrümmerten Dach langsam niedergeht: sie sehen einander noch, aber sie können sich nur noch winken und Abschied nehmen. Das können wir auch ... Gute — arme — liebe Frau von Tarnow — leben Sie wohl!"

„Sie verlassen mich?"

Er antwortete nicht. Die Enthüllung hatte ihn zu plötzlich und zu hart getroffen. Die Lippen zusammengedrückt, mit einer grüßenden Gebärde wandte er sich zur Tür.

„Mein Gott!" sagte sie mit fast vergehender Stimme, „so auf einmal wollen Sie verschwinden — und als wär' es für immer — — und Sie geben mir nicht einmal die Hand? Und ich soll Ihnen nicht sagen, wie weh mir zu Mute ist — und daß jedes Ihrer Worte — Ihr gutes, Ihr großes Herz — — daß ich Sie bewundre?" — Sie hatte wieder Kraft gewonnen, mit den lieblichsten Tönen ihrer edlen Stimme fuhr sie errötend fort: „Ach, glauben Sie nicht, daß ich nur hören wollte, was Sie für mich fühlen; nicht selbstsüchtige Eitelkeit — — Ich fühlte mich g e stärkt, gebessert, erhoben, weil ein Mann wie Sie mir das sagte. Es wird mich immer stärken und aufrecht halten, wenn ich daran denke ... Nun aber

geben Sie mir — — wenn Sie denn gehen wollen — —
geben Sie mir zum Abschied die Hand!"

Sie stand, ihn erwartend, da. Wittekinds Augen
ruhten auf den ihren; in Freude und Schmerz versunken
ging er langsam auf sie zu. „Ich werde versuchen," sagte
er mit Fassung, „keines dieser Worte zu vergessen. —
Dieses traurig lächelnde Gesicht wird mir nun immer so
vor Augen stehn ... Haben Sie Dank!"

. Er nahm ihre Hand, die sich ihm sanft und still ent-
gegenstreckte, und umschloß sie fest. Auf einmal stieß
Marie einen Schrei aus, und ihre erstarrenden Augen
verloren fast die Farbe. „Eugen!" rief sie dann.

Wittekind wandte sich und sah Eugen Dorsay in der
geöffneten Tür stehn. Sie hatten beide ihn nicht kommen
hören; ihn hatte die Überraschung versteinert, hier M a r i e
zu sehn. Die letzten Reden Wittekinds hatte er gehört —
fast ohne den Sinn der Worte zu begreifen. Jetzt kam es
an W i t t e k i n d, die Fassung zu verlieren. Da stand
dieser Dorsay, der Entflohene; und Marie, vor ihm erschreckend, rief seinen Namen „Eugen" aus ...

Ein Blick der jungen Frau, auf ihn, dann auf Dorsay,
gab ihm volle Klarheit; er sagte ihm stumm: Der da ist
mein Mann. Dennoch fragte der verwirrte, erschütterte
Wittekind sie noch mit den Augen. Sie nickte ihm langsam
zu. Dorsay stand noch und schwieg.

An seine Stirn greifend, wie um das alles zu fassen,
ließ Wittekind seine leeren Blicke in dem Raum umher-
irren, wo ihm das geschehen war. Alles blieb totenstill. Er
richtete sich dann auf, wie ein Mann entschlossen, und ging.
Als er an Eugen vorbeikam, öffneten sich ihm die Lippen,
als müßten sie ihn doch begrüßen; — Kathi aber fiel ihm
ein. Er schwieg, die Zähne aufeinanderdrückend, und mit
einer kalten Bewegung des Kopfes ging er aus der Tür.

IV

So standen sich nun die beiden gegenüber, unerwartet, nach langer Trennung. Eugen hatte hinter sich eine Hand gegen den Türpfosten gelegt; Marie ließ die Stuhllehne los, auf die ihr Arm sich gestützt hatte, und blickte über ihn hin und an ihm hinab. Sie erschien in diesem Augenblick als die Ältere, obwohl sie es nicht war: in demselben Monat waren sie geboren. Aber das bitterscharfe Gefühl der Würde, in der sie sich fassen und aufrecht erhalten müsse, gab ihr etwas Matronenhaftes, während ihn seine Verwirrung recht zum Jüngling machte. Sie schwiegen noch eine Weile; endlich sagte sie: „Also du wirklich hier!"

„Was wollte dieser Herr?" fragte Eugen, in dessen entfärbten Wangen eine Röte aufstieg.

Marie lächelte. „Das ist nach so langer Zeit eine seltsame Begrüßung, nicht wahr: ‚was wollte dieser Herr?'"

„Verzeih. Du hast recht. — Aber dieser Händedruck — seine Worte ... Darf ich noch einmal fragen —"

„Was dürftest du nicht fragen?" unterbrach sie ihn. „Wir sind ja Mann und Frau. Das ist ein Herr, der soeben erfuhr, daß ich einen Mann habe; und der darum fortgeht; — weil er, seltenerweise, ebenso rechtschaffen ist wie deine Frau."

„Marie!" sagte Eugen und legte sich eine Faust gegen die Stirn. „Ich bin ein — — Vergib mir. — Es kam nur so über mich; bei Gott, ich zweifelte nicht — —"

„Desto besser für dich; denn wie weh das tut, würdest du dann merken ..." Sie brach ab und sagte in verändertem Ton: „Aber wie reden wir denn in der ersten Stunde. Es war also k e i n e Täuschung: du bist wirklich hier. Und es schien mir doch unmöglich, daß die weite

Reife fo fchnell — — unb baß bu bich überhaupt entfchließen würbeft — —"

„Mich entfchließen — ich —?" erwiberte er verwirrt.

„Nun," fagte fie noch unbefangen, „ohne bich zu entfchließen, kamft bu boch nicht her. Ich bat bich allerbings
nicht mit Worten: ‚komm bu auch'; bas, weißt bu, würb'
ich nicht tun; aber als ich bir aus Salzburg fchrieb: ich
gehe in basfelbe Bab, wo bein Bater ift, ich hab' ihn
kennen gelernt, erlaube mir ben Berfuch, bich mit ihm zu
verföhnen — ba bachte ich boch im ftillen: ftatt eines Ja
ober Nein kommt er vielleicht felbft! — Nur, als bu fo
plötzlich baftanbft, erfchrak ich — —"

Auf einmal erfchrak fie von neuem: benn feine wach-
fenbe Berftörung, feine unruhigen Bewegungen konnten
ihr nicht länger entgehen. Sie trat auf ihn zu. „Eugen!"
rief fie aus. „Dich überrafcht ja alles, was ich fage. Du
weißt nichts von meinem Brief — haft ihn nicht gelefen!"

Er fchüttelte ben Kopf. „Ich will bich nicht mehr be-
lügen," ftieß er mit großer Anftrengung hervor, während
er an feinen Knopflöchern zerrte. „Nein; ich weiß nichts
von biefem Brief. Ich hab' London fchon vor mehr als
vierzehn Tagen verlaffen —"

„Aber bu bift boch hier? — Wenn bu nicht auf meinen
Brief gekommen bift, wie bift bu bann hier?"

Er fchwieg.

„Ah!" fagte fie. „Wie bumm bin ich. Es kann ja auch
eine a n b r e bir gefchrieben haben — und auf b e r e n
Brief bift bu hergekommen ..."

Er fah ihr in bie Augen, faft wie ein ertapptes Kind,
rührte fich nicht und fchwieg.

„Ich banke bir," fagte fie nach einer Weile, bie Wimpern
zufammenbrückenb: „bu b e l ü g ft mich wenigftens nicht.
— Unb bu b e t r ü g ft mich auch nicht: benn ich wußte

ja, ohne eine sogenannte Liebe kannst du nicht leben.
An diesem — Sirenenfelsen sind wir ja gescheitert —"
„O Marie!" rief er in weicher Zerknirschung aus.
„Liebe, gute Marie!"

Er wollte sich ihr nähern; sanft und ruhig abwehrend
murmelte sie: „Bitte." — Er blieb stehn. — „Dann aber
begreif' ich nicht," sagte sie, wie erwachend: „wie konnte
denn dein Vater wissen oder ahnen, daß du hierher kommen
würdest? eben diesen Morgen —"

„Mein Vater?" fiel ihr der verfinsterte Eugen mit
rauher Stimme ins Wort. „Was wüßte d e r von m i r?
Nie, nie soll er — — Hast du ihm etwa verraten, wessen
Frau du bist?"

„Ich verrate nichts," erwiderte sie, „was du verschweigen willst. Ich habe nur den Wunsch, dich mit deiner
Heimat, mit ihm wieder auszusöhnen —"

„Laß das. Nein, nein. Niemals! Ist er hier, so geh'
ich! — Mich mit dem Fluch meines Lebens zu versöhnen
— — Ja, er ist mein Fluch! Alles Gift, das ich in mir
habe, hab' ich von ihm; alles, um das du mir gram bist
— und ich, ich mir selbst! — Sag mir nichts für ihn, ver-
teidige ihn nicht; du kennst ihn nicht. Er hat dich nicht erzogen. ... Als meine Mutter starb, und ich noch ein
Kind war ohne Sinn und Verstand, da gab er mir s e i n e n
Verstand — lehrte mich das Leben so verstehn, wie er!
Mit seinem kalten Lächeln erzog er mich zum Genuß;
zeigte mir durch sein Beispiel, wie gut man durchs Leben
kommt, wenn man täuscht, heuchelt, lächelt und betrügt ...
O, ich lernte alles ..."

Er stampfte mit dem Fuß auf den Boden; er warf
einen schmerzlich wilden Blick zur Decke hinauf. „Und
ich hatte doch auch edle Triebe und Gedanken," rief er
aus; „es war auch Gutes in mir! — Aber ich lernte zu

leicht; das Gift war ja im Blut. Ich haff' ihn, ich haff'
ihn! Er hat mich zu Grunde gerichtet, und ich bin verloren!"

„Du bift noch nicht verloren; sag das nicht!" erwiderte
sie mit ihrer sanften, mitleidvollen Stimme, nach einem
tiefen Seufzer. „Du verzweifelst so leicht, Eugen ...
Und deine Verzweiflung macht dich ungerecht gegen
deinen Vater — nein, fahre nicht so auf — — oder wenigstens ungerecht gegen d i ch s e l b st. Da uns das —
Schicksal wieder einmal zusammengeführt, laß mich dir
noch sagen: wenn du auch keinen Vater mehr willst — und
wenn auch zwischen u n s — —" sie brach ab — — „wärst
du darum verloren? Kannst du dir denn nicht wie ein
Mann noch ein Leben schaffen? Ja, ja, viel schlug dir
fehl; aber dein Geist, deine Feder — — schreibst du nicht
mit Talent, mit Glück? — Du lebst davon kümmerlich;
du könntest aber besser leben, wenn du jenen Antrag nicht
verworfen hättest, für die R e g i e r u n g zu schreiben —"

Eugen fuhr auf und streckte einen Arm gegen sie aus.
„Ich mich verkaufen! Nie!"

„Guter, stolzer Eugen!" sagte sie; auf einmal standen
ihr Tränen in den Augen. Die zurückgepreßte Wehmut
brach hervor; beinahe schluchzend murmelte sie: „Ach! daß
alles hin ist! und dieser dein edler Stolz noch mein letzter
Trost! — — Ja, ja," sagte sie, sich allmählich fassend, da
er, einen Finger zwischen den Zähnen, schwieg: „wie
anders standen wir uns damals gegenüber, als ich dich
kennen lernte; als ich so erstaunte, wie fremd und — vornehm du unter all diesen rastlosen, geldhungrigen amerikanischen Menschen warst: so sorglos, so jung — wie der
Frühling — wie die Poesie ... Ach, wie glaubt' ich an
dich; wie schien mir's undenkbar, unmöglich, daß so eine
Menschenblüte je — vergehen könnte — —"

Sie trat ans Fenster, von ihrem Gram übermannt, sie konnte ihn nicht mehr ansehn, konnte nicht mehr reden. Und wie war ich gewarnt! dachte sie, in ihr Taschentuch beißend, um nicht aufzuschluchzen. Ihr stand jener Steinbruch am Untersberg vor den Augen, und der alte Saltner ... Sie zweifelte ja selbst, mißtraute noch ihrem Herzen, floh vor ihrer Liebe; nach Europa reisend kam sie zu dem „Alten", gestand ihm, ihrem besten Freund, was sie beglückte und quälte; zeigte ihm Eugens Bild, beschrieb ihm seine Art, sein feuriges, ruheloses, flatterhaftes Wesen ... „Nimm ihn nicht!" sagte Saltner. „Kind, es wird dein Unglück!" —— Ich glaubt' ihm auch! dachte sie; ach, hätt' ich ihm nur f o r t und f o r t geglaubt! Dann aber rührte sich plötzlich, wie ich Törin meinte, das B e ss e r e in mir: dieser Kinderglaube, durch meine Liebe könnt' ich seinen Charakter stärken, bessern, vertiefen ... Ach, was für ein Mädchentraum! — Und von der Sehnsucht gejagt ging's wieder zurück nach Amerika, und in seine Arme ...

Nun hörte sie sein seufzendes Atmen; hier in dem „letzten Haus". Es schüttelte sie. Auf einen Stuhl sinkend, der am Fenster stand, legte sie sich die Hände vor die Augen und befeuchtete sie an den zerdrückten, langsam quellenden Tränen.

„Marie!" erklang es neben ihr, und zu ihr hinauf. Eugen kniete, doch ohne sie zu berühren. „Töte mich!" sagte er und seufzte. „Töte mich, und vergib mir! — Marie! Engel!" — Er faßte endlich zaghaft ihre Hände und flüsterte: „Schwester!"

„Schwester!" wiederholte sie, traurig lächelnd.

„O glaub mir, Marie: wenn so einer wie ich eine holde Frau seine Schwester nennt, — 's ist sein bestes Wort ... Ach, hättest du mich doch retten können, eh' ich

so ‚verging‘, wie du sagst; — das war meine Hoffnung!
— Aber mit Lügen fing ich an, als der Sohn der Lüge:
den altadeligen Namen gab ich mir aus erbärmlicher
Eitelkeit, und den Reichtum aus Angst, ich könnte dich
sonst verlieren — dein Vater könnte nein sagen. Immer
dacht’ ich nur: wenn ich sie erst habe, wird sich alles finden
— ich kann nicht ohne sie leben —“

„Und wie gut du’s nun kannst!“

„Ach, ich kann es nicht ... Lächle nicht so grausam;
ich l i e b e ja die andern nicht — nicht von H e r z e n,
mein’ ich — alles Gute in mir sehnt sich doch immer, immer
wieder nach dir!“ — — Er seufzte und stand auf. „Aber
der Kampf ist nutzlos,“ sagte er zwischen den Zähnen;
„wie oft ich mich auch — verachte, ich kann’s doch nicht
ändern. Ja, ja, es ist wahr — ja, ich bin zu schwach ...
Das hab’ ich nie in Büchern so recht geschildert gelesen,
was m e i n Elend ist: seine schlechten Eigenschaften hassen,
verachten, verfluchen, aber nicht ändern können ... Ach,
es ist unsäglich!“

„Hör mich an, Eugen —“

Er hörte sie nicht; seine Augen flackerten, seine Finger
rieben sich ruhelos an den Händen: so sprangen auch seine
Gedanken ohne Rast umher. „Herr von Tarnow!“ fing
er wieder an; „meine erste Lüge vor dir! — Dann wollt’
ich dir wenigstens ‚einen Namen machen‘, da dich mein
erster getäuscht hatte; einen gefeierten Namen ...“ Er
lachte auf. „Ich eitler Narr! Einen Künstlernamen!
Glaubte ein von Gott berufener Schauspieler zu sein, weil
ich im Leben so gut zu spielen und zu täuschen verstand; —
es war nichts als das Vaterblut! Damit hält man sich
nicht auf den geweihten Brettern! — Also wieder weg
mit der Maske, mit dem Künstlernamen; nimm wieder
einen d r i t t e n falschen Namen an, da die andern in

der Wäsche ausgingen ..." Er griff sich wild in die ge-
ringelten Haare und drückte die Augen zu: „Alles, alles
Lüge! Ich verleugne meinen Vater, meine Heimat,
meine Künstlerschaft — und dich ... Ach, dich nur, weil
ich mich schämen muß, dich mein Weib zu nennen! weil
meine Irrwege, meine Verzweiflungen — — Hör mich
doch nicht an wie ein Stein! Sag mir was! Sag mir:
mach ein Ende! Mit einer Kugel in die Brust wäre mir
geholfen; dann mag mein Vater kommen und sich's anschauen und sagen: das hab' ich geschaffen, Gott segn' es!"

Seine Stimme war so laut geworden, daß Marie
bang umhersah, ob jemand ihn hören könne. Er warf
sich jetzt auf einen Stuhl, streckte beide Arme über einen
Tisch, der daneben stand, und vergrub das Gesicht zwischen
seinen Armen.

Marie ging langsam zu ihm. Nachdem sie ihn noch
einigemal hatte stöhnen hören, sagte sie, schmerzlich mit
dem Kopfe nickend: „Wie manches Mal sprachen wir schon
so ... Laß mich dir noch einmal sagen, Eugen: verzag
nicht zu früh! Und laß mich wie eine — Schwester zu dir
reden — die all deine Schmerzen kennt — und dir helfen
möchte, wie man einem Bruder hilft. — Aber keine Lüge
mehr; ehrlich mußt du sein!"

Er bewegte den Kopf; zustimmend, wie es schien.
„Fürchte nur nicht," fuhr sie fort, „daß ich z u v i e l fragen
werde; meine Neugier hab' ich begraben — da, wo all
das andere liegt. Nur weil ich dir helfen möchte, laß mich
etwas fragen — —"

Er hob den Kopf ein wenig, öffnete die Augen halb
und nickte ihr zu.

„Hier also — wohnst du, Eugen?"

„Ja."

Mit schwacher Stimme fragte sie weiter: „Aber du

bist nur hier, weil dein Wille schwach ist? Bist nicht eigentlich mit dem Herzen bei — ihr?"

„Nein, nein," sagte er dumpf, aber mit wiederholtem, verneinendem Kopfschütteln.

„Und losreißen, Eugen, kannst du dich doch nicht?"

„Wie deine milde Stimme mich martert ... Was für ein Gespräch zwischen Mann und Frau. — Aber nein, sprich nur, sprich. Es tut nichts. Wenn du so mit mir sprichst — und mir hilfst — so kann ich's; mich losreißen — alles — alles, was gut ist, alles was du willst!"

„Auch dich versöhnen —"

„Nein!"

„Also — was tun wir dann? — Deine Feder ‚verkaufen' willst du nicht; — sei still, du hast recht. Aber deinen Geist und deine Kenntnisse für dein Land verwenden — im Staatsdienst — und mit Ehren dein Brot essen, das kannst du. Wenn du etwa als Konsul — oder sonst — irgendwo da draußen, fern von hier —"

„Ja, fern, fern!" fiel er ein und richtete sich auf. „Bis ans Ende der Erde! — Aber wie? Wer hilft mir?"

„Ich hab' noch einen Freund — der es ehrlich meint — und der mächtig ist ..." Ja, dachte sie, Graf Lana ist gut! — „Den würd' ich bitten," fuhr sie fort, „daß er für dich wirkte; — laß mich nur ausreden: ohne daß ich ihm irgendwas verrate, das du verschweigen willst. Aber — in der Entscheidungsstunde müßtest du nicht fehlen; du müßtest wollen — und können —"

Sie sagte das mit schmerzlichem Nachdruck; seine Wange zuckte, denn er hörte den bitteren Zweifel, der darin lag. „Ja, ja, ja," murmelte er. „Ja, ja!" rief er dann ungeduldig aus. „Steh mir nur bei, so kann ich! — Fort von hier! Aus der Luft meines Vaters und — — O nur rasch! nur fort!"

„Noch heut, wenn es möglich ist. Denn" — sagte sie mit traurigem Lächeln — „wär' es nicht bald, wäre es wohl nie! — Aber hab nur Mut! Ich gehe jetzt auf der Stelle. Und ich ruhe nicht —"

„O Marie!" rief er dazwischen, von seiner Rührung gemartert.

„Und bis ich dir Nachricht gebe, bleibst du hier —"

„Marie! Wie du mich beschämst! Gute! Beste!"

Er war aufgestanden und wollte ihre Hand küssen; aber sich ihm sanft entziehend sagte sie nur: „Schwester." — Bewegungslos blieb er stehn. — „Also du gehst nicht fort!" wiederholte sie. „Du bleibst hier!" — Er nickte. Wenn ich den Grafen finde, dachte sie, und wenn er mir Wort hält, so schick' ich ihn gleich hierher. Dann ist Eugen gefangen und muß!

Die freudige Hoffnung rötete ihr die Wangen; sie ging rasch zur Tür. Noch einmal über die Schultern blickend sah sie sein bleiches, dankbares Gesicht; ihm schwebten offenbar gerührte, leidenschaftliche Worte auf den Lippen. Um sie nicht zu hören, lächelte sie rasch und sagte: „Gute Kameraden, nicht wahr, können nicht verzagen; einer hilft dem andern. Sag mir nichts mehr, ich weiß es schon; auf Wiedersehn!"

Damit ging sie hinaus.

V

Eugen sah ihr nach, bis die Tür ins Schloß fiel. Die Hände über beide Augen gelegt sagte er dann endlich, was ihm über die Lippen gewollt hatte: „Mein guter Engel! Einzige, teure Marie!" — — Ein Freund, dachte er dann plötzlich, und seine Brauen zuckten. Was ist das für ein Freund, zu dem sie geht? den sie mir nicht nennt?

— Wär' es etwa der gerührte Herr, der Wittekind, der ihr vorhin die Hand drückte — der fortging, wie sie sagte, weil er erfahren hatte, daß sie einen Mann hat — dem sie so weich in die Augen sah ...

„Pfui!" sagte er laut und schlug sich auf die Brust. „Was für ein gemeiner, undankbarer Gedanke. Diese reine Seele ... Aber so kommen uns die schlechten Gedanken über die andern, wenn wir selber schlecht sind! — — Woher kennt sie ihn? — Gut mag sie ihm wohl sein; mehr als mir; — hab' ich's auch anders verdient? Aber auf ihre Tugend schwör' ich ..." Er sah wieder auf die Tür, als könnte er Marie noch sehn; ein weicher Schmerz veredelte seine aufgeregten Züge und machte ihn zehn Jahre älter. Wie konnt' ich nur aufhören, dachte er, diese Frau zu lieben? — Wir sitzen da in unserm Gehirn, im so- genannten „Bewußtsein", wie in einer Loge, schauen auf uns selber herab: was wird nun geschehn? unsre Eigen- schaften, unsre Elemente, die unbekannten Schicksalsmächte in uns, was werden sie nun tun? Wir sehn unsrer vorher- bestimmten Lebensreise zu, können das Ziel nicht ver- rücken und den Weg nicht ändern ... So haben mich diese namenlosen Fluten von ihr weggerissen; ich schau' noch zu ihr hinauf, wie zu meinem Stern — — er legte eine Hand aufs Herz — — aber es schlägt nicht mehr!

Leergebrannt
Ist die Stätte ...

Irgend ein Geräusch schreckte ihn aus seinen Gedanken auf. Er horchte; nun war es still. Zögernd ging er zur Tür und öffnete sie leise so weit, daß er durch eine Spalte auf den Vorplatz blickte; er sah aber nichts. Es war nur der Wind, dachte er. Die Brandung. Aber — Melanie wird kommen! Sie kommt ja gewiß! Wenn ich hier warte, wie Marie es verlangt, so wird auf einmal die

andre bastehn — — und was sag' ich ihr? Die Wahrheit, ihr ins Gesicht? Dazu hätt' ich den Mut nicht.
Und sie feig verlassen, ohne ein Wort — hat sie das verdient? — — Seine Beklommenheit wuchs. Was tun?
Ihm fiel endlich ein: wenn er fortginge, eh' sie käme, und
ihr ein paar Worte zurückließe, die keiner verstünde als
sie ... Halb beruhigt und ganz entschlossen atmete er auf.
Er griff in seine Brusttasche und holte sein Taschenbuch
hervor, um ein Blatt daraus zu nehmen; Melanies Brief
fiel zugleich mit heraus. Er hob ihn vom Boden; seine
zarten Nasenflügel dehnten sich zitternd, da der Duft sie
anwehte. „Ja, ja, ihr Parfüm!" sagte er gequält und
lächelnd vor sich hin. „Ihr Wahrzeichen! Wie ein Stück
von ihr. Wie eine schwüle, süße Wolke, die vor ihr auf-
geht ..."

Er sog den Duft, immer noch lächelnd, ein; Melanie
selber erschien hinter dieser Wolke, er sah sie, wie er
sie das erste Mal gesehen hatte, bei ihrer Schwester, in
London: sie bezauberte ihn sogleich. Eine so aristokratische
Gestalt und Art war ihm noch nie begegnet; die Vornehm-
heit ganz in Reiz und Anmut getaucht — und doch jedem
ihrer Reize gleichsam aufgedrückt, daß sie vornehm war.
Ja, er sah sie wieder hinter dieser Duftwolke: das feucht-
schimmernde Auge, das üppige, erregte, schmachtend frivole
Lächeln — die marmornen Schultern, mit dem seltsamen
Silberglanz — —

Ich werde toll, dachte er, das Billett zerknitternd.
Ich will ja fort — will diese Frau ja verlassen.... Wenn
ich so phantasiere, komm' ich ja nicht fort! — —Eine Angst
befiel ihn, daß es vor seinen Augen dunkel wurde; er
dachte nur noch an Flucht, er steckte das Billett wieder ein
und ging zur Tür. Hab' ich denn Marie nicht mein Wort
gegeben? dachte er. Fort! In die Luft hinaus!

Er faßte eben den Türgriff, als er hinter sich Schritte und eine Stimme hörte — die Stimme, vor der er floh. Gräfin Melanie stand in der andern Tür, die zu den übrigen Zimmern führte; sie war aus dem Wald und durch die ihr bekannte „grüne Tür" gekommen. Eugen wandte sich zögernd und erblickte sie; nicht so, wie er sie eben geträumt, aber auch von einem geheimnisvollen Reiz umflossen: um sich verhüllen zu können, hatte sie den Kopf mit einem Tuch bedeckt, das wie ein Schleier hinabfiel; das wie Elfenbein leuchtende Gesicht sah verstohlen aus diesem dunklen, mit Gold durchwirkten Rahmen hervor. „Was tun Sie?" fragte sie, nachdem sie ihn bei seinem Namen an- gerufen hatte. „Sie gehn? Sie wollen fort?"

„Melanie!" sagte er verwirrt. „Ja — ich wollte fort. Mir schien — — Ich dachte, Sie kämen nicht mehr."

„Verzeihen Sie," antwortete die Gräfin, die ihn immer anstarrte: „ich konnte nicht. Oder vielmehr, was wäre da zu verzeihen: bat ich Sie nicht in dem Billett, daß Sie warten möchten? — Sie haben doch mein Billett?"

„Ja," erwiderte er. „Ich hab' es —"

„Ich war nicht allein. Erst vor einer Viertelstunde zog der Graf sich in sein Zimmer zurück. ... Aber was haben Sie? Wie stehn Sie noch immer da? — Ich eile fort wie im Fieber, auf Umwegen in den Wald, und durch den hierher; und mein kalter Ritter — — Warum bleiben Sie denn an der Tür?" — Die Gräfin dämpfte die Stimme: „Hören Sie etwas? Sind wir nicht allein?"

„Es — es wäre möglich," erwiderte er, der diesen Strohhalm sogleich ergriff. „Mir war eben, als hörte ich — —"

„So verschließen Sie doch die Tür," sagte sie leise und rasch. „Oder ist sie verschlossen?"

„Nein."

„Ich verstehe Sie nicht. Was verstört Sie so? — Sie werden doch der Frau Temme gesagt haben, daß sie niemand einläßt —"

„Welcher Frau Temme? Wer ist das?"

Melanie schwieg einen Augenblick; dann sagte sie, die glatte Stirn runzelnd: „So hab' ich Sie noch nie gesehn. Irgend etwas — Außerordentliches muß Sie so verwirrt haben —"

„Verzeihen Sie," stammelte er. All seinen Mut zusammennehmend, Mariens Worte sich zurückrufend, dachte er: ich sage ihr die Wahrheit! — Er versuchte zu lächeln — er wußte nicht, warum — und begann stockend, aber mit weicher, einschmeichelnder Stimme: „Hören Sie mich an, Melanie! liebe Melanie! Wenn ich Ihnen bei diesem Wiedersehen kalt und fremd scheine — —"

Der Mut sank ihm wieder, da ihn das schöne, ernste Gesicht so erwartend ansah. Wie um Vergebung zu erbitten für das, was nun kommen werde, trat er auf sie zu und streckte die Hände aus. Die Gräfin verstand ihn falsch; nach einem flüchtigen Lächeln flüsterte sie: „Eh' Sie mir das Gegenteil beweisen, lassen Sie mich die Tür da schließen; schließen Sie die andere." — Sie trat wieder zurück und verschloß die Tür, durch die sie gekommen war; Eugen aber blieb untätig stehn. „Ich hab' dem Grafen gesagt," fuhr sie fort, „daß ich zu Tilburgs gehe ... Ach, mein Freund, wir sind nicht mehr in London; dort hatt' ich dich allein! Auch in Salzburg hofft' ich dich allein zu haben; darum beschied ich dich hin; auf einmal meldete der Graf sich an, und ich mußte dir schreiben: reise wieder ab! — — Aber du verschließt ja noch immer nicht die Tür. Du bist so blaß; — was ist dir? Ich sehe nicht recht, oder du hast Tränen in den Augen —"

„Gute Melanie!" seufzte Eugen hervor; er strich, gegen

seine Bewegung kämpfend, mit den Händen über seine Brust. „All deine Liebe zu mir — während ich — — Melanie! — —" Er griff nach ihrer Hand.

Sie fuhr zusammen. „Du willst mir wohl gar ein — Geständnis machen," sagte sie, ihn anstarrend. Dann aber faßte sie sich mit großer Anstrengung und murmelte hastig: „Still; sag noch nichts. Ich will erst dieser Frau Temme sagen, daß sie niemand ins Haus läßt — und die Tür verschließen —"

Sie ging an ihm vorbei und öffnete die Tür zum Vorplatz. Mit einem Schrei der Überraschung, des Entsetzens flog sie wieder zurück. Graf Lana, von Marie zu Eugen geschickt, trat eben an die Tür und hob den Arm, um zu klopfen. Er riß die Augen weit auf und öffnete die Lippen, als er die Gräfin und ihr fassungsloses Erschrecken sah. Durch die offene Tür bemerkte er auch Eugen, der mitten im Zimmer stand und sich mit halb bewußtloser Höflichkeit gegen ihn verneigte.

Der Graf fand zuerst seine Fassung wieder; das mächtige Gefühl seiner Würde und Bedeutung zwang ihn, sich aufzurichten und vor diesem jungen Fant sich nicht in gemeiner Schwäche zu zeigen. Mit bedächtigen Schritten — obwohl seine Kniee ein wenig zitterten — ging er auf Eugen zu, der die Arme an den Körper legte. „Herr Dorsay, nicht wahr?" sagte er langsam.

Eugen bejahte stumm.

„Ich habe Sie schon einmal in London gesehn ... Also der junge Mann, den man soeben meiner Protektion empfiehlt, ist hier mit meiner — Frau — — hier —"

Eugen nahm das Wort: „Wenn Sie meinen sollten —"

„Schweigen Sie!" unterbrach ihn der Graf, dessen Kinn vor Wut zu beben anfing. Er gewann aber seine Haltung wieder und sagte ruhiger: „Ich werde darüber

meine Frau befragen, nicht Sie; und nicht hier,
sondern bei mir. Wenn man von Ihnen etwas wissen
wollte, wird man Sie ja wohl finden —"

Eugen deutete auf das Zimmer, in dem er sich befand,
wie um zu sagen: hier. Er verneigte sich darauf mit
Würde und entgegnete: „Herr Graf, ich stehe zu Ihrer
Disposition."

Melanie unterdrückte einen neuen Ausruf des Entsetzens. Der Graf wandte sich zu ihr; „bitte!" sagte er,
indem er sie durch eine kalt höfliche Gebärde ersuchte, ihm
vorauszugehn. Sie schwankte hinaus, ohne ein Wort
zu sagen, ohne den Mut, noch einen Blick auf Eugen zu
werfen. Graf Lana folgte ihr, steif wie eine Tanne.

Eugen blieb zurück, nun ganz ohne Fassung; mit
einem dumpfen, qualvoll betäubenden Gedanken an Marie
stand er ruhig und horchte, bis es still war. Dann schloß
er die Tür, ging durch alle Zimmer und warf sich im letzten,
wie wenn er auf dem Schlachtfeld niederfiele, auf das
Sofa hin.

VI

Waldenburg kam gegen Abend nach Hause; er war in
dem Städtchen T. gewesen, um das ländliche Badeleben
dort, das er aus früheren Zeiten kannte, einmal wiederzusehn und einige Freunde und „Gönner" vom Hof dieses
kleinen Landes zu begrüßen. Hinter den Fenstern seiner
Wohnung sah er schon Licht; Riedau hatte die Lampen
und die Armleuchter angezündet und saß gelangweilt bei
einer ermüdenden Arbeit, die Waldenburg seiner flinken
Feder aufgetragen hatte. Als dieser eintrat, stand Riedau
auf, indem er dachte: Sein Thyrannenschritt. So nannte
er den bedeutenden, schicksalsschweren Gang, in dem sein
Herr und Meister kam, wenn er „Europa regierte": wenn

politische Gedanken ihn beschäftigten und sein staats-
männischer Ehrgeiz es ihm abgewann, die Verse, die
Weiber und den Champagner zu vergessen.

„Gut, daß Sie da sind, Riedau," sagte Waldenburg,
noch abwesend, den Hut auf dem Kopfe. „Was wissen
Sie Neues?"

„Nicht viel," antwortete Riedau, der, dem „Staats-
mann" nachäffend, gleichfalls ein ernstes und bedeutendes
Gesicht machte. „Das Beste ist wohl: Herr Wittekind ist
fort. Im Hotel hat man mir's gesagt. Er ist wieder ab-
gesegelt."

„Gut, mein Sohn. — Farewell!"

Waldenburg strich sein dünn gewordenes, schlichtes
Haar über die Schläfe, als wollte er Locken drehn, und betrachtete sein vergnügtes Siegeslächeln im Spiegel, neben
dem hohe Kerzen brannten. „Und —?" fragte er dann.

Der erfahrene Sekretär erriet, wem dieses „Und" mit
dem Fragezeichen galt. „Frau von Tarnow," antwortete
er, „hat Herrn Wittekind, wie es scheint, später nicht mehr
gesehn. Sie war viel allein in ihrem Zimmer und ent-
schuldigte sich mit Kopfweh. Bei Seiner Exzellenz dem
Grafen Lana hat sich übrigens —"

Waldenburg begann eine Melodie aus einer fran-
zösischen Operette zu pfeifen, so daß Riedau verstummte.
Nach einer Weile aber brach Waldenburg ab und fragte,
vom Spiegel weggehend: „Was sagten Sie vom Grafen
Lana? Was will dieser große Mann?"

„Ich wollte nur gehorsamst melden: bei Seiner Exzellenz muß sich etwas zugetragen haben; der Kammerdiener
hat mir's vorhin im ,Waldrestaurant' erzählt. Man weiß
nicht, was es ist; aber die Frau Gräfin ist nicht zu sehn,
auch der Graf hat sich eingeschlossen; vor Tisch hat er im
Wohnzimmer der Gräfin alle Schubfächer geöffnet und

durchstöbert, wie der Kammerdiener durchs Schlüsselloch gesehen hat —"

„Ah!" rief Waldenburg betroffen aus.

„Sie waren nicht mehr dort, Herr Geheimer Rat?"

„Ich ging gegen Mittag hinüber, meine Aufwartung zu machen; der Graf war verhindert, wie es hieß, und nahm mich nicht an. Den ganzen Nachmittag war ich fort ... Nun, und was hat das Schlüsselloch verraten?"

„Weiter nichts. Seine Exzellenz hat später ein Billett an den Baron Rautenberg geschickt; der Baron und noch ein Herr sind zu ihm gekommen, aber nicht lange geblieben. Später ist nur noch ein B i l l e t t gekommen —"

Waldenburg blies einen wegwerfenden Laut durch die Lippen. „Aus dieser Kammerdienerweisheit wird man nicht gescheit!" — — Er ging durch das Zimmer, blieb stehn, und halb vor sich hin setzte er mit nervöser Unruhe hinzu: „Wenn der Graf etwas über m i c h gefunden hätte — —"

„Die Briefe der Frau Gräfin", entgegnete Riebau lächelnd, „sind ja noch hier!"

„Ja, ja; desto besser." — — Wie gut, dachte Waldenburg, daß ich sie noch behielt! Irgend ein guter Teufel muß mir das eingegeben haben, daß ich mich nicht entschließen konnte, sie abzuliefern ... „Wer klopft denn da?" sagte er plötzlich und fuhr doch zusammen.

Riebau zuckte die Achseln. Das Klopfen wiederholte sich. Mit etwas unsicherer Stimme rief Waldenburg: „Herein!"

Nicht Graf Lana erschien, wie er gefürchtet hatte, sondern die schlanke, zierliche Gestalt des „Schmetterlings der auswärtigen Angelegenheiten", des Barons Tilburg, der in der Linken den Hut, in der Rechten ein Taschentuch hielt. Bei der Tür noch stehn bleibend sagte der Baron

heiter: „Sie sind hier und lassen mich warten?" — Er
schwenkte sein Taschentuch. „Können Sie erraten, Sie
kluger Geheimer Rat, was ich Ihnen bringe? Diese
Fahne hier ist die Siegesfahne!"

„Ich verstehe noch nicht," erwiderte Walbenburg, halb
in seinen eigenen Gedanken.

Baron Tilburg trat vor und verneigte sich. „Ich habe
die Ehre, Eurer Exzellenz guten Abend zu sagen!"

„Was ist das?"

„Das ist, was man eine offiziöse Mitteilung nennt.
Hab' ich Ihnen nicht immer gesagt, Sie werden Exzellenz?"

Walbenburg ward blaß vor unerwarteter, fast erschreckender Freude. So bald — und in diesem Augenblick
... Er stammelte fast: „Lieber, werter Freund —!"

„Ja, Sie haben Glück! Dieser Graf Lana, den man
für Ihren Widersacher hielt, hat gleich damals in Salzburg — Sie wissen, an jenem Abend! — da hat er sich
hingesetzt und einen langen Brief an den Bruder Minister
geschrieben. Der Minister, der bei unserm allergnädigsten
Herrn ist, hat auf diesen Anstoß sofort — — Kurz, heute
abend, soeben, kam der Vogel geflogen! Ein Telegramm
... Ich stehe beim Grafen — der übrigens sehr blaß ist
und mich nur auf einen Augenblick empfing — da kommt
die Depesche. Er öffnet sie und hält sie mir dann hin.
‚Darf ich das sogleich auf meinen Beinen weitertelegra-
phieren, Exzellenz?' frag' ich ihn. Er nickt. Ich mußte
etwas für Sie tun... Ich springe die Treppe hinunter
— und da bin ich!"

Walbenburg, der sich gefaßt hatte, drückte dem Baron
mit einer gewissen feierlichen Herzlichkeit die Hand: „Ich
wußte schon längst, Baron, Sie sind mein bester Freund!
— Also aus Ihrer Hand empfange ich dieses Christ-
geschenk. Möge es nicht zu meinem Nutzen — denn

ben such' ich nicht — aber zum Nutzen des Vaterlandes
gereichen —"

„Wie Sie wollen, mein Bester," fiel Tilburg ein; „aber
ich benke boch, auch zu I h r e m Nutzen! — — Nun halten
Sie mich aber nicht auf, benn ich fliege weiter. Da das
Siegel des Amtsgeheimnisses abgenommen ist, so behalte
ich gleich die Merkursflügel an ben Füßen; zunächst zu
meiner Frau und der schönen Tarnow." — Er setzte mit
seinem kleinen, glatten Lächeln hinzu: „Was ich weiter-
sagen barf, verschweige ich nicht gern! — Kann ich wieder
einmal etwas für Sie tun, so bitte ich, mich nicht zu über-
gehn... Guten Abend, Exzellenz!"

Waldenburg winkte ihm nach, solange der Baron noch
zu sehen war; als die Tür sich schloß, brehte er seinen
breiten Rücken und sagte mit kaltem Lächeln vor sich hin:
„Einer von ben g u t a r t i g e n Narren!" — Er blickte
bann in die Flamme der Kerzen, die von dem schwülen,
anwachsenden Wind leise flackerte; also Exzellenz! bachte
er. D a s wäre erreicht! — Lebten wir nun noch wie die
alten Griechen, wie mein Schutzpatron Alzibiades, so
würd' ich mir jetzt einen Kranz auf die „Locken" setzen
— die schon einschichtig werben — und einen großen Becher
gemischten ober auch ungemischten Weines trinken...
Aber diese alten Athener kannten keine Exzellenzen, keine
Orben, keine Diätenklassen; — sie verstanden noch nicht
zu leben! — Er lächelte. Sein Hut fiel ihm ins Auge,
den er abgenommen hatte und noch in der linken Hand
hielt. Ein übermütiger, paschamäßiger Exzellenzgedanke
flog ihm übers Gesicht. In vornehmer Langsamkeit sich
nach rechts wendenb, wo sein Sekretär gestanden hatte,
sagte er: „Riebau!"

Die Antwort kam aber von links. Riebau war hinter
Waldenburg in seiner geräuschlosen Art auf die andere

Seite gegangen; von dort erwiderte er diensteifrig: „Hier, Exzellenz!"

„Was stehn Sie denn auf einmal dort?" fragte Waldenburg ärgerlich. „Sie unhörbarer Katzenfuß!"

„Ich wollte Eurer Exzellenz meinen untertänigsten Glückwunsch —"

„Und mußten darum nach links gehen? — Gut, ich habe also Ihren ‚untertänigsten Glückwunsch‘. Nehmen Sie gefälligst meinen Hut, Herr Untertan, und tragen Sie ihn in mein Schlafzimmer."

Riedau starrte ihn an. „Das soll ich —?" fragte er.

„Ja, Sie. Wer ist denn sonst hier?"

„Erlauben Sie..." Eine dunkle Röte entstellte Riedaus gelbliches Gesicht, das sich ein wenig verzerrte. „Ich werde hinausgehn und — irgend ein dienstbares Wesen suchen —"

„Nein, mein Sohn; tun Sie es gefälligst selbst. ‚Irgend ein dienstbares Wesen‘ mag ich jetzt nicht sehn; und selber gehn auch nicht: ‚ich bin nicht in der Laune‘. Ist Herr von Riedau zu stolz, mich einmal zu bedienen? An diesem Ehrentag?"

Riedau zuckte leicht; dann nahm er den Hut, mit abgewandtem Gesicht, und ging stumm hinaus. Waldenburg sah ihm nach, seinen Sieg genießend. Exzellenz, dachte er wieder. Was fang' ich nun an, mit meinem neuen Glück? — — Wenn mir da jetzt ein wohlgeratener Sohn gegenübersäße; vielleicht auch schon ein Schwiegertöchterlein und ein Enkelchen... Er sah Riedau zurückkommen und dachte: Statt dessen hab' ich nur Riedau!

— — Der Sekretär ging stumm und still wie ein Schatten durch das Zimmer, zum Schreibtisch, wo er seine Papiere zusammenraffte. „Bist du verstimmt, mein Sohn?" fragte Waldenburg. „Empfindlicher, stolzer Abkömmling unseres

emanzipierten Jahrhunderts! — Wären noch die guten
alten Zeiten, Fritz Riedau, so wärst du mein Sklave; ich
würde dich ohne viel Höflichkeit ersuchen, mir die Schuh-
riemen aufzulösen, mir einen Schemel unter die Füße zu
stellen; ich würde dich beim Ohr zupfen, und du würdest
grinsen und mir dankbar die Hand küssen. Also murre
nicht, mein Sohn; es geht dir noch viel zu gut! Und wenn
du die Exzellenz wärst und ich der kleine Fritz Riedau,
wie würdest du mich treten... Laß gut sein; ich kenne
dich. Das ist das Naturgesetz. Du hättest mich gern unter
deinen Füßen. — Gott sei Dank, es ist umgekehrt! —
Und nun dank' ich dir für den Hut. Der brave Hund
kann gehn!"

Riedau ging, die Papiere unter dem Arm, ohne Gegen-
rede. Erst als er an der Tür war, flüsterte er vor sich hin:
„Der brave Hund wird dich noch einmal in die Wade
beißen..."

„Meinten Sie noch etwas?" fragte Waldenburg.

„Nein, Exzellenz," entgegnete Riedau und verschwand.

Waldenburg nickte zufrieden vor sich hin, und wiederholte sich in Gedanken: „Nein, Exzellenz." Das ist der
Gewinn, wenn wir auf der Schicksalsleiter höher steigen:
der unter uns zurückbleibt, muß sich unter unsrer Laune
krümmen und geschmeidig antworten: „Es tat nicht weh,
Exzellenz!" — Eine unruhige, unbehagliche Empfindung
wachte wieder auf und fuhr ihm quer durch sein Hoch-
gefühl. Was war bei Lanas geschehn? Wie kam dem
Grafen dieser tolle Gedanke, Melanies Papiere zu durch-
wühlen? — Gestern hatte Waldenburg sie zehn Minuten
allein gesehn; sie war zornig geworden, hatte ihn schwören
lassen, ihr die versprochenen und vorenthaltenen Briefe
heute noch zuzustellen... Was soll ich nun tun? dachte er.
Sie kann mir schaden, wenn ich mein Wort nicht halte;

anbrerjeits — wenn es bei Lanas jo bramatijch zugeht,
wo will jie mit den Briefen hin? Und wie kann ich jie
jetzt in die Höhle des Löwen tragen? Das ist ja unmöglich! — — Er rieb jich die Stirn, das Kinn; nach längerem
Sinnen erjchien ihm als das Beste, dieses gefährliche kleine
Briefbündel für alle Fälle in jeine Tajche zu stecken und
bann je nach den Umständen bamit zu verfahren. Er trat
an den verjchlossenen Aufsatz über jeinem Schreibtijch,
öffnete und zog aus dem tiefsten Winkel ein japanisches
Käftchen hervor, aus dem er die Briefe nahm. Sie waren
alle klein und bünn; der bekannte Wohlgeruch hatte jie
noch nicht ganz verlassen; ein violettes Bändchen war um
jie gejchlungen. Soll ich jie noch einmal lesen, eh' ich jie
verliere? bachte er und öffnete jchon das Band. Aber
nein... Was ist mir heut die Vergangenheit. Hier steht
„Cäjar und jein Glück"! — Ja, ja, das Glück war mir
immer hold — weil i ch ihm jo hold war. Jetzt jollte es
ein übriges tun und gar perjönlich hereintreten — in
reizender, verführerijcher, weiblicher Gestalt — aber nicht
Melanie: in M a r i e v o n T a r n o w s Gestalt — —

Sehnjüchtig, mit fast gejchlossenen Augen, jah er in
die Luft. Es ward an die Tür geklopft. „Herein!" rief
er, wieder aufgejchreckt.

Vor Überrajchung fiel ihm aber das Bändchen aus der
Hand, das er noch zwijchen den Fingern hielt. Fortuna
trat wirklich ein, in Marie von Tarnows Gestalt. Er
konnte nicht zweifeln, jie war's; dieje jchlanke „Thusnelda",
deren rätjelhafter Reiz ihm jo auf der Seele und den
Sinnen lag. In ihrer ganzen Hoheit, Jugend und Anmut kam jie ihm entgegen; nur baß jie nicht blühend und
lachend war, wie's dem „Glück" geziemt, jondern ernst,
tiefernst, und jo blaß wie je. Auf ihren Schultern lag
ein leichtes, zujammengeknüpftes Tuch, ihre Haare hatte

der Wind, wie es schien, zerzaust, sie hingen zum Teil in
die Stirn herein; in dieser Unordnung, die an ihr fremd
war, und mit blassen, erregten Augen trat sie vor Waldenburg hin.

„Sie erstaunen wohl sehr," sagte sie sogleich; „bitte,
verzeihen Sie — und hören Sie mich freundlich an! Früher, als ich dachte, ist die Stunde gekommen, wo ich
Ihre Teilnahme und — Freundschaft anrufe, Herr Geheimer Rat ... Nein: E x z e l l e n z; Baron Tilburg hat
uns gesagt — — ich wünsche Ihnen Glück." — Indem sie
eine Hand an den Kopf legte, als werde es ihr schwer,
ihre Gedanken zu erfassen, setzte sie hinzu: „Doch das ist
es natürlich nicht, was mich zu Ihnen führt. Ihre H i l f e
such' ich —"

Er unterbrach sie und lud sie ein, sich zu setzen; sie
machte aber eine ungewisse Bewegung mit der Hand und
blieb noch stehn. „Ich danke Ihnen für Ihr Vertrauen,
meine liebe Freundin," sagte er mit Würde. „Was auch
der Herr Wittekind Ihnen über mich gesagt haben mag"
— sie wollte reden; er lächelte und fuhr fort: „ich will es
gar nicht wissen — — glauben Sie mir, ich meine es Ihnen
ausgezeichnet gut. Denken Sie getrost, ich wäre Ihr allerbester Freund — Ihr Bruder — was Sie wollen — und
setzen Sie sich zu mir!"

„Ich danke Ihnen," sagte sie zögernd, mit einem eigentümlich forschenden Blick. Sie setzte sich auf einen Stuhl;
er nahm einen andern und rückte zu ihr heran. Mit bewegter und leise zitternder Stimme begann sie wieder:
„Der — Mann, um den es sich handelt —"

„Ah, es handelt sich also doch um einen Mann!"

„Ja," erwiderte sie. „Ich habe noch nicht den Mut,
Ihnen zu sagen, wer er ist; erst wenn ich von Ihnen gehört
habe — — Kurz, er steht mir nah. Ich hab' mich heute

morgen an das freundliche Wohlwollen des Grafen Lana
gewendet, um es für — diesen Mann in Anspruch zu
nehmen; der Graf hat auch sofort, in seiner Güte, alles,
alles getan, was ich wünschen konnte; er ist hingegangen
... Aber seitdem — — Was ist seitdem geschehn? Ich weiß
es nicht. Irgend etwas Unglückseliges, Rätselhaftes...
Der Graf will von diesem andern plötzlich nichts mehr
hören, er will mich nicht sehn, mir nicht Rede stehn; während der — andre finster, verstört, verschlossen dasitzt —
auf all meine Fragen keine Antwort gibt. War es ein
Zusammenstoß zwischen den beiden Männern? Der eine
ist — herablassend und der andre stolz... Aber, mein
Gott, was tu' ich nun? Was soll nun geschehn? Dieser
unglückliche Mann — für den Sie wohl etwas Teilnahme
fühlen würden, wenn Sie alles wüßten — er wirft wieder
Glück und Leben von sich, er will fort, er will ein Ende
machen, er will mich nicht hören, nicht sehn. Und ich bin
allein, ohne Rat und Hilfe. In meiner unaussprechlichen
Not komme ich zu Ihnen; — er weiß es nicht — soll es
auch nicht wissen. Sie allein können ihm helfen, wenn
zu helfen ist! Sie können ihn mit dem Grafen aussöhnen
— wenn es möglich wäre — Sie können ihn vielleicht
durch ein gutes Wort mit dem L e b e n aussöhnen —
und sich mehr damit verdienen, als Sie in diesem Augenblick ahnen!"

Ist das eine Verheißung? dachte Waldenburg. Sie
war aufgestanden und sah ihm in so sonderbarer Bewegung in die Augen. Er nahm sie sanft bei der Hand
und erwiderte: „Meine liebe, blasse Freundin, fassen Sie
sich; setzen Sie sich wieder" — er nötigte sie zart auf ihren
Sessel zurück — „und vor allem glauben Sie nur: alles
wird wieder gut! — Sie haben recht: ‚er weiß es nicht,
soll es auch nicht wissen'; wir beide verbünden uns, um

es wieder gutzumachen; und dann — wenn er nicht ein Undankbarer, ein Elender ist — wird er es uns danken! ‚Das Leben von sich werfen‘ — glauben Sie ihm das nicht. Die Jugend verzagt so gern, und lebt so gern wieder auf. Oder wenn es ihm leicht wird, eine so schöne Freundin zu verlassen, um die man ihn beneidet — alle Wetter, so verdiente er eigentlich sein Schicksal! So sollte man ihm noch einen Cherub nachschicken, der diesen Adam aus dem Paradies hinausbegleitet — während die Eva drin bliebe und einen andern nähme —"

„Nein, scherzen Sie nicht," fiel Marie ihm in die Rede. „Es handelt sich nicht um die ‚Eva‘ und um Liebesglück — nur um seine Seele, sein Leben!"

„Ah!" sagte Waldenburg mit geheimer Freude, und rückte näher hinzu. „Wenn es sich also nicht um Adam und Eva handelt, so — so wollen wir ihn schon wieder guter Dinge machen, seien Sie ganz getrost. Ich nehme alles auf mich; den Grafen und das Leben. Befehlen Sie, was ich tun soll: es wird geschehn. Mein einziger Lohn soll sein, daß ich auf diesen schönen blassen Wangen wieder Rosen sehe; daß ich Ihre Freundschaft gewinne" — er nahm wieder ihre Hand — „und den Reiz dieser geheimnisvollen Vertraulichkeit genieße, die das Schicksal so wunderbar wie ein goldenes Netz um uns beide spinnt. Vielleicht," fuhr er leiser fort, — „vielleicht webt es uns auch noch zartere Fäden hinein, die noch fester knüpfen — obwohl sie so fein sind, daß die Welt sie nicht sieht —"

Marie entzog ihm ihre Hand und stand auf. „Exzellenz!" sagte sie, die Augen auf ihn geheftet. „Mit wem red' ich denn?"

„Mit wem?" fragte er zurück, indem er erregt und einschmeichelnd lächelte; auch er hatte sich erhoben. „Mit einem Mann, der nicht bloß Exzellenz ist, meine schöne

Freundin! und der ein solches Gespräch mit einer so
außerordentlichen Frau nicht führen kann, ohne um die
Ruhe zu kommen, die er sich vergebens zu erhalten sucht.
Der Sie leider ohne Rettung anbetet — und auf Tod
und Leben —"

Marie unterbrach ihn jedoch, eh' er sein Bekenntnis
ganz beenden konnte. Mit glühenden Wangen und mit
bebenden Lippen, aber die Würde und Hoheit nicht ver-
lierend, sagte sie: „So wissen Sie nicht, mit wem Sie
reden. Ich bin die Frau Ihres Sohns."

Waldenburg taumelte fast zurück. Die große Gestalt
begann in den Knieen zu schwanken; das gänzlich Unerwartete machte ihn fassungslos. „Sie — — Eugens — —?"
stammelte er. Sie trat langsam zurück und nickte.

„Sie täuschen mich!" stieß er nach kurzem Schweigen
hervor. „Das ist —"

„Keine Lüge!" fiel sie ihm ins Wort. „Ich täusche
die Menschen nicht!" — Ihre Stimme zitterte noch eine
Weile, allmählich warf sie ihm den Unwillen, die Empörung, die Verzweiflung mit leidenschaftlicher Stärke ins
Gesicht, während sie weitersprach: „Ja, die Frau Eugens
… Ich war hergekommen, um es Ihnen zu sagen, wenn
ich Ihr Herz — Ihr Vaterherz — geweckt hätte;
wenn ich es vorbereitet, ausgehorcht, und Ihnen endlich
aus meinem gequälten Herzen zugerufen hätte: ,Der
Mann, für den ich um Hilfe bitte, ist Ihr verlorener Sohn!
Er hat Ihnen nicht vergeben, was Sie an ihm getan haben,
aber Sie, Sie müssen ihm vergeben; Sie müssen an seinem
Herzen rütteln, ihn an Ihre Brust ziehen, bis er seinen
Vater wiederfindet, und mit ihm das Leben!' — Es war
mein letzter Versuch, ihn zu retten; ich weiß keinen mehr.
Ich hab' meine Pflicht getan — Gott mag zwischen Ihnen
und Ihrem Sohne richten!"

Sie stürzte aus der Tür, über den Flur, und in die Nacht hinaus.

„Marie!" rief Waldenburg mit zuerst klangloser, dann gellender, schriller Stimme, „Marie! hören Sie mich! Marie!" und eilte ihr nach.

VII

Die See war gegen Abend unruhiger geworden; die Brandung nahm zwar nicht zu, da der Wind von Süden wehte und das Meer vom Lande hinwegtrieb; aber auf dem seichteren Grund und auf den unsichtbaren Sandbänken stürzten die Wellen mit Getöse übereinander, und die gegen sie anheulende, zurückgepreßte Luft gab die hohen Töne zu dieser dumpfen Musik, mit der sich das langgezogene Sausen in den geschüttelten Buchenkronen mischte. Die Wolken hingen schon tief, von Zeit zu Zeit begannen sie zu tropfen, und große, gewichtige Wasserkügelchen fielen in den Sand oder auf die Blätter; zu einer wirklichen Entladung jedoch kam es an diesem Tage nicht. Die feuchte Luft blieb schwül. Ein einziger blasser Streifen am nördlichen Horizont, über dem Meer, erinnerte noch an den hinabgesunkenen Tag; sonst war überall schwärzlichgraue Nacht. Zuweilen hörte man aus den nächsten Dörfern wachsame Hunde bellen; verstummten sie, so waren nur Wind und See zu hören, und das singende Klirren der Steine, die eine zurückfließende Brandungswelle wieder mit sich fortriß.

Eugen Dorsah kam — zum wievielten Male schon, hätt' er nicht sagen können — aus dem anstoßenden Wald durch die „grüne Tür" in seine Zimmer zurück; den Hut auf dem Kopf, langsam, finster brütend. In dem großen Waldzimmer brannte eine Lampe auf dem Tisch neben

dem Sofa; eine Flasche Wein und ein Glas standen daneben, und ein Teller mit Gebäck. Die Vorhänge an den
Fenstern waren herabgelassen; im Schlafzimmer nebenan
kein Licht. Eugen ging noch einmal durch seinen „Käfig"
hin, und halb wieder zurück; dann aber blieb er stehn,
lächelte und gähnte. „So pendele ich aus dem hellen
Zimmer in den dunklen Wald," sagte er vor sich hin, um
seine Stimme zu hören; „und aus dem dunklen Wald in
das helle Zimmer, — wie ein Nachtfalter, der aus und
ein fliegt.... Die Unterhaltung ist mir am Ende doch zu
geistlos —" Er warf seinen Hut auf den Tisch und reckte
sich; ich will mich einschließen, dachte er, und zu schlafen
suchen; — morgen ist wieder ein Tag!

Als er die grüne Tür verschlossen hatte und zurückkam,
fiel sein Blick auf die Flasche Wein; eine Weile sah er sie
träumend und mit schwachem Bewußtsein an, bis er ihr
zunickte und näher trat. „Alles andere ist Unsinn," murmelte er. „Schlafen werd' ich doch nicht. Aber mit dem
Wein mir noch eine gute Stunde machen — das kann ich;
mich in den Halbschlaf trinken, der die besten Gedanken
und Phantasien hat... Ja, das wollen wir tun!" — Er
schenkte ein und trank. Indes er verzog das Gesicht;
seine verwöhnte Zunge fand diesen Rotwein, den ihm
Frau Temme geholt hatte, „verbrecherisch sauer", „lieb-
los". „Dir müssen wir einen Kameraden geben!" sagte
er, indem er den Wein in seinem Glas ernst betrachtete;
„den ‚Busenfreund‘ aus dem großen Fläschchen, das der
alte Eisbart so gern in die Salzach geworfen hätte. Aber
wir haben es noch! und wieder bis oben voll! — —" Mit
einer düstern, tollen Heiterkeit sah er auf das bauchige
Fläschchen, nachdem er es hervorgeholt hatte: „Edles
Morphium! Wenn man d i ch nicht hätte! — Diesmal
wollen wir dich als Trosthelfer in den Wein schütten...

‚Trofthelfer!' Ein gutes Wort. Mir fällt also noch was
ein...." Er goß aus dem Fläschchen ein wenig in das
halbleere Glas. Alles auf einmal, dachte er, wäre freilich
besser; — aber der Graf wirb's schon machen! Nur noch
bis morgen Geduld!

Mit einer raschen Bewegung hatte er ausgetrunken,
warf sich nun auf das Sofa — wie er in seinem jungen
Leben schon so oft getan — und legte die beiden Hände,
von den Qualen dieses Tages müde, unter den Kopf.
Er war es gewohnt, mit sich selbst zu reden; er hörte seine
Stimme gern, wenn er einsam war, berauschte sich gern
an seinen gesprochenen Phantasien und erklingenden Gedanken. „Ach, das Liegen tut wohl!" sprach er vor sich
hin, während eine verstohlene Träne, von der er nichts
wissen wollte, an der Wange hinabsickerte und sich im
Bart verfing. „Über das Liegen geht nichts! — Der Wein
und der ‚Trofthelfer' laufen so friedlich durch die Adern;
die alte See rauscht in ihrem tiefen Baß, wie eine ferne
Musik, von der man nichts als den Brummbaß hört; —
und als ‚freier Mensch' kann ich mir dabei denken, was ich
will. Eine reizende Tanzmusik, irgendwo da hinten; in
einem vergoldeten, säulengetragenen Saal, wenn ich will.
Schöne Frauen, mit Blumen und Kolibri und Glüh-
würmchen im Haar, fangen an zu schweben; die schmachtenden Augen glühn und die Schultern leuchten — —"

Er hörte ein leises Klopfen, und sein Traum war auf
einmal fort. Halb aufgerichtet lag er und horchte. Wer
wollte noch so spät zu ihm? — Es klopfte wieder, gedämpft,
vorsichtig, an der grünen Tür. Sollte Marie noch einmal — —? — Nein, nein! dachte er und sprang geängstigt
auf. Ich will sie nicht mehr sehn! Diesen Engel nicht!
Das ist aus; ich kann nicht!

Endlich klopfte es zum drittenmal, und er faßte sich.

Wie käme Marie durch die Gartentür? Sie kannte sie
ja nicht. Er ging leise hin und horchte. Dann, als er
ein Rauschen wie von Frauenkleidern hörte, fragte er
beklommen: „Wer ist da?"

„Eugen!" flüsterte die Stimme der Gräfin. Er erkannte sie. Ihn befiel ein Zittern. Sie wiederholte
flehend: „Eugen! Öffnen Sie! — Öffnen Sie schnell!"

Wie einer, der sich dem Schicksal unterwirft, hob er
den zögernden Arm und drehte den Schlüssel herum.
Melanie öffnete rasch die Tür und trat ein; Eugen erschrak
über ihre verwirrten und entstellten Züge, an denen
einige Regentropfen hingen; das braune Haar klebte an
den Schläfen. Sie holte erst Atem, dann sagte sie, während
ihre Augen umhergingen: „Gott sei Dank, Sie sind da! —
Sind Sie allein?"

Er nickte, widerwillig, verstört.

„Ist die Tür da hinten, zum Vorplatz, verschlossen?"
„Ja," sagte er.

„So verschließ' ich h i e r!" — Sie schloß die Tür hinter
sich zu. „Durch die dunkle Nacht", sagte sie nach Atem
ringend, „bin ich hergelaufen. In meinem Schlafzimmer
hatte er mich eingeschlossen; nachdem er deine Briefe an
mich gefunden hatte ... Er will mich gefangen halten ...
Den ganzen Nachmittag und Abend saß ich in Verzweiflung da; endlich bin ich aus dem Fenster gesprungen —
es war nicht hoch — mir ist nichts geschehn. Und nun bin
ich bei dir. Du rettest mich, Eugen! Aber schnell, eh' er
mich vermißt, eh' sie mich verfolgen. Komm! laß uns
fliehn!"

„Fliehn ..." Er hatte dieses Wort erwartet, solange
wie sie sprach; nun, da er es hörte, fuhr es ihm doch durch
die Glieder. Sein Erschrecken zu verbergen suchend fragte
er, indem er an ihr hinabsah: „Wohin?"

„Irgendwohin! Gleichviel —"

„Aber, Unglückliche ... Ich kann ja nicht; ich darf
nicht. Der Graf hat mein Wort, ich stehe ihm zur Verfügung —"

„Ich weiß," murmelte sie. „Aber —"

„Nein, du weißt noch nicht. Er hat mich fordern
lassen; alles ist abgemacht —"

„Wann?"

„Morgen früh."

„Aber es handelt sich um m i ch," rief sie aus, — „um
meine Freiheit! Du mußt mich retten, Eugen; du bist mir
mehr als dem Grafen schuldig; begreifst du, fühlst du das
nicht? Ich muß fliehen — und doch nicht o h n e d i ch?
— Findet er mich wieder, so gibt er mich nicht mehr frei ...
Nein, nein; er hat geschworen! Du kennst ihn nicht, er
hält sein Wort: er vergräbt sich mit mir in irgend einem
öden Waldschloß, sieht ruhig wie eine Statue zu, wie ich
mich verzehre — wie jener italienische Graf — ich weiß
seinen Namen nicht ... Eugen! Nag nicht so an der
Lippe; komm, bring mich, wohin du willst; du kannst mich
nicht verlassen!"

„Nein, ich verlasse dich nicht," murmelte er, ohne sie
anzusehn, wie seinem Geschick verfallen. „Aber bis zum
Morgen —"

„Du zögerst," unterbrach sie ihn, indem sie vergebens
seine Augen suchte. „Du w e h r st dich. Ah! Du wolltest mir heute morgen, wie es schien, ein Bekenntnis
machen ... Du liebst eine andre?"

„Nein, nein."

„Du wolltest — dich mir entziehn? mich —"

„Nein, nein," wiederholte er.

„Wie könntest du auch, jetzt in meiner Not ... Was
bin ich in der Welt ohne dich ... Nun, so komm, so komm!"

Sie hatten bisher leise gesprochen, in seiner Ver=
zweiflung hob er jetzt die Stimme: „Aber fühlst du denn
nicht, daß ich so nicht fort kann? Vor diesem stolzen Grafen
wie ein Feigling die Flucht ergreifen — ehrlos mein
Wort brechen! — Verbirg dich heute nacht — hier —"

Sie schüttelte den Kopf.

„Oder wo du kannst — morgen folg' ich dir — wenn
er mich nicht tötet!"

„Aber er wird dich töten; er fehlt dich g e w i ß nicht,
wenn er will — seine Hand ist sicher — und er w i l l dich
treffen. Eugen! Mein Geliebter! Lächle nicht so schreck=
lich; — ich sehe, du w i l l st ben Tod! — Wie deine Augen
glühn —"

Er lächelte wieder. „Das ist nur das Morphium —"
„Gift!"

„Nein; du irrst. Nur um dieses — wüste Hirn etwas
zu betäuben —"

„Eugen!" rief sie fassungslos; die stolze Frau sank vor
ihm zu Boden, umklammerte seine Kniee, griff nach seinen
Händen. „Verlaß mich nicht! Du mein Einziger! Ich
kann nicht ohne dich leben; ich hab' mein ganzes Herz an
dich gehängt — ja, so wahr ich lebe. Ich gehe, wohin du
gehst; ich lebe und sterbe mit dir. Ja, ja — du mein
besseres Ich — du mein g u t e r Dämon —"

Er bewegte hastig den Kopf und sah ihr in die Augen:
„So hast du auch einen b ö s e n Dämon —"

„Nein — ich sprach nur so. Ich hab' nur einen einzigen
Dämon, dich, den guten. Brich dein Wort aus Liebe
zu mir, und flieh heute nacht! jetzt!"

„Bist du von Sinnen?" sagte er rauh und machte sich
von ihr los. „Der ‚gute Dämon' soll sein Wort brechen …
Nein, lieber tot!"

„Nun gut," erwiderte sie rasch und stand auf; „so

war ich von Sinnen ... Wenn du so wild die Augen
rollst, gut, so laff' ich dich jetzt; halte du dein Wort.
Es muß sein; ja, ja, ja! — Aber morgen, wenn du
kannst — wenn mein inbrünstiges Gebet dich rettet —
dann folgst du mir gewiß!" — Er nickte stumm, wehrlos.
— „Ich gehe jetzt durch den Wald — ich habe Mut — bis
zu dem Städtchen, weißt du, wo du diese Nacht warst;
in demselben kleinen Gasthof bleib' ich — als hätt' ich mich
verirrt, wäre müde, elend, könnte nicht mehr hierher zurück ... Morgen kommst du dann! Meine ruhelosen
Augen werden dich erwarten —"

„Ja, ja!"

„Schwöre mir, daß du kommst, wenn Gott dir hilft,
wenn mein Gebet dich rettet — — schwör es mir!"

„Ich schwör's," erwiderte er tonlos, mechanisch eine
Hand hebend. Von der Tür des dritten, dunklen Zimmers
her ward ein Klopfen vernehmbar; leise, schüchtern, wie
es schien. Sie fuhren dennoch beide zusammen.

Melanie faßte sich zuerst; ihre kalte Hand auf die seine
legend flüsterte sie: „Jemand will zu dir. — Öffne erst
wenn ich eine Weile fort bin ... Sei ruhig; ich habe Mut.
— — Und frage erst, wer es ist —"

Er nickte. Das Klopfen wiederholte sich, bescheiden
wie vorhin. Die Gräfin schloß die Waldtür auf, langsam
und leise. „Du findest doch den Gasthof," flüsterte sie,
während sie die Tür schon mit den feinen, zitternden
Fingern öffnete. Er bewegte nur stumm den Kopf. Mit
einem letzten, flehenden und drohenden Blick hauchte sie
ihm zu: „Du hast geschworen!" — Dann glitt ihre weiche
Gestalt in die Nacht hinaus.

Die Tür schloß sich leise; Eugen hörte es, ohne hin-
zuschauen, er starrte in die andern Zimmer. Plötzliche
Finsternis ging ihm wie eine Welle über die Augen; es

rieselte ihm kalt den Rücken hinab. Nun siehst du's, dachte er, als spräche er zu Marie: nun ist keine Rettung. So zwischen ihm und ihr — — eingeklemmt — o Gott! — — Eine gedämpfte weibliche Stimme schien da hinten am Schlüsselloch zu sprechen, als es zum drittenmal klopfte; das mußte Frau Temme sein. Er ging durch die Zimmer — mechanisch, gedankenlos wie ein Verurteilter in der letzten Stunde — und fragte an der dunklen Tür zum Vorplatz: „Sind Sie's, Frau Temme?"

„Ich bin's," kam als Antwort. Eugen schloß auf, und die verkrümmte Alte schob sich in die Tür. „Nehmen Sie's nur nicht übel, wenn ich nicht zu Paß komme," sagte ihre vertrocknete Stimme, indem sie ihn zutraulich anlächelte; eine Lampe, die auf dem Vorplatz brannte, beleuchtete das faltige, verschmitzte Gesicht. „Ich hätte noch ein Abendessen für Sie hergerichtet — und warte nun schon so lange damit —"

„Ich danke Ihnen," antwortete er. „Es ist mir schon zu spät; ich will nicht mehr essen."

„Ah!" sagte sie bedauernd. „Befehlen Sie sonst etwas?"

„Ich danke. Nichts. Gute Nacht."

Ihre neugierig vorgeschobene Unterlippe schien noch etwas fragen zu wollen, auch die Augen forschten; Eugen aber, auf einmal angewidert, schloß die Tür. Ihr „Gute Nacht" erklang dann noch von draußen.

Er ging in das helle Zimmer zurück. Eine sonderbare Ruhe war über ihn gekommen; eine müde Stille. Um seine Brust legte sich dieses erlösende Gefühl, das leidenschaftlichen und schwachen Menschen nach gräßlicher Pein so wohl tut: vom Schicksal nun so umringt zu sein, daß kein Ausweg und keine Wahl mehr bleibt. Also abgemacht, dachte er. Sieh es ein, Marie. Kann ich denn noch leben?

Gib mich los; ich kann's nicht! — Wenn seine Kugel mich
verschont, dann meinen Schwur halten und mit ihr davon-
gehen — dir zur Schmach — ohne sie zu lieben ... Nein.
Das tu' ich nicht. In diesen Abgrund will ich nicht mehr
sinken; ich kam tief genug! — Er zog das Fläschchen hervor,
sah es prüfend an und nickte: Das reicht. Ein großes
Glas voll; und die stärkste Lösung ... Ich hab' ihr geschworen, daß ich kommen werde, „wenn Gott mir hilft,
wenn ihr Gebet mich rettet"; — Gott wird mir nicht
helfen, ihr Gebet mich nicht retten, wenn ich jetzt ein Ende
mache, mit dem Tröster da ... Dann war's keine Lüge; —
wenigstens im „letzten Akt" keine Lüge mehr! — Sie
flieht dann a l l e i n ... Und diesem blutdürstigen Grafen
entzieh' ich ja sein Opfer nicht ...

Aus dem geöffneten Fläschchen floß es in das breit-
gewölbte Glas; langsam füllte sich's bis an den Rand.
Eugen sah mit heißen, trüben Augen zu, erstaunt über
seine Ruhe. Erst als ein plötzlicher Windstoß wie ein
Seufzer an den Fenstern hinfuhr, ward ihm, als hörte
er K a t h i, und er fuhr zusammen; die kleine Gestalt
schien aus dem Vorhang heraus vor ihn hin zu treten.
Wie mag's ihr nun ergehn? dachte er, sich vom Vorhang
abwendend. Dieses arme Ding — — Das war ein guter
Schluß ... Er suchte einen andern Gedanken; ein junger
Amerikaner fiel ihm ein, mit dem er sich befreundet, der
ihn so herzlich geliebt hatte; — „mich hatten doch manche
lieb!" sagte er vor sich hin. „Als der im Sterben lag, da
versprach er mir: wenn es möglich sei, so wolle er mir nach
seinem Tode erscheinen ... Er ist nicht gekommen. —
Kommst du j e t z t vielleicht? in dieser bedenklichen Stunde
— wo ich gern wüßte, was da drüben ist — wo ich in die
ewige Nacht hinausfrage, was mich dort erwartet? —
Alles still. — Du kommst nicht ..."

Er schüttelte einen Schauder ab; was hilft dieses feige
Warten! dachte er. Sein muß es ja doch! — Mit dem
letzten Entschluß seines Lebens streckte er die Hand aus,
nahm das Glas und leerte es, ohne den Mund zu verziehn,
bis zum letzten Tropfen. Es tat ihm wohl, sich so stark
zu sehn; er hatte ein Gefühl der Achtung ... Er lächelte.
Auf diesem Sofa, dachte er, will ich nun erwarten, was sie
aus mir machen! — Nur in die dunklen Zimmer mochte
er nicht sehn; er legte sich so, daß sein Gesicht auf die ver-
hängten Fenster gerichtet war und auf das Lampenlicht.
Die Hände über der Brust, versann er sich nach und nach
in ferne Zeiten: er stand vor seiner toten Mutter — die
nicht so früh hätte sterben sollen — — dann sah er Marie,
im Brautkranz. Sie lächelte ihn an. Ein schluchzender
Seufzer hob die Hände auf seiner Brust. „Was soll das
noch?“ stieß er flüsternd hervor. „Laßt mich ... Der
Graf — dieser Graf — —“

Seine Gedanken schossen durcheinander. Sein Kopf
ward schwer; das Licht taumelte ...

Waldenburg öffnete im dritten Zimmer die Tür, trat
dann langsam ein; Marie folgte ihm. Sie gingen durch
das Dunkel bis in das helle Gemach. Bleich wie die Wand,
mit scheuen, suchenden Augen, flüsterte Waldenburg: „Wo
ist er? — Alles still!“

„Dort liegt er,“ sagte Marie und wies auf das Sofa.

Nun sah der Vater ihn auch. Eugen begann zu sprechen,
aber wie aus dem Schlaf. Sie wollten näher treten,
blieben stehn und horchten.

„In deinem weißen Kleid!“ murmelte Eugen. „Ach,
vergib mir, Marie! ‚Von Tarnow‘ — so fing es an ...
Warum lächelst du? — Nein, du nicht; meine Mutter
lächelt —“

„Er phantasiert,“ sagte Waldenburg beklommen und

verwundert. „Ich — — ich will zu ihm gehn." Er trat
zögernd näher; als er fast hinter seinem Kopfe stand, sagte
er mit wirklicher Bewegung und unsicherer Stimme:
„Eugen! — Mein Sohn —!"

Eugen horchte auf. „Was ist das?" stieß er unruhig
aus seinem Halbtraum hervor und hob eine Hand.
„Meines Vaters Stimme?" — Er starrte auf den Fenster-
vorhang; „ja, ja!" sagte er, die Stirn zusammenziehend,
„da seh' ich ihn, da steht er. — Weg! Ich will dich nicht
sehn. Was soll das? Hab' ich dir nicht hundertmal gesagt, daß ich dich verwünsche, verfluche?"

Waldenburg erbebte. Er warf einen Blick auf Marie;
dann versuchte er zu sprechen. Doch Eugen sprach weiter.
Die Hand in der Luft schüttelnd sagte er heftiger: „Ich
gehe meinen Weg; laß mich jetzt allein. Dir verdank' ich
alles! Du warst mein Fluch, solange ich lebte! Du hast
mich getötet!"

Wie von einem Schlag auf den Scheitel getroffen,
zuckte Waldenburg ein und schwankte; er griff nach Mariens
Hand, die in ahnendem Entsetzen erstarrte. „Eugen!"
brachte er nach einer großen Anstrengung hervor. „Eugen!
Sag das nicht — hör mich an —"

Eugen hörte ihn nicht; er ward unruhig und griff nach
seiner Brust. „Mir wird zu eng," stöhnte er. „Keine
Luft. Kein — — Was ist das," sagte er lauter, als erwachte er. „Das ist das Sterben. Das ist Todesangst ...
Wer ist da! Wer hilft mir! Wer hilft mir!"

„Eugen!" rief Marie. Waldenburg beugte sich über
ihn und stammelte: „Kind! hier bin ich ja. Hier — dein
Vater —"

Der Unglückliche verwirrte sich wieder; nur von der
Stimme oder dem Wort „Vater" getroffen rief er geängstigt aus: „Vater! Vater! Wo bist du? Warum hilfst

bu mir nicht? läßt mich so vergehn?" — Er griff umher
und erfaßte die Hand Mariens, die neben ihm am Sofa
niedergesunken war. Er hielt sie fest; „die Hand ist kalt,"
sagte er; „das ist gut. Das kühlt ..." Seine Augen
schlossen sich; er schien zu ermatten. Er flüsterte unhörbar; endlich seufzte er: „Mir wird wieder leicht — und
wohl ..." Sein Kopf sank zurück; laut und schwer ging
aber noch sein Atem, und die zarten Nüstern schwellten
sich und bebten.

Marie horchte, vor Erschütterung stumm; in sein Atmen
hinein hörte sie jetzt Stimmen, draußen auf dem Vorplatz, — die der Frau Temme und noch eine zweite; dann
kamen hallende Schritte durch die Zimmer. Graf Lana
trat ein; das Gesicht gerötet, die Augen weit offen, so daß
sie ganz weiß erschienen; in einer zitternden Erregung, die
selbst in diesem Augenblick Marie überraschte. „Ah! S i e
sind hier," sagte er, als er den sich aufrichtenden Waldenburg erblickte. „Ich — suche meine Frau. Ich will meine
Frau. Ich will sie dem Entführer entreißen — und wenn
ich ihn mit dieser Hand niederschlagen müßte ... Da ist er!"

Eugen hatte sich langsam aufgerichtet, während Graf
Lana sprach; sein Bewußtsein schien wieder zu erwachen,
er sah den Grafen mit unsicheren Blicken an. „Wo haben
Sie meine Frau?" rief dieser so laut, daß Marie erbebte.
„Elender, ehrloser Mensch — der Sie mich zum zweiten-
mal — — wo haben Sie meine Frau?"

Waldenburg begriff auf einmal. Er starrte auf seinen
Sohn. Das Gesicht Eugens war hoffnungslos entgeistert;
er schien zu verstehn und doch nicht zu fassen. Seine
Lippen regten sich nicht. „Exzellenz," sagte Waldenburg
endlich, mit heiserer Stimme, indem er zwischen Eugen
und den Grafen trat. „Das ist — mein Sohn. Ich bitte
um Schonung für ihn —"

„Ihr Sohn?" fragte der Graf betroffen. „Ihr verlorener Sohn? — Nun, so werden Sie ihn auch nicht verteidigen wollen ..." Er ging näher auf das Sofa zu und
wiederholte: „Wo ist meine Frau?"

„Entflohen," sagte Eugen langsam und erloschen.

„Ohne Sie? — Täuschen Sie mich nicht. Ich bin
nicht so von Sinnen, Ihnen das zu glauben. Geben Sie
sie heraus — wo Sie sie versteckt haben — oder ich sehe
in Ihnen keinen Menschen mehr — — Ich will meine
Frau!"

In seiner rasenden Wut hob der Graf den Arm.
„Exzellenz," sagte Waldenburg, dem die Lippen bebten,
„— er ist krank. Er stirbt —"

Der Graf fiel ihm ins Wort: „Glauben Sie ihm das?
Er lügt. Er heuchelt. Er will sich nur nicht vor meine
Kugel stellen, weil er ein ehrloser Mensch und darum ein
Feigling ist; er will wie ein Dieb bei Nacht mit meiner
Frau davongehn. Darum heuchelt er jetzt am Abend diese
Krankheit, während er am Morgen gesund war — Ihr
verlorener Sohn — verfault bis ins Mark —"

Eugen strebte empor, dem Grafen entgegen; er sank
aber kraftlos zurück. Wie nach einem Verteidiger seiner
Ehre rufend stieß er nur noch hervor: „Vater! Vater!"

Dem erschütterten Waldenburg rieselte es durchs Ge-
bein. Er richtete sich auf; die kriechende Ehrerbietung war
von ihm abgefallen, er sah auf den Grafen nieder, ein
wilder, hochfahrender Ausdruck verhärtete sein geschmei-
diges Gesicht. „Sie sprechen von meinem Sohn,
Exzellenz," sagte er, das erste Zittern überwindend. „Sie
beschimpfen den Vater im Sohn ... Seien Sie ruhig,
Ihr Opfer wird Ihnen nicht entgehn: ich stehe für meinen
Sohn. Ich werde statt seiner die Ehre haben, mich ‚vor
Ihre Kugel zu stellen', wenn er —— wenn er nicht können

sollte ... Jetzt, muß ich bitten" — mit einer gebieterischen Bewegung hob er seine Stimme — „jetzt laffen Sie Vater und Sohn allein!"

„Wie! So wagen Sie zum Grafen Lana zu reden — Sie zu mir —"

„Ja, ich zu Ihnen — für wen Sie sich auch halten!"

Der Graf stand eine Weile, mit einer Hand am Aufschlag seines Rockes zerrend, als müffe er suchen, den Vorgang zu begreifen. Als er sich leidlich gefaßt hatte, trat er zurück und sagte, hochmütig kalt: „Gut. Ich nehm' es an: Sie oder Ihr Sohn. Meine Frau — — ich werde meine Frau zu finden wiffen ..."

Er brach ab und ging. Waldenburg sah ihm schweigend nach.

Ein Aufschrei Mariens, hinter ihm am Sofa, weckte Waldenburg aus seinem Siegergefühl. „Was ist —?" fragte er, sich umwendend.

Marie hatte sich über Eugen geworfen; sie richtete sich langsam auf. Mit einem ruhigen, aber erschütternden Ton, daß seine Kniee schwankten, sagte sie: „Exzellenz, Ihr Sohn ist tot."

VIII

Die Nacht war nicht lang, eine Julinacht. Sie ging schon dem Ende zu. Waldenburg saß noch immer im „letzten Haus", im Sterbezimmer, neben seinem Sohn. Von hüben rauschte der Wald, und von drüben das Meer; in allen drei Zimmern brannten Kerzen, Eugen lag auf dem Sofa, so wie er entschlafen war, der ungetrunkene Wein stand noch auf dem Tisch. In einem Lehnstuhl neben dem Sofa wachte Marie; sie hatte die ganze Nacht kaum ein Wort gesprochen. Was sollten auch sie und Waldenburg miteinander sprechen? Ihre Augen ver-

mieden ihn, halbe Stunden hielt sie sie geschlossen; nur
ein tieferer, schwerer Atemzug verriet ihm von Zeit zu
Zeit, daß sie wachte wie er. Es ward ihm endlich kühl; er
gähnte. Er stand schwerfällig auf und ging mit leisen,
langsamen Schritten durch die Zimmer hin, um die Glieder
zu regen; trat an eines der Fenster, die nach Norden
blickten, öffnete es und sah, die Augen an das Dunkel ge-
wöhnend, hinaus. Die Nacht lag noch tief, wie mit aus-
gebreiteten schwarzen Wolkenflügeln, über dem farblosen
Meer. Einzelne schrille Töne kamen durch die Brandung;
sie tauchten bald hier, bald da aus dem Dunkel auf, es
waren Stimmen von Wasservögeln, die in Scharen, wie
es schien, über die See dahinzogen, rufend, auch wie
klagend. Was klagen die? dachte Waldenburg. Diese
verrückte, melancholische Natur, die so vielen ihrer Geschöpfe
Klagetöne gegeben hat, niemand weiß, warum; selbst die
Raubvögel wimmern oft so kläglich in den Lüften; — und
nun diese Möwen hier — oder was sie sein mögen — diese
albernen, kindisch glücklichen Geschöpfe — warum tun sie
so, als wär' ihnen was geschehn? — — Mir ist was geschehn; euch nicht. Eine verfluchte Nacht. Da liegt er;
mein einziger Sohn. Und warum an Gift? Und warum vor meinen Augen? Hätt' er nicht, wenn es sein
mußte, irgendwo da braußen — —
    Ein Geräusch aus dem Sterbezimmer schreckte ihn auf;
ein leises, unheimliches Geräusch, das mit seinen Nerven
spielte, als hätte er sich geregt, durch so unväterliche Gedanken geweckt — der „verlorene Sohn". Diese Nacht
ruiniert mich, dachte Waldenburg; ich werde schon abergläubisch wie ein altes Weib. Wär' es nur erst Tag! —
— Er gähnte und ging noch einmal durch die Zimmer
zurück. Er kannte sie. Es war dasselbe lustige „letzte
Haus", in dem er so manche übermütige Stunde und heitere

Nächte verlebt hatte. Nun war wieder Nacht, — und da
saß Marie. Die schöne Frau, nach der er geschmachtet
hatte; — sie war nun wirklich eingeschlafen, wie es schien,
ihr Atem ging still, ihr Kopf lag zurück, ein wenig auf der
Seite, und die Lippen hatten sich sacht und schmal geöffnet.
Die blonden, wundervollen Flechten waren aufgegangen,
fielen ihr über die Schulter. Er stand vor ihr, lauschte auf
ihr Atmen; sie saß ihm so nah — so wehrlos — in der
stillen Nacht — er hätte sie lieblosen können ... Aber da
lag ein toter Mann, der sie bewachte; und dieser tote Mann
war sein Sohn.

Sein Sohn ... Was für ein Sohn? Der ihn in
seiner letzten Viertelstunde verflucht, ihm mit seiner gift-
benetzten Zunge entgegengerufen hatte: „Du hast mich
getötet!" — Waldenburgs Gesicht verzog sich; er warf
einen Blick, fast wie Haß, seitwärts auf diesen Sohn. Nur
daß die grünlichgelbe Blässe der stillen Wangen und der
von Fliegen umsummten Stirn ihm doch wieder ans Herz
griff; eine weiche Schwäche schüttelte ihn, mehrmals nacheinander, ein lange erdrücktes Schluchzen öffnete ihm
die Lippen. Wie wunderlich, wie unnatürlich, so ein
totes Kind zu haben und kein lebendiges mehr! So eine
wohlgeformte Menschenblume, aus eigenem Samen gezogen; so viel Ähnliches, Gleiches, so geheimnisvoll schaurig
rätselhaft in neue Form gegossen; und so eine kleine Welt
einst von Hoffnungen, Entwürfen — und jetzt kaltes
Wachs, das zerfallen wird. Eugen Waldenburg tot!
Waldenburg Vater allein! — —

Die lange, zusammengesunkene Gestalt richtete sich
auf. Was hilft das? dachte er. Wohin führt mich das?
Ich darf nicht so weich werden, — jetzt nicht mehr: ich soll
diesen Morgen um mein eigenes Leben kämpfen. Das
beste ist, wir nehmen jetzt A b s c h i e d, Waldenburg Vater

und Sohn; denn der Tag will kommen.... Er trat an das
Sofa, betrachtete noch einmal das ruhige, jugendliche, an
die Mutter erinnernde Gesicht, das der Tod verklärt hatte.
Ein feiner Kopf, dachte er; wie diese Nase geformt ist ...
Die wachsbleichen Hände lagen beide auf der Brust;
Walbenburg nahm die eine, um sie noch zu drücken. Sie
war aber so kalt, daß es ihn durchzuckte, und er ließ sie
fallen. Er stand eine Weile fröstelnd und unentschlossen
da; endlich scheuchte er eine Fliege fort, die das wehrlose
Gesicht umkreiste, und beugte sich nieder, um die Stirn
zu küssen. In dem Augenblick, als er sie berührte, kam
durch das noch offene Fenster im letzten Zimmer wieder
ein Klageruf aus der See herüber, eine Vogelstimme.
Walbenburg bebte zurück. Ein abergläubisches, unsinniges
Gefühl entgeistete sein Gesicht. Ihm war, als hätte der
Tote sich verfinstert. „Du hast mich getötet!" klang's ihm
in den Ohren. „Du warst mein Fluch, solange ich lebte"
... Er sah im Zimmer umher; — Marie schlief noch fort.
Jetzt nahm er seinen Hut vom Tisch, ohne zurückzublicken,
strich mit der Hand über seine Stirn, hüstelte leise in sein
Taschentuch, und ging still hinaus.

Er ging am Wald entlang seinem Hause zu. Die
Wolken hingen noch schwer und dunkel, aber der Morgen
graute. Einige Tropfen fielen; der Wind kam kühl, mit
feuchtem Blättergeruch, aus dem hohen Wald. Seinen
Rock zuknöpfend gähnte er wieder, mit einem „öden und
schnöden Gefühl", wie er dachte, und atmete in langen
Zügen. In seiner Wohnung war Licht. Riedau war noch
auf, nach einer unruhigen Nacht; er hatte nach Waldenburgs Befehl auf dem Arbeitstisch Papiere für ihn hergerichtet, — wobei er etwas gefunden hatte, das seine
Neugier reizte: das geöffnete Päckchen, die Briefe der
Gräfin Melanie. Sie waren liegen geblieben, als Walben-

burg so besinnungslos der Frau seines Sohnes nachstürzte.
Um sich munter zu erhalten, und aus begreiflicher Wiß-
begierde, las Riedau eben den dritten dieser Briefe —
so weit war er gekommen — als er Waldenburgs Schritte
hörte. Mit einem raschen, geübten Griff raffte er die
duftenden kleinen Blätter zusammen, steckte sie in seine
Tasche, legte den Kopf auf die aufgestützten Arme und
stellte sich, als ob er schliefe.

Waldenburg trat ein. Er ging langsam auf Riedau
zu und legte ihm eine Hand auf die Schulter. Der junge
Mann erwachte kunstgerecht, mit einigen schlaftrunkenen
Bewegungen, und sprang dann auf. „Müssen Sie hier
schlafen?" sagte Waldenburg rauh.

„Ich bitte um Verzeihung," erwiderte Riedau. „Ich
hatte noch gar nicht geschlafen, als Sie mich an die — —
ins letzte Haus holen ließen. Später mußte ich stundenlang umhergehn, um die Frau Gräfin zu suchen — nuß-
los —"

Waldenburg unterbrach ihn: „Ist wenigstens eine Botschaft von ihr an mich gekommen — hierher?"

„Nichts."

„Ich vergesse," murmelte Waldenburg vor sich hin:
„sie wußte ja nicht, daß Eugen — mein Sohn ist." — Er
nahm den Hut vom Kopf und stellte ihn auf den Tisch,
schloß die Augen und setzte sich.

„Ich habe dann auf Sie gewartet, wie Sie befohlen
hatten," begann Riedau wieder; „und aus Übermüdung
bin ich endlich eingeschlafen."

„Lassen Sie's; es ist schon gut. — Die Nacht ist aus;
löschen Sie die Kerzen. — Mich friert."

„Soll ich Ihren Überrock —?"

„Lassen Sie. Es ist nur von dem langen Wachen.
Und von dem Gang durch die Morgenluft hierher..."

Er versank wieder in seine grauen, frostigen Gedanken. Als er daraus erwachte und Riedau sah, der aufrecht im Zimmer stand, fragte er unwirsch: „Sind Sie immer noch da?"

„Sie hatten mich noch nicht entlassen, Exzellenz —"

„Ich bin noch nicht Exzellenz; lassen Sie das, bis Sie es im offiziellen Blatt gelesen haben. Das heißt — wir werden es nie darin lesen. In einer Stunde lieg' ich im Sand, oder im Gras, und kein Hahn kräht mehr nach der ‚Exzellenz'. Sie können dann hingehn, Riedau, und bei der ersten Wiese da hinten am ‚breiten Wohld' über die Vergänglichkeit alles Irdischen nachdenken —"

„Es wird nicht so kommen, Exzellenz," warf Riedau ein. „Alle Kugeln treffen ja nicht —"

„Die des Grafen gewiß! — Auch ist da sein Sekundant, der Baron Rautenberg, der den bösen Blick hat — junger Mann, schütteln Sie nicht so geistreich den Kopf; er hat ihn. So oft ich mit dem zusammenkam, ging mir etwas übel aus! Als er gestern abend spät in das ‚letzte Haus' kam, um es abzureden, da fühlte ich gleich: der bringt mir meinen letzten Tag. — Meinen letzten Tag!"

„Verzeihen Sie, Exzellenz," sagte Riedau mit scheinbarem Mitgefühl. „Warum haben Sie das Duell nicht hinausgeschoben? bis nach der —"

„Beerdigung? Nein. Sie boten mir's an. Ich wollt's nicht. So lange die Ungewißheit, das Schwebende, Hängende — — für solche Folter dank' ich!"

Riedau deutete auf den Schreibtisch: „Ich habe die befohlenen Papiere hier zurechtgelegt —"

„Ja, ja; es ist gut."

„Sie könnten vielleicht noch ein wenig ruhn —"

„Nein, es ist zu spät. Schweigen Sie doch mit Ihrer Rabenstimme: — ich werde bald l a n g e ruhn ... Ich war nie ein Schütze; werd' irgend eine alte Buche treffen, ober ben nächsten Kirchturm, nur nicht ben Herrn Grasen; der aber — der fehlt mich nicht! — —" Er biß die Zähne zusammen; mit noch verhaltenem Ingrimm murmelte er in sich hinein: „Es liegt eine Moral barin: ich, der ich seine Frau — —"

Plötzlich brach er aus, mit lauter, schneidender Stimme: „Höllisches, verdammtes Geschick! Er hat mich zur Erzellenz gemacht, und nun schießt er mich tot. Er mich — dieses gräfliche Nichts ... Da steht Fritz Riebau, dem wird nichts geschehn; der wird weiterleben, während ich unter die Erde muß; — alle werden leben! Das Meer rollt so weiter, die Erde dreht sich, die Menschen sonnen sich, lachen, küssen, trinken, klettern auf der Glücksleiter, und das Gras wächst auf meinem Grab! Ich allein soll hinunter, der ich erst meinen halben Weg gemacht habe — der ich nun höher, immer höher wollte — — Das ist eine Infamie! — Du, der armselige Fritz Riebau, du Wicht sollst länger dasein als ich; du — du — —"

Riebau ward blaß; selbst seine dicken, dunkelroten Lippen verloren ihre Farbe. In seinen gefährlichen Augen blitzte dann ein Funkeln auf; er senkte den Kopf, um es zu verbergen. Mit erzwungener Fassung sagte er kalt, während sich seine Fingernägel in das Innere seiner Hand drückten: „Ich bedaure sehr, wenn meine unbedeutende Existenz Eurer Exzellenz zuwider ist. Ich glaubte Ihnen wenigstens treu gedient zu haben —"

„Nun ja, nun ja," fiel Waldenburg ein, „hast mir treu gedient; kränke dich nicht, Fritz. Ich will dir verzeihn," fuhr er mit einem gemachten Lächeln fort, „wenn du mich überlebst. Dir allein will ich es verzeihn! — — Was wird nun aus dir, mein Sohn, wenn du übrig bleibst, wenn du mich verlierst?"

„Sie halten mich doch wohl für hilfloser, als ich bin," entgegnete Riebau steif und kalt. „Sollte ich ‚übrig bleiben‘, so würde ich mein armseliges Dasein als Sekretär des Barons Rautenberg fortsetzen —"

„Was?" fuhr Waldenburg auf. „Dieses Rautenberg mit dem bösen Blick?"

„Ich fürchte mich nicht davor. Der Herr Baron, dem Sie früher die Gnade hatten so Gutes über mich zu sagen, hat mir neulich angeboten —"

„Ah!" unterbrach ihn Waldenburg, der vor Zorn und beleidigtem Stolz errötete. „Und du willst zu ihm?"

„Wenn ich ‚übrig bleibe‘ —"

„Zu diesem Mann, der mein böses Schicksal ist? der heute dabeistehn wird —?"

„Ich wüßte nicht, daß er Ihnen je mit Absicht etwas zuleide getan hätte. Und Sie selbst haben mich ihm einmal warm empfohlen —"

„Das bedaur' ich sehr!" sagte Waldenburg scharf und hart. „Das bedaur' ich sehr! —— Sie können in Ihrem Zimmer an Ihre Arbeiten gehn; ich brauche Sie nicht mehr, bis ich Sie rufe."

Riebau verneigte sich stumm und ging zur offenen Tür. Waldenburg sah ihm nicht nach. Er fühlte, daß sein Gesicht sich vor Wut verzerrte, und wollte es nicht zeigen. Eine Stuhllehne kam ihm in die Hand, die er schüttelte; — frecher Paria! dachte er. Du sagst mir ins Gesicht, daß du zu d e m b a gehn willst — als wär' ich schon tot? Und durch meine Gnade soll es dir gut gehn, undankbarer Wicht, während ich verfaule? — Das duld' ich nicht. Das wird nicht geschehn. Das vermaure ich dir...

Mit einem plötzlichen Entschluß trat er an den Schreibtisch; seine Lider hoben sich, seine Augen glühten. Er setzte sich, nahm ein leeres Blatt und begann zu schreiben.

Was will er? dachte Riebau, der hinter der Tür stehen
geblieben war, den Oberkörper geschmeidig vorstreckte und
mit den Raubtieraugen spähte. Was hat er im Sinn? —
Gegen m i ch —?

Waldenburgs Hand war unruhig; nicht mit seiner
gleichmäßigen, schönen Schrift, aber doch in deutlichen
Zügen schrieb er, rasch, ohne nachzusinnen: „Verehrter
Herr Baron! Ich halte es für meine Pflicht, Ihnen eine
Mitteilung zu machen, damit Sie mir nicht eines Tages
vorwerfen können, ich hätte Sie getäuscht. Herr Riebau,
mein Sekretär, den ich Ihnen einmal, für alle Fälle, mit
Wärme empfohlen habe, und für den Sie sich zu inter-
essieren schienen, hat sich leider nicht bewährt —"

Ein leises Geräusch hinter Waldenburg, das ihm sogleich auf die überreizten Nerven ging, hielt seine Feder
an. Er wendete sich um und sah Riebau, der auf den
Zehen hereingeschlichen war, ihm über die Schulter ge-
blickt und bei den letzten Worten, die er las, zwar einen
Laut der Überraschung unterdrückt, aber eine unwillkür-
liche Bewegung gemacht hatte.

„Was ist das?" sagte Waldenburg. „Sie sind wieder
da?"

„Ich bitte um Entschuldigung," erwiderte Riebau gefaßt. „Ich hatte hier einige Papiere liegen lassen —"

„Gehn und kommen Sie denn immer so leise wie ein
Gespenst?"

„Ich werde mich bemühen," sagte Riebau unterwürfig,
„mich darin endlich zu bessern —"

„Nun, so nehmen Sie die Papiere."

Riebau ergriff einige Blätter und Hefte, die auf dem
Schreibtisch lagen, und ging schweigend hinaus. Diesen
Streich wirst du mir bezahlen; nur zu! dachte er und ver-
schwand.

„Leider nicht bewährt," wiederholte Waldenburg in
Gedanken; darauf schrieb er fort: „Ich muß alles zurück-
nehmen, was ich zu seinem Lobe sagte, und ihn seinem
vermutlich hoffnungslosen, aber nicht unverdienten Schicksal überlassen. Bei Gelegenheit mündlich Näheres"...
Er setzte noch die „Versicherung seiner verehrungsvollen
Ergebenheit" und seinen Namen hinzu, mit dem ver-
schlungenen Schnörkel, den er zu machen pflegte; steckte
das Blatt in ein Kuvert und schrieb die Aufschrift an Baron
Rautenberg. Ein zufriedenes Lächeln ging über seine
Züge; nun, dachte er, und sollte ich ihm auch „mündlich"
nichts mehr sagen können — diesen Schuß ins Schwarze
laß' ich doch noch zurück! — — Da ist er, der helle Tag.
Nun heißt es also, sich mit Anstand zu diesem Schicksals-
gang rüsten.... Gottverfluchter Tag! — — Auf die Briefe
der Gräfin kommt's nun nicht mehr an; behalt' ich noch
Zeit, werd' ich sie verbrennen. Aber von — i h r, von der
Frau meines Sohnes, nahm ich keinen Abschied; ich schreib'
ihr ein paar Zeilen. Als sie gestern abend in meine Tür
trat — „Fortuna" in Person — da ahnte ich nicht, daß
ich heute morgen an Marie von Tarnow, die Witwe von
Eugen Waldenburg — — Ja, wir sehenden Menschen sind
die blindesten Wagenpferde des hoch daherfahrenden Ge-
schicks!

Er schrieb ein zweites Billett, zog dann an einer
Klingelschnur; ein junges Dienstmädchen erschien, das er
bei seiner Rückkehr geweckt hatte, damit sie ihm Kaffee
mache. Sie brachte das Frühstück, mit scheuem, ver-
schlafenem Gesicht. „Lassen Sie diese beiden Briefe besorgen," sagte er kurz; „nicht jetzt, aber — hernach." —
Das Mädchen nahm sie und ging. Waldenburg streckte
sich, trank, und blies die Luft durch die Lippen: „Und nun
vogue la galère!"

IX

Die kaum geschlossene Tür öffnete sich wieder, Baron Tilburg erschien, über den hellen Sommeranzug einen leichten Überrock gezogen, ein Stöckchen in der Hand. Sehr ernsthaft, mit einer gewissen Feierlichkeit ging er auf Waldenburg zu und drückte ihm stumm die Hand. „Ich weiß alles, lieber Freund," sagte er darauf. „Darum komme ich auch so früh. Die Nachricht von den Ereignissen des ‚letzten Hauses' hat sich noch gestern abend verbreitet ... Was soll ich Ihnen sagen —"

„Nichts," antwortete Waldenburg.

Der Baron drückte ihm noch einmal die Hand: „Gut, ich sage nichts! — — Auch von diesem unglückseligen D u e l l wandern schon Gerüchte; Frau Temme soll gehorcht haben und so weiter; — kurz, Sie sehen, i ch weiß es a u ch. Großer Gott! was muß man erleben! Sie und Graf Lana! S i e —"

Waldenburg unterbrach ihn durch eine ungeduldige Gebärde. „Nein, nein, ich sage nichts," fuhr der Baron eilig fort, indem er nur seinen Stock zum Zeichen seiner Bekümmernis gegen den Fußboden stieß. „Ich hab' auch nur gewagt, Sie in diesem — ernsten Moment zu überfallen, weil ich Ihnen sagen wollte, daß ich vom Grafen komme —"

„Sie vom Grafen?"

„Ja. Ich bin eingeweiht, aber nicht Sekundant; darum kann ich Ihnen sagen, ohne indiskret zu sein: es ließ mir keine Ruhe, ich ging zu Lanas, Lana war schon fertig — wundervoll rasiert ... Kurz, er sieht die Sache heute morgen etwas ruhiger an — er wird Sie nicht töten. Sie werden ja blaß, lieber Freund. Erschreckt Sie das? Doch wohl nicht. Oder macht die F r e u d e Sie so — —"

„Erzählen Sie w e i t e r, Mensch!" sagte Waldenburg aufgeregt.

„Nun, er hat mir erklärt: da der Sohn gestorben, der Vater offenbar nicht mitschuldig sei, so liege die Sache nun anders; er fühle sich zwar von Ihnen beleidigt — auf wahrhaft unbegreifliche Weise beleidigt, sagte er — aber die natürliche Aufregung, in der Sie sich befanden — — kurz, Ihr L e b e n wolle er deswegen nicht." — Tilburg lächelte: „Vielleicht einen kleinen Aderlaß; nun, der schadet ja nicht —"

„Was wünschen Sie?" fragte Waldenburg auf einmal, sich zur Seite wendend. Mit halbem Auge hatte er in der offenen Tür zum Nebenzimmer R i e d a u wieder er- blickt, der schon eine Weile gespannt und mit offenem Munde horchte.

Riedau zeigte sofort sein gewohnheitsmäßiges, gut- mütiges Lächeln. „Verzeihen Sie, Exzellenz," sagte er im amtlichen Ton. „Ich wollte mir erlauben, zu fragen, ob Sie noch schriftliche Dispositionen zu treffen wünschen —"

„Ich habe Ihnen gesagt," fuhr Waldenburg ihn an, „daß ich Sie nicht brauche. Gehn Sie!" — Riedau zuckte die Achseln und ging.

Dispositionen! dachte Waldenburg. Ah bah! Jetzt brauchen wir keine Dispositionen; das Schiff ist wieder flott — und der Sturm vorüber. Cäsar und sein Glück! — Er legte seine Hand auf die des Barons, die im Hand- schuh steckte; „ich danke Ihnen, lieber Freund!" sagte er fast bewegt. „Sie meinen es mir immer gut!"

Tilburg erwiderte heiter: „Etwas wollt' ich doch tun!" — Mit tiefem Ernst setzte er dann hinzu: „Ich gehe wieder zu Lana; dem ist schlecht zu Mut. Die Gräfin ist spurlos verschwunden —"

Er brach ab, denn ein junger, lang aufgeschossener

Kellner trat ein, grüßte sehr ehrerbietig, zögerte ein wenig, und ging dann auf Walbenburg zu. „Zwei Herren gehn da unter den Bäumen auf und ab," sagte er; „sie erwarten Sie, Herr Geheimer Rat."

Meine Sekundanten! dachte Walbenburg, nun in bester Laune.

„Ich gehe also," sagte der Baron, nach einem flüchtigen Blick des Verständnisses. Indem er Walbenburg nochmals die Hand drückte, flüsterte er ihm zu: „Sie haben Ihren Stern! — Auf glückliches Wiedersehn!"

Walbenburg nickte lächelnd. Tilburg ging aus der Tür.

Der Kellner war stehen geblieben und griff nach seiner Brusttasche, kam aber mit leerer Hand wieder zurück. „Was wollen Sie noch?" fragte Walbenburg.

„Es ist ein Billett gekommen," sagte der Jüngling verlegen; zugleich mit Wichtigkeit. „Ein Mann hat es eben gebracht; für Sie; — ich soll es aber nur I h n e n s e l b e r geben —"

„Nun, ich bin ja ich selbst, soviel ich weiß. Also geben Sie her!"

Der Kellner warf noch einen vorsichtigen Blick durchs Zimmer; dann entschloß er sich, den Brief aus seiner Tasche zu ziehn, und reichte ihn hin. „Ohne Aufschrift," sagte Walbenburg.

„Ja; aber es wäre für den Herrn Geheimrat —"

Walbenburg sah auf seine Uhr; „nun," sagte er, „so ersuchen Sie die Herren da draußen, noch einen Moment zu warten!" — Er öffnete das auf schlechtem Papier geschriebene Billett, während der Kellner ging; überrascht sah er: es war von M e l a n i e. Die Schrift war offenbar in wilder Hast oder Aufregung aufs Papier geworfen, mit zitternder Hand; die Buchstaben, die Zeilen flossen ineinander. Nicht ohne Anstrengung las er:

„Wenn Sie dieses Blatt lesen, bin ich fort. Er war Ihr Sohn, ich weiß alles; auch bis zu mir ist es heute nacht gekommen ... Ich kann meine Reise in das Dunkel, das Elend und die Schmach nicht antreten ohne ein letztes Wort an Sie, ohne Sie zu verwünschen: Sie haben mich einst auf diesen Weg gebracht — Gott weiß, wo er enden wird. Vater und Sohn ... Das Schicksal war grausam gegen mich. Möge es Ihnen nicht allzu milde sein! — Ich kehre nie zurück. Melanie."

Langsam zerdrückte er das Blatt und starrte in die Luft. „Nicht ohne Sie zu verwünschen" ... Pfui, dachte er, abergläubisch beklommen und mit einer leisen Erschütterung kämpfend, — in diesem Augenblick, in dieser Schicksalsstunde so ein häßliches Wort! Es klingt so ein wenig wie die Posaune der Verdammnis! — — Er schüttelte sich, nahm dann seinen Hut und richtete sich auf. „Vorwärts!" sagte er zu sich. „Verwünschen' ... Ich hab' das Leben genossen, und die Gräfin hat's auch; nun ist ein Unglückstag über sie gekommen — hab' ich den Kalender gemacht? — — Es gibt keine Vergeltung; nichts als Glück und Unglück." — Er steckte das Billett in die Tasche; ich werde die Gräfin bedauern, dachte er, wenn ich Zeit habe. Meine Sekundanten warten. Cäsar und sein Glück!

Er ging.

Riedau trat in die Tür, im Hut, neigte den Kopf und horchte. Ein böses Lächeln trennte seine Lippen und entblößte seine großen, blinkenden Zähne; er hörte noch Schritte draußen, die sich entfernten, danach ward es still. „Sie haben mich beim Abschied vergessen, Exzellenz," sagte er hinter ihm her; „aber ich Sie nicht. Wenn Sie sich einbilden, so ein getretener ‚Paria' werde sich nicht rächen, so kennen Sie großer Menschenkenner uns doch

wohl zu wenig! Sobald der Graf diese Briefe seiner Frau
an Herrn von Walbenburg liest — und ich schicke sie ihm;
da sind sie — dann wird er wohl über die Sache wieder
anders denken; meinen Sie nicht?" — Er hatte die ver-
hängnisvollen Briefe in ein Kuvert geschlossen und eine
Aufschrift gemacht; sie in der Hand haltend, liebevoll behutsam, wie einen Schatz, ging er vor die Tür, in den
grauen Morgen hinaus. Der Wind sauste und pfiff noch
in den Bäumen; aber es regnete nicht. Die Herren waren
verschwunden, offenbar in den Wald hinein. Joseph, der
lange junge Kellner, stand zwischen dem Haus und den
Buchen und steckte seine spitze Nase in die Luft, in un-
bestimmter, neugieriger Aufregung, da er so ungewohnte
Dinge vor sich gehen sah, und doch zu zaghaft oder zu
pflichtgetreu — einem wohlerzogenen Hunde gleich —
um hinterdrein zu laufen und diesen frühaufstehenden
Herren in den Wald zu folgen.

„Joseph!" rief Riedau ihn an. Der Junge kam
zögernd. „Sie wünschen?" fragte er.

„Nehmen Sie diesen Brief; und tun Sie genau, was
ich Ihnen sage; Sie werden dann fürstlich belohnt. Sie
kennen den Grafen Lana —"

Der Kellner nickte, als verstünde sich das von selbst.

„Dieser Brief ist für ihn; eine Sache von äußerster
Wichtigkeit, verstehn Sie; wie hier geschrieben steht: ‚höchst
dringlich, sofort zu lesen!' Wenn der Graf noch im
Hotel ist —"

„Nein," antwortete der Kellner; „schon fort."

„So laufen Sie ihm nach! Auf dem Waldweg da, bis
zur ersten Wiese, bei dem kleinen Sumpfsee; Sie wissen.
Mit Ihren langen Beinen holen Sie ihn noch ein! ‚Sofort zu lesen!' Verstehn Sie! — Marsch, marsch!"

Der junge Mann sprang davon; glücklich, daß ihn ein

Auftrag seiner Neugier nach und in das Geheimnis hinein
jagte. Riedau ergötzte sich über seine Sprünge. Ihm
selber saß der Hut tief in die Stirn, er schob ihn zurück;
nervös an seinem Rock knöpfend murmelte er in den Bart:
„Ich denke, ich hab' was bei dir gelernt, Canaille. Jetzt
wird dieses ‚gräfliche Nichts‘ wohl gut schießen, denk' ich!"

Die Unruhe in seinem Kopf, seinen Gliedern wuchs;
er hielt es endlich nicht mehr aus, so von fern zu warten;
mit langen, immer längeren Schritten ging er hinterdrein.
Der Weg war ihm bekannt; er führte fast gradaus, durch
ein Stück des Waldes, dann noch eine Strecke nahe am
Saum, bis in einer schilfigen Wiese ein kleines Gewässer
im fahlen Morgenlicht blinkte. Die Herren — er kannte
sie alle — standen dort unter Buchen und Eichen, am
Waldrand. Graf Lana war ein wenig zurückgeblieben;
er hatte Papiere in der Hand, die er eben zu lesen schien,
während Joseph sich mit gekrümmtem Rücken, wie in
scheuer Unruhe, gegen das Meer zu entfernte. Riedau
trat hinter einen starken Eichbaum, der ihn ganz verdeckte.
Sein Herz schlug doch heftig, er spürte es in der Brust und
am Hals. Er riß sich den Hut vom Kopf.

Der Graf schlug die Blätter auf einmal mit beiden
Händen zusammen, daß durch die tiefe Morgenstille ein
lauter Knall fuhr und dem horchenden Riedau in die Kniee
ging. Seine Wimpern zuckten. Für eine Weile verlor er
den Mut, um seinen Baum herum und durch das Gebüsch
zu spähen. Als er sich ermannt hatte — wie bin ich noch
jung! dachte er — sah er die breite Gestalt des Grafen
schon mit festem, ruhigem Schritt (wenigstens schien es so)
auf die Wiese zuschreiten. Dann sah er ihn bei den andern.
Die Herren stellten sich auf . . .

Eine verrückte Unruhe zog Riedau hin und her; er
wünschte weit davon zu sein und wieder näherzugehn —

die Gesichter zu erkennen — alles zu verstehen, zu fassen. Das Verlangen siegte. Ihn deckte das Unterholz, links von ihm, wenn er näher ging. Wie ein Raubtier, das im Walde seine Beute beschleicht, kam er langsam, behutsam vorwärts. Plötzlich blitzte es auf. Es folgte ein Knall, der hell an die Ohren schlug. Riedau stand am Saum und sah die hohe Gestalt seines Herrn — er hatte sie eine Weile nicht mehr sehen können — lautlos zusammenbrechen.

Es überraschte ihn nicht. Er hatte es erwartet. Ein leichtes Zittern lief ihm nur bis zu den Zehen hinab.

Die andern traten hinzu. Waldenburg lag still ... Nein, er regte sich noch. Der Kopf erhob sich; ein Arm stützte sich noch auf. Das Gesicht, vom Tageslicht überflossen, schien sich zu verzerren; eine sonderbar gedämpfte Stimme — durch die Entfernung gebrochen — kam zwischen den Lippen heraus. „Ich komm' nicht mehr auf!" glaubte Riedau zu hören. Es folgte noch ein grimmiger, knurrend gezogener Ton, der aber in das Röcheln des Todes überging. Nach einigen Minuten — oder nicht so lange — lag er stumm und regungslos da; ein Sonnenstrahl, der erste, der die Wolken trennte, lief ihm über das fahle Gesicht. Waldenburg war tot.

Riedaus Augen hatten sich nicht von ihm abgewendet. Er wagte nicht näherzugehn, und sich nicht zu entfernen; aber ein ungewisses Lächeln der Befriedigung, mit einem schielenden Grauen gemischt, veränderte seine Züge. Seine Blässe schwand. Den dicken Mittelfinger der rechten Hand am Daumen hinunterschnellend, sagte er zwischen den Zähnen: „Exest. — Ich hab' mich gerächt, ‚Exzellenz'!"

Drittes Buch

I

Zehn Monate waren seit jenem Julimorgen vergangen. Über den Gräbern von Waldenburg und Sohn war der Winterschnee gefallen und wieder weggeschmolzen; der kalte Frühling des Jahres 1888 war in der zweiten Hälfte des Mai endlich warm geworden, und als Pfingsten heranrückte, wehten sommerliche Lüfte. Auch über die Salzburger Ebene wehten sie am Gebirge hin; das verspätete Grün entfaltete sich plötzlich, der Schnee auf den Bergen zog sich gegen die höchsten Kämme zurück. Ein unendlich erheiternder, goldiger Glanz hatte sich am letzten Tage vor Pfingsten ausgebreitet, die erste Hitze war mit ihm gekommen, die die einen, nach Menschenart, schon zum Stöhnen und Klagen trieb, von den andern als Entschädigung genossen und als Verheißung begrüßt ward. Wittekind fuhr mit seinem Sohn, auf der Bahn von München her, gegen Salzburg zu; der Untersberg wuchs mehr und mehr, in die blaue Luft ragend, ein letzter silberner Schimmer lag auf seinem Scheitel. Sie sahn ihn freudiger wieder, als sie ihn verlassen hatten: nicht die Trennung stand vor ihnen, sondern gemeinsame Festtage; eine frohe Erwartung belebte sie, und nur der Schatten gewisser Erinnerungen zog ihnen aus dem Salzachtal entgegen und flog über den sonnigen Tag.

Sah Wittekind dann aber auf Bertold, so blieb ihm nur
die Freude; so wohl tat ihm der Anblick seines aufgeblühten
Jungen, den der lange Winter, wie es schien, gehärtet
und gestählt hatte. Nicht nur der junge, kräuselnde Bart
machte ihn männlicher; auch die Züge um Aug' und Mund
waren reifer, charaktervoller geworden, die Farbe der Gesundheit hatte sich befestigt. Ein lebhaftes, freies Lächeln
verklärte und verschönerte ihn, so oft er vom Fenster aufblickte und die geliebte Nähe seines Vaters fühlte. In den
hellen Augen spielte freilich noch gern dieser weiche Glanz,
aus dem der Schwärmer hervorsah; aber warum sollte
er auch nicht! dachte Wittekind. Ist er nicht noch so jung?
Soll er nicht mehr irren? Und sollte nicht jeder von uns
ein wenig von diesem Glanz bis zum Tod behalten?

Auf dem Münchener Bahnhof hatten Vater und Sohn
sich diesen Morgen beim Wiedersehn umarmt; gegen Mittag hatten sie sich aufgemacht, um Saltners Einladung zu
folgen und die Pfingsttage bei ihm zuzubringen, in seiner
„Einsiedelei", die die Schicksale des vorigen Jahres so unerwartet bevölkert hatten. Es war ihnen beiden wunderbar genug, daß sie dort sowohl die braune Kathi, als die
Witwe Eugens wiedersehen sollten; und sie wurden umso
stiller, je näher der Waldbrücken des Kapuzinerbergs heran-
kam, der den bescheiden hingestreckten Mönchsberg überragte. Bertold war mehr romantisch erregt, Wittekind
beklommen. Er suchte sich ruhig und gelassen vorzustellen,
wie er die schwergeprüfte Frau in diesem ihrem Asyl nun
wohl finden möchte; mit der Gelassenheit jedoch wollte
es nicht gehn. In sein „altes Herz", wie er es zu nennen
suchte, schienen die Mailüfte hineinzuwehen; es kam auch
etwas wie Meerluft dazu, ein Hauch von jenem Mittag,
an dem er Marie von Tarnow bei den hohen Buchen
wiedergesehen hatte. Wie wenig ahnte er damals, was

ihm die nächsten Tage in Blitz und Donner enthüllten: Eugen Dorsay ihr Mann, Waldenburg ihr „Schwiegervater" — es klang ihm wie Blasphemie — und dann beide ins Grab gemäht....

Sie fuhren an der Vorstadt Mülln vorbei, darauf über die Salzach, wo damals Kathi den Tod suchte und Bertold ihr nachsprang; endlich kam der Bahnhof, und sie sahen eine mächtige Gestalt, mit weißem Bart, die mit dem Taschentuch winkte. Als sie ausstiegen, stand Saltner schon an ihrem Wagen; er umarmte sie beide, küßte sie auf die Wangen, klopfte dann Bertold auf die Schulter und lächelte Wittekind an. Der Alte war nicht verändert, ebenso aufrecht wie früher, die Bewegungen noch jugendlich rasch; nur schien das hagere Gesicht nicht so tief gebräunt. „Sie sind also willkommen!" sagte er kurz. „Das wissen Sie. Redensarten machen wir nicht. Nur noch eins: wir sind gute Freunde, und das wollen wir bleiben; darum — volle Freiheit. Sie leben in meinem Haus, wie es Ihnen gefällt. Ich will des Teufels sein, wenn ich Sie geniere; Freiheit über alles. Sie werden ja auch dem alten ‚Einsiedler' seine kleinen Unarten gönnen. Und nun fahren wir ab!"

Er drückte beiden noch einmal die Hand, ihnen herzlich zunickend; darauf ging er voran, zum Wagen, der unten auf dem Platz auf sie wartete. Wie damals von Grödig rollten sie miteinander im offenen Gefährt dahin; am Schloß Mirabell, an der alten Brücke vorbei, dann in die Vorstadt Stein, die sich am Fuß des Kapuzinerbergs hinzieht. „Gleich werden wir's haben," sagte Saltner im Fahren, mehrmals nacheinander. „Und dann werden wir sie ja sehn, unsre liebe Frau Marie... Von außen wie eine Blume; da fehlt nichts. Was das Inwendige betrifft — nun, Sie werden ja sehn. Dem kleinen Ding,

— 294 —

der Kathi, geht's besser als der Marie. Die siebzehn, achtzehn Jahre! — Ich hab' das dumme Ding nicht wieder
herausgegeben, und hab' recht gehabt. Da hat sie niemand gestört, und alles ist gut vernarbt und geheilt, als
verstünde es sich von selbst. Sie hilft meiner alten Haushälterin, die ein rechtes Wrack ist, schafft fleißig, fühlt, daß
sie was nütz ist — und sieht schon wieder so aus, wie dieser
Sommertag. Nun, Sie, lieber Herr Wittekind — oder
ohne „Herr': lieber Freund — Sie haben heute auch ein
anderes Gesicht als damals im Juli, als wir uns am Meer
trafen; als meine Marie mir telegraphiert hatte: ‚Eugen
ist tot; kommen Sie, wenn Sie können' — und ich komme
angefahren und finde n o ch e i n e n tot, den Vater! —
Hol' mich der Teufel, S i e hatten damals auch so ein
hippokratisches Gesicht; wie vom Blitz getroffen. Jetzt
sind Sie wieder jung und rot. Das da ist mein Haus!"

Sie hielten vor einem steingrauen, nicht großen, un-
regelmäßigen Gebäude, das an der Straße stand; eine
alte Frau, die Haushälterin, kam hüstelnd aus der Tür,
die Gäste mit angenehmer, zutraulicher Höflichkeit zu begrüßen. Darauf stürzte ein kleiner, halberwachsener Diener
hervor, um sich des Reisegepäcks zu bemächtigen und es
mit einem unnötigen Aufwand von Kraft und Eile in das
Haus zu tragen. Drinnen empfing sie eine erfrischende
Kühle; die junge Sommerglut war in die dicken Mauern
noch nicht eingedrungen, obwohl das Haus gegen Süd-
westen und recht am Fuß des Kapuzinerberges stand.
Rückwärts stieg aber noch ein baum- und schattenreicher
Garten in mehreren Terrassen und Vorsprüngen ziemlich
hoch hinauf, bis er die alte Mauer erreichte, die den Berg
vorzeiten zu einer Festung machte. Allerlei Fußwege
schlängelten sich in ihm empor und nach rechts und links;
sonnige und gedeckte Ruheplätze, Zelte, Tische und Bänke

schauten hier und da aus dem zart leuchtenden Frühlings-
grün hervor, jedes ein Luginsland, das von seiner erhöhten
Lage auf die Stadt, die Zitadelle und in die Ferne blickte.

Saltner hatte im Haus sogleich Wittekinds Arm ergriffen und zog ihn mit seiner unwiderstehlichen sanften
Gewalt in diesen Garten hinaus; „h e r n a ch", sagte er,
„mögen die Herren sich schön machen und Reisestaub
abspülen, soviel sie wollen, erst aber begrüßen wir unsre
liebe Frau!" — Wittekind, dem das Herz schlug, nickte,
sie stiegen in der warmen, sinkenden Sonne bergauf,
Bertold hinter ihnen. Auf einmal raschelte es seitwärts
im Gebüsch; sie sahen hin und bemerkten zwischen den
noch dünn belaubten Zweigen ein junges, wangenrotes
Gesicht, in dem ein Paar feurige braune Augen blitzten.
„Die Kathi!" flüsterte Bertold. Als das Mädchen sich
beobachtet sah, schien es noch mehr zu erröten und wandte
sich ab, so daß nur noch eine der gebräunten Wangen sichtbar blieb. Darauf trat sie sacht zurück, zog einen Zipfel
ihres schwarzen Kopftuchs vor ihr Gesicht und huschte
hinter den Bäumen davon.

„Ein dummes Ding," murmelte der Alte; „aber besser
so, als dreist. Sie schämt sich. Lassen wir sie jetzt. Das
Mäuslein kommt schon wieder. — Bitte, leise. Da sitzt sie!"

Er meinte Marie, die noch etwas höher, unter einem
Schutzdach in Gestalt eines riesigen grauen Sonnenschirms,
auf einem Gartenstuhl saß. Ein Buch lag auf ihrem Schoß;
sie las aber nicht, sondern blickte nach Salzburg hinüber.
Wittekind sah von unten in die groß aufgeschlagenen, be-
schatteten Augen hinein, die ihm noch nie so erstaunlich
und bedeutend, so wunderbar gewölbt und in ihrer tiefen
Höhle wie die wirklichen Weltfühler und Lichtgebilde der
Seele erschienen waren. Es ward ihm aber nicht wohl,
diese schönen Sterne so fremd und unweltlich in den ver-

klärten Tag hinausdämmern zu sehn, mit einer ruhigen,
starren Müdigkeit, die den jungen und luftgebräunten
Wangen, der Frische und Reinheit der Farben widersprach.
Die Gestalt war nicht voller geworden, auch nicht ab-
gemagert; das Antlitz hatte an Jugend nicht verloren und
an Schönheit gewonnen, wie sein Gefühl ihm sagte; es
war aber so lebensstill, so witwenhaft, daß sein Herz sich
zusammenzog und er die Arme sinken ließ und stehn blieb,
als habe es keinen Zweck mehr, zu ihr hinaufzugehn.

„Wir müssen doch guten Tag sagen," flüsterte Saltner
endlich. Er nahm wieder Wittekinds Arm und zog ihn
weiter. Das Geräusch der Schritte weckte die träumende
junge Frau; als die Männer herankamen, war sie aufgestanden und begrüßte sie mit einem herzlichen, frohen
Lächeln, in dem von jener Müdigkeit und Starrheit nichts
mehr zu spüren war. Ihre Hand war freilich kühl, als
sie die des beklommenen Wittekind ergriff. Eine Weile
hielt dieser sie fest, er wußte nicht warum, und betrachtete
die große, charaktervolle, edelgeformte Hand, in der die
Adern so zart bläulich schimmerten. „Es ist lange her,"
sagte er nur; die Worte kamen ihm so schwer und als eine
überflüssig nichtige Form über die Lippen. Sie nickte,
und entzog ihm sanft die Hand, um sie auch Bertold zu
geben. Der Bart, die erhöhte Männlichkeit des Jünglings schien sie zu verwundern; sie blieb aber still. Zuletzt
nickte sie dem Alten zu, mit dem guten, einverstandenen
Blick eines Kindes, das den Vater begrüßt.

„Wollen Sie sich nicht setzen?" fragte endlich ihre klang-
volle, doch etwas matte Stimme.

Wozu? dachte Wittekind. Er ließ sich jedoch auf einen
der Stühle nieder, die um den ihren herumstanden, und
betrachtete das Bild, auf das vorhin ihre Augen sich gerichtet hatten. Die Türme und Kuppeln der Stadt stiegen,

von allerlei Sonnenlicht glänzend, aus dem Schatten der
Gassen auf, die sich an die braune Wand des Mönchsbergs
legten und an deren steinerner Unbeweglichkeit die graue
Salzach so eilig vorüberströmte. Lichter und Schatten
wechselten herrlich an der hohen Festung, die den Saltner-
schen Terrassen gerade gegenüberlag; hinter ihr silberte
der Gipfel des Untersbergs, der „Salzburger hohe Thron".
Glocken begannen in der Stadt zu läuten; nicht in so
tiefem Ton, wie ihn Wittekind aus seiner Heimat gewöhnt
war und jetzt so gerne gehört hätte. Sie waren hell,
heiter, klangen fast wie die Einleitung zu einem Fest zusammen. Freilich, das Pfingstfest! dachte er. Ist es
denn nicht ein Fest? Und das fröhlichste? Das Früh-
lingsfest?

Er wandte den Kopf nach Marie. Sie lächelte wieder,
als sie es bemerkte. Indessen er fühlte wohl, daß es erzwungen war. In der war kein Frühling. Nun fiel ihm
auch Saltner ins Auge, der neben ihr aufrecht stand; der
Alte hatte den Kopf gegen die Brust sinken lassen, als
würde er ihm zu schwer, und zog an seinem langen Bart,
daß ihm einige der festen Haare zwischen den Fingern
blieben. Ja es schien, als fiele ihm ein Tropfen auf die
Hand; seine Augen waren durch die gewaltigen Brauen
verdeckt, die sich tief hinabgezogen hatten.

Dennoch mochte er empfinden, daß er beobachtet ward;
er legte plötzlich eine seiner braunen Hände auf Bertolds
Schulter, wandte sich mit ihm ab, indem er ihn sacht herum-
drehte, und einige Worte murmelnd führte er ihn nach
der andern Seite der Terrasse. Dort blieben die beiden
stehn, bald in eifrigem, halblautem Gespräch. Wittekind
sah sich allein mit Marie. Ein erstes, unsicheres Gefühl
von Freude ging ihm durch die Brust.

„Haben Sie die Kathi schon gesehn?" fragte die junge

Frau, nachdem sie stumm die Lippen bewegt und ein suchendes Zögern überwunden hatte.

„Sozusagen, gesehn," antwortete Wittekind. „Sie stand hinter einem Gebüsch — und lief wieder fort."

„Sie begreifen," sagte Marie, vor sich niederblickend, „daß es im Anfang — nicht leicht für mich war, dieses Mädchen täglich zu sehn; in einem Hause mit ihr. Denn Herr von Saltner hatte mir nicht verhehlt — —" Sie brach ab. Nach kurzem Schweigen fuhr sie fort: „Er stellte mir anheim, ob er sie wieder zur ‚Gemse‘ hinaufschicken solle. Nein, das wollt‘ ich nicht. Da hätte sie bei ihren Leuten keine guten Tage gehabt — hätte nicht so wunderbar gedeihen und genesen können, wie bei diesem göttlichen — — wie bei Herrn von Saltner. So ist sie geblieben, und ich — — ich hab‘s ausgehalten. Ich näherte mich ihr; da ging‘s. Hab‘ mich mit ihr beschäftigt, sie dies und das gelehrt; und dazu das Mitleid ... Nun bin ich ganz zufrieden, daß sie da ist; hab‘ sie lieb, und hoffe, es geht ihr gut!"

„Wie sich doch immer zeigt," entgegnete Wittekind, „daß ‚gut sein‘ und ‚weise sein‘ eigentlich dasselbe ist."

„Ach, sagen Sie nicht, ich sei gut," antwortete sie, den Kopf langsam schüttelnd. „Ich bin ein Stein, weiter nichts. — — Wissen Sie denn das? Lanas sind geschieden!"

„Wer ist geschieden?" fragte Wittekind; er hatte den Namen überhört, in seine Gedanken versunken.

„Graf Lana und die Gräfin. Ich hatte gedacht, der Graf werde sich nie dazu verstehn ... Aber man sagt — wie die Baronin Tilburg mir schrieb — er habe Papiere gefunden oder bekommen, mit so furchtbaren Dingen, daß ihm seitdem davor graue, die Gräfin wiederzusehn. Der Himmel mag wissen, wie sich das verhält; aber wahr ist:

er hat sich nie mehr bemüht, sie wieder aufzufinden. Und nun sind sie geschieden..."

„Und wo lebt die Gräfin?"

„In Venedig, hör' ich. Es soll ihr gar elend gehn; ihre blühende Gesundheit zerrüttet; wenige Menschen, die sich ihrer annehmen. Der Graf meidet die große Welt, lebt auf seinen Gütern."

„Ich würd' ihn noch mehr bedauern," sagte Wittekind mit einem ernsthaften Lächeln, „trieb' er es u m g e l e h r t! Denn auf ‚meinen Gütern' und ohne die große Welt leb' ich auch. — — Freilich —"

Er verstummte.

„Freilich —?" fragte sie und blickte ihn wieder an.

„Reden wir nicht von mir," erwiderte er; „es ist besser. Kurz, ich lebe noch — und habe gelebt."

„Daheim?" fragte sie. „Als wir uns damals noch einmal gesehen hatten — nach Walbenburgs Tod — Sie kamen mit Herrn von Saltner zugleich —"

„Ja, ja!" murmelte er. „Auf die Nachricht hin — —"

Marie fuhr fort: „Haben Sie seitdem beständig auf Ihrem Landgut gelebt?"

„O ja. Wo denn sonst? — Nur ein paar Wochen in meiner Vaterstadt und in Berlin — um einzusehn, daß die ‚große Welt' mir diesmal nicht viel nütze. Da ging ich nach Haus. Hab' gearbeitet, geschafft, studiert, vom Morgen bis zur Nacht: das tut immer gut, auch wenn man's nicht glauben will. Zu Weihnachten kam mein Frühling, mein Bertold —"

„Und wie geht es d e m? — Wie dieser werdende Bart ihm steht!" — Marie lächelte, nachdem sie bei Wittekinds Reden die Lippen in stiller Wehmut bewegt hatte.

Er nickte. „Er wird noch ein Mann werden, hoff' ich! — Mit seiner Wissenschaft liegt er freilich noch im Streit;

er will etwas anderes — und weiß nicht, was es ist. Ein wunderliches Gefühl, das mit anzusehn. Aber ich habe Geduld —"

„O haben Sie nur Geduld!" fiel Marie ihm ins Wort, indem sie plötzlich die Stimme hob, die bis dahin nur so gedämpft, so müde gesprochen hatte. „Sie, ein so glück-licher Vater — — vergessen Sie das nie. Wie fühlt' ich das schon damals — auf der ‚Hedwigsruhe' — so ein Vater und so ein Sohn — —"

Sie konnte nicht weitersprechen, oder wollte nicht. Der Atem schien ihr zu stocken. Langsam stand sie auf.

Wittekind schwieg. Es ward eine lange Stille. Sie wandte endlich den Kopf zu ihm; ihr Blick wollte ihm offenbar für dieses Schweigen danken. Sie ließ nun auch die Tränen sehn, die ihr groß und still in den Augen standen; bis sie die linke Hand erhob und die beiden Tropfen mit einem leise hingleitenden Finger abschöpfte.

„Das ist so gut," sagte sie fast flüsternd, „daß ich nun s o l c h e Tränen um ihn weinen kann! — — Um Eugen," setzte sie hinzu.

„Das ist der segnende Tod," erwiderte er und nickte. „Sie haben die Tränen vergessen, die seine — menschliche Schwachheit Ihnen sonst wohl auspreßte, und weinen nur noch um das E d l e in ihm. — Ja, ja, der Tod ist stark!" fuhr er bewegter fort. „Er füllt die Abgründe und trägt Berge weg — er löscht die großen Feuer des Zorns und des Hasses aus, bläst die verglimmende Liebe aus der Asche — und wie er den Großen klein macht, macht er den Kleinen groß. Ihr ruheloser Toter hat nun seinen Frieden, in Ihrem verklärenden Gedächtnis hat er seinen Tempel; — geht es ihm nicht gut?"

Sie schwieg. Dann aber sagte sie, ohne aufzublicken: „Ich danke Ihnen. Sie vergolden mir seinen Tod. — —

Wie das Gras nun wächst über alledem ... Die Welt,
die so schnell vergißt, weiß von ihm nichts mehr; von
seinem Vater erzählt man sich wohl noch zuweilen, daß
der Graf Lana ihn erschoß und mit einer fürstlichen —
Begnadigung dafür büßte; übers Jahr wird auch das wohl
vergessen sein. Dann erinnern sich nur noch die Tilburgs
und ihresgleichen, daß der Geheimerat Waldenburg ein so
bezaubernder Gesellschafter und goldener Redner war, der
die Menschen so wunderbar zu gewinnen wußte —"

„Nun, Sie haben recht!" fiel Wittekind ein. „Er gewann die Menschen — so wie der Teufel Seelen gewinnt.
Er kam mir wie eine Spinne vor, die ich einmal sah, als
ich in jungem Wald ging: die Spinne schwebte und kroch
an ihren Fäden in der Luft, ein häßlicher Klumpen mit
den langen, dünnen, raubgierigen Beinen, aber von rückwärts schien die Sonne an ihr hin und scheinbar durch sie
hindurch, die Beine glänzten wie das reinste Gold, auch
der Leib war ringsum vergoldet; kein Tier konnte märchenhafter und reizender sein. So eine goldene Spinne war
auch Waldenburg. — Warum ihn der Graf erschoß, und
nicht er den Grafen, das mag Zufall heißen; aber ich
glaube, Waldenburg fand einen gerechten Tod!"

„Er starb doch für seinen Sohn," sagte Marie leise.

„Nun ja, es fügte sich so. Hätt' es sich anders gefügt,
er hätte vielleicht wie ein zweiter K a t i l i n a an seinem
Sohn gehandelt —"

„Wie meinen Sie das?" fragte sie.

„Ich erinnere mich noch vom Gymnasium her — wir
lasen den Sallust. Man sagt dem Katilina nach, daß eine
schöne Römerin, die er um jeden Preis besitzen und zu
seinem Weib machen wollte, diese Ehre ausschlug, weil
er einen schon erwachsenen Sohn hatte: darauf tötete er
diesen Sohn. — Verzeihen Sie; der Vergleich mißfällt

Ihnen, wie ich sehe. Ich sage auch nicht, daß Waldenburg
ein Katilina war; ein Genußmensch war er, kein
Verschwörer, kein Italiener mit Dolch und Gift. Er hätte
vielleicht nicht den Mut gehabt... Aber er war schlecht;
glauben Sie mir das. Und auch das war diabolisch an
ihm, daß die, mit denen er sprach, in der Regel schlechter
von ihm fortgingen, als sie gekommen waren; daß sein
kaltes Herz und sein blendender Geist wie schleichendes
Gift auf die Menschen wirkten, und von der ätzenden Säure
dieser goldenen Spinne etwas mit hinausging!"

Marie sah Wittekind an. Sie hatte wieder den milden,
guten Blick für ihn, mit dem sie ihn damals an der Ostsee
bis ins Herz erwärmt hatte. „Bei Ihnen ist's umgekehrt,"
sagte sie dann in halb verhaltener Bewegung.

„Wieso umgekehrt?"

„Sie sind wie Saltner... Warum soll ich es nicht
sagen. Sie haben die himmlische Eigenschaft, daß die
Menschen in Ihrer Gegenwart stets besser werden,
statt schlechter; — ich hab's an mir selbst gespürt."

Wittekind stand so betroffen da, daß er weder etwas
erwidern, noch sich regen konnte. Eine heiße Freude stieg
ihm ins Gesicht.

„Darum werden Sie wohl auch selten so vernichtend
urteilen," fuhr sie fort, „wie jetzt über Waldenburg. Denn
bei all Ihrer Menschenkenntnis werden Ihnen die Menschen selten so niedrig und erbärmlich vorkommen, wie sie
wirklich sind: vor Ihnen gibt jeder sein Bestes, denk' ich,
auch ohne daß er es weiß oder daß er's will!"

„Ich glaube, Sie irren doch," antwortete er lächelnd,
obwohl es ihm noch große Mühe kostete, sich zu fassen.
„Die Erbärmlichkeit macht es einem zu schwer, sie nicht
zu durchschaun! — — Aber was sagen Sie mir da, teure
gnädige Frau. Nie hab' ich gehofft, daß Sie mir ein so

beglückendes Wort — — Nie hat mir ein Mensch so ein
gutes, erhebendes Wort gesagt. Warum tun Sie das?
— Das ist gefährlich. Ich bin ja ein Mensch; eitel sind
wir alle. Und ich hab' Sie in diesem einsamen Winter
ja doch nicht vergessen... Sehen Sie, auf einmal steh'
ich nun wie in hellem Feuer; die Hoffnungen — die be-
grabenen — — Frau Marie!"

Er trat einen Schritt auf sie zu, eine Hand auf der
Brust. In seinen klaren blauen Augen war plötzlich eine
Flamme aufgegangen, die sie noch nie darin gesehen hatte,
die sie jetzt erschreckte. Sie war aufgestanden und streckte
unwillkürlich wie zur Abwehr die Hände aus. „Nein,
nein!" rief sie aus, doch die Stimme sogleich wieder
dämpfend; „ich beschwöre Sie um alles, sprechen Sie nicht
weiter; tun Sie mir nicht so weh. ‚Hoffnungen'... Ich
bin ja tot; ich will vom Leben nichts mehr; was ich Ihnen
da gesagt habe, das hab' ich wie aus dem Grab gesagt.
Verzeihen Sie mir's, wenn es gefährlich war... Ach,
das dacht' ich ja nicht!"

„Warum sind Sie ‚tot'?" fragte er; ihr mitleiderregen-
der Anblick gab ihm eine Art von Ruhe wieder.

„Fragen Sie noch, warum? — Eine Frau, die so ge-
irrt und die das erlebt hat — ist deren Leben nicht aus?
Sagen Sie mir nichts; ich weiß, wie es ist; laßt mich,
wie ich bin! Ich tue ja nichts, ich nehme mir das Leben
nicht, ich trage ja mein Schicksal; aber aus der Welt bin
ich heraus — nicht nur aus der Tilburgschen, in der ich
es nicht mehr aushielt — nein, aus eurer auch. Ich bin
in den ‚Wald' gegangen, wie es Saltner nennt. Laßt
mich da in Frieden! Stört mich nicht mehr auf!"

Eine fieberhafte Röte stand ihr auf den Wangen; ihre
Arme zitterten. Die innere, eingeschlossene Leidenschaft
entlud sich, und umso erschütternder, da die Stimme sich

wenig hob — damit kein andrer sie hörte — und die schöne
Gestalt sich fast nicht bewegte. Wittekind stand ebenso
versteinert da; sein Herz war auf einmal still und hoffnungslos geworden.

„Und Sie glauben nicht,“ murmelte er nach einem
Schweigen, dem er gern ein Ende machen wollte, „daß
Sie wieder jung werden? daß es anders wird?“

„Nie, nie, nie!“ gab sie ihm zur Antwort. „Er und
ich sind tot!“

<h2 style="text-align:center">II</h2>

Saltner kam mit Bertold zurück; sie waren bis zur
alten Festungsmauer hinaufgestiegen und wieder zum
Haus hinunter; jetzt fanden sie sich wieder ein, noch in ihr
Gespräch vertieft. Der Alte schien die Erregung der beiden
nicht zu bemerken; er legte einen Arm auf Bertolds
Schulter und sagte mit seinem herzhaften Lächeln: „Der
junge Herr da beichtet mir schöne Sachen! Ich hab' ihm
erzählt, daß sich ein braver Mann gefunden hat, ein Salzburger, der die Kathi zur Frau möchte, und daß mir scheint,
beinah möcht' sie ihn auch; darauf gesteht er mir — Ihr
Bertold — seit dem vorigen Sommer hat er von seinem
‚Wechsel‘ jeden Tag etwas abgespart, ‚um doch was zu tun‘,
und will das dumme Mädel damit aussteuern helfen. Es
ist schon eine ganz annehmbare Summe; denn sein Wechsel,
wie er sagt, ist ‚gut‘. Und sein Sparsystem offenbar auch.
Der junge Herr wollte mich verpflichten, nichts davon zu
sagen; aber auf so nichtswürdige Heimlichkeiten laß' ich
mich nicht ein!“

Er sagte dies mit drolliger Schelmerei, während Bertold wie ein ertappter Übeltäter dastand und seine Schulter
wegzog. Marie betrachtete den Jüngling mit gerührtem
Staunen. „Ich wußte nichts davon,“ erwiderte Wittekind.

„So hat dieser junge Mensch doch immer Geheimnisse vor mir! — Nun, wenn es einmal so steht, so will ich meinen Sohn nicht im Stiche lassen; ich lege ebensoviel dazu, damit die Summe rund wird."

„Sie pfuschen mir da in mein Amt als Pflegeonkel hinein," entgegnete Saltner, der seinen Bart in die Höhe strich; — „aber darüber reden wir noch. Jetzt muß ich die Herren vor allem in ihre Zimmer führen. Es will Abend werden. Auf was für Ideen so ein junger Buddha kommt; was tut der bei uns in Europa und in unserer Zeit. In seinem Alter verbrauchte ich meinen ‚Wechsel‘ anders ... Aber gehn wir, lieber Freund!"

Er nahm wieder Wittekinds Arm, nachdem er Marie mit einem forschenden Seitenblick gestreift hatte, und stieg die Terrassen hinab. Bertold blieb noch zurück; der Alte beachtete es nicht, es schien ihm lieb zu sein, mit dem Vater allein davonzugehn. Sie kamen schweigend ins Haus, und dort die Treppe hinauf, denn die Fremdenzimmer lagen im ersten Stock. Saltner öffnete eine Tür, und sogleich sah Wittekind durch die offenen Fenster den alten Untersberg vor sich, der wie eine Festung aufstieg und seinen Abendschatten über das ebene Land herüberwarf. An ein Fenster tretend suchte er sich dieses Anblicks und der schönen Nähe und Ferne zu freuen, so gut er es jetzt vermochte. Er drückte dem Alten stumm die Hand; denn er sprach nicht gern. Saltner brummte nur etwas, lächelte ihm zu und schwieg.

„Ich werde Sie also jetzt allein lassen," sagte dieser endlich, indem er ins Zimmer zurücktrat, „und Sie werden, wie wir Deutschen sagen, ‚Toilette machen‘. Ja, da haben Sie also Ihren Untersberg.... Was unsre Frau Marie betrifft, so wissen Sie nun, glaub' ich, wie es steht. Nicht gut!"

„Nein, nicht gut," murmelte Wittekind.

„Nun, dann waschen Sie sich. — Oder wär' es Ihnen gleich, wenn ich mich unterdessen in den Lehnstuhl würfe und — spräche noch ein paar Worte mit Ihnen über diese Frau? — Genier' ich Sie, so wissen Sie ja, wo der Zimmermann das Loch gelassen hat, und werfen mich hinaus."

„Nein, ich — werfe Sie nicht hinaus," sagte Wittekind, mühsam lächelnd. „Während ich mich ein wenig abspüle, würde ich gern mit Ihnen reden!" — Er fühlte eine Pein und doch ein Verlangen, über Marie zu sprechen, dies und das zu fragen. Der Alte, mit dem es ähnlich zu stehen schien, sank sofort in einen bequemen, niedrigen Polster-stuhl, auf dem man sich fast ausstrecken konnte, und stieß einen Seufzer aus.

„Ja, ja, diese Frauen!" fing er an, während Wittekind seinen Koffer aufschloß. „Sehn Sie, diese Marie... Das ist der Unterschied: die kleine Sünderin, die Kathi, ist schon ganz getröstet und hat nichts dagegen, mit einem wackeren Mann zum Altar zu gehn; — nun, sein Schade wird's wohl auch nicht sein. Marie von Tarnow aber, ein schuld-loser Engel — dafür leg' ich beide Hände ins Feuer — eine Frau, die nur das Verbrechen begangen hat, un-glücklich zu wählen, die findet nicht wieder in die Welt zurück. Ihr Stolz ist gebrochen, ihre Würde und Ehre hin: so sieht sie es an. Daß sie diesen Eugen Dorsay zum Mann nehmen konnte, das hält sie für eine Schuld, die nicht zu sühnen ist.... Nicht wahr, Sie genieren sich nicht, und plätschern. Da ist Seife, alles.... Und ich alter Mann, dem sie gut ist, den sie ihren Vater nennt, muß dem Ding so zusehn, wie ein Haubenstock, kann ihr nicht helfen, kann das Ding nicht ändern; — das ist auch ein höllischer Spaß, ein dummer — hol' ihn der Teufel!"

„Wie lebt sie denn?" fragte Wittekind, immer abgewandt.

„Wie sie lebt? — Nun, wie lebt sie denn? Wie die
reine Vernunft! Wirtschaftet im Haus, im Garten; führt
für mich die Bücher; ist viel in der Luft. Geht stundenlang spazieren, mit mir oder allein; — aber sie geht nicht,
sie rennt! Wie von bösen Geistern getrieben rennt sie
gradaus, oder bergan; so rastlos und so rasch, daß ich langer
Kerl kaum mitkomme — und Sie wissen wohl noch, ich
bin gut zu Fuß. Als wollte sie sich selber weglaufen;
aber ja, das könn' einer! Sitzt sie dann zu Hause am
Klavier oder bei einem Buch, so ist's aus: drei Töne, eine
Seite, dann sinkt der Kopf auf die Brust, oder sie starrt
in die Luft, wie von Stein, und denkt an — — Gott
weiß es!"

„Ich begreife wohl," murmelte Wittekind.

„Zerstreuen... Man sollte sie zerstreuen... Nicht
wahr, das denken Sie auch. Aber ich alter Einsiedler,
wie fing' ich das an; — und dann, sie will ja auch nicht.
Da kam mir endlich ein ganz verteufelt prächtiger Gedanke:
ihr vorlesen! Denn aus ihrer Kinderzeit wußte ich, das
hat sie gern. Ich nahm ihr also das Buch vom Schoß,
das sie hatte fallen lassen, und las. Und sie hörte zu.
O ja; das ging an. Damit hatt' ich sie! — Das ist so eine
eigene Freude, ihre aufmerksamen Augen zu sehn — nicht
wahr, die hat Augen! — wenn ein Buch sie fesselt, und
ein guter Vortrag — — Aber da hapert's. Das ist wieder
der Teufel: Vortrag hab' ich nicht. Ich schmettre das nur
so heraus, wie eine alte Trompete. Und wenn's im Buch
lyrisch oder ‚stimmungsvoll' oder rührend wird und ich in
meinem Drang und Eifer, es recht gut zu machen, mich
zusammennehme und zu s ä u s e l n suche — dann fängt
sie an zu lächeln. Ich kann's nicht. Sehn Sie — Ihr

Bertold kann's! Der hat die junge, weiche Stimme
— die richtige Musik — und, wie soll ich sagen: das Säuseln
im Gemüt. Der wär' der Rechte; hab's ihm auch gesagt.
Und gleich fing er Feuer... Der kann's!"

Wittekind lächelte; aus Vaterfreude. Wie ich ihn beneide, mußte er dann denken. Er hatte nur leise mit den
Händen im Wasser gespielt, während Saltner sprach; es
rührte ihn, daß der Alte nicht länger hatte warten können,
sein Herz zu lüften. Verstohlen schaute er ihn an, wie er
am Fenster saß; es fielen noch schräge Sonnenstrahlen
aus Nordwest herein und durchglühten den silbernen Bart,
der ihm auf die Brust hing. Wie ein alter Ritter saß
er in diesem altdeutsch eingerichteten, halbhoch getäfelten,
mit schweren, dunkelgebeizten Möbeln ernst und einfach
ausgestatteten, übrigens etwas niedrigen Gemach. Die
alte Festung draußen auf der umwaldeten Höhe, die
malerische, kirchenreiche Stadt, die Berge, alles stimmte
zu dieser ritterlichen Greisengestalt und dem erzfarbenen,
sorgenvollen, sonderbar geheimnisvoll träumenden Gesicht.

„Nun, was denken Sie jetzt?" fragte Saltner, als er
Wittekinds Blicke wahrnahm. „Sie denken wohl: wie
diese junge Frau dem alten ‚Einsiedler' zu schaffen macht.
Ja, ja," fuhr er mit einem hilflosen Lächeln fort, „ich hab's
gut getroffen! Erst geht mir die Kathi ins Wasser, und
ich muß den kleinen Spatz hier wieder ans feste Land gewöhnen; dann schneit mir eine junge Witwe als Pflegetochter ins Haus. Familienvater, Seelenarzt, Erzieher
— alles, was Sie wollen. Nicht wahr, das dachten Sie
nicht — und ich auch nicht — als ich Ihnen beim Veitlbruch von den alten Indiern und vom ‚Wald' erzählte,
daß es so weltlich mit mir enden würde. Ein ‚Wald'
voll Menschen; Haussorgen und kein Ende! — — Tut
aber nichts. Nur zu, nur zu! Ich hab's ja gewollt!"

Der Alte stand auf — Wittekind, mit der „Toilette"
fertig, war wieder ans Fenster gegangen — und durch-
maß das Zimmer. Als er in der andern Ecke angekommen
war, drehte er sich langsam und sagte: „Übrigens werd'
ich mich doch vor Ihnen nicht verstellen? Das wär' doch
zu dumm. Wegen dieser Pflegetochter, der Marie, hab'
ich Sie hergebeten ... Das heißt, alle Wetter, verstehn
Sie mich nicht falsch: ich hab' Sie sehr lieb, es macht mich,
Ulrich Saltner, glücklich, daß Sie mich besuchen; aber so
was man den A n l a ß nennt, das ist die Marie. Denn ich
allein — was kann ich? Ein einsamer Mensch, der es
not hat, oft allein zu sein; der — — und so weiter. Für
Sie aber hat diese Frau ein herzliches, hochachtendes,
beinahe verehrendes Gefühl; so manches Ihrer Worte
hat sie sich gemerkt, sucht danach zu leben — soweit man
das noch Leben nennen kann, was diese Weltwittib treibt.
Kurz, ich sehe, Sie stehn ihr hoch. Freund, das will viel
sagen: denn wie oft haben Sie sie denn überhaupt gesehn? Also haben Sie nun auch eine P f l i c h t ! Wirken
Sie auf die Frau! Nehmen Sie ihre arme Seele bei der
Hand und führen sie aus der Unterwelt ins Leben zurück!"

„Ich?" sagte Wittekind und konnte nicht umhin, bitter
zu lächeln. „Daß ich ihr zum Orpheus tauge, — Herr,
das glaub' ich nicht. Und wenn auch — was kann man
in einer Woche?"

„In einer Woche wollen Sie wieder fort? Papper-
lapapp! Daraus wird nichts!"

Wittekind setzte sich auf das Fensterbrett und sah mit
äußerer Ruhe auf den lebhaften Alten, der auf seiner
Zimmerwanderung wieder stehn geblieben war und die
Arme so eifrig schwenkte, daß sie fast an die Decke stießen.
„Diese Frau Marie liegt Ihnen sehr am Herzen," sagte
er, auf das andre nicht antwortend.

„Ja doch; wie ein Kind! — Sie wissen ja nicht, wie
ich zu ihr gekommen bin, warum sie mir so im Herzen sitzt
— — sollen's aber wissen. Das gehört sich so; wenn ich
will, daß Sie mir helfen, muß ich auch vor Ihnen mein
bißchen Heimlichkeit auskramen. Hab' ohnehin immer das
Gefühl: dem Mann sag' ich alles; hatt' es gleich in der
ersten Stunde — wahrhaftig — damals am Beitlbruch)!
Es gibt solche Menschen, vor denen das Herz gleich sein
Türl aufmacht; — nicht viele! aber es gibt deren!" — —
Der Alte legte die Hände auf den Rücken und fing wieder
an, hin und her zu gehn; im langsamen Gehn fuhr er fort:
„Also diese Marie war ein kleines Ding, so etwa zwei
Jahre alt; und ich hart an fünfzig, aber leider Gottes
noch voll Feuer und Blut — —

„Da muß ich Ihnen aber doch erst sagen," unterbrach
er sich und stand still, „wie ich bis an die fünfzig hin-
gekommen war ... Oder interessiert Sie das nicht?"

„Mich interessiert alles," antwortete Wittekind herzlich, „was Sie mir von sich sagen wollen. Ihr Vertrauen
tut mir so gut!"

Saltner nickte ihm zu, mit gesenkten Brauen, setzte
sich darauf langsam wieder in Bewegung. Die Hände
auf dem Rücken, wie zuvor, räusperte er sich laut, murmelte etwas und begann mit halber Stimme: „Es war
nämlich bei meiner Geburt schon etwas verfehlt, muß ich
Ihnen sagen; ich kam nicht ganz ordnungsmäßig auf die
Welt — und hab's zeitlebens gespürt. Mein Vater war
ein großer Herr, ein Fürst; meine Mutter ein Bürgers-
kind. Nach der Mutter heiß' ich ... Nun, sie sind beide
lange, lange tot. Wie solche Väter sind: der hohe Herr
nahm sich meiner an, und ließ mich doch in meinem Nest
am Erdboden; so gab das nicht Fisch, nicht Fleisch — und
mich jungen Laffen zog's in meiner Zwiespältigkeit immer

hin und her. Bald kitzelte es mich, daß ich doch eigentlich
zu den ‚Alleroberſten‘ gehörte; dann warf ich mich wieder
bürgerſtolz in die Bruſt und dachte: ignoriert mich nur,
ich ignoriere euch auch, ich veracht‘ euch, ich brauch‘ euch
nicht! — Da war nun aber doch das Ritterblut in mir;
mein Vater, ein heißblütiger Herr voll Schneid, Saft und
Mark, ein Weidmann, ein Reiter, ein Held im Krieg und
auch bei den Frauen, der hatte mir eine tüchtige Portion
davon mitgegeben, und das werd‘ einer nun los, wenn’s
in ſeine bürgerliche Haut nicht paßt! Lieber Freund, ich
hab’s verſucht, Handwerksmann zu werden; dann lief ich
davon, ward Soldat, ward auch Offizier — auf dem
‚Kriegspfad‘ nämlich, in Galizien, Anno ſechsundvierzig —
und dachte: nun wird’s! Aber da kriegte das Herz einmal
einen ſo ſtarken Schuß, daß es zur Hochzeit kam; ich
quittierte den Dienſt, ward bürgerlich, idylliſch — kam
damals zuerſt in dieſes Salzburger Land — freilich noch
nicht in dies Haus. Kinder zeugen, dacht‘ ich, und mein
Feld bebauen, und das bis an meinen Tod! Es war eine
liebe Frau — kamen auch liebe Kinder — —
„Aber das langweilt Sie,“ unterbrach er ſich wieder
und nahm eine Hand vom Rücken. „Kurz — was ſag‘ ich
Ihnen — die Unraſt brach wieder durch; konnte nicht
anders ſein. Ich hab‘ mir noch viel verſucht, weil mich’s
hin und her zog; auch bei unſrer Kriegsmarine war ich
eine Zeitlang — da gab’s aber damals nichts zu tun,
und Bootsfahren und Feſtſchmäuſe waren mir nicht genug.
Dann die Reiſeluſt; — ich hab‘ viel geſehn, Herr! Lange
redet man ſich ein und freut ſich, wie die Berge, die Städte,
die Menſchen doch verſchieden ſind; endlich wundert man
ſich: wie ſind ſie einander doch gleich! — Zuletzt ſaß ich
in Deutſchland, ganz ſtill, lebte in den Büchern, um als
alter Knabe nachzulernen, was ich als junger verſäumt

hatte; — hat's gefleckt? Ich weiß nicht. Weib, Kinder,
Freunde — alles starb mir so weg. Auf einmal sah ich:
Herrgott, ich bin ja allein! Da lernt' ich die kleine Marie
lennen — das heißt: ihre Mutter ..."

Er blieb stehn; ein tiefes „Hm!" kam ihm aus der Brust.
„Da wären wir denn bei dieser Frau," murmelte er nach
einer Weile, mit einem Seitenblick auf Wittelind.

„Greift es Sie an, so lassen Sie es heute," sagte dieser,
der still auf seinem Fensterbrett saß.

„Angreifen ... Was heißt das? Natürlich greift es
an; aber dazu sind ja die Nerven da. Ich dachte nur eben,
ob Sie darin anders sind oder auch ein Mensch? In der
L i e b e nämlich. Den würd' ich doch auf der Stelle
niederschlagen, der mir ins Gesicht behaupten wollte, ich
hätte je betrogen, gestohlen, einem die Ehre genommen
oder sein Gut angetastet, auch nur in Gedanken; käm' aber
einer und fragte mich: hast du nie, weil ein Weib dich
toll machte, böse Gedanken gehabt, unrecht Gut begehrt?
— Herr, dem sagt' ich nichts! Ich müßt' ihn stehn lassen,
wie er steht, und beiseite gehn! — So richtet uns die
Leidenschaft zu, die uns zur Eva zieht.... Mariens Mutter
lernt' ich also kennen, und meine vereinsamten fünfzig
Jahre, noch voll Saft und Kraft und voll Sehnsucht nach
allem, was lieb, hold und gut ist, hängten sich da fest. Ihr
Mann war mein Freund, — nun, was man so nennt; ein
großer Fabrikant, ein vortrefflicher Biedermann, langweilig und kühl wie ein nebliger Wintertag; und Marie
— sie hieß auch Marie — die war ungefähr wie die Sonne,
die draußen am Nebel zieht, aber nicht hindurch kann;
Feuer durch und durch — aber sie äugt nur so rot in den
Nebel hinein, und den Wintertag freut das, ist ihm schon
genug; so eigentlich zueinander können sie aber nicht
kommen.... Ich sag' wohl nicht ganz, was ich meine;

indessen, Sie verstehn mich doch. Jhr war's nicht genug; und da mich nun das Schicksal hinstellt zwischen sie und ihn — mich, Feuer wie sie — — Lassen wir das Gleichnis. Kurz, die Glut ist da; es brennt! — Aber denken Sie nicht übel von der Frau; sie war unglücklich, nicht wehrlos; sie hatte ein rechtschaffenes, sittlich strenges Herz; sie kämpfte einen großen Kampf. Nie wär' sie erlegen ... Eines Abends nur — wir beide sitzen allein — am Kamin; das flackernde, rote Kaminfeuer liebte sie ebenso wie ich — da seh' ich sie so bleich und still, und das Mitleid, die Ehrfurcht werden in mir größer als die Liebe, und ich sag' ihr, mein Herz in die Hände nehmend: morgen reis' ich fort, ins Ausland; komme auch nicht wieder. Sie sieht mich an, nickt und lobt mich; und wir stehn auf. Und sie, damit gleich ein Ende wird, gibt mir die Hand zum Abschied; ‚kehren Sie sich nicht an meine Tränen!' sagt sie — oder ähnliche Worte —‚es ist mir nur wehmütig, aber es ist gut so...' Drauf brechen ihr die Tränen aus; vor den Augen wird ihr dunkel, sie schwankt, und ich — was soll ich tun — damit sie nicht etwa hinfällt, halt' ich sie und lehne sie mir an die Brust. Indem tritt ihr Mann ins Zimmer; ihr eifersüchtiger — — Jch hab' Jhnen noch nicht gesagt, daß dieser Mann, sonst so trocken und förmlich, eifersüchtig war bis ins letzte Mark; eifersüchtig aus Ehrgefühl; und für seine Ehre ging er in den Tod. ‚Jn den Tod' — — Da sag' ich's! Der Mann findet die Frau so in meinen Armen; er glaubt: Die sind einig und eins, alles ist geschehn. Was wir ihm vorreden, hört er an, sieht uns an, wie ein Gespenst geht er fort. Er glaubt uns kein Wort. Will's nicht überleben. Schreibt noch einen Abschiedsbrief an die Frau und mich — als wären wir ein Paar — und da wir ihn wiedersehn, liegt er erschossen da, mit einem Gesicht, als sagt' er uns noch: meine Ehre hab' ich wieder — tut nun, was ihr wollt! — —

„Zwei Jahre, wie gesagt, war das Kind damals alt, die Marie; — sie hat viel von der Mutter, einiges auch vom Vater: dieses brütende Ehrgefühl, diesen harten Stolz ... Es war übrigens noch ein a n d r e r Kampf über ihn gekommen: die alte Geschichte von großen Fabrikanten, die eine ‚Konjunktur' über den Haufen wirft; das hatte ihn mit verdüstert — ja seine Freunde und Bekannten glaubten, die K o n j u n k t u r hätt' ihn umgebracht. Nach seinem Tod war die Witwe arm, um es kurz zu sagen. Mit dem Kind saß sie da. Ich dachte: die Mutter darf ich nicht lieben, nie mehr — aber doch das Kind! Und da die Frau Marie, von alledem, wie Sie denken können, durch und durch erschüttert, endlich das Gleichgewicht verliert und in eine Anstalt muß, um in ihrem kranken Hirn zu genesen, so nahmen meine Schwester und ich uns des Kindes an, und die süße Kleine wuchs mir ein paar Jahre lang und für immer ins Herz. Dann ward die Mutter gesund und nahm ihre Marie zurück; ich konnt's aber nicht lassen, das Kind zu sehn — — Sie begreifen das. Und da auch das Ding so zärtlich an mir hing; denn die kann liebhaben — oh! — — Kurz, die Mutter, in ihrer Scheu vor mir, in ihrer Gewissensnot, macht nach langem Kampf all dieser Halbheit ein Ende und erhört die Werbung eines braven Menschen, der ihr schon lange gut war: so hatte ihr Kind wieder einen Vater, und von mir war sie frei!

„Frei," wiederholte der Alte und hob und senkte den Kopf, mit einem schmerzhaften Lächeln.

Wittekind fragte zögernd: „Also diesen neuen Vater meinte Frau Marie, als sie damals in Gröbig von dem Arzt sprach, dem zuliebe sie etwas Medizin studierte?"

„Nu freilich," erwiderte Sallner. „Ihr S t i e s -

vater war's. Gerecht muß man sein: sie hat's gut bei
ihm gehabt. Ich sah sie noch zuweilen ... Ach, sie war so
lieb! so treu! — Endlich gingen sie nach Amerika. Aber die
Mutter starb. Die Marie wuchs heran. Einmal fuhr ich
hinüber — es riß mich so — und sah sie auch wieder, nun
schon ein Jungfräulein; und das kleine goldene Herz hatte
mich nicht vergessen. Ach was, vergessen! Ihr ‚Väterchen' nannte sie mich, zur Erinnerung an die alten Zeiten.
Und als ihr Stiefvater, der Arzt, dann gestorben war und
die junge Waise diesen Eugen liebgewonnen hatte — und
doch zweifeln mußte, ob's der Rechte sei — da fuhr sie
herüber und kam auch zu mir und schüttete — da hinten
am Untersberg war's — schüttete ihr armes Herz gegen
mich aus. Meinen väterlichen Rat sollte ich ihr geben;
und nicht so, wie's oft ist: ‚Rate mir gut, aber rate mir nicht
ab!' Nein, sie wollte rechtschaffen Wahrheit, Belehrung,
und vor Beschämung und Herzweh fürchtete sie sich nicht.
Aber — was konnt' es helfen? Ich hörte ja nur so die
Glocken läuten, ich kannt' ihn ja nicht. Nur nach ihren
Worten und seinem Bild hatt' ich das Gefühl: das ist nicht
der Rechte! Und das arme Mädel — sie glaubte mir —
glaubte mir auch nicht. Warum sie dann hinging und doch
seine Frau ward? Die sogenannten Sinne haben das
nicht gemacht, die hat Charakter, ich kenn' sie; aber ihr
Stolz kam ins Spiel, sie hielt es für ihre Ehre, dieses
schwanke Bäumchen an ihr Herz zu binden, bis es grade
und fest in den Himmel wüchse. Wie diese jungen Dinger
sind; so gescheit und so dumm ... Dem war nicht zu helfen.
Und ihre Ehre, ihr Stolz, wie sind die geschleift worden,
bis sie sich von ihm losrissen, über und über voll Staub
und Blut. Erst in Grödig sah ich sie dann wieder —
ich ahnt's nicht — Sie wissen ja — und da oben
auf der ‚Hedwigsruhe' drückt' ich mein unglückliches

Kind, die ärmste Frau auf der Welt, wieder an die
Brust! — —

„So, nun wissen Sie's," sagte Saltner nach einer
kleinen Stille, mit veränderter, absichtlich trockener Stimme.
Er richtete sich auf — denn er hatte etwas gebückt gestanden
— und kam in scheinbarer Ruhe ans Fenster; ein Tropfen
lief ihm aber in den Furchen der rechten Wange entlang.
Als er sah, daß Wittekind diesen Tropfen bemerkte, zuckte
er mit der Wange und warf den Kopf auf die Seite; „nun
ja!" sagte er unwirsch, „da sitzt was, ich weiß es; dieses
alte Augenwasser will mir nicht austrocknen, ich mag alt
werden wie ich will. Ihr Norddeutschen spöttelt ja wohl
gern über solche Tropfen; habt euch mächtig in der Gewalt,
und seid stolz darauf."

„Ich nicht," entgegnete Wittekind.

„Sie nicht? — Aber wie sehn Sie jetzt marmorn ruhig
aus; und der Teufel mag wissen, was dabei doch in Ihnen
vorgeht ... Ich hab' oft gestaunt über euch Nordische, und
den Kopf geschüttelt. Ich bin doch auch ein Germane —
bilde mir ein, ich stamm' von den alten Goten ab — aber
so zu Eisen und Eis kann ich mich nicht machen. Ist wohl
auch nicht nötig ... Also, daß wir noch einmal von der
jungen Frau reden: was können wir tun, um sie wieder
aus dem ‚Wald' zu holen, in den so ein junges Blut nicht
gehört? Und Sie, Nordgermane, wollen Sie mir helfen?"

Wittekind, statt zu antworten, deutete aus dem Fenster
auf die Straße hinaus, wo soeben ein Paar erschienen
war, dem seine Augen nachgingen. Frau Marie war mit
Bertold aus der Tür getreten, und in ein Gespräch mit
ihm vertieft, vielmehr seiner jugendlichen Beredsamkeit
zuhörend, ging sie die Straße entlang, die nun ganz im
Abendschatten lag. Sie nickte ihm mehrmals freundlich
lächelnd zu. Ihr Gang ward zuweilen so hastig, wie

Saltner ihn beschrieben hatte; denn bemerkte sie aber, daß Bertold zurückblieb, hielt an und mäßigte selber ihren Schritt. Nach einiger Zeit kehrten sie um — die beiden hatten vom Fenster aus ihnen nachgesehen — und Marie begann nun auch mit einiger Lebhaftigkeit zu sprechen, und wieder zu lächeln, während der Jüngling ihr zunickte.

„Ich glaube, der jungen Frau können auch a n d r e helfen," sagte Wittekind jetzt, mit etwas gezwungenem Lächeln.

„Gut, desto besser," entgegnete der Alte. „Doppelt, sagt man ja, reißt nicht!"

Die Spaziergänger kamen bis an das Haus zurück und sahen hinauf. Sie blieben nun stehn; Marie nickte sanft, ihr ernstes Gesicht war Wittekind noch nie so reizend er-schienen. Bertold, dessen Wangen rosig leuchteten, rief seinem Vater zu: „Ich bin angenommen! Die gnädige Frau hat mir schon erlaubt, daß ich ihr vorlesen darf. Noch diesen Abend fangen wir an!"

„Ja, er will so gut sein," sagte Marie, mit einem freundlich ergebenen Ausdruck, wie wer sich hat bereden lassen, eine neue Arzenei zu nehmen. „Ich denke, Sie wünschen es auch!"

„Gewiß wünsch' ich es," gab Wittekind zurück. Er verstand nicht, wie ihm geschah: die Freude seines Bertold machte ihn selber froh, und doch legte sich ihm ein dumpfer Druck auf die Brust. Mariens Augen warfen noch einen Blick hinauf, dann trat sie ins Haus, und Bertold ging ihr nach.

III

So begann denn schon am ersten Abend, was der Alte begehrt und gehofft hatte: Bertolds wohllautende Stimme ließ sich in seinem Salon — oder seiner „Halle", wie er

ihn nannte — vernehmen, und die junge Frau hörte geduldig und aufmerkend zu. Diesmal nahm die ganze Gesellschaft teil, um den Tisch versammelt; mehrere Lampen
brannten, nach dem Nachtmahl fuhr man hier fort, goldigen
Wein zu trinken. Auf Saltners Wunsch las Bertold aus
Goethes Gedichten vor, und der Alte schlug selber dieses
und jenes auf, das, ohne belehren zu wollen, die Lust am
Leben und den Wert des Daseins betont und die Schwingen
anregt. Wittekind, die Absicht verspürend, mußte lächeln,
obwohl diese Bemühungen des „Seelenarztes" ihn rührten;
Marie saß ruhig da, als bemerkte sie davon nichts. Ihre
Augen hingen, wenn sie sie nicht schloß, an Bertold, der
sich mit jugendlicher Lust seinem Amte hingab. Ein schwär-
merisches Feuer brannte bald auf seinen Wangen; er vermied es nicht ganz, sich zu überstürzen, aber er las freier,
sicherer, kunstverständiger als damals auf der „Gemse",
und auch das singende Pathos wußte er etwas besser zu
bekämpfen. Der schlichte Adel, die himmlische Natürlich-
keit dieser Gedichte war wie ein kräftiger Strom zwischen
festen Ufern, auf dem sein Gefühl nicht verirren konnte,
sondern leicht getragen dahinschwamm; und so trug er
auch die Zuhörer in süßem Zwang mit sich fort. Saltners
Brauen — sonst saß er still — kamen kaum zur Ruhe;
Marie nahm sich wie die vermeinte Statue im „Wintermärchen" aus, die sich beim Klang der Musik nach und
nach belebt; und auch Wittekind, von dem ein beengender
Seelendruck nicht mehr weichen wollte, schwamm diesen
Strom mit hinab, als ginge es in die jungen Tage zurück, wo Goethes Liederbuch ihm eine Welt war und
all dieser Wohllaut von Lust und Leid ihm wie ein himm-
lisches Vorspiel zum Drama des kommenden Lebens berauschte.

Als er dann aber allein in seinem Zimmer stand —

alles hatte sich zur Ruhe begeben — und die schöne, milde
Nacht ihm in die offenen Fenster hereinwehte, fiel ihm
die ganze Beklemmung dieses Tages wieder auf die Brust.
Ja, ja, sie hat schweres Blut, dachte er, — denn seine
Gedanken konnten von Marie nicht lassen; hat's von dem
Vater geerbt, dem Unglücklichen: den „brütenden Stolz"
— oder wie sagte der Alte? — — Nun ja, und wenn auch
— was tut das? Ach, wenn sie nur wollte — mit all
ihrem „schweren Blut", das du nur so nennst, weil sie zu
edel ist, ihr selbstgewähltes Schicksal leicht zu nehmen, —
mit alledem nähmst du sie so gern, so gern, und wärst
wie gesegnet. Leugne dir's doch nicht! Den ganzen
Winter hast du auf den Sommer gehofft, und sie dann
wiederzusehn; und es gibt für dich — ja, ja, ja, so ist es
— es gibt für dich nur diese eine Frau. Ach, sie immer
um dich zu haben, diese seelenvollen Augen, diese edle
Stimme ... Aber sie „achtet dich hoch" — wie er sagt —
wohl gar mit ein wenig „Verehrung" — und will weiter
nichts von dir. Als sie gute Nacht sagte — sie gab mir
die Hand, o ja; die so warm und weich war; aber flach
und still lag sie auf meiner Hand. Dann kam Bertold;
dem dankte ein warmer Blick, daß er ihr wohlgetan, und
sie drückte seine Hand so herzlich, daß ich's sehen mußte;
ja, sie schüttelte sie ...

Er trat ans Fenster und sah in die Nacht hinaus.
Wunderbar tot war die Welt. Der Mond, etwas mehr
als halb, streute wieder diesen kalten S c h e i n des Lebens
aus, von dem sie damals auf der „Hedwigsruhe" sprachen
— — wie lange war das nun her. Dieses matte, däm-
mernde Halbleben fröstelte, widerte ihn an. Der Untersberg lag ihm gegenüber wie ein Haufen Nichts, wie der
Schatten einer Leiche. Alles blutlos, leer; das rechte Bild
der Entsagung, des Lebendigtotseins. So sah es nun aus

in der jungen Frau; so sollte er sie lassen, weiter nichts
begehren. Laßt mich da in Frieden! hörte er sie wieder
sagen. Stört mich nicht mehr auf!

Er dachte endlich die Fenster zu schließen und beugte
sich hinaus; schreckhaft fuhr er aber zusammen, als er
plötzlich und unerwartet im Nebenfenster einen zweiten
Kopf sah, der sich gleichfalls hinausstreckte. Der Mond
spielte nur auf dessen Haaren, das Gesicht war im Schatten.
Es war Bertold, den er schon schlafend glaubte. Der
Jüngling lag mit den Armen auf seinem Fensterbrett, und
schaute oder träumte so versonnen, daß er das Erscheinen
des Vaters nicht bemerkte. Wittekind betrachtete ihn still.

Wie rührend jung er noch ist! dachte er. Aber doch
ein so eigener, tiefer Ernst um die weichen Wangen. —
Wovon er nun träumen mag?

Die jungen Lippen bewegten sich. „Marie! Marie!"
flüsterten sie seufzend.

Wittekind fuhr zurück. Wie wenn ihm ein kühler Wind
durch die Haare ginge, lief ein schauerndes Frösteln in
seinen Nacken hinab. Er stand wieder im Zimmer und
horchte. Doch er hörte nichts mehr. Nebenan und überall
war es still.

„Nun ja!" flüsterte er endlich lautlos vor sich hin und
versuchte zu lächeln. Er trat aber nicht wieder ans Fenster,
und er schloß sie nicht. Die Nacht ist mild, dachte er, entkleidete sich und streckte sich auf dem Bett unter seine Decke.
So lag er noch lange mit offenen Augen da; erst gegen
Morgen entschlief er. — —

Das Pfingstfest brach an; diese schönsten Feiertage verlebten die Freunde gemeinsam, auch Marie mit ihnen;
nur daß sie bei ihren Morgen- und Abendwanderungen
die Ziele mieden, wohin die Menge strebte, und einsamere
Wege suchten, an denen in dieser reichen Landschaft auch

kein Mangel war. Saltner kannte sie alle; er führte seine
Gäste um den Gaisberg herum gegen die Ischler Straße,
auch an der Salzach aufwärts, auch über das „Moos",
das er im Geist zum „Salzburger See" umgeschaffen hatte.
In seinem Feuereifer, wie der alte Faust, zeigte er ihnen
rechts und links und gegen den Untersberg zu die Grenzen
dieser geträumten Wasserfläche, die mit Villen bevölkerten
Ufer, auch den zierlichen Dampfer, auf dem er sie an diesen
Gestaden entlang führte. In den Mittagsstunden zog sich
der alte Einsiedler dann in sein Zimmer zurück; und auch
Wittekind flüchtete in seinen Frieden hinauf. Durch die
offenen Fenster hörte er aber seines Bertold Stimme,
der unten in der „Halle" wieder zu den Büchern griff,
und dem die junge Frau stundenlang ein offenbar williges
Ohr schenkte. Kamen sie am Abend zum zweitenmal
nach Haus, so ermutigte ihn schon ihr zunickendes Lächeln,
mit diesem Liebesdienst fortzufahren; Bertold errötete vor
Freude, und nach wenigen Augenblicken saß er ihr gegenüber und las. Der Alte ging ab und zu, auf den schweig-
samen Teppichen; Wittekind setzte sich lieber in ein Nebenzimmer, wo er zuhören oder in seine Gedanken versinken
konnte, wie eben seine beladene Seele es begehrte. Und
s i e? dachte er. Hört sie jedes Wort? Ist sie wirklich
ganz Ohr? Oder sitzt sie in ihrem „Wald" und horcht nur
so hin, wie wenn die Vögel in den Bäumen singen? —
Oder ist sie mehr A u g' als Ohr? Schon auf der „Hedwigsruhe" sagte sie von ihm: beinahe hätt' ich gesagt, wie holdselig ... Findet sie nun, er ist es?

Zuweilen erschien auch K a t h i irgendwo in der Tür;
öffnete sie leise ein wenig, lauschte eine Weile, wenn man
sie nicht wahrnahm, und schlich dann geräuschlos in ihren
Winkel zurück. Das Mädchen war am ersten Abend unsichtbar geblieben, hatte dann am Morgen Vater und Sohn

scheu und verlegen begrüßt, auf ihre freundlichen Worte
ihnen einmal zugelächelt und sich dann plötzlich, flüchtig
wie ein Reh, wieder davongemacht. So blieb sie während
der Feiertage: nur wenn sie der „Dienst" zu den Gästen
führte, ließ sie sich sehn, und verschwand sogleich, wenn
ihre Pflicht erfüllt war. Am dritten Morgen aber, als
Bertold sein Zimmer noch nicht verlassen hatte, trat sie
nach schüchternem Klopfen bei ihm ein, mit hochrotem
Gesicht. Sie schien geweint zu haben, aber nicht vor
Kummer: denn sie sah ihn tiefgerührt und mit so kindlich
warmer Herzlichkeit an, daß ihm fast wieder so sonderbar
zu Mute wurde wie vor einem Jahr auf der „Gemse".
Nachdem sie ihn von der Tür aus begrüßt und eine Weile
in hilfloser Bewegung ihre Füße hin und her gewiegt
hatte, trat sie mutiger auf ihn zu. „Ich hab' die halbe
Nacht ja nicht schlafen können," sagte ihre tiefklingende,
weiche Stimme.

„Und warum nicht, Kathi?"

„Das wissen Sie ja doch," gab sie ihm zur Antwort;
es kam beinahe wie ein Vorwurf heraus.

„Ich weiß gar nichts; wahrhaftig," erwiderte Bertold
lächelnd.

„Aber der Herr von Saltner hat mir's ja gestern abend
gesagt... An mich schlechte Person haben Sie gedacht —
sich was abgespart... Mein Gott, ich versteh' das nicht!"

„Wozu auch alles verstehn, Kathi? Man muß die Welt
nehmen, wie sie ist, und nicht so viel nachdenken, daß man
den Schlaf verliert. Ich will Ihnen nur sagen, Kathi:
weil ich Sie nicht für eine ‚s c h l e c h t e Person' halte,
sondern für eine rech,t gute, die — — die einmal z u gut
war, so hab' ich mir — — hab' ich für Sie — —"

Die Unsicherheit kam nun über i h n. Er ging um
seine Worte herum, als hätte jedes einen Stachel, der ihr

wehtun könnte. „Nun, Herr Saltner hat's Ihnen ja
gesagt," stieß er endlich heraus.

„Ja," seufzte sie. „Und daß auch Ihr Vater — und
daß auch Herr von Saltner — — Wie komm' ich dazu!
Alle so gut zu mir — —"

Sie schluchzte auf einmal laut auf, wie ein Kind, und
die augenrötenden Tränen begannen nun wieder un-
gehindert zu fließen.

„Na, da haben wir's!" sagte Bertold, der, je länger
sie weinte, sich desto mehr wie ihr Onkel, wie ihr Vater
fühlte. „Kathi! Wer weint denn um Geld. Geld ist ja
doch das wenigste, was einer dem andern antun kann —
wenn er's grade hat. Wir haben es, und Sie nicht. Also
geben wir Ihnen so viel, als Sie brauchen, um — —Nun,
Sie wissen schon. Ich wünsch' Ihnen einen guten Mann,
Kathi, und ein gutes Glück!"

„Wir wollen's hoffen," sagte sie mit erstickter Stimme.
„Und ich dank' Ihnen für Ihre Gutheit. Geben Sie mir
doch die Hand!"

„Was wollen Sie damit?" fragte er, da sie sich nieder-
bückte, während sie danach haschte.

Sie antwortete nicht, sondern versuchte stumm seine
Hand zu küssen. Er zog sie aber weg und versteckte beide
Hände hinter seinem Rücken. „Lassen Sie das," sagte er
mit milder Strenge; „das gehört sich nicht. Das mögen
die H u n d e tun. Menschen küssen sich —"

Auf den M u n d, wollte er sagen; er ward aber rot
und brach ab. Alle seine Vatergefühle zusammennehmend
sah er ihr in die nahen, treuherzigen, nassen Augen und
murmelte endlich, beinahe flüsternd: „Ich werde Sie auf
die Stirn küssen, Kathi." — Das Mädchen erwiderte nichts
und hielt ihm die sanftgebräunte Stirn unverlegen hin.

Er näherte sich ihr. In diesem Augenblick überkam

ihn ein sonderbares, tolles Gefühl: als sei er E u g e n
D o r s a y, dem diese Kathi so willig sich zum Kusse dar=
biete ... Alles, was sie auf der „Gemse" erlebt hatten,
stand ihm vor der Seele. Es ward ihm unhold zu Mut.
Er zog sein Gesicht zurück.

Seine Herzensgüte trieb es jedoch wieder hin. Er
berührte ihre Stirn mit seinen Lippen, wie ein Fisch den
Köder berührt, vor dem er sich scheut. „Ich — — ich
danke Ihnen," murmelte er dann.

„Für was?" sagte sie leise.

Sie ging dann schweigend, rückwärts, zur Tür. Mit
halb gesenktem Kopf flüsterte sie, noch einmal aufseufzend:
„Vergelt's Ihnen Gott! — Ich werd' für Sie beten. —
— Ich hab's ihm auch heilig gelobt — — und ich werd's
auch halten."

„W a s haben Sie ihm gelobt?"

Solange sie noch im Zimmer stand, gab sie keine Ant=
wort. Erst als sie von draußen die Tür halb geschlossen
hatte und nur die Hälfte ihrer zierlichen Gestalt noch sicht=
bar war, hauchte sie durch die Spalte hinein: „Brav sein!"

Dann machte sie die Tür mit e i n e r Bewegung, aber
lautlos, zu.

IV

Schon am Pfingstmontag hatte ein frischer Nordost die
sommerwarme Luft wieder abgekühlt; am Dienstag drang
er auch in die erwärmten Mauern und Wände ein und
füllte die Zimmer mit frostigen Gefühlen, die man, wie
die Winterkleider, schon abgelegt zu haben vermeint hatte.
Saltner allein machte ein vergnügtes Gesicht, als sei dieser
Rückfall in den Nachwinter auf seine Bestellung gekommen:
er liebte die gemischten Tage, an denen die Sonne vom

blauen Himmel heiter herunterbrennt, im Kamin aber das
Feuer lobert, diese traulichste von allen Flammen, in die
er so gerne hineinträumte. Er schleppte sogar am Morgen
selber Buchenscheite herbei; denn in seinem Hause durfte
nur das edle Buchenholz brennen, dies war die einzige
Verschwendung, deren er sich rühmte. Man sah ihn auch
an diesem Tag stundenlang am Kamin, in die Flamme
guckend. Er wollte den Rückfall genießen, er traute dem
Wetter nicht, das sich in den Sonnenschein fest einzu-
sommern drohte, denn nicht das kleinste Wölkchen stieg am
Himmel auf, und das aus allen Zweigen brechende Grün
war nicht mehr zu halten.

Frau Marie blieb am Nachmittag zu Haus und auf
ihrem Zimmer; Wittekind schrieb, der Alte saß sinnend
am Kamin; zuletzt ging Bertold, da er keinen Menschen
hatte, allein vor die Tür und in die Stadt hinein. Er
kam an die alte Brücke und auf denselben Weg, auf dem
er damals Kathi gesucht und endlich im Wasser gefunden
hatte. Jetzt war aber das Ufer nicht einsam wie an jenem
Morgen, großes und kleines Volk schlenderte an der Salzach
hin und schien diesen sonnig frischen Abend als dritten
Feiertag zu genießen. Sich selber überlassen und die Leute
betrachtend, erinnerte sich Bertold seiner alten Bekannten
aus dem Volk, der „Weltverbesserer", an die er in diesen
Tagen kaum einmal gedacht hatte, denn die großen Augen
der Frau von Tarnow ließen ihm keine Zeit dazu. Auch
war er noch nicht in die Stadt gekommen, weder mit den
andern, noch allein. Er blickte ohne Neugier umher, mehr
als einmal glaubte er die untersetzte, stämmige Gestalt
Afingers zu sehn, wollte auf ihn zu, strebte wieder zurück;
— verwundert bemerkte er, wie zwiespältig seine Emp-
findungen waren, und wie wenig wir eigentlich wissen,
wie über diesen und jenen Menschen unsre innerste Stimme

spricht. Möcht' ich Afinger wiederfehn? dachte er. Weiß
ich das wirklich nicht? Oder haben nur seine Kame-
raben mir auch ihn verleibet? ginge ich denen lieber
aus dem Weg, und darum auch ihm? — Übrigens täuschte
er sich, denn jeder, den er von weitem für Afinger hielt,
war ihm unbekannt. Er kehrte endlich wieder um, denn
es zog ihn nach Haus. Ein so wunderbares, neues Leben
war in ihn gekommen: ganze Tage in der Gesellschaft
dieser Frau zu sein, deren Schicksal für ihn so geheimnisvoll und romantisch war, ihrem edlen Gesicht gegenüber
sich in Poesie zu berauschen, seine laute Stimme zu hören,
ihre verschlossene Seele damit aufzuschließen. Der David
dieses weiblichen Saul zu sein, wie er mit Stolz bei sich
dachte; denn sie hört mir zu, sie lächelt, ihre Wangen be-
leben sich, ihre Augen leuchten ... Was für Augen. Sterne!
Und sie leuchten mich an — leuchten durch mich hindurch
— als flögen sie hinter mir weiter zu den andern Sternen.
Und mich durchschauert's ... Aber ich lese weiter. Ich
fasse mich wie ein Mann. Obwohl sie — — obgleich mein
Herz — — Kurz, ich liebe sie! ich bete sie an! murmelte
er in die Luft.

„Was reden Sie da vor sich hin?" hörte er jetzt eine
Stimme sagen, und eine Hand legte sich ihm auf den Arm.
„Dabei gehn Sie so rasch, daß ich Sie kaum einholen kann.
Kennen Sie mich nicht mehr?"

Bertold sah Riebau vor sich, als er sich gegen die
Stimme gewendet hatte. Er erkannte ihn im ersten
Augenblick nicht, weil das an sich so scharf gezeichnete
Gesicht unnatürlich gerötet und durch ein unruhiges, über-
triebenes Lächeln entstellt war. Sobald jedoch dieses
Lächeln schlichter wurde, war ihm bewußt, wen er vor
sich hatte. „Herr Riebau," sagte er kurz. „Guten Tag.
Sind Sie wieder hier?"

„Irgendwo muß der Mensch ja sein," erwiderte der
andre, wieder mit dieser aufgeregten Lustigkeit, für die
es an einem Anlaß fehlte. „Ich hab' Sie gleich erkannt,
obgleich Sie sich jetzt ein Bärtchen stehen lassen..."
Riebau fuhr durch seinen eigenen dichten, schwarzen Bart
und lachte. „Machen Sie nur nicht so große Augen,"
fuhr er dann mit etwas unsicherer, aber doch geläufiger
Zunge fort; „wundern Sie sich nicht. Ich hab' halt viel
getrunken. Die Feiertage; und überhaupt... Was kann
der Mensch Besseres tun, als trinken; wenn's ein edler
Stoff ist. Aber zuviel hab' ich darum nicht. Die Zunge
ist etwas komisch, aber der Kopf ist frei. Ich weiß, was
ich sage — und auch was ich will!" — Er lachte wieder auf;
dann betrachtete er aber den Jüngling mit seinen forschenden, unruhig wandernden Augen, während er sein gewohnheitsmäßiges, stilles Lächeln annahm. „Ja, und ich
werd' Ihnen das heute noch beweisen!" setzte er, ein Auge
eindrückend, hinzu.

Bertold beachtete diese Behauptung nicht; er fragte,
von Riebaus Zustand und Benehmen nicht eben erbaut:
„Sind Sie mit Ihrem Diplomaten, oder was er war,
wieder auf der Reise?"

„Nein," entgegnete Riebau und zeigte seine Zähne.
„Der hat eine Reise gemacht, die ich noch nicht mitmachen
wollte. Er ist für immer abgereist, verstehn Sie. Ab-
geschrammt, wie man sagt!"

„Ah!"

„Ja, die Canaille ist tot. Ich wollte dann bei einem
Baron in Dienst treten; aber das — zerschlug sich. Da
hab' ich mich an einen hohen Herrn geschmiegt, der sich
für gelehrt hielt und einen Sekretär brauchte. Wieder
Paria! Das bekam ich doch endlich satt. Ich spritzte eines
Tages meine Feder aus, sagte: gute Nacht, Herrendienst!

und wurde ein freier Mann. Freiheit über alles! Freiheit, die ich meine — —"

Er stellte sich vor Bertold hin, so daß dieser nicht weiter-gehen konnte, faßte seinen Rockärmel und schloß die Augen halb zu, wie er es vorzeiten von Walbenburg gelernt hatte. „Mit Ihnen kann man ja reden," fuhr er leiser fort — sie waren übrigens an einen menschenleeren Platz in der Nähe des Wassers gekommen — „und Sie verstehn mich. Das Volk! Alles durch das Volk! Weg mit unsern Tyrannen. Befreiung der Gesellschaft. Dafür leb' ich jetzt. Hab' ich recht, oder nicht?"

Er blickte, während er sprach, Bertold wieder so spürend an, daß über den arglosen Jüngling doch ein unbehaglich mißtrauisches Gefühl kam. „Und w o v o n leben Sie, wenn ich fragen darf?" sagte er unwillkürlich.

Riedau beantwortete diese Frage nicht, er lächelte ihm nur geheimnisvoll zu. „Kurz, vor Ihnen kann ich mich aussprechen," entgegnete er dann. „Es muß etwas ge-schehn, und es wird geschehn ... Oder denken Sie nicht mehr so frei wie damals?"

„Ich denke ebenso wie damals," erwiderte Bertold trocken. „Aber S i e — — Sie wollten ja nur ‚o b e n b l e i b e n', wie Sie mir damals sagten; so oder so!"

„Hab' ich das gesagt?" — Riedau lachte. — „Ja, das sieht mir gleich! Ich hatte mir das angewöhnt — es ist eigentlich dumm — so allerlei verruchtes, blödes Zeug in den Tag hinein zu reden, den verfluchten Kerl zu spielen, wenn mir's grade Spaß machte. Die mich wirklich kennen, dacht' ich, die wissen ja doch, wer ich bin!"

„Und was tun Sie j e t z t? S p i e l e n Sie auch jetzt wieder nur den Freiheitsmann, den Volksmann, oder ist der echt?"

„Ah! wie fein Sie sind!" antwortete Riedau, indem

er vor Bewunderung die Brauen anzog und mit seinem
Schwarzkopf nickte. „Und Sie haben eigentlich recht. Man
soll keinem Menschen trauen, der sich überhaupt den Spaß
macht, Komödie zu spielen. Darum hab' ich diese Masken-
scherze jetzt auch aufgegeben, die schaden einem nur; hab'
mich auf den eigentlichen Kern in mir zurückgezogen, der
verteufelt ernst ist — und lebe wirklich nur noch für meine
Ideale. Hab' ich darin recht oder nicht?"

„Gewiß haben Sie recht," entgegnete Bertold, noch
etwas ungewiß und mit einem schrägen Blick.

„Sie sollen mich kennen lernen, wie ich wirklich
bin; das heißt, wenn Sie wollen. Mein ganzes Herz
schlägt jetzt für die Enterbten, für die Unterdrückten....
Seit wann sind Sie hier? Haben Sie Afinger schon
gesehn?"

„Nein, noch nicht. Ich bin erst wenige Tage hier." —
— Indem Bertold dies sagte, betrachtete er den andern
verwundert: so sehr hatte dessen ganze Erscheinung sich
mittlerweile ernüchtert; sogar die Röte im Gesicht war
schon halb verschwunden.

„Afinger ist mein Mann! Der hat sich entwickelt. Den
müssen Sie wiedersehn! Ich lebe jetzt hier, weil dieser
Magnet mich fesselt; und in unserm kleinen Kreise, sag'
ich Ihnen, rühren sich Gedanken, Ideen. Mit der Zeit
auch Taten.... Wir tagen aber nicht mehr zwischen unsern
vier Wänden, sondern, wie die Irländer Curleys, im
Freien, im Busch!"

„Warum tun Sie das?"

„Warum? Weil die Polizei ein altes Weib ist, das
alles wissen will; weil dieses alte Weib uns nachspürt, in
die Schlüssellöcher kriecht, an den Wänden horcht, in die
Türen einbricht. Ja, so sind die Zeiten! — Der Stier-
kopf, der Metzner, hat's verlangt, daß wir auswandern

— und ich hab' ihm zugestimmt. Sonst hätt' er mich wohl gar selber für 'nen Spitzel gehalten — —"

Riedau lachte wieder; aber mäßiger, trockener als zuvor. Er nahm Bertolds Hand. „Herr Wittekind!" sagte er plötzlich, mit dem breiten, herzlichen Ton, den er gleichfalls in der Schule seines toten Meisters gelernt hatte. „Alle, die es gut meinen, müssen jetzt zusammenhalten. Als ich Sie sah, dacht' ich gleich: Bravo! Unser Sankt Georg ist wieder da! Denn so heißen Sie noch immer bei uns. Wir hoffen noch immer auf Sie. Asinger voran. Kommen Sie morgen abend, wo wir wieder tagen, zu uns hinaus in den Busch?"

Bertold schwieg verwirrt; er sah an dem andern und an sich hinunter. Dies alles überraschte, überrumpelte ihn; er hatte hier wie im Märchen gelebt, nicht in Sankt-Georgs-Gedanken, er war auch nicht mehr der Träumer von damals, wie ihm heute deuchte. Was zog ihn noch hin? War es mehr als Neugier? Was stieß ihn ab? War es wirklich die Vernunft? — Und dieser Riedau, was war er?

„Sie antworten mir nicht," sagte Riedau, nachdem er eine Weile gewartet hatte. „Das soll wohl heißen: da man euch nachstellt, tu' ich nicht mehr mit; ich fürchte mich vor der Polizei!"

„Herr!" fuhr Bertold auf. „Wie können Sie sich erdreisten ... Ich fürchte mich nie. Ich kenne keine Furcht!"

„Dann entschuldigen Sie gütigst; beleidigen wollt' ich Sie nicht. Ich dachte ganz naiv: er will nicht, aus Furcht. Denn wenn Sie sagen: ‚ich denke noch ebenso wie damals', aber Anstand nehmen, sich unter uns zu zeigen — nun, dann sieht's doch so aus — —"

„Ich werde also kommen!" unterbrach Bertold ihn stolz und kurz. Seine Augen blitzten. Er fuhr mit der

Hand durch seinen jungen Bart. „Nur damit Sie sehen, daß es ‚nicht so aussieht'... Wann find' ich euch denn? und wo?"

„Wir ‚tagen', wenn es Nacht wird," entgegnete Riedau, der nun seinen geschmeidigen Rücken wieder freundlich krümmte. „Seien Sie nur wieder gut; ich werde einen Mann wie Sie doch nicht kränken wollen. Wo? Strom-auf, an der Salzach. Kennen Sie den Weg am Fluß hinauf, der später seitwärts nach Hellbrunn führt, und auch nach Anif?"

„O ja; schon von früher; und auch dieser Tage sind wir da gewandert."

„Desto besser, verehrter Herr! — Da, wo dieser Weg — — Ich wußte ja recht gut: an Schneid' fehlt's Ihnen nicht —"

„Schon gut," unterbrach ihn Bertold. „Also wo?"

„Da, wo dieser Fußweg den Fluß verläßt, gehn Sie zum Wasser hin; dann am Ufer fort, unter dem höher-liegenden Wald, der Sie verdeckt — bis einige Büsche kommen. Da finden Sie die ‚Gruppe' beisammen, wenn es Nacht ist. Bleibt das Wetter klar, so haben Sie Mond-schein, können's nicht verfehlen."

„Ich verfehl' es auch o h n e Mondschein nicht, wenn ich hinkommen will. Und, wie gesagt, ich will. Also auf Wiedersehn morgen an der Salzach!"

Bertold, noch immer erregt vor beleidigtem Stolz, winkte mit der Hand zum Abschied und ging nach links, seiner Straße zu.

Fast verblüfft durch diese rasche Trennung öffnete Riedau die dicken Lippen, ohne etwas zu sagen. Bald aber faßte er sich, und in seinen Augen funkelte eine heim-liche Freude auf. „Ich danke Ihnen!" rief er dem rasch davongehenden Jüngling nach. Indem er dann wie

Waldenburg zu schmunzeln suchte, setzte er hinzu: „Vogue
la galère!"

Bertold kam an sein Haus. So eilig, wie er es erreicht
hatte, so zögernd trat er nun ein. War es nicht eine Tor-
heit, eine Übereilung, dieses Stelldichein anzunehmen?
Was wollte dieser Riebau von ihm? Was wollte e r,
Bertold Wittekind, von diesen wilden Gewaltmenschen?
Warum zog ihn sein Schicksal wieder so sonderbar in diese
Gesellschaft, zu der er doch in seinem innersten Herzen
nicht gehörte? — Sein Schicksal? Ist es nicht mein
S t o l z, dachte er, meine E i t e l k e i t, daß ich mir von
diesen wulstigen Negerlippen nicht wollte sagen lassen:
er fürchtet sich vor der Polizei!? — — Hingehn muß ich
nun. Gescheit war's wohl nicht. — Ach was! Gescheit!
Was sollte mir geschehn? Und dieser Obenaufschwimmer
sollte etwa zu Afinger und Metzner sagen können: Der
hat sich gefürchtet?

Er sammelte sich noch eine Weile, kühlte mit Wasser,
das er im Vorzimmer in seine Hände goß, sein erhitztes
Gesicht, dann trat er in den Salon. Marie und die beiden
Männer gingen eben ins Speisezimmer; man aß, man
plauderte lebhaft über dies und das, endlich beschloß man,
wieder eine schöne Stunde mit einem Dichter zu verleben,
Bertold als Vorleser. „Aber laßt uns heute nichts von
T u r g e n j e w hören!" rief Wittekind mit einer Art von
Unwillen aus; „nein, etwas Erfreuliches, Markiges, Ur-
männliches! Mein Junge hat sich ganz in diesen Russen
vernarrt; in allen Taschen trägt er ihn mit herum, er
l e b t jetzt förmlich mit diesen slawischen, elegischen, zart-
besaiteten, geistreich kraftlosen Menschen. Ja, ja, ich gebe
es zu, das ist ein Poet, er kennt das menschliche Herz, er
hat die feinen beobachtenden Augen einer Frau, er versteht zu schildern — manche sagen, wie kaum ein zweiter —

ich bin ein Laie und verstehe das nicht. Aber man fliegt
nicht auf! Man kommt nicht auf den Berg! Die Luft
ist so dick, das Leben wird eine Last. Heut etwas S h a k e -
s p e a r e , bitt' ich! und vom Allerbesten!"

Saltner nickte lächelnd; Marie sah stumm auf Bertold,
und dieser, dem noch etwas unsicher und beengt zu Mute
war, vermied es lieber, für seinen Dichter zu streiten.
Sie gingen in die „Halle" zurück, wo im Kamin noch das
heilige Feuer brannte; man setzte sich in dessen Nähe, nur
Bertold ging zur Lampe an den Lesetisch. Der Vater
schlug ihm „König Lear" auf, den dritten Akt. Seine
Augen strahlten. Bertold sah es, ermannte sich, nahm alle
seine jungen Kräfte zusammen und las. Sein Gefühl, seine
innere Flamme wuchs. Zuweilen, wenn er aufblickte,
glaubte er am Kamin, in phantastischer Röte beleuchtet,
den weißbärtigen Lear zu sehn; so gewaltig und mystisch
erschien ihm der Alte, der ins Feuer starrte. Mariens
ernst verklärtes, sinnendes Gesicht konnte ihm Cordelia
vorstellen. Die ungeheuren Gewitter dieses dritten Auf-
zugs, in der Natur und im Geschöpf, rauschten in ihrer
unerreichbar erhabenen Gewalt vorüber, bis zur „siebenten
Szene", der greulichen in Glosters Schloß: hier klappte
Bertold still das Buch zu, stand auf und ging auch, leise,
zum Kamin. Alle schwiegen eine geraume Zeit. Es
knisterte nur in dem schwelenden und lobenden Buchenholz — wie wenn hier die Flamme der Dichtung einge-
sunken fortbrennte — und ein leises Sausen wehte aus
den züngelnden Gluten.

Wittekind stand auf, ging über den Teppich und löschte
die Lampe aus; jetzt leuchtete nur das goldrote Feuer,
von unten herauf; in allen Winkeln dämmerten die Schatten. Nachdem er sich wieder gesetzt hatte, nahm er endlich das Wort: „Vor diesem Shakespeare steht man doch

immer aufs neue wie vor einem Rätsel. Die ‚Vererbungs-
theorie‘ — was heißt das? Kann denn irgend ein Mensch
wirklich glauben, ein so unaussprechliches Genie wie Shakespeare sei durch Vererbung entstanden, seine braven Eltern
und Großeltern hätten ihn aus ihren verschiedenen guten
Eigenschaften glücklich zusammengebracht?"

„Es wird wohl auch nicht so sein," erwiderte der Alte
bedächtig.

„Nun, aber wie wär' es dann? Vom Himmel ist er
doch auch nicht gefallen."

Saltner blickte auf und lächelte. „Vom Himmel gefallen ... Nein, so wörtlich wohl nicht. Aber doch vielleicht — in irgend einer Weise."

„Ich verstehe Sie nicht. Wie meinen Sie das?
Irgend ein besonderer Hauch der Schöpferkraft —?"

Der Alte lächelte wieder. „Ein b e s o n d e r e r?
Daß der Meister von Zeit zu Zeit einmal in seine Schöpfung hineinbliese, um das Geniefeuer anzufachen? Das
glaub' ich nun eben nicht. Aber der William Shakespeare
aus Stratford am Avon muß ja nicht A n f a n g   u n d
E n d e gewesen sein. Er konnte ja auch eine F o r t -
f e t z u n g sein; nicht seiner ‚braven Eltern', mein' ich —
was er gewiß zum Teil, gewiß nicht im Ganzen war —
sondern eines Unbekannten, der vor ihm gelebt hatte,
Gott mag wissen, wo; der auch schon ein Großes war, nur
in anderer Weise; der auch eine Fortsetzung war, und zwar
von andern ungezählten Fortsetzungen — alle verschieden,
alle im Raum verstreut, Gott mag wissen, wo — aber
doch alle eins, wie sich etwa ergeben wird, wenn die Zeiten
da sind."

Wittekind starrte, wie die andern, den Alten an, der
ruhig, sachlich und doch mit einer gewissen feierlichen
Bedächtigkeit gesprochen hatte. Sein verschlossenes Ge-

ſicht hatte ſich gleichſam geöffnet, wie wenn hinter ſeiner
Stirn das große Buch aufgeſchlagen wäre, das ſonſt ſieben
Siegel bedeckten. „Sie ſprechen von der Seelen-
wanderung?“ fragte Wittekind.

Saltner zögerte eine Weile; dann antwortete er: „Ja,
man nennt es ſo. — Ich rede nicht gern davon. Die
einen ſpötteln darüber, die andern tändeln damit. Hab'
ſchon manches Jahr zu keiner lebenden Seele ein Wort
davon geſprochen. Nur weil wir hier grade ſo am Feuer
ſitzen — und weil dieſer Shakeſpeare, dieſer wunderbare — — Aber nein, das allein iſt's nicht. Ich denke
ſchon lange: mit Ihnen möcht' ich davon ſprechen. Und
auch mit Marie ... Und dieſer Jüngling da mit den
Schwärmeraugen — für den wär's wohl auch!“

Bertold errötete. In verlegener Freude ſagte er:
„Ich hab' erſt dieſen Morgen etwas darüber geleſen; in
der Zeitſchrift da.“ — Er deutete auf den großen, runden
Tiſch, auf dem allerlei Hefte und Bücher lagen. — „Da
wird in einer dramatiſchen Dichtung —“

„Ich weiß,“ fiel Saltner ein. „Ich hab's auch geleſen.
Der Herr meint es gut mit der Sache, ſcheint mir; er läßt
aber ſeine Leute im alten Palmyra leben, und die
ſogenannte Seelenwanderung kommt nur als eine phantaſtiſche Veranſtaltung für einen beſonderen Fall vor:
weiter ſoll ſie nichts. Ich mein' aber, ſie iſt wirklich, und ſie iſt für alle. Und das meint auch einer,
vor dem ich ein Knabe bin, den wir alle verehren — und
den doch gar wenige recht zu kennen ſcheinen: denn ich
ſehe, faſt niemand weiß, daß er daran geglaubt hat.“

„Von wem reden Sie?“ fragte Wittekind.

„Von Gotthold Ephraim Leſſing. Den nennen Sie
doch wohl nicht einen Phantaſten; wie? Den wirſt doch
wohl niemand zu den trüben, hirndumpfen Schwärmern,

die aus den Blasen in ihrem Kopf eine zweite Welt machen?
Ich denke, das war ein Mann, hell und lauter wie das
Sonnenlicht; ein Kopf, in dessen durchsichtig klarem Geist
man sich gesund baden kann. Und wie dachte der über
dieses ‚Märchen‘? Seine ‚Erziehung des Menschen-
geschlechts‘ — haben Sie die gelesen?“

„Es ist lange her,“ sagte Wittekind, die Achseln zuckend.

„Ich will sie Ihnen holen,“ erwiderte der Alte; ging
in ein Nebenzimmer, wo seine Bücher in mehreren mächtigen Gestellen fast bis an die Decke standen, und kam
mit einem stark zerlesenen Buch in altem Einband zurück.
Darauf rückte er unmittelbar ans Feuer, schlug eine Seite
auf, ohne viel zu suchen, und überflog sie bei diesem
flackernden Licht mit seinen gesegneten Augen, die noch
immer ohne Brille lasen, ob große oder kleine Schrift.
„Sehen Sie, da kommt es,“ sagte er, auf die Buchseite
deutend. „Am Ende dieser kleinen Abhandlung, in der
so manches Gold ist, kommt das Goldenste; nachdem er
von der Erziehung gesprochen, die nach seinem Dafür-
halten in der Geschichte der Menschheit wahrzunehmen
und sie zur Vollendung zu führen offenbar bestimmt ist.
‚Denn‘, sagt er eine Seite vorher“ — der Alte blätterte
um —: „die Erziehung hat ihr Ziel, bei dem Ge-
schlechte nicht weniger als bei dem Einzelnen. Was erzogen wird, wird zu etwas erzogen.‘ Und wenn es langsam, für unser Auge u n e n d l i c h langsam geht, das be-
irrt ihn nicht; denn — nun kommt es, sehn Sie —: ‚Geh
deinen unmerklichen Schritt, ewige Vorsehung! Laß mich
an dir nicht verzweifeln, wenn selbst deine Schritte mir
scheinen sollten, zurückzugehen! — Es ist nicht wahr, daß
die kürzeste Linie immer die gerade ist. Du hast auf
deinem Wege so viel mitzunehmen, so viel Seitenschritte
zu tun! — Und wie? wenn es nun gar so gut als aus-

gemacht wäre, daß das große, langsame Rad, welches das
Geschlecht seiner Vollkommenheit näher bringt, nur
durch kleinere schnellere Räder in Bewegung gesetzt würde,
deren jedes sein Einzelnes ebendahin liefert? —
Nicht anders! Eben die Bahn, auf welcher das Geschlecht
zu seiner Vollkommenheit gelangt, muß jeder einzelne Mensch (der früher, der später) erst durch-
laufen haben ... Warum könnte jeder einzelne Mensch
auch nicht mehr als einmal auf dieser Welt vorhanden
gewesen sein? Ist diese Hypothese darum so lächerlich,
weil sie die älteste ist? weil der menschliche Verstand, ehe
ihn die Sophisterei der Schule zerstreut und geschwächt
hatte, sogleich darauf verfiel? ... Warum sollte ich nicht
so oft wiederkommen, als ich neue Kenntnisse, neue Fertig-
keiten zu erlangen geschickt bin? Bringe ich auf einmal
so viel weg, daß es der Mühe wiederzukommen etwa
nicht lohnt? Darum nicht? — Oder, weil ich es vergesse,
daß ich schon dagewesen? Wohl mir, daß ich das vergesse.
Die Erinnerung meiner vorigen Zustände würde mir nur
einen schlechten Gebrauch des gegenwärtigen zu machen
erlauben. Und was ich auf jetzt vergessen muß, habe
ich denn das auf ewig vergessen? — Oder, weil so zuviel Zeit für mich verloren gehen würde? — Verloren?
— Und was habe ich denn zu versäumen? Ist nicht die
ganze Ewigkeit mein?'"

Saltner hatte ohne Kunst, aber mit einem eigen er-
greifenden ruhigen Nachdruck gelesen; er schloß jetzt das
Buch und ließ es auf seinen Knieen liegen. „Das steht
alles im Lessing?" fragte Marie verwundert.

„O ja; Wort für Wort."

„Und ist wirklich von ihm?"

„Gewiß. — Man hat einmal versucht, ihm diese ganze
Schrift abzustreiten und sie einem andern Verfasser an-

Wilbrandt, Adams Söhne   22

zuhängen; aber man ist damit in den Sumpf gefallen. —
Übrigens, wenn das kein echter Lessing ist, dann bin ich
die Kathi!"

„Und Sie glauben, so ist es? Jeder von uns war
schon, und wird wieder sein? Jede Menschenseele fängt
auf der untersten Stufe an und soll die höchste erreichen?
Jede?"

„Ja, meine liebe Marie; das ist meine Meinung.
Unser Dasein hat einen Sinn, die Welt hat einen Zweck;
daran zweifl' ich nicht. Und diese verspottete Seelenwanderung — ist sie nicht das Ei des Kolumbus? Sagen
Sie doch selbst! Alles Begonnene kommt so auch zum
Ende; verloren geht nichts, denn jede einmal entstandene
Seelenform muß sich fortentwickeln, sie m u ß, — ob auch
noch so zäh und langsam und tierhaft, sie muß, denn in
einem andern Kleid, in andrer Luft kommt sie immer
wieder; und die Zeit ist da! man darf sie ja nur nehmen!
— All unser Leiden aber, alles Elend, was tut das? Geht
es nicht vorüber? Erfüllt es nicht seinen Zweck? Arbeitet es nicht an uns, damit wir weiterkommen? Und
wenn es zu hart, zu grausam, gar unerträglich wird, wenn
es mich in dieser meiner Gestalt etwa zu Boden drückt —
komm' ich nicht in einer andern wieder auf? Und da
find' ich vielleicht eine so l e i c h t e Luft, wie die andre
s c h w e r war. Eines Tages aber, denk' ich, lichtet sich
der Schleier, unsres Geistes Augen, in dieser langen
Schule endlich klar geworden, sehen den hellen Tag,
sehen den ganzen Weg zurück, den wir gekommen sind,
und mit d i e s e m Rätsel der Welt — mit d i e s e m,
sag' ich; denn wer weiß, wie viele dann noch kommen —
mit dem sind sie fertig!"

„Mir schwindelt," sagte Marie, vor sich nieder blickend.
„Ach, so lange zu leben! Wünschen Sie sich das?"

„Ich habe nicht zu wünschen, Kind," erwiderte der Alte, mit tiefstem Ernst im Gesicht. „Wenn es so ist, hab' ich so zu sein."

„Aber wie denn „zu sein'?" fragte Wittekind. „Denken Sie, der ‚Schöpfer' habe uns geschaffen und nun ausgesetzt wie Forellen- oder Karpfenbrut, die gezüchtet wird, die man von einem Teich in den andern bringt, bis sie ausgereift ist? Entwickeln wir uns selbst? abgelöst vom Schöpfer? Sagten Sie nicht neulich: wir für uns sind nichts, Gott lebt in uns allen?"

„Freilich; wie denn anders? Sie können sagen: wir alle sind nur Atemzüge Gottes ... Aber er will doch etwas mit uns; jeder Hauch, der von ihm ausgeht, ist ein neues Leben — das sich selber fühlt, das sich selber lebt. Und nur im Werben lebt es. Und so werden wir, denk' ich, in immer neuen Gestalten; bis wir unsre Tierheit besiegt, bis wir das grobe Erdenkleid abgeschüttelt haben, bis wir in einem geistigen Äther leben können, den wir jetzt nur ahnen. Hab' ich das erträumt? O nein. Lange vor dem Ulrich Saltner — und lange vor dem Lessing — haben das weise Männer gedacht, die vermutlich ‚im Walde' lebten: denn solange einem die Welt so recht um die Ohren lärmt, hört man wohl diese zarten Geisterstimmen nicht. Bei den Buddhisten gibt es eine Geheimlehre — für die Denker, nicht für das Volk — die sagt das alles, und so rein und lauter, Lessing kann's nicht besser. Viele Ringe von Geisterwelten, sozusagen, kreisen um den Urgeist, um Gott; in dem fernsten Ring — immer sozusagen — ringen die derben Geister, solche wie wir Erdenmenschen, durch unzählige Leben hindurch, in Freud' und Leid, nach der Läuterung, die sie endlich weiter und dem Göttlichen näher führt. Was denken Sie wohl, Marie? Wer von uns kann sagen, ob William Shakespeare von

Stratford nicht schon eine Form war, die auf dieser Erde nicht wiederzukommen brauchte? die in einer Geistigkeit, einer Klarheit lebt — freilich weit, weit von Gott, aber doch weit vor uns?"

„Verzeihn Sie, lieber Vater," antwortete die junge Frau, die ihn fast beängstigt ansah, „— mir graut noch vor alledem. Aber — und w ä r's auch so — mit dem Shakespeare, mein' ich — was soll aus den L e tz t e n werden? aus den Hottentotten, aus den Menschenfressern?"

„Und aus den Gemeinen, den Schlechten, den Ungeheuern?" setzte Wittekind hinzu.

„Aus den Menschenfressern?" entgegnete der Alte. „Das waren Shakespeares Ahnen auch, glauben Sie mir; und doch kam endlich Shakespeare. ‚Was habe ich zu versäumen?' sagt Lessing; ‚ist nicht die ganze Ewigkeit mein?' — Was aber die ‚Schlechten', die ‚Ungeheuer' betrifft," fuhr Saltner fort, indem er sich zu Wittekind wandte, „— sagen Sie's doch nur gleich: Sie dachten an W a l d e nb u r g. Sehn Sie wohl, Sie nicken! — Waldenburg ... Warum sollten wir nicht offen über ihn reden; diese Form ist ja tot. Sie haben ihn gut gekannt, ich nicht; Sie sagten dieser Tage einmal, etwas T e u f l i s c h e s sei in ihm gewesen ... Nun ja. Was bedeutet das? Daß er verführen und verderben konnte, weil er große, glänzende Gaben hatte; und daß diese großen Gaben einem Willen als Knechte dienten, der noch weiter nichts wollte, als nehmen und genießen. Ein richtiger, roher, zutappender Kinderwille; also doch eigentlich auch nur ein ‚Menschenfresser', aus dem mit der langen Zeit ein Shakespeare, ein Spinoza, ein Lessing werden kann — nur müssen ihm erst die ‚großen Gaben' abgenommen werden, mit denen er so viel Unheil stiften konnte. Das ist nun geschehn; er ist tot. Vielleicht kam in diesen Waldenburg

— den erzeugten, vererbten, mein' ich, den, sozusagen, ,bürgerlichen Menschen' — eine wandernde Seele von schon leiblich entwickelter, nicht gemeiner Art, die aber in diesem Käfig einen noch ungebändigten, tierischen Willen vorfand, der ihr zu mächtig war, vor dem sie kriechen mußte, bei dem sie ihre Zeit verlor — — Aber was für Zeit? ,Ist nicht die Ewigkeit mein?' Vielleicht war es auch umgekehrt: eine noch rohe, unerzogene, kraftstrotzende Seele kam in einen trefflich begabten ,bürgerlichen Menschen' ... Ich phantasiere nur so; ich sag's halt so hin. Wo's die Geburt verfehlt, wird der Tod schon kommen. Verspielt ist da nichts, verloren geht nichts. Auf tausend und aber tausend Umwegen — die wir Menschen so nennen — geht es doch zum Ziel. Wie sagt Lessing? ,Es ist nicht wahr, daß die kürzeste Linie immer die gradeste ist.' Laßt ihr Gott nur machen!"

„Verzeihen Sie noch einmal, lieber Vater," sagte Marie mit halber Stimme, „wenn ich eine Frage tue — die vielleicht — — aber sagen muß ich's. Sie sprachen von so einer ,Seele', die in einen erschaffenen Menschen kommt ... Wie kann sie das? Ich faß' es nicht. Der Mensch ist da, er hat Vater und Mutter, er hat von ihnen geerbt und von Ahnen und Urahnen — er ist sich selber genug ... Wo wäre da Platz für die fremde Seele? Durch was für eine Tür tritt sie ein? Was ist sie? Wie kann sie ihr Wesen, ihr Leben mit diesem anderen mischen?"

Der Alte hob den gesenkten Kopf und bewegte sich, so daß ihm das Buch von den Knieen glitt; er heftete dann seine tiefblickenden, feststehenden Seheraugen auf das junge Gesicht. „Das kann ich Ihnen nicht sagen, meine liebe Marie," antwortete er ruhig. „Das ist Sein Geheimnis; von unserm Verstand ist das nicht zu fassen. Ich bescheide mich auch, s u ch' es nicht zu fassen. Wir sind hier, um zu

leben, und ein wenig zu ahnen; nicht um zu wissen...
Ich will euch ja nicht überreden; glaubt, was ihr wollt.
Eben das tu' ich auch. Kinder, ich bin alt; und andre für
meinen Glauben zu werben war ich nie geschaffen. Ich
hab' nur einmal sagen wollen, eh' ich euch davongehe, wie
der Saltner gedacht hat; und das ist geschehn!"

Er stand auf. Während dieses Gesprächs hatte seine
Stimme mehr und mehr ihren mundartlichen Klang, seine
Rede ihre gemütliche Lässigkeit verloren; er hatte mit einer
Klarheit und Feinheit gesprochen, die an ihm überraschte.
Auf die Uhr blickend, die auf dem Kamin stand, wiegte er
verwundert den Kopf; „hm!" sagte er, „ich hatte gedacht,
es müsse später sein. Will nun aber doch gehn; möchte
nicht mehr sprechen... Nur noch ein Wort, liebes Kind.
Sie finden so viele Rätsel in dieser mystischen Seelenwanderung; Sie haben auch recht — und könnten noch
manche dazu finden. Aber wo finden Sie k e i n e? Die
Welt ist ja voll davon, wie die Luft von Staub. Wie
kommt so eine wandernde Seele, fragen Sie, in einen
erschaffenen Menschen... Wie kommt in Ihre Hand
ein Gefühl? in Ihr Gehirn ein Gedanke? Leben in die
‚Atome'? Das alles werden Menschen nicht wissen, eh'
sie nicht in eine reinere Geistersphäre treten. Wird das
geschehn? Ich glaub' es. Und seit ich es glaube, hab'
ich d a r a u f h i n g e l e b t. Sehn Sie, mein Leben war
nicht groß, hat nicht viel geschaffen; aber ein bißchen Arbeit,
denk' ich, hab' ich doch gemacht für den Saltner, der kommen
wird; für seine neue Gestalt, für seine Fortsetzung, mein'
ich. Ich hab' mich bemüht, meine Fehler zu büßen, meine
Schwächen zu unterdrücken, meine Kräfte zu stärken; kurz,
die liebe Seele unverzagt und unentwegt bergan zu führen,
so gut ich's vermochte, daß sie dann, wenn die Stunde
kommt, von einem höheren Stand, in etwas reinerer Luft

von neuem ausfliegen mag. ‚Reif sein ist alles,‘ sagt derselbe Shakespeare in demselben König Lear. So möcht'
ich denen, die ich liebe, nur sagen: glaubt es oder nicht,
aber denkt, es sei möglich, und lebt so, als wär's gewiß!
Lebt, euch reif zu machen! So daß ihr euch sagen könnt
in der letzten Stunde: meine arme Seele — was ihr geschehen wird, ich weiß es nicht; soll sie weiterleben, so
hab' ich das meine getan, ihr den Weg zu bereiten. Ich
hab' nicht verzagt, wenn mich das Leben bedrängte, ich
hab' mein Gewehr nicht in den Graben geworfen, wenn
es in den Kampf ging, bin nicht müde worden: meine
Seele war mir wert genug, daß ich für ihr Heil, ihr Wachsen,
ihre Läuterung kämpfte. Nun mag ihr geschehn, was da
will; ich hab' tapfer gelebt!"

Er hatte die Augen, während er dies sagte, nicht auf
Marie gerichtet; jetzt aber sah er sie an, mit einem liebevoll lächelnden Blick. Sie verstand auch wohl, daß er vor
allem für sie gesprochen hatte. Gerührt schaute sie zu ihm
auf, und dann bewegt, beklommen vor sich hin. „Gute
Nacht, Marie!" sagte der Alte sanft und gab ihr die Hand.
Sie nahm sie, und während sie irgendwas daran zu betrachten schien, zog sie sie ein wenig empor, neigte sich
und küßte sie. „Gute Nacht!" sagte sie dann leise.

Er nickte allen zu und ging.

V

Der Tag nach diesem Gespräch verstrich nachdenklich
still; jeder schien mit den Gedanken beschäftigt, die ein so
geheimnisreicher, beinahe unerschöpflicher Stoff in ihm in
Bewegung setzte, und jeder schien sie am liebsten für sich
allein zu durchdenken. Der Alte selbst blieb fast den ganzen
Tag auf seinem Zimmer, mit alten Papieren beschäftigt,

aus benen er allerlei Erinnerungen ausgraben mochte. In Bertold war ein Phantasieren erwacht, wie er es seit den Knabenjahren nicht mehr gekannt hatte; sein junger Kopf spielte mehr mit dem M ä r c h e n h a f t e n, das in der Theorie der Seelenwanderung gleichsam auf Schritt und Tritt aufzukeimen scheint, als daß er sich in ihre letzten Folgerungen zu vertiefen gesucht hätte. Zuletzt führten ihn diese Phantasien wieder zu seinem gegenwärtigen Lieblingsdichter, zu Turgenjew zurück, von dem er eine sonderbare Erzählung „Visionen" gelesen hatte, worin zwar die Seele — eines Mannes — nur in nächtlichen Stunden abenteuerlich „wandert" und wieder in ihre Hülle zurückkehrt, aber ein rätselhafter Spuk, der Geist eines Weibes, der sich „Ellis" nennt, wie eine beunruhigte, liebesuchende, zuletzt vom grauenhaften Gespenst des Todes geängstigte und verfolgte Seele jenen Mann umgaukelt, umherführt, fast um Sinn und Vernunft bringt, endlich scheinbar zu Fleisch und Bein wird und danach verschwindet. Dem Mann aber, der über sie grübelt, kommt es vor, als sei sie „ein weibliches Wesen, das er vorzeiten gekannt"; zuweilen ist ihm, als sollte ihm gleich, im nächsten Augenblick einfallen, wo er sie schon gesehn; jetzt — und jetzt — aber es kommt nicht — und alles zerstiebt wieder wie ein Traum. Ob auch Turgenjew, dachte Bertold, dabei die Seelenwanderung im Sinne hatte? Deutlich wird es nicht. Das Ganze versteh' ich nicht ... Endlich verlor er die Ruhe, er lief mit dem Buch hinab, und da er Frau Marie in der „Halle" fand, fragte er sie mit dem leichten Erröten, das ihn so oft in ihrer Gegenwart befiel, ob er ihr eine Geschichte vorlesen dürfe, die sehr wunderbar sei und über die er gerne mit ihr sprechen möchte.

Es war Nachmittag geworden und die schattigen Stunden kamen; auch Wittekind erschien jetzt, mit Hut und

Stock, und richtete etwas befangen an Marie die Frage,
ob ihr ein Spaziergang mit ihm und Bertold erwünscht
sei. „Ich danke Ihnen," antwortete sie ohne Zögern; „der
Morgen im Garten und das Umhergehen dort ist mir für
heute genug. Ich will lieber anhören, was Ihr Sohn
mir vorlesen möchte; er ist sehr brav, er ,bildet' mich!"
setzte sie lächelnd hinzu. Wittekind erschien dieses Lächeln
so leicht, so froh, wie er es in diesen Tagen noch nicht an
ihr gesehen hatte. Er suchte sich darüber zu freuen; statt
dessen kam eine Art von Trübsinn über ihn, dessen er sich
schämte und den zu verscheuchen ihm doch nicht gelingen
wollte. „So geh' ich allein," sagte er, sich äußerlich
fassend und über die beiden hinblickend. „Meine Glieder
verlangen noch nach Bewegung und Luft!" — Er hörte
einen Nebenklang in seiner Stimme, der die innere Bewegung zu verraten drohte, und eilte, hinauszukommen.
„Also auf Wiedersehn!" rief er nur noch zurück, machte
eine winkende Gebärde mit der Hand, deren Heiterkeit in
ihrer zuckenden Unruhe unterging, und schritt aus der Tür.

Bertold glaubte zu fühlen, daß irgend eine Verstimmung seinen Vater drücke; er ahnte nicht, was es sein
möge, aber es legte sich ihm selber auf die Brust. Nach-
denkend trat er ans Fenster, und sah dem Davongehenden
nach. Die noch so schlanke, jugendlich kraftvolle Gestalt
ging der Salzach zu, über die Karolinenbrücke, dann aber
nicht zur Stadt, sondern nach links, stromaufwärts, neben
dem Ufer hin. Es war derselbe Weg, den Bertold heute,
wenn es dunkel ward, noch zu gehen hatte. Dieses Stelldichein mit Riedau und seinen Genossen war ihm über all
den neuen Gedanken fast entfallen. Auf einmal kam es
ihm nun in den Sinn, so daß er fast erschrak; als rührte
sich zugleich eine böse Ahnung in ihm, ein Vorwurf gegen
sich selbst — ein Mißgefühl — irgendwas. Er drückte die

Stirn an eine Fensterscheibe, wie um dieses Gefühl zu verdrängen, und vergaß, sonderbar genug, wo er sich befand.

„Nun? Sie wollten ja vorlesen!" sagte Marie endlich. Bertold fuhr erschrocken herum. Er bat um Entschuldigung, setzte sich, und begann zu lesen. Es waren eben die „Visionen", mit denen er gekommen war. Marie, in ihren Stuhl zurückgelehnt, die Augen fast immer auf den erregten Vorleser gerichtet, hörte aufmerksam zu.

Die Erzählung war lang; länger, als er gedacht hatte. Er erstaunte selbst, während er sie vortrug, wie sehr sie sich dehnte, und wie wenig ihre phantastische Verworrenheit sich entwirrte. Zuletzt las er nur noch mit Mühe und ohne Feuer, ohne Begeisterung. Als er das Ende erreicht hatte, holte er tief Atem und wischte sich über die Stirn.

Marie blieb noch eine Weile still. „Ihr Vater hat recht," sagte sie dann plötzlich, ohne aufzublicken.

„Wie meinen Sie das?" fragte er betroffen.

Sie antwortete nicht sogleich, sondern deutete auf das Buch und sagte in anderem Ton: „Diese Geschichte gefällt mir nicht, muß ich Ihnen sagen! Sie ist wieder geistvoll, merkwürdig, — gewiß, wie alles von Turgenjew; aber was ich nicht verstehn kann, das bringt mich in eine gewisse Wut — verzeihen Sie — in eine Art von Empörung, mein' ich; und diese ‚Visionen' kann ich nicht verstehn. Wie wunderbar verschwommen — wie slawisch. Finden Sie nicht auch?"

„Ich find' es jetzt beinahe auch," antwortete er verlegen.

„Wer ist Ellis? Was will sie?"

Er zuckte die Achseln und erwiderte: „Ich weiß es nicht. — Ich dachte nur..." Er sprach nicht zu Ende. Nach einem gedrückten Schweigen ermannte er sich, zu fragen:

„Erlauben Sie — warum sagten Sie denn vorhin: ‚Ihr
Vater hat recht‘?"

Marie lächelte. Ihre Augen leuchteten liebenswürdig
mild. — „Muß ich Ihnen das sagen? — Es wird sich so
‚belehrend‘ ausnehmen, als wär‘ ich Herr Saltner."

„Bitte, sagen Sie‘s! bennoch!"

„Ach, ich wollte nur — — Lieber Herr Wittekind,
warum vergraben Sie sich so sehr in diesen russischen
Poeten? Ich bewundere ihn ja wie Sie; er ist nicht nur
ein bezaubernder Menschenschilderer, auch ein feiner, ein
edler Mensch. Ja, man muß ihn liebhaben! Aber die
Welt, die er schildert, ist so unerfreulich; man sehnt sich
nach frischen, gesunden, kernigen Menschen — nach Männern..." Sie lächelte. — „Ich denke, Sie verstehn mich
nicht falsch. Übrigens, was ich da sage, gilt nicht dem
Turgenjew, nur I h n e n. Lieben Sie denn die Dichter
nicht, die so recht g e w a l t i g e M ä n n e r sind? Shakespeare? Schiller? Goethe?"

„Gewiß — natürlich — ich liebe sie," stammelte Bertold, der seine heißen Wangen fühlte, ihre Röte zu sehen
meinte. „Wie sollte ich denn nicht? — Aber eben jetzt
lebe ich besonders in —"

„Eben jetzt — verzeihen Sie — sollten Sie das nicht
tun!" — Sie faltete die Hände und sah ihn bittend an,
so daß er ihr durchaus nicht widerstehen konnte: „Verzeihen Sie!" wiederholte sie. „Was tu‘ ich da? Ich halte
Ihnen a u c h eine ‚Vorlesung‘ — ich Ihnen. Aber es will
nun einmal heraus. Eben jetzt sollten Sie das nicht tun!
In Ihren Jahren — — Alles, was kräftig, was groß,
mannhaft, meinetwegen auch toll ist, das sollte Ihnen jetzt
vor allem — — Ich tu‘ Ihnen aber nicht gut. Sie sind
furchtbar ernst geworden. Sie denken wohl: was will
dieses Frauenzimmer? — — Grollen Sie mir nicht. Es

kam nur so, weil ich Ihren Vater — — weil Sie — —
weil ich Ihnen herzlich gut bin. Seien Sie so großmütig,
so ‚männlich‘, daß Sie mir verzeihn!"

Im nächsten Augenblick erschrak sie sehr, denn Bertolb,
von einer jugendlichen Verrücktheit fortgerissen, warf sich
vor ihr auf ein Knie und griff nach ihrer Hand, um sie
an die Lippen zu drücken. „Ich Ihnen verzeihn!" stammelte er. „Wie könnte ich Ihnen zürnen! — Nein, ich
danke Ihnen. Eine Frau — für die ich nur Verehrung —"

Er hatte eine Hand auf sein Herz gelegt, wie um auszudrücken, daß da kein Groll zu finden, daß nur andre,
ganz andre Gefühle da anzutreffen seien. Das Wort
für diese Gefühle, schien es, schwebte ihm auf den Lippen.
Sie legte ihm aber ihre Hand, die sie ihm entzogen hatte,
auf den Mund und stand auf. „Schon gut, schon gut!"
sagte sie rasch. „Also Sie grollen mir nicht ... Aber stehn
Sie auf. Ich glaub' Ihnen auch so, daß Sie mir nicht
grollen. Schwur oder Kniefall braucht es dazu nicht!"

Sie war errötet, sie suchte aber zu lächeln. Bertolb
erhob sich langsam; unklar, ob er in unwürdiger Weise
lächerlich geworden, oder ob er im Recht gewesen sei, vor
so einer Frau zu knieen. Eh' er noch ein Wort der Erwiderung fand, schlug hinter ihm auf dem Kamin die Uhr.
Er sah auch, daß die Nacht hereinbrach. Ich muß fort!
dachte er bestürzt. Riedau hat mein Wort!

„Sind Sie böse?" fragte er.

„O nein!" antwortete sie harmlos offenherzig; mit einer
ihr entschlüpfenden Heiterkeit, die zu sagen schien: mich
freut wenigstens, daß du doch auch so toll sein kannst! —
„Nur bei einem zweiten Mal," fuhr sie fort, „würd'
ich böse werden; und dann so, daß es aus wäre. Aber
ein zweites Mal werden Sie's ja nicht tun. — Warum
nehmen Sie Ihren Hut?"

„Ich muß noch fort," entgegnete er, in die Luft blickend. „Ich hab' jemand versprochen — — Zum Nachtmahl komm' ich wohl etwas spät zurück."

„Sie wissen ja, in diesem Haus herrscht Freiheit," erwiderte sie.

„Ja freilich..." Er sah auf seine Füße; dann wandte er sich, um zu gehn; es zog ihn aber noch einmal herum, und mit einem treuherzigen, reinen Feuer sahen seine hellen Augen sie an. „Verzeihen Sie nur noch ein Wort," sagte er mit einer Anstrengung, die ihm das Blut in die Wangen trieb. „,Alles, was groß und mannhaft ist', sagten Sie... Ich fühle sehr gut, was Sie meinen. Sie haben mir einen Messerstich in die Brust gegeben... Aber darauf kommt es nicht an; von Ihrer Hand — — Das ist es auch nicht, was ich sagen will. Ich wollte Ihnen nur versichern — — —"

Stolz oder Scham machte ihn wieder stumm. Marie, die eine Hand auf die andre gelegt hatte, wartete eine Weile.

„Sprechen Sie doch," sagte sie dann herzlich.

„Ja — das will ich auch tun. ,Mannhaft'... Ich glaube gern — das heißt, nicht gern — es fehlt mir noch manches zu einem rechten Mann; glauben Sie mir, ich fühle das selbst. Ich fühlte es auch gestern abend, als dieser herrliche Mann — den ich nach meinem Vater am meisten verehre — der Herr Saltner — als er von der großen Aufgabe unsres Lebens sprach: ,unverzagt' — ,unentwegt' — daß man kämpfen soll und nicht müde werden — und ,ich habe tapfer gelebt!' — O, ich fühl' es oft, ich lebe noch nicht, wie ich soll; man muß mich verachten... Schütteln Sie nicht den Kopf. Man muß mich verachten. Streiten Sie mir das nicht ab. Aber nur für jetzt; — ich werde doch noch ein Mann! Und wenn die Stunde kommt, werd' ich es beweisen; werde unverzagt — —

„Aber nur nicht prahlen!" unterbrach er sich plötzlich und zerdrückte seinen weichen Hut. „Ich meinte nur — — Also b a s wollte ich nur sagen. Und so leben Sie wohl!"

Er kam mit gutem Glück aus der Tür, obwohl ihm seine Glieder kaum gehorchen wollten, und blickte nicht mehr zurück. Draußen sog er begierig die frische Luft in sich ein, und begann sogleich mit großen Schritten zu gehn. Es belebte ihn das Gefühl, daß er sich ausgesprochen, die Worte gefunden hatte; daß er sich nicht unwürdig benommen, daß nun die schöne Frau doch wohl denken mußte: ja, er wird noch ein Mann! — Die abendliche Kühle, die von der Salzach und von den Bergen kam, erfrischte ihn bis ins Herz; ihm schienen Schwingen zu wachsen, am Körper und an der Seele; ein Tatendurst überfiel ihn, ein anschwellendes Verlangen nach etwas Unerhörtem, das noch kein Mensch erlebt hatte, das nur Bertold Wittelind erleben konnte. Etwas Gewaltiges, bei dem Weiberseelen schaudern; aber ein Jüngling, den die Ehre treibt — den niemand mehr belächeln oder verachten soll — der tritt diesem ungeheuren Schicksal, oder was es sein mag, unverzagt, unentwegt entgegen und bietet ihm die nackte Brust. Ja, Marie, Marie! dachte er, du sollst mich noch achten, meinen Mut bewundern! Vater, du sollst noch sagen, er ist doch ein Mann! Und dieser weißbärtige Moses soll mir noch freundlich zunicken: du hast tapfer gelebt!

Über solchen Gedanken vergaß er ganz, was ihn auf diesen nächtlichen Spaziergang hinausgetrieben hatte; er ging immer weiter, wie von seinen Flügeln getragen, in die völlige Nacht hinein. Der noch wachsende, fast gefüllte Mond stand hoch, hier und da schimmerten große Sterne, die kleinen erschienen nicht; zuweilen, wenn der Wald sich öffnete, in dem er dahinging, stiegen rechts in den nacht-

blauen Himmel bleiche Silberwellen auf, die fernen
Schneegebirge, die das walbige, schwärzliche Bergland
überragten. Bertold hatte sie schon mehr als einmal
gedankenlos angestaunt und seine Wanderung fortgesetzt;
als er endlich wie aus einem Rausch erwachte, blieb er
betroffen stehn. Wo bin ich denn? dachte er. Ich will
ja an die Salzach ... Der Fluß hatte ihn verlassen, oder
er den Fluß; der Pfad war durch den Wald mehr landein
gegangen, die Stelle, wo Bertold ihn verlassen und am
Ufer fort stromauf gehn sollte, lag offenbar schon hinter
ihm. Wie weit, ahnte er nicht. Er wußte nur, zur Linken
strömte der Fluß; und gar entfernt konnte er nicht sein.
Wenn ich quer durch den Wald zur Salzach gehe, dachte
er, so ist wohl nicht viel versäumt; ich gehe dann von da
stromab, statt stromauf, und komme so von r ü c k w ä r t s
an den bestimmten Platz. Vielleicht hab' ich ihn bald!
Er verließ den Weg, den der Mond erhellte, und trat
in den dunkleren Wald. Hier mußte er langsam gehn;
denn der weiche, mit Nadeln und Moos bedeckte Boden
war uneben, und die eingestreuten Lichter des Mondes,
mit den schwärzlichen Schattenflecken wechselnd, verwirrten das Auge mehr, als sie es leiteten. Vorsichtig,
beinahe geräuschlos wand er sich zwischen den Bäumen
durch, die bald enger, bald weiter standen und zwischen
denen allerlei Gebüsch emporwucherte. Auf einmal sah
er den Fluß, auf dessen bleichgrauem, ölig fließendem
Wasser hier und da ein blaßgoldenes Mondflämmchen
huschte. Er war ganz nahe am Ufer, das ihm bisher das
Unterholz verdeckt hatte. Nun wend' ich mich l i n k s,
dachte er, und gehe mit dem Strom! — Da hörte er eine
leise Stimme, so nahe, daß er erschral. Hinter dem nächsten Busch, über der tiefer fließenden Salzach, schien sie
zu sprechen; nicht flüsternd, aber tonlos, in tiefem Baß.

Jetzt erkannte er sie auch schon: es war Metzners
Stimme.

„Länger wart' ich nicht!" brummte dieser harte ‚Wachtmeisterbaß', bei aller Gedämpftheit vernehmlich. „Kommen wir zur Sache!"

„Riedau kommt noch," flüsterte eine andere Stimme.
Es mußte die des A f i n g e r sein.

„Geh mir mit dem Mohrengesicht!" brummte Metz-
ner wieder. „Dem trau' ich nicht! Dem trau' ich nicht!
Ich sag' dir's zum letztenmal! Laß mir den aus dem
Spiel!"

Was ist das? dachte Bertold überrascht, verblüfft, und
der Fuß, den er schon bewegen wollte, blieb stehn. Die
sagen das, was ich selber dachte? — Was sagt denn
A f i n g e r? — Er stand und horchte, ohne sich zu regen.

„Du bist verrückt," flüsterte Afingers etwas erregte
Stimme.

„Ich bin durchaus nicht verrückt," entgegnete der andre.
„Frag Grabowski: dem hat einer erzählt, daß Riedau neulich Abends spät vom Polizeidirektor herausgekommen ist.
Was hat er da zu tun? — Wovon lebt er jetzt? Von
seinen ‚Ersparnissen'? Unsinn! Die sind längst verraucht
und vertrunken. Was sollen wir mit diesem Mulatten und
seinen Schakalsaugen? Wozu hast du uns den gebracht?
Weil er dir immer nach dem Munde spricht; weil er sein
wulstiges Maul nicht auftut, ohne dich zu bewundern. Hab'
ich recht, Grabowski?"

„Hast recht," sagte eine dritte Stimme, etwas lauter.
„Er ist ein V—V—Verräter!"

„Ein Verräter," flüsterte Afinger, dem Stotterer nachäffend. „Ihr gönnt ihm seine guten Kleider und mir seine
gute Meinung nicht. Darum gehört er zur Polizei!"

„Zum Teufel, so streitet doch nicht!" murmelte eine

vierte Stimme, die Bertold nicht kannte. „So kommen
wir nicht vom Fleck. D a r u m bin ich nicht nach Salzburg gezogen, um zu hören, wie ihr euch felber verteilt,
statt den a n d e r n zu Kleid zu gehn. Wollen wir die
allerhöchste Herrschaft nun anfassen oder nicht?"

Bertold raufchte es auf einmal in den Ohren. Was
heißt das? dachte er. Er konnte sich nicht rühren.

„Nu, das fag' ich ja!" rief Metzner aus; er fuhr aber,
auf ein leifes Zischen der andern, wieder tonlos fort.
„Gehn wir doch nicht länger um den Brei herum; mir
ekelt schon vor uns felbst. Die Bomben find lange da,
alles ist befprochen, alles ist abgemacht; — wer zögert
denn noch immer? Diefer Afinger! — Warum? Weil's
ein ‚braver Herr' ist? Das geht doch uns nichts an. Die
gekrönten Häupter müffen alle herunter, fonst kann uns
in diefer Welt nicht geholfen werden. Mit dem fangen
wir an, weil er der nächfte ist. Hab' ich recht, Grabowski?"

„Die B—Bomben find dazu da," murmelte Grabowski.

„Gut," fagte Afinger. „Gut. Also lofen wir, wer fie
werfen foll; — fonst behauptet ihr am Ende noch, ich halt'
es auch mit den Bütteln. Wird der Betreffende gefaßt,
fo fuchen die andern ihm durch Alibizeugen zu helfen; hat
er Familie, fo wird für die geforgt. Sind wir einig?"

„Ja," murmelten die andern Stimmen.

„Machen wir die Lofe; — hernach wird gefchworen.
— Was ist da für ein Geräufch?"

„Wo?" flüfterte Metzner.

„Da oben. Habt ihr nichts gehört? — Es knackt was.
Ein Zweig. — Ist das Riedau? — Riedau, machen Sie
keine Späße; die paffen uns hier nicht. Kommen Sie
herunter! — — Nein, das ist nicht Riedau. Steht auf!"

Die jungen Männer erhoben fich, faft alle bleich im

Gesicht, und sahen in das Buschwerk und den Wald hinein. Sie erblickten Bertold; er war in einer Art von Betäubung gegen einen Baum gesunken, seine Augen irrten, und ein leichtes Beben ging über seine Lippen. Zu sprechen versuchte er nicht.

„Das ist ja dieser Wittelind," stieß Afinger hervor, überaus betroffen. „Wie kommt der hierher? Was heißt das?"

Bertold kam zu sich, er fühlte sich an den Armen und an der Brust ergriffen; seine Augen erkannten nun alles, das milchige Gesicht Grabowskis mit dem blonden Bärtchen, Metzners breiten Kopf und wulstige Stirn, die mageren, harten, vergeistigten Züge Afingers, die der Mond umspielte. Der vierte hatte ihn an den Baum gedrückt und faßte seine Schulter. Sie umstanden ihn alle; Metzner öffnete ein Messer, das nun fest im Griff stand. Flußabwärts tauchte noch ein fünfter auf, eine kurze, schwarzhaarige Gestalt, die nicht ganz herantrat; eine kleine, metallene Pfeife blinkte in dessen Hand.

„Sprechen Sie leise," murmelte Afinger, hart vor Bertolds Gesicht. „Und sagen Sie die Wahrheit. Sonst liegen Sie gleich auf der Erde, so und so viel Zoll Eisen in der Brust. Wie kommen Sie hierher?"

„Durch Riedau," antwortete er langsam; noch mit dem Grauen kämpfend, das all diese Reden in ihm hervorgerufen, das diese blassen, verwilderten Gesichter noch vermehrten. „Er — er hat mich — —"

„Hierher geschickt? Riedau?"

Bertold nickte.

Metzner schien lachen zu wollen, seine Zähne blinkten. „Da hast du's!" sagte er, zu Afinger gewandt. „Der Spitzel schickt den hierher, er soll uns —"

„Still!" unterbrach ihn Afinger kurz. „Laß mich! —

— Warum hat Riedau Sie hierher geschickt? Was sollen Sie hier?"

„Ich weiß es nicht," murmelte Bertold.

„Was? Sie wissen es nicht?"

„Nein. Was er will, das — das weiß ich nicht. Die Herren ‚tagen‘ hier, hat er mir gesagt; sie beraten hier ... Hätt‘ ich gewußt, w a s sie hier beraten — lieber wär‘ ich gestorben, als hierher gekommen!"

„Sie sind auch noch nicht lebendig wieder fort," erwiderte Metzner grimmig. „Denken Sie nicht, daß wir lange fackeln, wenn sich da jemand in den Schatten stellt und zuhört. Wir tragen unsere Haut zu Markt; da ist die der andern d o p p e l t wohlfeil — das sehen Sie wohl ein. Was hat Ihnen Riedau gesagt?"

„Was ich Ihnen sagte —"

„Hund, du lügst!"

Afinger legte seine Hand auf Metzners Arm, der das Messer so hob, daß es im Mondlicht blinkte. „Sei still!" sagte er ungeduldig. „Laß m i c h nur machen; ich kenne diesen Herrn. Der lügt nicht, das weiß ich. Das seh‘ ich ihm auch an. So einer läßt sich nicht aufs Horchen schicken; und dann — horchen — was heißt das? Riedau weiß ja ohne den, was los ist. Ihr phantasiert in den Tag hinein. Dieser junge Mensch ist hergekommen, weil er sich‘s anders gedacht hat; weil er — was wir vorhaben — —"

Hier stockte Afinger selbst. Seine Lippen blieben offen, seine Augen schärften sich und warfen einen gefährlichen Blick seitwärts auf den Jüngling. Bertold erfaßte diesen Blick, der zu sagen schien: Nun weißt du aber zuviel; dir ist nicht zu helfen!

„Machen wir ein Ende!" sagte der vierte rauh, der, den Bertold nicht kannte. „Was soll mit dem Menschen geschehn?"

Metzner stieß die Luft zwischen den Zähnen durch.
„Den hat uns dieser Höllensohn, der Riedau, in die Suppe
gebrockt; nun müssen wir ihn mit aufessen. Er kann ja
nicht wieder fort. Sonst sind wir verloren!"

Bertold sah auf das Dolchmesser und in Metzners
schwarzbärtiges Gesicht; plötzlich war ihm, als ringe sich
ein schon lange eingesperrter Schrei aus seiner Kehle
herauf und wolle in die Luft, als müsse er sonst ersticken.
Hilfe! Hilfe! rufen, dachte er... Aber ruf' ich um Hilfe,
so hab' ich ja sofort das Messer in der Brust... Er starrte
wieder auf alle diese Gesichter, wie auf Wahnbilder eines
beginnenden Traums, wenn man eben einschläft. Kann
das w i r k l i c h sein? fuhr ihm durch den Kopf. Ja, ja,
ja, es ist. Da ist es ja schon, dieses Furchtbare, dieses
„Gewaltige" — von dem er vor einer halben Stunde
phantasiert, in dem er sich berauscht hatte. Eine Stimme
ohne Ton schien zu sagen: Sterben... Bertold Wittekind
soll sterben... Er fühlte etwas Nasses, Kaltes auf seiner
Stirn; mechanisch wollte er die Hand heben, um es weg-
zuwischen, aber seine beiden Arme waren festgehalten.
Jemand schüttelte ihn; vielleicht war es auch das Grauen;
er wußte, er begriff es nicht.

„Nun, was sagen Sie dazu?" fragte Asinger, scheinbar
kalt und ruhig.

„Wozu?" fragte Bertold zurück.

„Daß Sie zuviel gehört haben und nun — nicht wieder
fort können. Was sagen denn Sie dazu?"

„Ich? Nichts," antwortete Bertold; mit einer Ruhe,
die ihn selber in Erstaunen setzte.

„Da will ich Ihnen noch etwas sagen," fing Asinger
wieder an; „und ihr, redet mir nicht hinein; ihr kennt ihn
alle nicht so, wie ich. Was wir uns vorgenommen haben,
das gefällt Ihnen nicht —"

Bertold schüttelte heftig den Kopf; das Schütteln ergriff seinen ganzen Körper und rieselte an ihm bis zu den Fersen hinab.

„Nu ja — ich seh's Ihnen an! — Aber Sie haben Ehre im Leibe, daran zweifl' ich nicht. Schwören Sie uns — bei allem, was Ihnen heilig ist — daß Sie schweigen wollen; nie ein Wort, verstehn Sie, über das, was Sie hier gehört haben — und was kommen wird. Schwören Sie das genau und ausführlich. Dann laß' ich Sie gehn."

Metzner knurrte unwillig; Afinger blickte ihn aber scharf und überlegen an. Zugleich zog er ein Dolchmesser hervor, dem des andern ähnlich, und öffnete es. Grabowski tat dasselbe.

„Ich soll schweigen," fragte Bertold, „was Sie dann auch tun? Und Sie werden es tun?"

„Fragen Sie nicht lange; machen Sie geschwind, wir haben keine Zeit, zu warten."

„Sie wollen es tun, und ich soll still sein, als wüßte ich von nichts? Ich soll es geschehen lassen, ohne mich zu rühren? — Dann tu' ich's ja mit. Dann bin ich ja —"

Ein Ungeheuer wie ihr, wollte er sagen; er hielt es aber zurück. Seine Lippen bebten. Vater! Vater! dachte er plötzlich. Es ist um mich geschehn!

„Mach ein Ende!" murmelte Metzner, indem er Afingers Arm faßte. „Sonst beim Teufel tu' i ch's!"

„Ich werd's schon machen, sei ruhig," antwortete Afinger und riß seinen Arm los. Er wandte sich dann wieder zu Bertold; das Blut stieg ihm in die Augen und in das fahle Gesicht. „Nun ist's aus," sagte er. „Nun hören Sie mein letztes Wort. Es geht um unser Leben; danach handeln wir also; danach richten Sie sich. Wollen Sie so schwören, Wort für Wort, wie ich es verlange, oder wollen Sie's nicht?"

Ich kann mich also retten, dachte Bertold. Ich kann's!
— Die Angst der Kreatur lief ihm durch die Glieder.
Schnell wie der Wetterschlag erhob sich aber in ihm ein
anderes, wunderbares Gefühl; ein wildes Schwellen
seiner Lebenskraft, ein aufbäumender Stolz, eine flammen-
heiße Empfindung von sich selbst: der bin ich — und der
bleib' ich! „Und wenn die Stunde kommt," hörte er sich
sagen, „werd' ich es beweisen" ... „Nein!" rief er aus,
und wiederholte es lauter. „Das schwör' ich euch nicht!"

„Dann fahr ab, du Hund!" sagte Metzner mit verhaltener Stimme und hob seinen Dolch. Afinger aber,
der Gesicht gegen Gesicht vor Bertold stand, kam ihm zuvor; ohne zu sprechen, stieß er dem Jüngling sein Messer
tief in die Brust. Bertold fühlte den stechenden Schmerz;
er sah nun auch Metzners Klinge in der Luft, von der
Seite her gegen sein Gesicht gerichtet; unwillkürlich warf
er den Kopf zurück. Der Dolch traf ihn nur seitwärts
von der Schläfe. Er empfand noch die Wärme des hervor-
quellenden und hinabfließenden Bluts; dann taumelte er,
seine Augen schlossen sich, und er fiel zur Erde.

„Hat er genug?" hörte er noch sagen. Irgend jemand
schien es durch einen Laut zu bejahen. Einen Augenblick
danach ertönte ein schwacher Pfiff; er schien von der War-
nungspfeife jenes fünften da unten am Fluß zu kommen.
Sogleich entfernten sich hastige, leise, zuweilen knackende
Schritte; nach allen Seiten, wie es Bertold deuchte. Nicht
lange, so war alles still.

„Hat er genug?" wiederholte er sinnlos flüsternd vor
sich hin. Sein halb erloschenes Bewußtsein flackerte heller
auf; er dachte an seinen Vater, an Marie — und auch an
die sich schärfenden Schmerzen oben und in der Brust.
Könnt' ich zu Hause sterben, dachte er, und richtete
sich auf. Zu seinem Erstaunen regten sich die gleichsam

träumenden Kräfte; der Schmerz schien sie zu stacheln,
statt sie wegzuzehren. Nach einer Weile stand er, sah den
Mond, die Sterne, sah wie ein Lebender aufrecht in die
nächtliche, schlafende Welt hinein. Die andern waren
alle wie ein Spuk verschwunden. Dort hinunter lag Salzburg: er wußt' es, er kannte seinen Weg. Langsam, zuweilen leise erschwankend ging er am Ufer hin, so wie er
hatte kommen wollen: es stand alles klar vor seinem Hirn,
das zu brennen schien.

Nur ward es kühler darin, je weiter ihn seine tau-
melnden Schritte führten; zuletzt verbreitete sich vom
Scheitel her ein frierendes Gefühl, in dem auch sein Wissen
von sich und der Welt ohne Schmerz verging. Er hatte
den gebahnten Fußweg, den der Mond beglänzte, noch
nicht ganz erreicht, als er, alles vergessend, nur noch einmal den Vaternamen seufzend, neben einem der letzten
Bäume ins Moos sank.

VI

Wittekind war an diesem Abend in unfrohen Gedanken
bis Anif gegangen, und darüber hinaus; nicht auf der
Fahrstraße, die über Hellbrunn führt, sondern auf dem
Fußweg, der in der Nähe der Salzach bleibt. Er ging
rasch, sah nicht viel um sich her, und ging ebenso rasch
zurück; erst als ihn die Nacht ganz umfangen hatte, begann
sich gleichsam das Rad in seiner Seele schwerer, zögernder
zu wälzen und verlangsamte auch seinen Schritt. Gewohnt, nach Klarheit zu ringen und jede Halbheit zu fliehn,
kämpfte er mit dem Entschluß, das gastliche Haus am
Kapuzinerberg schon jetzt zu verlassen; denn wohin sollte
es führen, wenn er länger blieb? Marie zu gewinnen
mußte er verzweifeln; er konnte nur an diese Frau so viel

von sich verlieren, daß ihm zu wenig zum Leben blieb.
Ihr Herz wollte ihn nicht, bedurfte seiner nicht. Neigte
es sich noch irgend einem anderen Herzen zu, oder konnte
seine Erstarrung noch einmal in Neigung schmelzen, so
würde das dem S o h n, nicht dem Vater gelten ... Er
fühlte das, und suchte es ohne Neid zu fühlen; wie konnte
er seinem Kind, seinem geliebten Einzigen, irgendwas
mißgönnen? Aber bleiben? Wozu? In nutzloser Qual
mit anschauen, wie die Erwiderung, die s e i n e m Gefühl
versagt ward, etwa einem andern zufiel, der noch so ganz
werdende Blüte war, der an ein ernstes Band fürs Leben
nicht denken konnte? Es war für a l l e gut, wenn dies
endete ... Und doch war „Scheiden und Meiden" so
schwer. Die Augen zu Boden gesenkt, die Brauen hinabgezogen, ging er desto unlustiger, gedämpfter, je näher er
Salzburg kam, je mehr er den Magnet dieses Orts und den
Schmerz der Entscheidung fühlte.

Gedankenlos wich er endlich vom Wege ab und trat
nach rechts auf die Bäume zu, da ein unklarer Eindruck
ihn beschäftigte. Er sah bewußter auf und betrachtete die
am Boden liegende Gestalt, die seine Augen auf sich gezogen hatte. Der Mond drang zwischen den Zweigen
eines Baumes durch, der weiter rückwärts hoch aufragte,
und zeigte ihm nun ein Gespenst, an dessen Leibhaftig-
keit selbst sein männlicher Geist zu glauben für unmöglich
hielt: es lag da jemand wie sein Sohn, regungslos, leichen-
fahl, die Haare klebend von Blut, das Gesicht rot überflossen, aus der Brust sickerten die Tropfen auf die Erde
hin. Bertold, sein Sohn, den er vor ein paar Stunden
in jenem Hause verlassen, der ihm in seiner blühenden
Schönheit nachgelächelt hatte; der hier am Wald in der
Nacht, allein, sterbend oder tot ... Er stand zuerst, starrte
und rührte sich nicht. Ein Mann, der von seiner Insel

auf8 Meer hinausgefahren ift und zurücklommt und fie
verfunken und verfchwunden findet, könnte nicht verftei-
nerter hinfchauen und das Unbegreifliche vergeblicher zu
faffen fuchen. Und hätte ein Blitz vom reinen Himmel
herab vor feinen Augen Bertold niedergefchlagen, es hätte
ihn nicht furchtbarer betroffen. „Allmächtiger!" rief er
endlich, mit fo veränderter Stimme, daß er felber fie nicht
erkannt hätte. „Ift das wirklich mein Kind!"

Das fickernde Blut gab ihm die Befinnung wieder.
Bertold — er rief ihn bei feinem Namen an — rührte
fich nicht; Wittelind kniete aber neben ihm ins Moos,
und während er noch das Entfetzen wie eine kalte Fauft
in feinem Nacken fühlte, fuchte er die Wunden, betaftete
fie, riß die Tücher aus feiner und aus Bertolds Tafche,
zerriß fein geöffnetes Hemd und eilte an Kopf und Bruft
die Wunden zu verbinden, fo gut, wie es eben ging. Eine
Wonne war ihm, das leife Seufzen des Beunruhigten,
feinen matten Atem zu hören, der fein Leben kundgab;
den Herzfchlag zu fühlen, der mit feiner geftauten Kraft
doch immer noch Tropfen aus dem blutenden Spalt
hervortrieb. „Bertold!" rief er wieder, als hoffte er dann
die Augen fich öffnen zu fehen und ein neues Leben in
der armen, erfchöpften Geftalt zu wecken. Die blaffen
Liber hoben fich aber nur zur Hälfte, wie die Blätter einer
Knofpe, die von der finkenden Sonne geftreift werden,
und fielen wieder zu. Wittelind nahm fein Herz und feine
Kraft zufammen, hob den Jüngling mit beiden Armen,
lehnte ihn gegen feine linke Schulter und trug ihn auf dem
Wege fort.

Wie fegnete er feine Stärke, die er fo gern geübt,
geftählt hatte, und die in diefer nie gekannten Not zu
wachfen fchien; es kam eine Art von Raferei über ihn, er
fchritt fo gewaltig aus, daß er zuweilen in ein Taumeln

geriet, er warf die immer schwerere Last höher über die
Schulter, um länger auszuhalten, und murmelte ermu-
tigende Worte vor sich hin, die ihn, als kämen sie von
außen, in seinem Innersten aufzustacheln schienen. Endlich stöhnte er doch vor Grimm und Schmerz: die Muskeln,
die schon lange bebten, widerstanden nicht mehr. Die
Arme erlahmten und die Kniee wankten. Er sah in der
Ferne wohl die ersten Häuser, sie zu erreichen hoffte er
nicht mehr. Nirgends ein Mensch oder eine Stimme.
Noch einmal versuchte er, verborgene Kräfte aufzurütteln,
und wankte noch eine Strecke weiter; dann sah er ein, er
müsse zusammenbrechen. Erschrocken ließ er ihn, der
noch immer ohne Bewußtsein war, langsam niedergleiten,
warf sich neben ihm hin, und fühlte, während er zu den
kalten Sternen aufsah, das Zittern seiner Glieder, das
wütende Hämmern seines überreizten Herzens und die
bittere Not in seinen ruhelos fliegenden Gedanken.

Als ihm ein wenig Ruhe und Stärke wiederkam, stand
er auf und begann zu rufen. Seine Stimme war geschwächt und rauh, als hätte er sie durch Mißbrauch erschöpft. Hätt' ich jetzt Saltners „Trompetenstimme",
dachte er; könnt' ich wie der Donner losbrechen, daß
alle Fenster in Salzburg zitterten und bebten! — Er rief
allmählich kräftiger, durchdringender; aber lange umsonst. Endlich kam ein Mensch gelaufen, ein halberwachsener Bursch, der, an der Salzach umherlungernd, die
heisere Stimme gehört hatte. Wittekind schickte ihn mit
großer Belohnung und größerer Versprechung nach der
Stadt zurück: mit dem ersten Wagen, den er finde, solle
er hierher eilen. Der Bursche lief, und war bald verschwunden. Endlose Zeit verging; unterdessen kniete
Wittekind im Gras, Bertold auf seinem Schoß, den Kopf
an seiner Brust; küßte die blutigen Wangen und die reinen

Lippen, und horchte immer wieder auf das leise Leben, das in dem unbewußten Körper atmete und pochte. Die Nacht war kühl, und so unbeschützt, in seinem leichten Rock, lag der Jüngling da. Wittekind zog den eigenen aus und deckte ihn damit zu. Ihn schauerte und fror; ach! dachte er, könnt' ich ihn nur durch irgend ein Opfer retten! — Und immer starrte er wieder dieses Rätsel an, fragte vor sich hin: „Wer hat das getan? Was ist ihm geschehn?"

Ein Wagen rollte endlich durch die Stille heran; der Bursch sprang heraus, sie hoben Bertold hinein und fuhren zu Saltners Haus. Die Tür stand noch offen; der Alte und Marie, irgend eines Unglücks gewärtig, da Vater und Sohn nicht heimkamen, eilten ihnen entgegen. Sie sahen nun, daß ihre Ahnung nicht gelogen hatte. Marie ward blaß wie der Tod; Saltner stand erschüttert, faßte sich aber mit erstaunlicher Kraft. Die beiden Männer trugen Bertold in sein Zimmer hinauf und legten ihn aufs Bett. Er seufzte und stöhnte zuweilen, stärker als zuvor; dann versank er wieder in die starre Ruhe. Sie öffneten seine Kleider; nun erschien aber auch schon Marie, noch blaß, doch still und gesammelt, mit allem, was ihre Hausapotheke hergab. Es fehlte nichts, das von nöten war; sie breitete alles aus, mit zuweilen zitternden Händen, aber überlegt, ohne Hast, wie eine barmherzige Schwester, die ihren Dienst verrichtet. Bald hatte sie den ersten Not= verband gelöst und legte einen andern, kunstgerechten an; nachdem sie die Wunden gewaschen, gereinigt und dieses edle, marmorbleiche Gesicht von aller Entstellung befreit hatte.

Wittekind wollte ihr wehren und es selber tun; sie sah ihn aber groß an: „Haben Sie vergessen," sagte sie mit einem leise bebenden Lächeln, „daß ich der ‚Leibarzt' war? — Lassen Sie mich nur. Die Männer können so vieles,

um das ich sie beneide; das da können wir besser!" —
Wittekind schwieg, dankte ihr durch einen Blick, und sah
nun in dumpfer Erstarrung zu. Nach einer Weile kam
Kathi, mit Eisstücken in einer Schale; Marie hatte sie aus-
geschickt. Kathis Tränen flossen. Sie blieb aber ganz still;
die „barmherzige Schwester" hatte ihr's befohlen. Endlich erschien auch der Arzt, dem man den Wagen geschickt
hatte; ein schon ergrauter, rüstiger Mann, mit Saltner
befreundet und vom Winter her mit Marie und ihren ärzt-
lichen Einsichten bekannt, wie er sie denn auch sofort mit
seiner vertraulich trockenen Herzlichkeit begrüßte. Jetzt
erwachte wieder Wittekinds tiefe Seelenangst. Er trat
an das von der Wand abgerückte Bett, dem Doktor gegenüber, ließ die Augen nicht von ihm und suchte von jeder
seiner Mienen das Urteil abzulesen: Leben oder Tod!

„Was haben Sie mir zu sagen?" fragte er, sich fassend,
als der Arzt seine lange Prüfung beendet hatte. „Schonen
Sie mich nicht; ich will alles wissen!"

„Wir müssen's abwarten," erwiderte der Doktor bedächtig. „Da unten, das ist nicht so schlimm; er hat Glück
gehabt, die edlen Teile sind nicht betroffen, kann ich Ihnen
sagen. Viel Blut ist verloren — das ersetzt sich wieder.
Auch die Hirnschale ist gut davongekommen; aber der Riß
ist lang, und daß sich die Hirnhaut entzündet, das kann
uns leicht geschehen. Was sich dagegen tun läßt, daran
wird's ja nicht fehlen. Auf diese junge Frau können Sie
sich verlassen; sie hat mir auch schon zugeflüstert, ich soll
keine Pflegerin schicken, sie will alles selbst tun. Das beste
ist, wir tun ihr einstweilen den Willen; das weitere findet
sich. — Sie versteht's. Also guten Mut!"

Wittekind nickte stumm. Der Arzt wandte sich zu
Marie und ordnete mit gedämpfter Stimme an, was
zunächst zu tun sei; dann grüßte er und ging. Marie

ging ihm nach. Saltner blieb noch eine Weile; Kathi war schon fort. Endlich bat Wittekind den Alten, dessen langes, ernstes Gesicht weich auf den Jüngling hinuntersah, er möge nun schlafen gehen und ihm die Nachtwache bei seinem Sohn überlassen. Saltner sträubte sich; Wittekind drängte ihn fort. An der Tür wandte sich der Alte und umarmte ihn so heftig, daß er fast einen Schmerzenslaut ausgestoßen hätte; dann schritt er aus der Tür.

Der Vater war wieder allein; plötzlich verließ ihn die Fassung, er warf sich neben dem Bett auf die Kniee hin. „Bertold! mein Sohn! mein Sohn!" schluchzte er. „Darfst mich nicht verlassen! Alles auf Erden — du nicht! Was haben sie dir getan — welches Ungeheuer — — diese holde Blüte, dieses schuldlose Herz! — Bringt sie mir her, ich will sie zerreißen, ich will sie vernichten. Ich will ihr Blut vergießen, wie sie deins vergossen. Mit diesen Händen will ich sie — — Bertold! Mein letztes Kind! Stirbst du, so geh' ich mit. Laßt mir meinen Bertold! Laßt ihn mir nicht sterben! Laßt ihn mir nicht sterben!"

Er fühlte eine leichte Hand auf seinem Haar und wandte langsam den Kopf. Marie war auf ihren leisen Füßen wieder eingetreten; sie hatte ein bequemeres Gewand angelegt und Kissen gebracht, auf denen sie Bertolds Kopf besser betten wollte. Ihre weiche, beruhigende Stimme sagte gedämpft, doch mit Festigkeit: „Er wird Ihnen nicht sterben. Seien Sie getrost. Armer — und doch noch glücklicher Vater. Ihr Sohn lebt; und liebt Sie; und er wird auch leben. O verzagen Sie nicht!"

Wie Musik, dachte er, ihrer Stimme lauschend. Er hatte ihre Hand gefaßt, hielt sie fest, legte sie auf seine glühende Stirn und auf seine Wangen. Noch einmal mußte er aufschluchzen; dann atmete er wieder, wenn auch schwer, doch still. Marie bewegte sich nicht, sie neigte sich nur ein wenig, um ihm die Hand zu lassen. So blieben sie eine geraume Zeit, sie stehend, er auf den Knieen, an das Bett gelehnt.

Erst Bertolds unerwartete Stimme trennte sie; er begann zu sprechen. Es erwachten in ihm offenbar Fieberphantasien; seine Arme bewegten sich, sein bisher so starres Gesicht geriet in ausdrucksvolle Erregung. Das Eis, das auf seinem Kopf lag, konnte die Glut in dem träumenden Gehirn nicht löschen; die Bilder darin jagten einander, wie sich in einer seichten Brandung die Wellen überstürzen. Von Zeit zu Zeit hörten ihn Wittekind und Marie ihre Namen nennen; dann flog seine Phantasie wieder in unverständlichem Murmeln davon, oder stieß mit Heftigkeit und Leidenschaft Namen aus, die sie beide nicht kannten. Auch das Gespräch von gestern tauchte in seinen Gedanken auf: er fühlte sich als wandernde Seele, die durchs Weltall irrte, die auf dem Mond erschien, die sich dann in irgend eine verhaßte Gestalt versetzt sah, von der sie sich mit Messer und Dolch zu befreien suchte. Zuweilen ward er ruhiger, ward still; dann atmete der Vater auf und tauschte mit der „barmherzigen Schwester" einen Blick der Erleichterung. Bald begannen aber wieder die gehetzten Träume, die gemurmelten Phantasien. So verging die Nacht.

Umsonst versuchte Wittekind, Marie zu bewegen, daß sie schlafen gehe; mit ihrem ernsten Lächeln schüttelte sie den Kopf. „Wozu reden Sie," sagte sie; „der Doktor, wissen Sie ja, hat mich angestellt. Sie aber sollten schlafen. Ich bedarf Ihrer Hilfe nicht."

„Ich? Ich bin der Vater," antwortete er. „Aber Sie — — Ihre zarte Gesundheit —"

„Ich bin viel zu gesund," antwortete sie leise. „Und in all diesem Jammer macht es mich so glücklich, daß ich etwas zu tun habe, daß ich helfen kann."

„Helfen — aber nicht die Nächte verwachen —"

Sie fiel ihm ins Wort, auf Bertold blickend: „Ist er nicht Ihr Sohn?"

VII

Es kam, was der Arzt wohl gefürchtet hatte: während die Brustwunde ohne Mühe heilte, breitete sich auf der heftig angegriffenen Hirnhaut eine Entzündung aus, die, mit unablässiger Aufmerksamkeit Tag und Nacht bekämpft, endlich verging, aber eine neue Sorge zurückließ, wie bei jeder dieser Entzündungen zu geschehen pflegt. Nach der unmittelbaren Gefahr des Lebens, die geschwinder abzog, als man hatte hoffen dürfen, kam nun die äußerste Prüfung der Geduld, da das Gehirn des Kranken vor jeglicher Anstrengung oder Reizung zu behüten war, damit der Genesungsprozeß sich vollziehen könne. Bis in den Sommer hinein blieb Bertold verurteilt, still das Bett zu hüten, nichts als seine Tapete zu sehn, kein Buch in die Hand zu nehmen, und sich nur an den regenkalten Lüften zu erquicken, die der in diesem feuchten Land doppelt feuchte Juni in die offenen Fenster hereinwehte. Sein kostbarster Trost war, außer des Vaters geliebtem Angesicht, die wohltuende, klangvoll streichelnde Stimme der Frau Marie, die ihn zu pflegen fortfuhr und ihm nun „Gutes mit Bösem" vergalt, wie sie scherzend sagte, da sie sich zu seiner Vorleserin ernennen ließ: einfach, ohne Kunst — aber nicht ohne Natur — gab sie ihm täglich „einige Löffel Medizin" aus den Büchern ein, die er nicht lesen durfte. Zuweilen hörte er sie auch, wenn sie unten sang und eine wärmere Luft durch alle Fenster strich. Ihre Musik, ihre liebevolle Sorge, ihre schwebende Gestalt erfüllte das ganze Haus. Sie schien nur für Bertold zu leben und lebte doch für alle. Es war eine Veränderung mit ihr

vorgegangen, die keinem entgehen konnte: ihre Gesundheit und Schönheit war bei diesen unendlichen Mühen er-
staunlicherweise gediehen, statt sich aufzureiben, und über
ihr Gemüt war eine herzhafte Freudigkeit gekommen,
wie sie selbst Saltner kaum an ihr gekannt hatte. Auch
an den schlimmsten Tagen war ihr das Vertrauen niemals
ganz entfallen; sie sah es nun belohnt, eine verklärende
Dankbarkeit lag oft stundenlang auf ihrem Gesicht. Sie
blickte wohl auch Bertold so zufrieden und glücklich an,
als sei er i h r geschenkt; und stieg etwa in den andern
noch eine Sorge auf, ob man auf dieses Geschenk schon
bauen dürfe, so fing sie an, sanft zu schelten, oder richtete
einen großen, stumm vorwerfenden Blick auf den Zwei-
felnden; oder sie ging auch ans Klavier, um mit ihrem
tiefen Alt ein lernhaftes Volkslied von Hoffnung und
Gottvertrauen zu singen.

Man konnte denn auch nicht froher über sie sein, als
es der Alte war; er ereiferte sich sogar gegen Wittekind,
als dieser nur einmal den Kopf schüttelte, daß sie ihren
Samaritereifer übertreibe: „Das s o l l sie auch!" rief er
aus, „dazu ist sie da! und darum ist sie mir nun vollends
an das Herz gewachsen! — Sehen Sie denn nicht, zum
Teufel, wie sie glücklich ist? Sie haben mir einmal die
blutige Beleidigung angetan — nicht lange nachdem Sie
mir den Jungen aus dem Wald gebracht hatten; wissen
Sie noch — mich, Ihren Freund, zu beklagen, daß mir so
ein Unglück ins Haus geregnet sei; da sagte ich Ihnen
schon: und wär's nur um die Marie, um die allein müßt'
ich Gott für dies ‚Unglück' danken! — Sie hatte wieder
einen Beruf. Und das braucht der Mensch. Darum ist
sie nun glücklich. Lassen Sie sie gehn, reden Sie nicht
hinein!"

Wittekind lächelte und schwieg. Er schwieg jetzt zu

allem. In jener ersten Nacht an Bertolds Bett hatte er sich gelobt, nichts mehr zu wollen, als daß sein Kind genese, nie zu verraten, daß er für Marie noch fühlte. Sie ist nun glücklich, dachte er. Ja, durch Bertold; für ihn ... Aber er lächelte, ohne Bitterkeit.

„Bei dieser Gelegenheit", fuhr der Alte fort, „kann ich Ihnen sagen: es ist dabei geblieben, von diesen Kerlen ist nur einer erwischt, der, den Ihr Bertold nicht kennt; von den andern ist bis heute jede Spur verloren — wunderbar genug. Ich hab' den Polizeidirektor heute wieder gesprochen; er war zugeknöpft wie ein großer Mann; das gab er aber doch von sich, daß dieser Riedau, den sie auch verhaftet hatten, wieder entlassen sei: sie hätten nichts gegen ihn beweisen können. Wissen Sie, was ich glaube? Von Anfang an ist mir aufgefallen, daß die Polizei von der Sache schon zu wissen schien, eh' Bertold ein Wort darüber reden konnte. Wie war das möglich, wenn kein Angeber da war? Alles dazugenommen, was Ihr Sohn uns erzählt hat — dieser Riedau, sag' ich Ihnen, arbeitet für die Polizei! Er schickte den Bertold nur hin, um einen Zeugen zu haben, das ist meine Meinung. Dann mischte sich der Zufall hinein, wie das seine Art ist, Bertold hörte alles, eh' sie ihn bemerkten — sie fielen über ihn her, um ihn los zu werden —"

„O diese Mörder! diese Kannibalen!" rief Wittekind aufflammend aus. „Wo ich sie antreffe, erwürg' ich sie!"

„Oho!" rief der Alte.

Wittekind sah ihn an. „Mißfällt Ihnen das?" fragte er. „Sind Sie andrer Meinung?"

„Das sollten Sie wohl vom Gärtner nicht denken," erwiderte der Alte. „Alle Teufel, Sie haben ja recht. Ich dachte nur in dem Augenblick: überlaß das mir; das ist meine Sache! Meine alte, angeborene Kampf-

wut zuckte mir in den Fingern. Darum sagt' ich:
Oho!"

Wittekind drückte ihm die Hand und wendete sich ab.

„Nun, Sie h a b e n wenigstens Ihren Bertold noch,"
fing der Alte wieder an, „und werden ihn auch behalten.
Der Doktor zweifelt nicht mehr: alles wird aufgesogen;
die gute Natur Ihres Jungen — so zart er auch aussieht
— hat sich mächtig bewährt! — Über den Riedau aber
wollt' ich Ihnen noch sagen: Baron Tilburg war in Salzburg, mit seiner chronisch leidenden Frau; ich hab' ihn
heute gesehn. Der Baron zweifelt nicht, daß damals bei
Waldenburgs Tod dieser selbe Riedau ein schändliches
Spiel gespielt und dem Grafen Lana Papiere zugeschoben
hat, die durchaus nicht für ihn bestimmt waren; ein junger
Bursch von Kellner, der dabei als Pudel gedient hat, und
den der Tilburg ausfragte, ist mit allerlei Verdächtigem
herausgekommen."

„Und so ein Kerl," sagte Wittekind mit Ekel, „geht
frei und fröhlich herum? — Ist das Ihre zweckmäßige
und gerechte Welt?"

„Erlauben Sie! Von einer ‚gerechten‘ Welt hab' ich
nie gesprochen; und was die Z w e c k m ä ß i g k e i t betrifft — nun, so ist vielleicht eine wunderbare Ökonomie
darin, daß solche Schufte wie Riedau von der Weltord-
nung benützt werden, um der Gesellschaft, dem Staat
allerlei gute Dienste zu leisten, zu denen Sie oder ich nicht
zu brauchen wären. Ich glaube und sage auch da: verloren geht nichts! — Wer weiß, wozu dieser Lumpenhund
einstweilen noch aufgespart wird. . . . Die Tischglocke
läutet. Gehen wir zum Essen! — —"

Der ganze Juni war über Bertolds langsamer Besse-
rung verstrichen; am Nachmittag des ersten Juli lag er auf
seinem Sofa, mit dem er das Bett nun endlich hatte ver-

tauschen dürfen, horchte auf den Regen, der zuweilen
laut an die Fenster klatschte, und freute sich auf den Augenblick, wo die Tür aufgehn und die getreueste Pflegerin
hereintreten würde. Er hatte den Arm aufgestützt und den
Kopf an die Hand gelehnt; auf seinen Wangen bildete
sich schon der leichte Schimmer einer ersten Röte, die
Lider beschwerte noch eine schmachtende Mattigkeit. Das
Bärtchen über seinen schönen Lippen war während der
Krankheit wie unverschämtes Unkraut fortgewachsen; er
nahm einen Taschenspiegel von dem Tischchen, das neben
dem Sofa stand, und weidete sich mit ernsthaftem Gesicht
an diesem gedeihlichen Fortschritt. Warum sollte ich dann
nicht lieben dürfen? dachte er. Ernsthaft lieben — bis
zum Wahnsinn — oder bis zum Heiraten? Shakespeare
war achtzehn Jahre alt — zwei Jahre jünger als ich —
da nahm er ein Weib, acht Jahre älter als er. Man sagt
zwar: es war ein törichter Streich ... Ich weiß es nicht.
Wie soll' ich wieder leben ohne diese holde, himmlische
Marie? Ich zittere vor Freude, wenn ich an sie denke.
Wenn ich ihre Stimme höre, wird mir so wohl, so gut;
und dann läuft es auf einmal so schaurig süß über mich
hin ... Ach, und ihre Augen, ihre Sternenaugen. Bin ich
wieder gesund, was wird dann aus mir? Dann ist meine
Seligkeit aus; dann fort — und mein Leben, meine Seele
lass' ich hier. Ja, ja, Marie! Meine ganze Seele!

Eine seiner Phantasien aus der Fieberzeit fiel ihm bei
diesem Gedanken ein; die einzige, die er nicht vergessen,
die er später im träumerischen Wachen fortgesponnen
hatte. Ihm war in seinem wilden, märchenschaffenden
Hirn — in den ersten Tagen — als sei die Frau, die er
zuweilen an seinem Bette stehen oder sitzen sah, jene
„Ellis" aus Turgenjews Visionen; aber nicht ein unbestimmtes Gespenst ohne Zweck und Sinn, sondern ein

werbendes Leben, vom Schöpfer dazu bestimmt,
ihm seine vom Leben scheidende Seele langsam aus-
zusaugen, ihn dann fortzusetzen: so spukte in seinem
glühenden Kopf Saltners Theorie. Marie und Ellis
wuchsen ihm zusammen; er sagte zuweilen Ellis, wenn er
die andere rufen wollte; aus beiden ward ihm ein drittes,
unheimliches Wesen, das zuerst nur ein Hauch, nur ein
Schatten war, aber an sein Lager immer wiederkehrend
von seinem Leben sich nährte, bis sie ein Körper ward,
Fleisch und Blut gewann, sich rundete, sich füllte: endlich
wird er sterben, und dann hat sie sein ganzes Leben, dann
schreitet sie aus der Tür, als die neue Gestalt seiner wandernden Seele, als sein neues Ich! — So vollendete das
allmählich erwachende Bewußtsein den ersten, verworrenen
Traum. Sein Geist hielt ihn fest, es ward ein rundes
Märchen daraus, deutlicher und sinnvoller als jene Ellis-
Visionen; und immer blieb darin eine geheime, schmerzlich
süße Beziehung auf die Frau, die so oft an seinem Lager
saß, in die er verliebt war, an die er, wie er meinte, seine
Seele verloren hatte ...

Er hielt es endlich nicht mehr aus, diese Phantasien
nur so im Kopf zu wälzen und zu kneten; die natürliche
Sehnsucht kam ihm, ihnen eine Form zu geben, an die er
sie dann los ward. Auf seinem Tischchen lag unter allerlei
anderm Dingen ein Taschenbuch mit einer Photographie
seines Vaters. Er nahm den Bleistift und ein Blatt daraus, um — zum erstenmal dem Verbot ungehorsam —
sein Märchen niederzuschreiben. Mit einer kühnen Erfindung schrieb er „Mariellis“ als Titel hin. Dann begann er mit einer mondscheinfahlen Nacht, in welcher der
Held dieser „Visionen“ im Bette liegt, erwacht, und ein
bleiches, nebelstreifiges, formlos menschenähnliches Ge-
bilde neben sich sitzen sieht — —

Die Tür ging auf, und die schöne Frau, auf die er sich gefreut hatte, stand wie ein Schreckbild vor ihm. „Was tun Sie da?" fragte sie, mit ihrem holben, strengen Gesicht.

Er machte keinen Versuch, seine Untat zu verbergen; seine Ehrlichkeit hielt die schon zuckenden Finger fest. „O, Sie sind ein Sünder!" sagte sie; „das hätte ich nicht gedacht! Wie können Sie das tun?" — Sie war herangetreten, nahm ihm das Blatt fort, und gab ihm einen leichten Schlag auf die Hand.

Bertold errötete vor geheimer Freude; diese vertraulich strafende Berührung lief warm über ihn hin. Er konnte sich nicht enthalten, seine Hand zu küssen und die junge Frau dankbar anzulächeln.

„Wenn Sie solche Torheiten machen," sagte sie, „komme ich nicht wieder. Was schreiben Sie denn da? ‚Mariellis'? Was heißt das?"

„Das ist ein Märchen, das ich im Fieber ausgegoren habe; als leiblich vernünftiger Mensch hab' ich's dann fertig gebraut. Und nun wollt' ich es endlich —"

„Niederschreiben?"

„Ja."

„Das sollen Sie aber noch nicht. Artige Kinder tun nichts Verbotenes. — Ist es wirklich ‚vernünftig'?"

Er glaubte zu verstehn, wie sie das meinte, und nickte. „Es ist so vernünftig, wie ein Märchen sein kann. Zu lesen für jedermann!"

„Und Sie wollen es aus dem Kopfe los werden?"

„Ja; es rumort da schon so lange. Ich lechze —"

„Dann diktieren Sie es mir," sagte sie kurz und setzte sich an den Tisch. „Grübeln Sie aber nicht, um es schön zu machen, sondern sprechen Sie frisch drauf los!"

„Beste Frau Marie! Auch das wollen Sie für mich tun? — Sie sind ein Engel des —"

„Himmels," ergänzte sie ruhig. „Glauben Sie nicht, daß das noch niemand vor Ihnen gesagt hat; es kommt schon im Dante vor. Sagen Sie jetzt nichts, als was zur Sache gehört; fangen Sie ruhig an!"

Sie las ihm noch die ersten Sätze vor, die er selber geschrieben hatte; dann fuhr sie darunter fort, mit geschwinden Fingern. Er nahm seinen Verstand zusammen und diktierte ohne Zögern, um sie nicht warten zu lassen; und doch wußte er kaum, wie er sich fassen sollte. Da lag er als „Poet" — er, Bertold Wittekind, der Student, der Jurist — und eine Frau mit dem schönsten Haar und den tiefsten Augen schrieb nieder, was er ihr vorsagte. Ich liebe sie unaussprechlich! dachte er; ich liebe sie grenzenlos! — Dann diktierte er weiter. Das Märchen von der lebenaussaugenden Mariellis, noch etwas unklar geformt, wie ihr Mondscheinnebel, noch etwas überschwenglich im Ausdruck, flog auf das Papier, geschwinder als er dachte. Zuweilen blickte Marie, durch die Erfindung oder einen Gedanken betroffen, von ihrem Papier flüchtig auf und zu dem Phantasten hinüber; nahm dann aber still ein neues Blättchen, wenn eines zu Ende war, und kritzelte mit dem stumpf werdenden Stift geduldig fort.

Wittekind öffnete die Tür zu seinem angrenzenden Zimmer und wollte herein; als er aber sah, was hier vor sich ging, zeigte er nur noch ein verwundertes Gesicht, machte eine Bewegung mit der Hand und zog sich leise zurück. Die junge Frau schrieb weiter, bis das Märchen aus war. Sie legte die Blätter zusammen. „Was für ein sonderbarer Mensch Sie sind," sagte sie, auf seine Stirn blickend, auf die sich im Eifer des „Schaffens" eine blonde Strähne gelegt hatte. „Was in Ihrem Kopf alles vorgeht! Sie lassen sich beinahe totschlagen und phantasieren dann Märchen im Andersenschen Stil. Aber es ist zu-

gleich etwas Schauerliches darin; — wirklich schauerlich."
... Es schien sie nachträglich zu überlaufen; auch leuchtete
etwas wie Respekt und Bewunderung in ihren Augen auf.

Sie trat dann an Wittekinds Tür und klopfte. Wittekind selber kam. „Sie haben jetzt Ihren Sohn allein,"
sagte sie und lächelte; „da können Sie auch lesen, was sich
‚sein Krankenlager erzählt'. Der Verfasser ist dann brav
und geht zu Bett! Der Doktor will es so. Es wird
Abend. Ich komme noch und sage gute Nacht!"

Die hohe Gestalt ging in ihrem leichten, fast geräuschlos schwebenden Schritt hinaus. Wittekind sah ihr nach,
den Rücken gegen Bertold gewendet; so gefaßt und still,
wie er in diesem Zimmer sich all die Tage, all die Wochen
gezeigt hatte. Vor sich niederblickend kam er endlich an
den Tisch, auf dem jene Blätter lagen; sah zu Bertold
auf, lächelte ihn liebevoll an, und nahm das Märchen in
die Hand. „Darf ich?" fragte er.

„Aber, Vater!" erwiderte Bertold. „Es ist ja kein
Geheimnis. S i e kennt es ja auch."

Wittekind blickte wieder auf, er schwieg aber. Er begann zu lesen. Bei der Überschrift „Mariellis" schien er
schon zu stutzen. Langsam las er weiter. Bertold, dem
plötzlich der Atem eng ward, ließ die Augen nicht von
seines Vaters Gesicht; sein junges Autorenherz begann
stark zu schlagen. Was er wohl zu dieser Phantasterei
sagen wird? dachte er. Ob's ein Unsinn ist?

Wittekind sagte nichts. Als er am Ende des ersten
Blattes war, hielt er inne; er schien in tiefes Nachdenken
zu versinken und starrte schräg in die Ecke. Bertold verwunderte sich beklommen: warum liest er nicht? Er
glaubte auf des Vaters erblassendem Gesicht ein kummer-
volles Herabsinken der Züge, einen traurigen Ernst zu
sehn, den er in diesen schweren Wochen nie wahrgenommen

hatte. Immer hatte er im stillen die Selbstbeherrschung, die freundliche Ruhe bewundert, die auf diesem edlen Gesicht wie ein festes Gepräge lag. Was geschah ihm denn jetzt? Was las er denn da heraus? — Bertold lag, den Kopf in der Hand, und rührte sich nicht. Nach einer langen Stille — oder erschien sie nur dem Verfasser so lang — trat Wittekind an das Fenster, das zweite Blatt in der Hand, strich sich über die Augen und blickte dann zurück.

„Es wird dunkel," sagte er sanft, „und die Schrift ist nicht sehr deutlich; mit dem Bleistift hastig hingeschrieben. Auch sind meine Augen müde; du weißt, mit dem Nachschlafen bin ich noch nicht fertig. Und mir wird keine Stunde davon geschenkt; darin ist meine Natur unverschämt genau — besteht auf ihrem ‚Schein‘, wie Shylock. Vorhin bin ich bei hellem Tage im Lehnstuhl eingeschlafen. Laß mich die Blätter mitnehmen und in meinem Zimmer nachher bei der Lampe lesen. Ich komme dann wieder und sag' dir, wie dein Märchen mir gefällt. Jetzt solltest du aber nicht mehr phantasieren, sondern zu Bette gehn, dem ‚Gesetz‘ gehorsam!"

„Das will ich auch," sagte Bertold. „Lies es, wann du willst!"

„Nein, noch heute, noch in dieser Stunde," erwiderte Wittekind lächelnd. „Die Schriftsteller, hab' ich immer gelesen, sind ungeduldige Leute! Und haben neugierige Väter — natürlich — —"

Er raffte die Blätter zusammen, nickte ihm zu und ging in sein Zimmer. Die Tür ward geschlossen. Bertold horchte eine Weile; er hörte den Vater langsam auf und ab gehn. Darauf ward es still. Zögernd stand er vom Sofa auf, entkleidete sich und legte sich in das frische, angenehm kühle Bett. Irgendwas drückt ihn! dachte er, wieder nach Wittekinds Tür horchend. Wie gern nähm' ich es ihm ab, wenn ich könnte; — aber zu was bin ich gut! Ich liege nur so da, vegetiere wie eine Pflanze, die man an einen Stock gebunden hat, weil sie sich beinahe zu Tode gekrochen hatte; man muß schon zufrieden sein, wenn sie wieder aufwächst. Ah was! Es wird auch besser werden; meine Zeit wird kommen!

Tiefe Dunkelheit brach herein, Marie erschien wieder, lüftete noch, zündete sein Nachtlicht an, plauderte eine Weile; auf sein herzliches Bitten sang sie ihm noch leise ein Lied, das er besonders liebgewonnen hatte, das ihm immer ein wunderbares Gefühl von Freudigkeit und Lebenslust zurückließ. Dann schloß sie die Fenster, gab ihm ihre volle, warme Hand zur guten Nacht — dieselbe, die ihn vorhin so beglückend gestraft hatte — und verließ das im Hellbunkel träumende Gemach. Er war glücklich, verliebt; auch jugendlich hoffnungsvoll, er wußte nicht warum. Flüsternd, summend wiederholte er sich die Melodie, die Worte. Nach und nach entschlummerten seine Gedanken; er ward selig müde; nur ein Gefühl hielt ihn noch wach: Vater Wittekind war noch immer nicht gekommen. Warum kam er nicht? Wie war das möglich? Jeden Abend saß er an diesem Bett, seit der Krankheit; hielt noch Bertolds Hand, küßte seine Wangen. Und die Tür zwischen ihren Zimmern blieb offen. Jetzt war sie geschlossen. Was ist mit dem Vater? dachte er und hob seinen Kopf. Hat er es gelesen oder nicht? Ist er eingeschlafen?

Die Müdigkeit, die Ruhe verließ ihn, er stand endlich leise auf, um dieses Rätsel zu lösen, und öffnete, fast unhörbar, die Tür. Wittekind war noch nicht zu Bett gegangen; die Lampe brannte auf seinem Arbeitstisch, er selber saß im Lehnstuhl davor, den Kopf auf die Brust gesunken; seine schweren, aber gleichmäßigen Atemzüge

waren zu vernehmen. Er schläft! dachte Bertold. Leise
trat er näher, um sein abgewandtes Gesicht zu sehn. Er
irrte nicht: die müden, etwas geröteten Lider waren fest
geschlossen; der Atem ging auch durch die Lippen, die ein
wenig geöffnet waren, so wenig, daß es für das Auge
kaum zu erkennen war. Auf dem Tisch lagen die Blätter
des „Märchens" auseinandergestreut, offenbar gelesen;
auf eines war ein Tropfen Tinte gefallen, aber schon ge-
trocknet.

Was steht denn da geschrieben? dachte Bertold. Verse?
— Neben den kleineren Blättern lag ein größeres, es
standen einige Zeilen darauf, von Wittekinds Hand. Bertold starrte betroffen hin; er las:

„So hat sie mir das Leben ausgesogen;
Ich scheine rüstig, wandle wie die Schatten.
Ach, hast so fest uns beide angezogen,
Daß wir verloren alles, was wir hatten.
Nimm's! — Gib nur ihm dein Herz! nur ihm! Ich will"

— — Hier brach es ab, mit dem Ende des Verses.
Die letzten Worte „Ich will" waren mit Mühe zu erkennen,
denn irgend eine Feuchtigkeit war auf sie gefallen, die die
Buchstaben aufgelöst oder in die Länge gezogen hatte. In
der nächsten Zeile war die Feder noch angesetzt worden,
aber beim ersten Zug ins Papier gestoßen und zersprungen,
so daß eine Menge kleiner Tröpfchen sich über das Blatt
verspritzt hatte. Der Federstiel lag daneben.

„Mein Gott! was ist das!" flüsterte Bertold, dem sich
die Worte bis an die Lippen drängten. „Vater! Du! —
Marie!"

Er starrte noch einmal auf die Verse, er kam nicht
über den ersten hinweg:

„So hat sie mir das Leben ausgesogen . . ."

Das Herz stand ihm still. Wie kann das sein! dachte er, im Gehirn betäubt. Er — so ruhig — so froh — so glücklich. Mein Gott, mein Gott, wie hat er uns betrogen. Ich dachte nur an m i ch.... Mein verliebtes Herz. ... Vater! Vater!

Er sah wieder hin, er las:

„Ach, hast so fest u n s beide angezogen — —"

Seine Hand ging nach seiner Brust, nun fühlte er endlich brinnen den Schmerz, und ein wildes Pochen. Er begriff nun alles. „Ja, ja, ja," flüsterte er. „So ist es.... Vater und Sohn. ... Und um meinetwillen, um meinetwillen hat er es in sich begraben; — da steht es:

‚Nimm's! — Gib nur i h m dein Herz — —'

„Nein, nein!" sagte er auffahrend, mit fast vernehmbarer Stimme. Gleich darauf erschrak er, denn es war, als hätte Wittekind ihn gehört. Dieser begann sich zu regen; sein Gesicht verzog sich, sein Atem ward unruhig, gestört. Die Finger bewegten sich. — Wenn er jetzt erwachte!

Bertold ging rückwärts zur Tür, auf den nackten Füßen. Er selber hörte sich kaum, so geräuschlos ging er. Noch lag der Vater wie im Schlaf; nur zu träumen schien er; ein langer Seufzer ward aus seinem Atmen. Bertold kam in sein bunkleres Zimmer; er lehnte die Tür nur an, um nicht laut zu werden. Dann schlich er in sein Bett. Ihn fröstelte. Er hüllte sich eng in seine Decke, schloß die Augen und horchte.

Wittekind lag, er war nicht erwacht; der tiefe Schlaf, der ihn übermannt hatte, ruhte noch auf ihm. Aber Traumbilder hatten begonnen, sich in ihm zu regen; sinnlose, verrückte Träume, die in seinem überreizten Gehirn wie Funken hin und her fuhren und die Seufzer in seiner Kehle weckten. Er sah sich mit Marie auf der Garten-

terraſſe, wie bei jenem Wiederſehn; er ſprach mit ihr von
Waldenburg und von Katilina ... Auf einmal ward ſie
jene Aurelia Oreſtilla — jetzt im Traum fiel ihm der
Name ein, deſſen er ſich damals nicht erinnert hatte —
und ſie ſagte mit höhniſchem Lächeln: „Einen ſo großen
Sohn, wie du haſt, will ich nicht im Haus; der iſt mir im
Wege; darum werde ich nie dein Weib!" — Was für ein
böſes Lächeln, dachte Wittekind; jedoch im nächſten Augenblick war er Katilina, nahm einen Dolch in die Hand, der
auf einer Bibel lag, und ging durch einen langen, end-
loſen Saal in das nächſte Zimmer: denn dort ſchlief ja
ſein Sohn. Du mußt alſo ſterben! dachte er, als er vor
ihm ſtand, und hob ſeinen Dolch. Der Jüngling lag mit
einem goldenen Schein um den Kopf unter der weißen
Decke; er ſah dem Eugen Dorſay, aber auch dem Bertold
gleich. Dem Katilina-Wittekind ſträubten ſich die Haare;
er ſeufzte; er fühlte, daß ſeine Haare naß an der Stirne
klebten; aber er ſtieß zu. Und der Sohn ſchrie auf....

Wittekind fuhr empor. Er war aufgewacht. Er rang
nach Atem und ſtarrte um ſich her. Die Haare klebten
wirklich naß an ſeiner Stirn, die der Schweiß bedeckte.
Jetzt ſtand ihm der Traum, der ganze, entſetzliche, vor den
Augen, und ſeine Haare ſtiegen von der ſchaudernden
Haut empor, wie er es nie gefühlt hatte. Die Hände auf
den Armpolſtern ſeines Stuhls, erhob er ſich, lehnte ſich
an den Tiſch. Da lagen die Blätter, die Verſe. Ihm
graute. Heiliger, gerechter Gott! dachte er, wer ſpielt ſo
mit uns? So gräßliche Träume können ſich in unſer Hirn
ſchleichen — wir erleben ſie — wir, wir ſelbſt — wir
werden Scheuſale im Schlaf, und vollbringen Greuel,
die wir nicht d e n k e n könnten? — Gott, wer ſind wir
denn? — — Ein Grauen ſchüttelte ihn, das in ſeufzendem
Schmerz verging. Er ſah auf die Tür, die zu Bertold

führte. Dort lag dieser Sohn; — sein Sohn. War ihm
etwas geschehn? Hatte dieser höllische Traum iu fratzen-
hafter Gestalt ihm verkündigen sollen — —

Ich bin noch von Sinnen! dachte er und schüttelte
den Kopf. Aber eine aufwallende, bittersüße Sehnsucht
zog ihn in das andere Zimmer hin. Er mußte ihn sehn,
seinen Bertold; ihm in die lieben Augen blicken, ihm
sagen ... Die Kirchenuhren in Salzburg schlugen; er
horchte. Es war schon spät. Bertold schlief gewiß. So
wollte er ihn doch s e h n, sich seines Schlafes freuen, den
letzten Schatten dieser greulichen Phantome von sich ab-
schütteln. Er nahm die Lampe, ging leise zur Tür, die sich
öffnete, als er sie berührte. Dann schlich er an das Bett;
nicht als Katilina, ach, mit einem Herzen voll unerschöpflicher, opferbringender Liebe, mit Tränen in den Augen,
Lächeln auf den Lippen; er konnte sich nicht enthalten, zu
flüstern: „mein geliebter Bertold!"

Der Jüngling lag mit geschlossenen Augen, regungslos
ausgestreckt, und schien fest zu schlafen. Wittekind bedeckte
die Lampe mit der Hand, damit ihr Schein ihn nicht störe,
und trat an das Kopfende des Bettes, hinter seinen Sohn.
Er neigte sich vor, das beschattete Gesicht zu sehn; ahnungs-
los, wie es in der zugedeckten Brust da unten klopfte,
wie fern ihr der Schlummer war. Es zog ihn sehr, wenigstens seine Stirn zu küssen; doch er wagte es nicht,
Bertold konnte davon erwachen. Ihm blieb nur der Anblick, und daß er mit lautloser Bewegung der Lippen
flüstern konnte: „Ich begehre ja nichts, mein Kind! Nichts,
nichts, als dein Glück!"

Plötzlich bewegte sich Bertolds Kopf, und seine Lider
zuckten. Eine Träne aus Wittekinds Auge war auf ihn
gefallen; die Überraschung machte ihn unruhig, ohne daß
er's wollte. Jetzt hielt er sich nicht länger, schlug die

Augen auf und wandte sich so, daß er das Gesicht des Vaters sehen konnte.

„Oh!" sagte dieser; „hab' ich dich geweckt?"

„Lieber Vater!" sagte Bertold stammelnd. „Das ist gut — daß du mich geweckt hast. Nun können wir einander doch noch gute Nacht sagen ..."

Er sprach nicht weiter, er lächelte nur.

„Ja, ja — es ist mir sonderbar ergangen," entgegnete Wittekind. „So im Lehnstuhl sitzend war ich eingeschlafen."

„Das bedeutet, daß du zu wenig schläfst. Geh nur gleich; sag mir nur gute Nacht!"

„Ja, ja," murmelte Wittekind.

Bertolds junges Herz vermochte sich nicht länger zu halten. „Fehlt dir etwas, Vater?" fragte er, doch mit äußerer Ruhe, nur die Stirn bewegend. „Bist du nicht —?"

„Was sollte mir fehlen, Kind?"

„Du hast Tränen in den Augen. — Bist du nicht glücklich, Vater?"

„Das ist allerdings nicht erlaubt," erwiderte Wittekind lächelnd: „Männer dürfen keine Tränen in den Augen haben. Besonders deutsche Männer — nicht wahr? — O ja, ich bin glücklich. Das sind ein paar F r e u d e n tränen: weil ich nun nicht mehr zweifle, du bleibst mir. Ich bin ganz glücklich, Kind!"

„Vater!" stieß Bertold hervor; er hatte dessen Hand ergriffen und küßte sie.

„Aber was ist denn mit dir?" fragte Wittekind verwundert. Indem er die Lampe hob, sah er, daß es feucht in den jungen Augen schimmerte. „Was hast du da? d u?"

„Hier?" sagte Bertold ruhig und legte sich eine Hand auf ein Lid. „Laß das nur. Das tut nichts; — weniger als bei dir. Ich, ich bin glücklich. Und ich weiß, was ich muß, was ich will. Und ich werd' es tun!"

„Was willst du tun?" fragte Wittekind.

„Ich sag' dir's ein andermal," antwortete Bertold, dem ein rätselhafter Ausdruck überschwenglicher Freude, dann ein geheimnisvolles Lächeln über Lippen und Augen ging. „Jetzt, Vater, gute Nacht! Du mußt schlafen; ich auch!"

Schlafen? dachte Wittekind.

Ich werde gewiß nicht schlafen, dachte Bertold. Aber es wird gut!

„Ich liebe dich, Vater!" rief er plötzlich aus.

„Bertold!" rief Wittekind, setzte die Lampe fort, und trat zu ihm. Sie hielten sich umschlungen, jeder in seinen Gedanken.

Der Regen schlug wieder laut an die Fenster; ein Windstoß warf ihn, nachdem er lange unhörbar herabgefallen war, gegen die klingenden Scheiben. „Was für eine Nacht!" sagte Wittekind endlich, um etwas anderes als seine Gedanken zu sagen. „Mach, daß du zu Schlaf kommst!"

„Meine schönste Nacht!" hauchte Bertold vor sich hin.

„Was sagst du, Kind?"

„Nichts, Vater. — Es regnet; ja. — Morgen scheint die Sonne!"

„Weißt du das gewiß?"

„Ich — ich sage nur so. — — Es gibt keinen solchen Vater mehr, wie du ... Ich will aber dein Sohn werden, endlich; sollst noch Freude an mir — — sollst mich doch noch achten!"

„Kind, ich glaube, du träumst!"

„Ja — ich träume, Vater. Einen schönen Traum. Einen —"

Er konnte nicht mehr; eine schluchzende Bewegung nahm ihm jetzt die Stimme. Er wandte sich ab, gegen die

Wand; dann sagte er mit einer letzten Anstrengung: „Also gute Nacht!"

Wittekind nahm die Lampe. „Ja, ja, gute Nacht!" erwiderte er, vor sich niederblickend, und ging in sein Zimmer.

VIII

Am andern Morgen klopfte Marie an Bertolds Tür — Wittekind war schon ausgegangen — und trat mit ihrem herzlich grüßenden Lächeln ein. Es schien wirklich die Sonne; nach einer windigen Regennacht war sie durchgebrochen und sog an dem Gewölk, das von den Bergen kam und von der Erde dampfte. Bertold saß aufrecht im Bett; er schien zu sinnen, es spielte etwas um seine Lippen, seine Augen glänzten. Marie gab ihm die Hand, dann trat sie wieder zurück und sah ihn verwundert an.

„Was ist mit Ihnen geschehn?" fragte sie. „Sie haben doch nicht wieder —?"

„Was?"

„Das Gebot übertreten? geschrieben?"

„O nein," erwiderte er.

„Was haben Sie denn? Sie sehen so aus wie ein Bild vom Apostel Johannes, das ich einmal sah: wie er sich anschickt, sein Evangelium zu schreiben. Leider muß ich hinzusetzen," fuhr sie lächelnd fort, „das Bild war nicht gut."

Er blickte nur auf, und schwieg.

Marie schüttelte den Kopf. „Jetzt bemerk' ich aber," sagte sie, „Ihre Augen sind heiß — und die Ränder so rot. Was heißt das? Haben Sie nicht geschlafen?"

„Geschlafen?" erwiderte er.

„Ja, geschlafen. Ihre erste Pflicht. Und dann — — Sündigen Sie schon wieder? Phantasieren Sie?"

„Phantasieren?"

„Ja. Was machen Sie? Sie antworten ja so wie die Bösewichter in den Trauerspielen. ‚Geschlafen?' ‚Phantasieren?' — Wollen Sie wohl artig sein? Woran denken Sie?"

„Beste Frau Marie!" sagte er zögernd, indem er die leuchtenden, ernsten, verklärten Augen auf sie heftete.

„Nun, was?"

„Wollen Sie mir noch einmal — —"

Er stockte.

„Ist es so schlimm," fragte sie, „daß Sie's nicht sagen können?"

„Nein; es ist nicht schlimm. Wollen Sie mir noch einmal die Liebe tun — wie gestern — und auf die kleinen Blätter in dem Buch da schreiben, was ich Ihnen vorsage?"

„Wieder ein Märchen?"

„Ja. — Aber kurz; sehr kurz!"

„Sie machen mich böse, Bertold," sagte Marie, indem sie mit ihren Fingern wiederholt auf das Tischchen schlug. „Schreiben will ich gern; aber Sie sollen Ihr Gehirn nicht aufregen, Sie sollen ihm Ruhe lassen, sollen sich langweilen, dumm sein — statt dessen ‚dichten' Sie. Gestern schrieb ich es auf, damit Sie es nur los würden; Sie haben aber Blut geleckt, wie ich sehe. Was fällt Ihnen nur ein? Sie haben so lange leben können, ohne Märchen zu dichten; wie kommen Sie auf einmal zu dem bösen Laster, ohne daß irgend jemand Sie drum gebeten hat?"

„Es ist das letzte Mal," erwiderte er lächelnd; von ihren herzlichen Vorwürfen entzückt, während ihre Heiterkeit ihn im stillen schmerzte. „Wenn ich Ihnen mein Wort gebe, daß es das letzte Mal ist — und ich kann es geben — wollen Sie dann noch einmal gut sein und die Feder nehmen, damit ich es ‚los werde'?"

Sie zuckte die Achseln; dann nahm sie Tintenfaß und Stahlfeder von seinem Schreibpult, das am Fenster stand, und setzte sich zu ihm an das Tischchen. „Der Bleistift ist ein Krüppel," sagte sie. „Die Blätter da reichen noch, wenn Sie's gnädig machen. Also fangen Sie an!"

Bertold dankte ihr durch einen warmen, verschleierten Blick; seine Brust hob sich zu mehreren langen, leicht erzitternden Atemzügen, und er begann:

„Prinzessin Sternauge."

„Ist das die Überschrift?" fragte sie.

Er nickte. — Sie schrieb es hin.

„In einem Lande, das ihr nicht kennt," fuhr Bertold mit allmählich wachsender, festerer Stimme fort, „galt der Sohn des Königs für den glücklichsten Menschen, glücklicher als der König selbst, weil er Prinzessin Sternauge zur Frau hatte; so ward die junge Prinzessin genannt, weil das Schönste an ihr die großen, himmlisch leuchtenden Augen waren, die die Dichter mit nichts zu vergleichen wußten als mit den himmlischen Sternen. Wie die Menschen sind, litt es ihn aber doch nicht lange bei seinem Glück; er zog auf eine Meerfahrt aus in die fernsten Länder, wo er den größten Ruhm und damit das größte Glück zu finden hoffte. Jahr und Tag verging, und er kam nicht wieder. Als der alte König merkte, daß sein Sohn spurlos verschollen sei, da beschloß er, Sternauge sollte die Seinige werden, und wenn nicht aus freiem Willen, dann mit Gewalt; denn sie gefiel ihm mehr, als recht war. Die Prinzessin aber, vor der Sünde fliehend, entkam bei Nacht und Nebel aus dem Königsschloß, und floh in den Wald, und immer weiter, bis sie aus dem Lande war; sie hatte ihre fürstlichen Kleider abgelegt, ihre zarte Haut gefärbt, und nur den Sternenglanz ihrer Augen konnte sie nicht ablegen. So kam sie endlich zu einer einsamen Burg,

in der ein edler, trefflicher Ritter wohnte; dessen junger
Sohn war kampfeswund und lag schwer danieder. Da
half Sternauge ihn pflegen —"

Frau Marie hielt inne.

„Warum schreiben Sie nicht weiter?" fragte Bertold,
so gleichmütig wie er konnte.

Sie zog ihre Stirn zusammen. „Wenn das Märchen
etwa — töricht wird," sagte sie nach einem kurzen Zögern,
„so mißbrauchen Sie meine Freundlichkeit."

Der arme Jüngling erblaßte. „Töricht wird es nicht,"
erwiderte er, auf seine Decke blickend. „Glauben Sie mir
das. Wie schlecht wär' ich dann!"

„So verzeihen Sie," sagte sie stockend. Sie hob
die Feder, wie um den Gekränkten wieder gut zu
machen. „Ich dachte nur... Also wie sagten Sie? ‚Da
half —'"

„Da half Sternauge ihn pflegen," diktierte Bertold
weiter; „und niemand in der Burg ahnte, daß sie eines
Prinzen Frau, oder vielmehr seine Witwe sei: denn eines
Tages erfuhr sie hier, Prinz Schönhaar, ihr Gatte, sei im
Meerkrieg gefallen. Sie trauerte still; es stand aber in
den Sternen geschrieben, daß überall V a t e r u n d S o h n
ihr Herz an sie hängen sollten, und so geschah es auch hier
mit dem Ritter und seinem Sohn —"

Sie hielt wieder inne. Eine lebhafte Röte stieg in ihr
Gesicht. Sie blickte forschend zu Bertold auf. Der bezwang sich aber, und ruhig mit der Hand über seine Decke
streichend erwiderte er ihren Blick, als sänne er nur weiter.
Sie fuhr fort, zu schreiben.

„Und Sternauge merkte wohl, daß der Sohn sie lieb-
hatte, denn sein junges Herz, das leicht zu entzünden war
und auch leicht zu heilen, flog wie ein tändelnder Schmetter-
ling um sie her; aber der Vater verbarg seine heiße Liebe

lief in seiner Brust, und sie merkte nichts. Eines Tages aber entdeckte der Sohn —"

Bertold stockte selbst. Die Brust zog sich ihm mehr und mehr zusammen. Eine Art von Angst hatte ihn befallen.

„Nun?" fragte Marie, nachdem sie geschrieben hatte. „Eines Tages aber entdeckte der Sohn —"

Bin ich denn feig? dachte er, und drückte einen Daumen gegen seine Brust. Mit einem leisen Beben fuhr er fort: „Entdeckte der Sohn, daß auch der Vater sie liebte; und als sie wieder an seinem Lager saß, da faßte er sich ein Herz, und überwand seine Liebe, und sah sie bittend an und sagte: ‚Vergib mir, wenn ich offen zu dir rede! Siehe, ich weiß, mein Vater hängt an dir —'"

Mariens Hand lag auf dem Blatt, mit der Feder, ohne sich zu regen. Bertold sah aber nicht mehr hin, ob sie schrieb oder nicht. Er tat, als hörte er nicht, daß die Feder schwieg; die Augen auf seinen Arm geheftet sprach er immer weiter: „Und er, der beste Mann, verdient auch die beste Frau! Aber er sagt es dir nicht, daß sein Herz dich liebt, um seines Sohnes willen; und er wird nichts sagen, und du wirst wieder weiterziehn, und er wird in Kummer vergehn. Darum muß ich es dir sagen — der ich mein Glück und mein Leben lasse für meinen Vater...'"

Indem ihm die Stimme zu versagen anfing, sah er auch, daß Marie aufgestanden war, und verstummte plötzlich. Sie war bis in die Lippen blaß geworden, ihre Brust hob sich heftig, der Kopf bewegte sich mit. „Bertold!" stieß sie hervor, einen Arm gegen ihn wendend, als wolle sie ihn damit zum Schweigen bringen. Als sie nun sein stummes Gesicht und sein erschütterndes Lächeln sah, ging sie langsam zurück, schloß die Augen, blieb stehn und hielt eine Hand mit der andern.

„Frau Marie!" stammelte er. „Hab' ich Ihnen weh-
getan? Hab' ich Sie gekränkt?"

„Ach, was läge daran," murmelte sie. Ihre Augen
blieben geschlossen. „Aber es ist ja nicht wahr. Der Vater,
von dem Sie reden —"

Sie brach ab, und schüttelte nur den Kopf.

„Sie meinen, der liebt Sie nicht?" erwiderte Bertold,
dem ihre elende Blässe Mut machte. „Weil er's nicht sagt?
Weil er's Ihnen nicht zeigt?"

„Sie sind ein Kind," murmelte sie. „Weil — weil es
längst vorbei ist. So, nun wissen Sie's."

„W a s ist längst vorbei? — Ich verstehe Sie nicht.
Wenn mein Vater schon früher — — so ist nichts vorbei.
Er zeigt's Ihnen nur nicht. Ich muß Ihnen alles sagen,
sonst vergeh' ich ... Gestern abend hatte er ‚Mariellis'
gelesen, er war eingeschlafen, auf seinem Tisch fand ich
Verse, die er geschrieben hatte; — ich werde sie Ihnen
sagen ..."

Er wußte sie genau; wie oft hatte er sie sich in dieser
Nacht wiederholt. Marie hörte die Verse; ihre geöffneten
Augen starrten Bertold ungläubig an. „Das hat e r —?"
fragte sie.

„O Frau Marie!" erwiderte er, der mit dem Kopfe
nickte; „ich hab's nicht gewußt! Und da lag ich nun die
ganze Nacht ... Wie fang' ich's an, dacht' ich; es ist meine
Pflicht! — Denn Sie kennen ihn nicht: er würde ja
sterben, eh' er etwas sagte. Warum? Weil er mir nicht
wehtun will; weil er denkt, daß i ch — — Aber das ist
nicht mehr. Glauben Sie mir. Das war überhaupt nur
so — — Und vor allem, wer bin ich denn? Eben wagten
Sie selber mir noch zu sagen: ‚Sie sind ein Kind' ...
Während er, mein Vater, der beste, weiseste Mensch ist
— so schlicht und so edel — ein Charakter — ein herrlicher

— — Aber Sie denken wohl, ich, sein Sohn, ich darf ihn nicht rühmen. Wozu auch? Entweder sind Sie ihm gut, oder Sie sind es nicht. Nur wie es in ihm aussieht, mußt' ich Ihnen sagen, das war meine Pflicht; und in der schlaflosen Nacht ist mir endlich der Gedanke gekommen, Ihnen durch dieses Märchen — — Und nun wissen Sie's! Tun Sie nun, was Sie wollen — oder was Sie müssen!"

Er sah sie erwartend an; die Bangigkeit, was sie sagen werde, mischte sich auf seinem glühenden Gesicht mit der Seligkeit, das Seine getan, sich von der Last dieser Nacht erlöst zu haben. Ob ich sie wohl noch liebe? fuhr ihm durch den Kopf. Er sah aber nur eine blasse, stille Frau, deren Not ihn rührte. Ein paar lange Tränen liefen ihr über die Wangen; er hätte gern sein Tuch genommen und sie ihr abgewischt. Dann freute ihn wieder, daß sie so weinen konnte. Sie stand wohl minutenlang, ohne sich zu rühren.

„Ja," sagte sie endlich und blickte ihn an, „— Sie haben mir's bewiesen."

„W a s hab' ich bewiesen?"

„Was Sie mir damals sagten: ich werde doch noch ein Mann! — Gleich an jenem selben Abend haben Sie's gezeigt — da kostete es Sie beinahe das Leben — — und nun heute wieder. — Ich danke Ihnen, Bertold. Ich achte Sie sehr hoch. Geben Sie mir die Hand!"

Er ward rot und blaß vor Glück; hätte sie ihm ihre L i e b e erklärt, wer weiß, ob es ihn ganz so glücklich gemacht hätte. Er fühlte den Druck ihrer Hand; „ich achte Sie sehr hoch!" wiederholte er sich in Gedanken und lächelte, ohne es zu wissen. Einen Augenblick durchfuhr es ihn, ihre Hand zu küssen; aber er verachtete diesen kindischen Gedanken, er drückte sie nur, wie sie die seine gedrückt hatte. Dann strahlten seine großen, seelenvollen Augen sie mit männlicher Fassung an.

„Ich danke Ihnen a u ch," sagte er leise. „Das vergeſſ'
ich nie. — — Und — das a n d r e?"

„Laſſen Sie mich jetzt gehn," flüſterte ſie. „Das andre
— wird wohl kommen. Sagen Sie nichts mehr. Zu niemand. Warten Sie. Ich — kann nicht mehr. Liegen
Sie ſtill; haben Sie Geduld!"

IX

Bertold wartete mit viel Geduld, wie er glaubte; es
„kam" aber nichts, dieſen ganzen Tag. Auch der folgende
verging bis zum Abend, ohne daß irgend etwas ſich er-
eignet hätte; der dritte Juli, der Jahrestag ſeiner erſten
Begegnung mit Marie und Saltner, der Tag, an dem die
verhängnisvolle Bekanntſchaft mit Aſinger begonnen, die
ihn auf dieſes Krankenlager geführt hatte. Seine Phan-
taſie beſchäftigte ſich viel mit dieſen Erinnerungen; aber
ſeine Geduld ſchwand je mehr, je näher der Abend kam.
Er hörte nur, der Namenstag des Alten ſolle wieder ge-
feiert werden; Kathi erſchien einmal bei ihm, ſehr geheimnisvoll, und verſchwand ebenſo. Frau Marie war wie
ſonſt, als wäre nichts geſchehn; gegen Abend verließ ſie
ihn, ohne zu ſagen, wann ſie wiederkomme. Sie teilte
ihm nur mit, er müſſe ſich heute recht philoſophiſch faſſen,
da die „Feier" im G a r t e n vor ſich gehen werde, den
man von ſeinem Zimmer nicht ſah, und da ihm der Arzt
noch nicht erlaubt habe, in ein andres Zimmer zu gehn;
wenigſtens nicht zu ſo ſpäter Stunde. Er lächelte; ihm
lag auf der Zunge, zu ſagen: ich verzichte gern, und auf
noch viel mehr, wenn nur etwas anderes „käme"! Aber
er ſchwieg wie ein Mann, und ſie ging.

Saltner und Wittekind wurden durch den kleinen Diener
in den Garten gerufen; es dunkelte, am Fuß der erſten

Terraſſe waren aber lange Reihen von bunten Papier-
laternen aufgehängt und die Lichter in ihnen angezündet,
ein leichter Wind ſchaukelte ſie. Näher dem Hauſe zu war
eine große offene Laube mit Gewinden von Fichtenzweigen und Blumen und mit Fähnchen in allerlei Farben
geſchmückt; in dieſe wurden die Männer durch den kleinen
Führer geleitet und eingeladen, auf bequemen Garten-
ſtühlen Platz zu nehmen. Marie fehlte noch; die alte
Haushälterin hüſtelte, an die Laube gelehnt. Auf Saltners
Aufforderung ſetzte ſie ſich auch, beſcheiden in zweiter Reihe.
Auf der Terraſſe vor ihnen war eine andere Laube ganz
mit Brettern verſchlagen und rechts und links durch einen
Anbau vergrößert, an dem lange Tücher herunterhingen.
Neben ihr hantierte ein dunkelbärtiger Mann geheimnis-
voll mit allerlei Gerät, das in dem ungewiſſen Licht nicht
zu erkennen war; er ging hin und her, ſtellte noch dies und
das auf dem Raſen auf, und ſchien zuweilen durch einen
Blick um Entſchuldigung zu bitten, daß es noch nicht anfange.

Der Alte ſah ihm lächelnd zu; endlich ſagte er leiſe
zu Wittekind: „Dieſen braven Mann kennen Sie ja wohl
noch nicht. Das iſt ein kleiner Bürger aus Salzburg, der
nämliche, der es durchaus mit unſrer Kathi wagen will;
und ich kann Ihnen nun ſagen: heute ſind ſie einig geworden. In einigen Wochen iſt Hochzeit. 's iſt ein guter
Mann! Kathi iſt ſo nach und nach an ihn angewachſen,
und ich denke, nun rankt ſie da fröhlich weiter. Er hat ſie
verteufelt gern. Aus Freude und Dankbarkeit hilft er ihr
heute den ganzen Tag bei der Namensfeier; alles, was
Sie da ſehn, hat er aufgebaut!"

„Da fällt mir ein," ſagte Wittekind, „ich hab' neulich
zufällig im Kalender geſehn, daß der Heilige des dritten
Juli der Eulogius iſt; und Sie heißen doch Ulrich!"

„Ich heiße Ulrich und Eulogius," entgegnete Saltner.

„Hier zu Lande feiert man aber den Vorabend; so war's auch auf der ‚Gemse‘."

Der Mann mit dem dunkeln Bart, der Bräutigam, kam von der Terrasse herunter; Wittekind sah nun sein angenehmes, noch jugendliches Gesicht. Da er zu verstehen gab, daß er mit dem alten Herrn zu sprechen wünsche, stand dieser auf und ging mit ihm gegen das Haus zu. Es währte nicht lange, sa kamen sie zurück. Während der andre wieder zur Terrasse aufstieg, neigte Saltner sein erregtes Gesicht zu Wittekind und sagte leise: „Wissen Sie, was der Mann mir eben sagt? Er hat's von einem Almbauern, der vom Untersberg und von Glanegg kommt. Die Mordkerle, die damals unsern Bertold — — na, kurz, die drei, die entwischt und in der ganzen Welt nicht zu finden waren, die man hier, in der Schweiz, in Amerika gesucht hat, die sollen die ganze Zeit oben auf dem Untersberg gesteckt haben; auf der bahrischen Seite: denn Sie wissen wohl, die Grenze geht quer über den Berg. Auf der Zehnkaseralp, beim Feuerbühel, da hätten sie als Holzknechte — oder Gott weiß, wie — Unterschlupf gefunden; das heißt, zwei auf der Alp, einer weiter unten. Da hat sie niemand gesucht. Jetzt sei man ihnen endlich auf die Spur gekommen — durch einen Jäger, heißt es — und da sie das gewittert und sich fortgemacht haben, sollen sie umstellt werden, wie Hochwild, von hüben und von drüben. Denn vom Untersberg, meint man, sind sie noch nicht fort!"

„Der Untersberg ist groß," versetzte Wittekind, der in starker Bewegung gehorcht hatte.

„Nun, das will ich meinen! Aber wenn die ‚Grenzer‘ von beiden Seiten, und —"

Der Alte ward durch ein starkes Zischen unterbrochen, dem ein Feuerschein folgte: die erste Rakete stieg über ihnen von der Terrasse auf, Kathis Verlobter hatte sie

abgefeuert, zum Zeichen, daß das Fest seinen Anfang
nehme. Sie rauschte hoch in die reine, bläulich-dunkle Luft
und löste sich knatternd in einzelne Funken auf, die im
Fall erloschen. Zwei andere Raketen saußten hinterdrein;
darauf ging der Feuerwerker ein paar Schritte weiter und
entzündete ein bengalisches Licht, das in mächtiger roter
Flamme brannte. „Aber wo bleibt Frau Marie?" fragte
Wittekind erstaunt. „Sie ist ja noch nicht hier?"

„Das versteh' ich so wenig, wie Sie," sagte der Alte
und sah nach dem Haus zurück. „Sie war auf ihr Zimmer
gegangen —"

Jetzt ließ sich eine Trompete hören, die mit einem
gefährlichen Mißton einsetzte, aber dann eine Fanfare
tapfer zu Ende blies; gleich darauf öffnete sich der Vorhang, der den Anbau an der Laube auf der Terrasse
bedeckte, und von dem roten Licht beschienen kam ein
närrischer Zug hervor, lauter Zwergengestalten, mit großen
Masken, an denen graue Bärte hingen. Sie gingen einer
hinter dem andern über die Terrasse, mit den Köpfen
wackelnd und nickend; jeder trug eine Fackel, der vorderste
und größte hatte ein Krönlein auf dem Kopfe. In langsamem Schritt kamen sie dann herab und an den Zu-
schauern vorbei, vor denen sie mit feierlichem Ernst die
Fackeln neigten. Einige der kleinen Kapuzen lüfteten sich
aber ein wenig, und man konnte für einen Augenblick
blondhaarige Kinderköpfchen sehn, deren lustige Augen
durch die Maskenlöcher blinzelten. Der Zug ging vorüber, jetzt von einem g r ü n e n Licht geisterhaft beleuchtet,
das der Feuerwerker angezündet hatte. So wanderten
sie mehrmals um die Laube herum; endlich blieben sie
vor ihr stehn, die beiden größeren Zwerge, die voran-
gingen, traten vor und machten vor Saltner eine tiefe
Verbeugung.

Die Trompete blies wieder; die Bretterwand vor der
Laube auf der Terrasse ging wie eine Doppeltür auseinander, und man sah einen Greis in einem langen,
roten Gewand, eine Krone auf dem Kopf, an einem Tische
sitzen. Sein langer grauer Bart war — so nahm es sich
aus — durch den Tisch gewachsen. Er hatte die Augen
geschlossen. Langes graues Haar hing um sein Gesicht, das
noch sonderbar jung und fein war; Wittekind stutzte und
glaubte es zu erkennen. Jetzt fing aber der gekrönte
Zwerg, indem er seine Fackel hob, zu sprechen an, und
Wittekind horchte auf. Es war eine verstellte, hinunter-
gedrückte, und doch leicht zu erratende Stimme. „Das
ist ja die K a t h i!" sagte Saltner lachend.

Der Zwerg blieb ernst und trug seine Verse vor; denn
es war ein Gedicht, mit zum Teil gewagten Reimen, aber
sonst nicht übel geformt. Etwas weniger pathetisch und
ungeschickt als vor einem Jahr erzählte die Sprecherin,
sie alle seien „Männlein" aus dem Untersberg, die ihr
Leben in der Gesellschaft des alten Kaisers zubrächten,
der im „Wunderberg" weiterträume; und eher könne der
alte Herr nicht zur Ruhe kommen, als bis das Reich, das
ihm aus der Hand gefallen und nach und nach elend ab-
gestorben sei, wieder zu neuem Leben erwache. Die
Männlein hätten gern ihrem guten Freund, dem „Alten
vom Berge" — der zierliche Zwerg deutete auf Saltner —
zu seinem Namensfest die frohe Kunde gebracht, daß es
im Reich wieder gut stehe; noch sehe er jedoch den Kaiser
da drinnen an seinem Tische träumen — —

Man sah ihn aber nicht mehr. Der „Berg" hatte sich
wieder geschlossen, während das Männlein sprach; eine
emporsausende Rakete fiel ihm jetzt in die Rede, ein weißes
Licht glühte auf, und die Bretterwand teilte sich von
neuem. Der Kaiser war verschwunden, sein Tisch des-

gleichen; wo er gesessen hatte, stand eine hohe, blond-
haarige Frau, über ein langes rotes Gewand einen kurzen
Panzer geworfen. Wittekind fuhr zusammen. Es war
Marie. Er hatte nicht gedacht, daß sie so schön sein könne.
Das Dunkel, vor dem sie stand, das phantastische Licht,
das sie überglühte, die Höhe, aus der sie herabsah, das
aufgelöst wallende Haar, auch wohl die Überraschung des
Augenblicks, alles gab der Erscheinung etwas Überirdisches,
Berückendes. Das Licht machte sie bleich, aber die Wangen
glühten. Eine Weile stand sie so da; dann bewegte sie
etwas ungeschickt den rechten Arm und begann zu sprechen.
Die ersten Töne kamen ungelenk hervor, die Stimme schien
sogar zu zittern; nach und nach ward sie frei, und dieser
Alt, dessen edler Wohllaut den ahnungslosen Wittekind in
Gröbig noch vor ihrem Anblick entzückt hatte, schwebte in
seiner beseelten Schönheit in die Nacht hinaus.

„Das ist natürlich die Germania!" flüsterte der Alte.

Er hatte recht. Die hohe Frau verkündete den Männlein in Versen, daß der verzauberte Wunderberg nun zur
Ruhe komme, daß der alte Kaiser seinen Frieden habe:
denn sie, die wiedererstandene Germania, von einem neuen
Kaiser beschirmt, glorreich unter den Völkern, habe ihm
die Augen segnend zugedrückt. „Nun habt ihr keinen Toten
mehr zu hüten," fuhr die Rede, doch in Reimen, fort: „nun
könnt ihr euer ganzes Herz an den ‚Alten vom Berge'
hängen, euren liebsten Freund, der euch treu war wie
keiner, der euren Berg so oft umkreiste, gleich des Kaisers
Raben; und dem die Stärke, die Heldenkraft nie vergehen
möge, die ihn auf eure Gipfel und in eure Schluchten
führt. Mög' er von da noch oft in die Lande schauen,
die den Berg umgrenzen; einen Fuß auf österreichischem,
den andern auf deutschem Grund, wie ein Bild des Bundes,
den die Reiche, die Völker geschlossen haben, um Frieden

und Freiheit zu wahren und die werdenden Gedanken des
Menschengeistes zu schirmen!"

So ungefähr war die vom Vers getragene Anrede,
die den Männlein und dem Alten galt; die „Germania"
trat dann aus dem „Berg" hervor und stieg von der Terrasse herab. Ehe sie Saltner noch erreichte, kam er ihr
entgegen, einige der Männlein sanft beiseite schiebend, und
schloß sie in seine Arme, worüber die Zwerge zum Teil in
ein lustiges Jauchzen ausbrachen. „Kind!" sagte er gerührt, doch heiter. „Sie selbst feiern mit! Sie sind also
auch die richtige Evastochter, die uns zum besten haben,
uns Komödie vorspielen kann. Sie als die Königin, die
Göttin unter diesen Männlein!"

Marie warf einen Blick auf Wittekind, der daneben
stand. Sie schien zu erwarten, was er sagen werde. „Ich
war auch der alte K a i s e r," erwiderte sie lächelnd, errötete aber, weil er schwieg.

„Und sie hat die Verse gemacht," sagte Kathi, die ihre
Maske abnahm und ihr liebes Gesicht aus der gekrönten
Kapuze vorstreckte. Auch ihre Nachbarin enthüllte sich.
„Der Tausend!" rief Saltner aus. „Das ist die Wabi
vom Mehlweg!"

„Zu dienen!" antwortete das Mädchen und nickte ihm
verlegen herzlich zu. Alle Masken flogen herunter, es erschien ein Haufe von Kinderköpfen, von denen Saltner
die meisten kannte. Es waren Kinder aus der Vorstadt,
die er zu beschenken pflegte, oder deren sich Marie in ihrer
stillen Weise angenommen hatte. Einige zupften mut-
willig die Bärte von den Masken und klebten sie sich ans
Kinn, so gut sie noch halten wollten; es war lauter Baum-
bart, den sie im Wald von Tannen- und Fichtenästen ge-
rupft hatten. Auf einen Wink der Kathi stellten sie sich
aber im Kreise vor dem Alten auf, und während die un-

ſichtbare Trompete wieder einfiel, brachten ſie dem Gefeierten ein hellſtimmiges, zweimal wiederholtes Hoch aus.

Saltner hielt ſich ſcherzhaft die Ohren zu, als könne
er die Gewalt dieſer Stimmen nicht ertragen; dann trat
er unter die Kinder und reichte jedem die Hand. Wittekind folgte ihm eine Weile mechaniſch mit den Augen. Er
vermied es, die Germania anzuſehn, ohne deutlich zu
fühlen, warum. Plötzlich litt es ihn hier nicht länger; die
ſo lange bewahrte Ruhe verließ ihn, die Bruſt war ihm
wie eingeſchnürt, er erſchrak vor ſich ſelbſt. Es legte ſich
ihm trüb vor die Augen; alle Faſſung war hin; er wußte
ſich keine Rettung, als allein zu ſein. Aus dieſer Helle
ging er auf das Dunkel zu; ſtieg dann im Garten aufwärts, bis der Schein der Fackeln ihn nicht mehr verfolgte,
und blieb erſt unter dem hochgewölbten Sonnenſchirm
ſtehn, unter dem er Marie zuerſt wiedergeſehen hatte.

Er wußte nicht, was er hier wollte; er ſetzte ſich auf
den Platz, auf dem er ſie damals hatte träumen ſehn.
Salzburg lag jetzt dunkel in der bläulichen Nacht, der
Strom war wie tot. So bleiern und grau wie das Waſſer
ruhte auch alles in ihm. Er hörte die Kinderſtimmen von
unten, glaubte auch Marie zu hören; ſein Herz zog ſich
zuſammen, er ſuchte ſich aufzurichten, hoffte auf den Tag,
wo Bertold geneſen ſein und dieſer Aufenthalt ein Ende
nehmen werde. Es endet ja a l l e s einmal! dachte er.
Gut und Schlimm vergeht!

„Ich will zu Bertold,“ murmelte er endlich. Als er
aufſtehn wollte, hielt ein leiſer Schreck ihn feſt: eine warme
und weiche Hand legte ſich auf die ſeine, zog ſich aber nach
flüchtiger Berührung wieder zurück. Marie ſtand neben
ihm. Sie war ohne Geräuſch gekommen, oder in ſeiner
tiefen Verſonnenheit hatte er nichts gehört. Da er ſich
überraſcht erhob, ſetzte ſie ſich nieder. „War es Ihnen

nicht recht," fragte sie, indem sie nicht auf ihn, sondern auf
seinen Stuhl blickte, „daß ich mitgespielt habe? Gingen
Sie vorhin darum fort?"

„O nein," entgegnete er. Mit Widerstreben und
Zögern entschloß er sich, seinen Platz wieder einzunehmen.
„Warum sollte es mir nicht recht sein?"

„Weil dieses — Trauerjahr noch nicht zu Ende ist.
Es fehlt noch eine Woche, und mehr. Ich habe auch nicht
gewollt! Dann aber dachte ich — gestern — meinem
Vater Saltner zuliebe sollt' ich es doch wohl tun; und ich
wollte ihm und — und Ihnen zeigen, daß ich mich gebessert habe, daß ich nicht mehr so weltscheu bin — daß
ich wieder lebe!"

„Tun Sie das?" antwortete er gepreßt. „Das —
freut mich."

„Haben Sie es nicht gemerkt?" fragte sie und sah ihn
wie verwundert an.

„Nicht gemerkt? — O doch. Gewiß. Sie sind seit
einiger Zeit lebhafter, gesprächiger, heiterer geworden;
Sie scherzen — Ihr Geist — — Kurz, es hat uns oft in
Erstaunen gesetzt, wie Sie wieder aufblühn. Es — freut
uns alle sehr. Ich wünsche Ihnen Glück dazu, und von
ganzem Herzen!"

Er streifte sie mit einem Blick und ward sich nun erst
bewußt, daß sie als Germania neben ihm saß, in dem
roten Gewand und dem Panzerkleid. Die Nacht war nicht
so dunkel, daß er diesen nachgemachten Metallglanz und
das lang herunterwallende, gelblichblonde Haar nicht gesehen hätte. Das ernste Gesicht schien zu lächeln, als er
es so befremdet anstarrte. Unten vom Hause her glühten
die Fackeln herauf; bei ihrem Schein sah er eine lange
Tafel, die im Garten gedeckt ward, offenbar für das junge
Volk. Die grauen und braunen Kleider der Männlein

huschten hin und her. Alles, was Wittekind sah, machte
ihm ein sonderbares Schmerzgefühl; er drückte die Zähne
auseinander und dachte: wär' ich nur fort!

„Ich muß Ihnen sagen, wie es gekommen ist," fing
Marie nach einer kurzen Stille wieder an. „Mit dem merkwürdigen Abend begann es, an dem uns Saltner die
,Seelenwanderung' auseinandersetzte; — seinen Glauben
konnt' ich nicht teilen, und kann es auch heut noch nicht, aber
was er zum Schluß von der Aufgabe, von der Pflicht
unsres Lebens sagte, das ging mir so tief zu Herzen. ...
Da beschloß ich schon — — In der andern Nacht aber
kamen Sie heim mit Ihrem Sohn. Da fühlt' ich auf
einmal: ich muß! Es ist an mich gekommen! Und ich
fing wieder an zu leben, denn ich wußte, wozu. Was ich
tue, dacht' ich, kann hier kein anderer tun, so wie ich es
tue; und ich will nicht rasten, nie will ich mich schonen,
nie will ich an mich denken: so kann ich vielleicht etwas
sühnen von — nun, von meiner Schuld. — Ich glaube,"
fuhr sie leiser fort, „ich hab' auch gesühnt! Und ich sitze
nun anders neben Ihnen, als damals; ich habe so ein
sonderbares, närrisches Gefühl, als könnt' ich Ihnen nun
freier in die Augen sehn, als hätt' ich mir etwas zurück-
genommen, das ich verloren hatte — das Bewußtsein
nämlich — — etwas Selbstgefühl. Ich hab' Ihren Sohn
Ihnen retten helfen; — hab' ich das nicht? Ach ja, es ist
so, ich kann's ruhig sagen. Ich überhebe mich nicht. Und
das macht mich — so himmlisch froh. Und ich kann wieder
leben!"

„Ja, ja," murmelte er und stand auf.

„Wo gehn Sie hin?" fragte sie betroffen, da er über
die Terrasse ging.

„Verzeihen Sie," sagte er. Mit einem Ruck blieb er
stehn und kam langsam, die innere Unruhe bezähmend,

zurück. „Mir war nur so, als müsse ich einmal auf und nieder gehn. — Es ist alles so gut und schön — was Sie mir da sagen. — Warum sagen Sie es mir?"

„Warum ich es Ihnen sage?" — Sie blickte in die Tiefe. Das lange, wellige Haar legte sich ihr auf die Wangen. — „Weil ich bei allem, was mir geschieht, an Sie denke. Weil ich auch das alles heute abend getan habe, um Ihnen zu zeigen — —"

Sie schwieg.

Zögernd antwortete er: „Ich verstehe nicht. Was Sie heute abend getan haben, war doch um Saltners willen — für den Namenstag —"

„Nein," sagte sie und schüttelte den Kopf. — Sie füllte ihre Brust so mit Atem, daß der künstliche Panzer knisterte; dann fuhr sie fort: „Ich hab' es getan, weil Sie mir nachsagen — —"

„Was?"

„Herr Wittekind! Ist es wahr, daß ich Ihnen ,das Leben aussauge'? Daß Sie um meinetwillen ,wandeln wie die Schatten'? Haben Sie das geschrieben?"

„Ich?" fragte er, dem auf einmal eine heiße Welle über das Gesicht ging. „Wo haben Sie das gesehn?"

„Bertold hat's gesehn. Er hat mir's gesagt — weil Sie es nicht sagen. Seien Sie nicht böse auf ihn. Ich bin ihm nicht böse. Er ist himmlisch gut. Er — liebt Sie viel, viel mehr als mich, glauben Sie mir das; und er will, daß Sie glücklich werden; — und Sie sollen ja auch, mein Gott — wenn es so ist, wenn Sie's wollen. Sagen Sie doch ein Wort. Ach, lassen Sie mich nicht mehr reden; ich weiß nicht, was ich sage. — — Wie können so viel Menschen sich so mißverstehn! Gott, wie war das möglich!"

Sie stand auf; sie schwankte. Aber sie fühlte sich schon

von Armen umschlungen, die sie aufrecht hielten. Ich begreife nicht, wollte Wittekind stammeln — und hatte doch
alles begriffen. Seine Lippen lagen auf den ihren, ehe
er es wußte. „Marie!" flüsterte er, „Marie!" und küßte
sie von neuem. Sie ließ es geschehen, mit geschlossenen
Augen, mit verwundert selig lächelndem Gesicht. „Marie!"
stammelte er. „Ja, das Leben — gib es mir wieder —
hast es mir genommen...." Seine Küsse unterbrachen
immer seine Worte. „Du bist's wirklich! — Dein Kuß!
— Ich starb ja ohne dich! — Wie du lächelst! — Marie!"

Sie hatte ihn fest umschlungen, ihm alle seine Küsse
stumm zurückgegeben; ihr Kopf lag nun, wie in seliger
Mattigkeit des Glücks, zufrieden an seiner Brust. „Und du
hast mich wirklich lieb? mich?" fragte er, sie und den blonden
Mantel ihrer Haare an sich drückend.

„Können Sie noch fragen?" gab sie ihm mit süßem
Lächeln zurück; einen Strahl des Glücks in den Augen,
der zu ihm hinaufflog. „Nein — kannst du noch fragen?
— Ich will dir's sagen, ein für allemal: ich bin dir schon
lange gut; aber nie, nie hätt' ich dir's gesagt — ich achtete
dich zu hoch, konnte mich nicht achten — — Nun kann ich's
wieder. Belüg' ich mich nicht? Sag mir: kann ich's
wieder? — Wie gut bist du mir zu ... Ach, und doch
dacht' ich diese ganze Zeit: er sieht's nicht, er fühlt es nicht,
er ist kalt und still geworden, er hat mich vergessen. Bis
dein Bertold kam — um dessen willen du — — O du
törichter Mann! O wie seid ihr blind — ja, auch ihr —
ihr Klugen, ihr großen, ihr alles ergrübelnden Männer!"

„Sag: ihr verliebten Männer!" antwortete
Wittekind und verschloß ihr den Mund.

Nach einer Weile nahm er ihren umwallten Kopf
zwischen seine Hände: „Und du willst nun wirklich", fragte
er, als faße er es nicht, „meine Hausfrau sein? willst auf

dem Land mit mir leben? eine Gutsherrnfrau? mit Sommer und Winter, Sonnenschein und Regen?"

„Ja, das alles will ich," sagte sie, seine Hände fassend; „und ich will noch mehr: will auch auf der S e e mit dir leben, auf deiner ‚Möwe‘ segeln, von der du uns erzählt haft, deine Wasserfrau sein. Und ich will deines Sohnes beste Freundin werden ..." ·

Sie las auf seinem Gesicht, das mit einer raschen Wendung in die Ferne sah; dann setzte sie mit einem klugen und guten, ernsten Lächeln hinzu: „Ich seh', was du denkst; und ich denk' es auch. Du willst zu Bertold. Der ist noch allein. Willst ihm danken; ihm sagen ... Komm; wir gehn zusammen. Du führst mich. Mein Liebster führt mich. — In ein neues Leben ... Wittekind! Karl! Ich kann's nicht begreifen!"

„Denkst du, i ch kann es?" sagte er, sie an sich drückend, als begriff' er's dann besser. Sie stiegen die Terrassen hinab. Die zum Teil noch brennenden Fackeln beleuchteten von unten ihren Weg. Wittekind kam wie im Traum bis zur letzten Laube; hier ließ Marie ihn los. „Ich werd' es meinem lieben Vater Saltner sagen," flüsterte sie. Er nickte, und ging ins Haus.

Erst als er in Bertolds Zimmer stand, löste sich der Traum. Bertold saß aufrecht im Bett, eine samtene Joppe über die Schultern gehängt, den Kopf vorgebeugt, wie in banger oder ungeduldiger Erwartung. Es waren allerlei Worte durch Wittekinds Kopf gerauscht, die er seinem Sohn hatte sagen wollen; da er ihn aber nun vor Augen hatte, kam kein einziges über seine Lippen. Er ging zu ihm, legte die Arme um Bertolds Nacken und drückte ihn an die Brust.

„Ihr seid einig?" flüsterte Bertold, dem die Arme doch zitterten.

Wittekind nickte stumm, und küßte ihn.

„Um mich hab nur keine Sorge," sagte Bertold lauter, nachdem er dem Vater den Kuß zurückgegeben hatte. „Mir tut dies alles sehr gut! Erstens bin ich schon viel gesünder, seit ich gestern — das los geworden bin, was mir auf dem Herzen lag; und wie schnell, Vater, o wie schnell werd' ich nun genesen! Dann aber, was die G e f ü h l e betrifft — die laß nur; die gehn von selbst. Sind schon fast vergangen. Ich bin ja auch nicht der Knabe mehr, wie vor einem Jahr noch; bin härter geworden. Und bin ich nicht dein Sohn? Hab' ich nicht von dir gelernt? Lieb' ich dich nicht über alles auf der Welt? — Sag mir nur, du bist mit mir zufrieden ... Oder bist du's nicht?"

Wittekind streichelte ihm das Haar, die Stirn, die Wangen, vor Bewegung stumm; bis er Bertold erröten sah. „Verzeih," sagte er nun; „mir war wie in alten Zeiten, wo ich dich, mein Kind, mein Glück, so liebkoste ... Jetzt bist du ja ein J ü n g l i n g, ein M a n n. — Ob ich zufrieden bin? Ich danke Gott und bin glücklich, dich zum Sohn zu haben; nicht weil du mein Blut bist, sondern weil du der Mensch bist, als den ich dich nun kenne!"

Bertold schloß die Augen vor Freude. „Dieses Wort", flüsterte er, „soll mich nie verlassen ... Ich muß dir noch etwas sagen: seit gestern bin ich auch darin mit mir einig — und ich weiß, dir ist's recht — daß ich zur M a r i n e gehe! Zum Juristen tauge ich nicht; dem Vaterland will ich aber dienen; und noch ist es ja nicht zu spät, sie nehmen mich noch an. Es war nur eine feige Schwäche damals, daß ich mich nicht entschloß: die strenge, soldatische Zucht, die gefiel mir nicht; und ich hatte so schöne, knabenhafte Träume, die Welt zu beglücken ... Dafür hab' ich ein blutiges Lehrgeld gezahlt; das hat mir gut getan. Und die strenge Zucht — die kann ich noch brauchen. O könnt'

ich dir nur einst Ehre machen, Vater! dir und dem Vaterland! Daß dieses Wort wahr wird, das du mir eben gesagt hast; daß du's wiederholen mußt — du und sie,"
fuhr er leiser fort — „die ich verehre, Vater — die dein
Glück sein wird — und so auch das meine!"

„Kind! Kind!" sagte Wittekind mit versagender Stimme,
und wie einem Jüngling, der vor Überfülle des Glücks
sich nicht fassen kann, flossen ihm die Tränen.

X

Saltner sah erfüllt, was er heimlich gewünscht, aber
kaum mehr gehofft hatte; seine Freude war umso tiefer,
es lag diesen ganzen Abend ein strahlender, feierlicher, ge-
heimnisvoller Glanz in seinen Augen, der selbst Wittekind
und Marie, die mit ihrem eigenen Glück so ganz beschäftigt
waren, ergriff. Erst gegen Mitternacht zog er sich zurück;
als dann Marie noch einmal an sein Zimmer kam, weil sie
ihn für den kommenden Tag etwas zu fragen hatte, fand
sie die Tür offen gelassen und sah zu ihrer Überraschung
den Alten, den sie nie hatte beten sehn, am Fenster auf
den Knieen, den rechten Arm auf das Gesims gelegt, die
Hände darauf gefaltet; so sah er in die Nacht hinaus. Sie
wäre gern still zurückgegangen, fürchtete ihn aber durch
irgend ein Geräusch zu stören und blieb eine Weile stehn.
Auf einmal erhob sich seine tiefe Stimme, und mit einem
erschütternd heiligen Ernst fing er an, zu sprechen.

„Ja, laß mich dir danken!" sagte er, die Augen hinaus-
gerichtet. „Du ewige Macht — laß mich sagen: ewige
Vorsehung, denn alles, was wird, schwebt als seiend
vor deinem Geist — hab Dank, daß du diesen Fluch von
mir genommen hast, eh' ich weitergehe; daß mir das Schicksal Mariens nicht mehr auf der Seele liegt, daß ich mir

sagen kann: sie wird glücklich sein! Ihr zerstörtes Leben
fühlt' ich als meine Schuld, als ein Verhängnis, von ihrem
Vater vererbt; und es beugte mich tief ... Nun lässest du
mich noch in Frieden fahren. Laß sie glücklich werden!
So, wie es in deinem Sinn Glück ist, nicht nach der
Menschen Sinn. Meinen Abend hast du übers Maß gesegnet. Nimm mich nun, wann du willst!"

Er lag noch eine Weile so, dann erhob er sich; und
nun sah er Marie. Sie war auf der Schwelle stehn geblieben, mit auch gefalteten Händen. „Vergeben Sie mir,"
sagte sie mit ihrer weichsten Stimme. „Ich hab' alles gehört — weil ich fürchtete, Sie zu unterbrechen. Aber
glauben Sie mir, lieber Vater, ich hab' Ihre Andacht nicht
entweiht. Ich war in der Kirche."

„Ich auch," antwortete er. Langsam ging er dann auf
sie zu, die vom Leben zerpflückten Brauen niedergezogen,
aber mit freundlichem Blick; in seinem erzbraunen Gesicht
war eine leichte Röte aufgestiegen. Er legte seine beiden
Hände gegen ihre Schultern; „Kind," sagte er schlicht,
„machen Sie ihn glücklich. Verlangen Sie nicht zu viel,
vom Leben oder von ihm; stören Sie nie seinen Seelen-
frieden: es ist auch der Ihre. Glauben Sie mir, es gibt
nicht viel solche Männer; so ohne Falsch, ohne Eitelkeit,
ohne Ehrbegierde, aber ganz von Ehre erfüllt; so auf das
Rechte gerichtet. Sie werden noch ‚entschädigt', Marie;
das geschieht nicht jedem. Und nun gehen Sie zu Bett;
wenn Sie auch nicht schlafen. Das sind die schönsten
Nächte, wo man nicht schläft vor Glück! — —"

Am nächsten Morgen litt es den Alten nicht zu Hause;
er bat die Freunde, ihn an diesem Tag sich selber zu überlassen, wie er sie ihrem Glück überlasse, und wanderte,
seiner alten Liebe treu, dem Untersberg zu. Es lockte ihn,
einen ähnlichen Weg zu gehn, wie vor einem Jahr; er

durchschritt das „Moos", aus dem er seinen See hatte
stechen wollen, und kam nach Glanegg; von da ging er auf
dem Weg, den er damals mit Wittekind durchmessen hatte,
bis zum Veitlsteinbruch, und stieg hier an den Abhängen
des Untersbergs empor. Der Tag war sonnig und warm,
doch nicht heiß zu nennen; nur stieg der Alte etwas hastig,
weil er die heimliche Sorge hatte, es könnte ihm diesmal
langsamer von statten gehn, da er wieder ein Jahr älter
geworden sei, und nach der Art rüstiger Greise gebärdete
er sich wie die Jugend, der die Ungeduld keine Ruhe läßt.
So kam er noch schneller hinauf, als vor einem Jahr; ermüdet war er nicht, aber der Schweiß rann ihm von den
Schläfen. Tausend Erinnerungen aus dem langen Leben
hatten ihn unterwegs durchflogen, und das neue Glück
ging immer neben ihm her. Oben auf der Klingeralp
rastete er lange, stärkte sich an einem gewaltigen „Jager-
schmarren", aus Milch und Mehl, dem „Mark der Männer",
gebacken. Als die Sonne dann ernstlich gegen Westen
sank, brach er wieder auf und stieg auf einem andern
steilen Pfade abwärts, um entweder in Glanegg zu übernachten, oder noch spät nach Salzburg zurückzugehn.

Zwischen Fels und Wald war er schon ein gutes Stück
hinabgekommen und dem Weg auf einer starken Biegung
nach rechts gefolgt, als ihn ein Anblick überraschte, der ihn
aus weit entlegener Vergangenheit in die jüngste rief und
durch eine plötzliche Ahnung seine Wangen färbte. Er sah
seitwärts aus einer Art von Höhle drei junge Gesellen her-
vortreten; sie waren in abgetragene, grobe Lodenjoppen
gekleidet und hatten derbe Nägelschuhe an den Füßen.
Dennoch fuhr ihm sofort der Gedanke durch den Kopf: das
sind keine Leute vom Berg, das sind die drei, die man
sucht, die von der Zehnkaseralp! — Sie kamen etwas
müde oder auch scheu daher; nach Bertolds Schilderungen

glaubte er die Gestalten und, als er ihnen näher kam, die
Gesichter zu erkennen. Er ging ruhig auf sie zu, wie von
einer magnetischen Kraft gezogen; was er von ihnen
wollte, war ihm noch unbewußt; ein dunkles Gefühl
murmelte ihm zu, sein Schicksalstag sei da. Doch diese
seltsame, abergläubische Empfindung beirrte ihn nicht.
Er verlor nicht die Gelassenheit, die feierliche Ruhe, die
über seine Seele ausgebreitet lag. Erst als er die jungen
Männer fast erreicht hatte und nun das bartlos knochige
Gesicht dieses Afinger, Metzners untersetzte, athletische Gestalt, die glotzenden Augen Grabowskis vor sich sah — er
konnte nicht mehr zweifeln — da überkam ihn das erste
leidenschaftliche Gefühl. Er hätte diese Menschen, die er
haßte, weil er den Bertold liebte, gern über den nächsten
Fels hinabgestürzt. Um sich wieder zu fassen, blieb er
stehn; er wußte nun, was er wollte. Er war ein alter Mann
und hatte dem G e s e tz zu dienen. Entkommen aber
sollten sie nicht. Mit seiner furchtlosen, rollenden Stimme
rief er sie an.

„Sind Sie der Afinger?" fragte er den ersten. —
„Bleibt stehn!"

„Was für ein Afinger?" erwiderte der Angeredete mit
einem trotzigen Lächeln. „Wer sind denn S i e , alter
Herr?"

„Ihr kommt aus Bayern herüber," sagte Saltner, um
es kurz zu machen. „Ihr wollt versuchen, ob ihr hier noch
ins Freie kommt. Ihr habt den Bertold Wittekind er-
stechen wollen, bei einem Haar wär' er hin gewesen; ihr
wollt die Kaiser und Fürsten ermorden, ihr Bluthunde.
Hier kommt ihr nicht mehr vorbei. Legt eure Messer auf
die Erde und geht mit mir zur Kugelmühle hinunter!"

„Mit Ihnen allein?" fragte Metzner und lachte auf.

„Ja, mit mir allein."

„Sie sind wohl toll, alter Herr! so toll, wie Sie lang sind. Mit Ihrem Bergstock da wollen Sie drei Leute wie wir —? Gehn Sie aus dem Weg. Wer wir sind und was wir wollen, das ist unsre Sache. Lassen Sie uns gehn, oder es wird nicht gut!"

„Junger Mensch," erwiderte der Alte, „reden Sie nicht zuviel. Sie kennen mich nicht. Einem Mörder wie du geh' ich nicht aus dem Weg. Grins mir nicht ins Ge- sicht! Wollt ihr tun, was ich sagte, oder soll ich rufen?"

„Rufen Sie nur," sagte Afinger; Grabowski rührte sich nicht. „Hier hört Sie kein Mensch. Und eh' einer kommt, der Sie etwa doch gehört hat, sind Sie lange hin; denn wir stoßen zu! Reizen Sie uns nicht!"

„Wir haben dieses Hundeleben satt," stieß Metzner zwischen den Zähnen hervor. „Gehetzt wie die Hirsche. Gehn Sie, alter Herr; uns sind Sie nicht stark genug. Mit diesem Arm da schlag' ich Sie zu Boden, so lang wie Sie sind. Gehn Sie still hinunter!"

In Saltner stieg der Grimm; seine grauen Augen füllten sich mit Blut. Dieser Bube, dieser Fleischerknecht wagte ihm zu drohen ... Das Zornfeuer, die alte, auf- flammende Kampfbegier zog ihm die Faust zusammen. „Werft eure Messer fort," wiederholte er; „sonst ‚wird es nicht gut', wie der Bursch da sagte. Euch drei fürcht' ich nicht. Ich hätt' mein Leben gern für etwas Großes ge- geben; aber solche Mordgesellen wie ihr aus der Welt zu schaffen, auch dafür ist mir das bissel Rest nicht zu gut. Werft eure Messer fort!"

„Faßt an!" rief Metzner aus, ohne etwas zu erwidern, und riß sein Dolchmesser aus der Tasche. Sie standen auf einem Abhang, der sich langsam senkte; hier und da ragte eine Fichte oder Kiefer auf, herabgebröckeltes Felsgeröll lag auf dem Boden verstreut. Afinger, einen wilden

Fluch ausstoßend, griff nach einem Stein, den er sich zunächst sah, und schleuderte ihn gegen die mächtige Gestalt, die mit dem Messer anzugreifen er sich scheuen mochte. Der Stein ging nicht fehl, er traf Saltner an der rechten Hüfte, so daß der jähe Schmerz sein Gesicht verzog. Als der bleiche Grabowski das sah, gab er den ersten Laut von sich, einen Freudenruf.

„F—f—faßt an!" rief er dann wie Metzner.

Der Alte sah, daß es ernst ward; er fühlte die Kraft in seinen Armen schwellen, er hob ein kantiges Felsstück auf, das ein gewöhnlicher Mannesarm nicht in die Höhe gebracht hätte, und schwang es, auf Afinger zielend. Vor diesem Anblick zusammenfahrend bückte sich Afinger, um noch zu entgehn; aber der Stein schmetterte auf sein Haupt herab. Es krachte unter seinem Hut; er lag auf dem Gras und rührte sich bald nicht mehr.

Im nämlichen Augenblick rannte Metzner wie ein Rasender gegen Saltner heran, das Dolchmesser in der Faust. Der Alte hielt ihm den linken Arm zur Abwehr entgegen; das Messer fuhr hinein, doch es fleischte nur. Saltners Bergstock, nun unnütz, fiel neben ihm zur Erde; er umschlang den Feind, und die beiden starken Männer rangen miteinander.

Der Junge war kleiner, aber seine Muskeln wie Stein; er stand auf dem Boden fest, wie angewachsen. Der Alte spannte seine Kräfte bis zum Übermaß; ein plötzliches Grauen durchfuhr ihn, als sei er der Saltner nicht mehr, als habe die Riesenkraft der Jugend ihn nun doch verlassen. Dazu sah er das weiße, blöde, höllische Gesicht des dritten, der ihn mit dem blinkenden Messer anzufallen, zu umgehen suchte, gegen den er im Ringen sich wenden, ihm den umklammernden, angewurzelten Metzner entgegendrängen mußte. Er hörte dessen Zähne knirschen;

dann fühlte er einen Schmerz in der Brust: Metzner biß hinein. Hund, das wird dein Tod! dachte er auf einmal. Der Schmerz ward in ihm zur Kraft, schien ihm in die Arme, in die Finger zu steigen; mit einer letzten Anstrengung hob er den andern empor, preßte ihn nieder, stöhnend brach er zusammen. Saltner sank über ihm auf die Kniee, riß ihm den Dolch aus der erschlafften Hand und stieß ihn ihm in die Brust.

Auch sein edles Leben sollte verloren sein: hinter ihm stand Grabowski, dessen tückisches Messer ihm in den Rücken fuhr. Er fühlte es, und fühlte auch den mächtigen Willen, der ihn noch einmal emporriß: des sterbenden Metzner Waffe rächte ihn, Grabowski sank, in den Hals getroffen, Saltner schleuderte ihn von sich und den Abhang hinab. Dann brach er selber ohne Laut zusammen.

Ja, das ist der Tod, dachte er ... Mein Tag ist gekommen ... Vor seinem Geist stand wie ein Blitz die Frage, die er sich so oft in seinen gesunden Tagen gestellt: ob er auch im Angesicht des Todes glauben werde, was er im Leben glaubte; Lebenszuversicht? Wiedererwachen der Seele? Oder für immer vergehn? — Er fühlte, wie sein Blut dahinfloß, und erstaunte, lächelte fast. Ich bin so ruhig, dacht' er. Werde nicht vergehn ... Gott, du weißt meinen Weg!

Von den andern regte sich keiner. Seine Augen wurden schwer, aber sein Geist ward leicht; das ist der Tod, dachte er nur wieder. Im Bett mag er hart sein, wenn man lange stirbt; so ist er nicht hart ... Ich hab' den Bertold gerächt! den Kaiser und das Land von ein paar Mördern befreit ... Ach, es ist nicht viel ... Aber doch genug ... Lebt wohl!

Er dachte „Lebt wohl" und wußte nicht mehr, für wen. Die Gestalten schwanden. Mit dem strömenden Blut, das ihn verließ, zerflossen die Gedanken.

XI

Man fand den Alten und die mit ihm Gefallenen erst
am andern Morgen; Metzner und Afinger ganz in seiner
Nähe, Grabowski weiter unten. Afinger war greulich an-
zuschaun, die Hirnschale zertrümmert, der Hut in sie
hineingetrieben; Metzner war ins Herz getroffen, ein
sonderbar finsterer Ausdruck ruhte noch auf seinem Gesicht. Grabowski hatte, wie es schien, noch eine Weile
gelebt; seine Hände hielten ausgerissenes Gras und Moos
umklammert. Ein ernster, aber nicht unholder Anblick
war der Alte, der wie ein Sieger auf dem Schlachtfeld
dalag; seine Züge hatten tiefen Frieden; auch das in seinen
weißen Bart gespritzte Blut sah mehr einem Schmuck als
einer Entstellung gleich. Man trug ihn nach Salzburg
hinab — am Untersberg kannten ihn alle — und in sein
Haus. Die Erschütterung und den Schmerz der Seinen
fühlt ihnen jeder ohne Worte nach. Sie erlebten wieder,
was uns so oft zu teil wird: daß einem großen Geschenk
des Glücks sogleich ein Keulenschlag des Schicksals folgt.

Saltner hatte, wie sich ergab, sein Haus und einen
Teil seines übrigen Vermögens seinem „Pflegekind"
Marie, den Rest, außer kleineren Legaten, zu wohltätigen
Zwecken vermacht. Die „Aussteuer" Kathis hatte er schon
früher, mit Wittekind gemeinsam, vollendet. Das tief-
betrübte, warmherzige Geschöpf heiratete nach einigen
Monaten, aber in tiefer Stille. Vorher, noch im Juli,
hatten Wittekind und Marie ihren Bund geschlossen, den
sie von ihrem Toten so heiß gewünscht und gesegnet wußten. Sie gingen allein zum Altar, nur von Bertold, dem
von Tag zu Tag schneller Genesenen, und dem Arzt begleitet. Als sie die Ringe tauschten, dachten sie beide an
Saltner, sahen ihn im Geist daneben stehn und zufrieden

nicken. Von seinem Grab fuhren sie dann zur Bahn und Wittekinds Heimat zu. Dort begannen sie ihr Leben still, in solcher Trauer, wie sie einzig dem Sinn des Alten entsprach: seiner gedenkend wie eines Freundes, der fern verreist und einstweilen verschollen ist, dem tätigen Leben freudig zugekehrt und in gleicher Liebe verbunden.

Nur auf e i n e r Fahrt konnte man sie sehn, die sie im Gedanken an Saltner, den Propheten der deutschen Flotte, und an Bertold, den zukünftigen Seehelden, als ihre „Hochzeitsreise" unternahmen: auf der Meerfahrt des deutschen Postdampfers „König Christian" von ihrer Hafenstadt aus, dem von den nordischen Reichen heimkehrenden jungen Kaiser entgegen. Zum erstenmal, seit es Deutsche gab, zog ein deutscher Kaiser mit seiner Kriegsflotte heim; nicht als Sieger in Schlachten, aber als Friedensfürst, den seine Macht über das Meer begleitet, von dessen Mast die Größe und Ehre des neuen Reichs die fremden Lande gegrüßt hatte. Ihn zuerst willkommen zu heißen, waren von Stadt und Land Hunderte an Bord dieses schnellen, schöngebauten Dampfers ausgefahren; man sah auch das neuvermählte Paar, sie fielen durch ihre Schönheit auf, und weil sie sich so oft, und ohne es zu wissen, in die Augen blickten, oder halbverstohlen bei den Händen hielten. Auch war unter den vielen Damen an Bord die schwarzgekleidete junge Frau eine der wenigen, die völlig seefest blieben: denn eine steife Brise wehte aus Westsüdwest und die See ging hohl. Es gab viele Kranke und ebensoviele stumm gewordene, tiefernste Gesichter; Wittekind, wetterfest wie ein alter Seebär, sah mit stillem Entzücken, daß auch Marie wohl und heiter blieb und, von mancher Spritzwelle durchnäßt, die Schönheit des bald besonnten, bald wolkengeschwärzten Meeres mit frischer Wonne bestaunte. „Du hast nicht zu viel versprochen," sagte er ihr leise;

„du biſt meine richtige ‚Waſſerfrau' ... Nun iſt alles gut!"

Man ſah aber ſchon die däniſche Küſte in der Ferne und noch keine Flotte; dem Kapitän und ſeinen Gäſten kam die Sorge, ſie möchte ſchon auf ihrer Fahrt von Kopenhagen her vorübergedampft ſein. Um darüber gewiß zu werden, ſteuerten ſie dem däniſchen Feuerſchiff von Gjedſer zu, das, im Meer vor Anker liegend, leuchtend rot bemalt, wild geſchaukelt und doch auf e i n e n Fleck gebannt, wie ein Geiſterſchiff auf den Wellen tanzte. Sie zogen Signale auf und fragten im langſamen Vorüberfahren an, ob Kriegsſchiffe vorbeigekommen ſeien. Die Leute auf dem Feuerſchiff verneinten es, durch Zeichen und mit der Stimme; und den Seefahrern auf dem Dampfer, auch den leidenden, wuchs ein neuer Mut. Noch eine Weile mußten ſie erwarten, dann ſtiegen im Norden nebeneinander dunkle Rauchwölkchen auf; ſie breiteten ſich aus, die hohen Maſten erſchienen, die ſchwarzen Rümpfe wuchſen aus der Waſſerwüſte, die Sonne ſtrahlte ſie an, das Herz ſchlug ihnen entgegen. Und wie von ſicheren, unſichtbaren Händen auf feſten Linien dahingeführt zogen ſie heran, im Geſchwader, die herrlichen Koloſſe, die Wunderwerke verwegener Menſchenhand, den Willen des Geſchöpfes rund um die Schöpfung, ſeine Erde, tragend, mit den Wellen ſpielend, gefüllt mit der ſtrotzenden Kraft der Männerjugend, die e i n e m Willen gehorcht, wie am Faden gelenkt, deren Ehre iſt, für aller Ehre zu ſterben. Die deutſche Flotte, die erſte, mit dem deutſchen Kaiſer! Er auf ſeiner ſchlanken Jacht, der „Hohenzollern", voran, die Panzerſchiffe folgend, die Rieſenleiber mit den vierfach zuſammengedrängten Rauchfängen, dann die Fregatten mit den gewaltigen, abgetoppten Maſten; die Aviſo zur Seite, ihre Schnelligkeit mäßigend,

um wie Soldaten auf der Parade mit den Geschwader-
schiffen Schritt zu halten. Die „Hohenzollern" war da,
„König Christian" fuhr vorbei; die Paradeflaggen flogen
in die Höhe, die Musik spielte die Kaiserhymne, alle Tücher
wehten, alle Kehlen schrieen, ihre Jubelrufe in den sausen-
den Wind hineindonnernd. Wittekind hielt Marie mit der
linken Hand, sein Tuch flatterte hoch, Tränen der Freude
stürzten ihm aus den Augen. Er sah den Traum seiner
Jugend leiblich, herrlich vor Augen; er hörte die ahnungsvollen Worte des Alten von der „blutgetauften deutschen
Flotte"; er glaubte seinen Sohn, seinen Bertold schon
unter den andern zu sehn, die da drüben auf den Kolossen
standen und die Mützen schwenkten. Ja, bald wird er dort
stehn ... Es schwellte sein Vaterherz. Er dachte gerührt
an den ehrenfesten Jungen, der sich so kräftig ermannt,
dem es, sobald er geheilt war, keine Ruhe mehr gelassen
hatte: er saß schon in Kiel, sich für seinen Beruf zu rüsten,
seine Luft zu atmen. Er hat diesen Freudentag nicht mit
uns erlebt, dachte Wittekind; er wird, wenn Gott es will,
a n d e r e, g r ö ß e r e erleben!

Sie fuhren am Geschwader entlang, jedes Schiff be-
grüßend; dann schwenkten sie und dampften hinter ihnen
drein. Auf der Flotte hatten sie Volldampf aufgemacht,
„König Christian" tat desgleichen und blieb in ihrem Kiel-
wasser; noch eine Stunde lang fuhr er, von den Wogen
gepeitscht, als freiwilliger Aviso mit. Dann steuerte er,
sie mit einem letzten Flaggengruß verlassend, dem heimi-
schen Ufer zu. Wittekind sah die Türme seiner Vaterstadt
über dem Wasser schweben, noch ohne Land; allmählich
erhob sich auch die flache Küste. Dahinter lag sein Gut,
sein Haus; das er vor zehn Wochen so gerne verlassen hatte,
in dem ihm nun so wohl war. Er hielt wieder Mariens
Hand. Doch konnt' er an diesem Tag nicht an sein Einzel-

glück denken; das Vaterland sah über sein Dach, sah seiner
Frau über die Schulter, alles Teure, Gute und Große
bewegte sich in seinem Herzen.

Auch der Alte mit dem Mosesbart stand wieder mitten
drin, der teuerste Freund, den sie verloren hatten. Marie
sah ihn an, sie las auf seinem Gesicht; sie hatte schon gelernt, seine Gedanken davon abzulesen. „Saltner!" sagte
sie leise.

Er nickte.

„Saltner!" wiederholte er nach einer Weile. „Ob er
recht hat mit seinem Glauben? — Wer weiß es? — Ich
weiß nur, daß es gut ist, so zu leben, a l s   h ä t t e   e r
r e c h t: uns so ‚reif‘ zu machen, wie wir irgend können,
so menschlich, so gut zu werden, als in uns gelegt ist."

Sie drückte seine Hand. Das Ufer, die Hafendämme
wuchsen heran; der Dampfer rauschte nun langsamer in
die Einfahrt, ins stille Wasser. „In einer Stunde", sagte
sie, „sind wir wieder z u   H a u s!"

Er beugte sich zu ihr nieder, als wollte er leise etwas
erwidern. Aber er küßte sie nur auf die vom Wind ge-
rötete Wange, in einem so hellen Gefühl des Glücks, daß
er lächeln mußte.

Geh. = Geheftet, Lnbd. = Leinenband, Lnbb. = Lederband.
Hldfrzbb. = Halbfranzband.

Althof, Paul (Alice Gurschner), Das verlorene Wort.
    Roman   Geh. M. 3.—, Lnbd. M. 4.—
Andreas-Salomé, Lou, Fenitschka.
    Eine Ausschweifung. Zwei Erzählungen   Geh. M. 2.50, Lnbd. M. 3.50
—„— Ma. Ein Porträt. 3. Auflage   Geh. M. 2.50, Lnbd. M. 3.50
—„— Menschenkinder. Novellensammlung. 2. Aufl. Geh. M. 3.50, Lnbd. M. 4.50
—„— Ruth. Erzählung. 4. Auflage   Geh. M. 3.50, Lnbd. M. 4.50
—„— Aus fremder Seele. 2. Auflage   Geh. M. 2.—, Lnbd. M. 3.—
—„— Im Zwischenland. Fünf Geschichten. 2. Aufl. Geh. M. 3.50, Lnbd. M. 4.50
Anzengruber, Ludwig, Letzte Dorfgänge   Geh. M. 4.—, Lnbd. M. 5.—
—„— Wolken und Sunn'schein. 3.—5. Auflage   Geh. M. 2.50, Lnbd. M. 3.50
Arminius, W., Der Weg zur Erkenntnis. Roman Geh. M. 3.—, Lnbd. M. 4.—
—„— Yorks Offiziere. Historischer Roman   Geh. M. 3.50, Lnbd. M. 4.50
Auerbach, Berthold, Sämtliche Schwarzwälder
    Dorfgeschichten. Volks-Ausg. in 10 Bdn. Geh. M. 10.—, in 5 Lnbbn. M. 15.—
—„— Auf der Höhe. Roman. Volks-Ausg. in 4 Bdn. Geh. M. 4.—, in 2 Lnbbn. M. 6.—
—„— Barfüßele. Erzählung. 28. u. 29. Auflage Geh. M. 3.—, Lnbd. M. 4.—
—„— Das Landhaus am Rhein. Roman. 4. Aufl.
    Taschen-Ausgabe in 3 Bänden   Geh. M. 7.50, in 2 Lnbbn. M. 9.50
—„— Drei einzige Töchter. Novellen. Miniatur-
    Ausgabe. 4. Auflage   In Leinenband M. 3.—
—„— Waldfried. Vaterl. Familiengeschichte. 3. Aufl. Geh. M. 6.—, Lnbd. M. 7.50
Baumbach, Rudolf, Erzählungen und Märchen.
    16. u. 18. Tausend   Lnbd. M. 5.—, Lnbb. mit Goldschnitt M. 6.—
—„— Es war einmal. Märchen. 14. Tausend   Lnbd. M. 3.80, Lnbb. M. 5.00
—„— Aus der Jugendzeit. 8. Tausend   Lnbd. M. 6.20, Lnbb. M. 8.—
—„— Neue Märchen. 7. Tausend   Lnbd. M. 4.—, Lnbb. M. 8.—
—„— Sommermärchen. 28. u. 29. Tausend   Lnbd. M. 4.90, Lnbb. M. 8.—
Bertsch, Hugo, Bilderbogen aus meinem Leben.
    2. u. 3. Auflage   Geh. M. 3.—, Lnbd. M. 4.—
—„— Bob, der Sonderling. 4. Auflage   Geh. M. 2.50, Lnbd. M. 3.50
—„— Die Geschwister.
    Mit Vorwort von Adolf Wilbrandt. 10. u. 11. Aufl. Geh. M. 2.50, Lnbd. M. 3.50
Böhlau, Helene, Salin Kaliske. Novell. 2. Aufl. Geh. M. 3.—, Lnbd. M. 4.—
Boy-Ed, Ida, Die säende Hand. Roman. 3. Aufl. Geh. M. 3.50, Lnbd. M. 4.50
—„— Um Helena. Roman. 2. Auflage   Geh. M. 3.50, Lnbd. M. 4.50
—„— Die Lampe der Psyche. Roman. 2. Aufl.   Geh. M. 4.—, Lnbd. M. 5.—
—„— Die große Stimme. Novellen. 2. Auflage Geh. M. 3.—, Lnbd. M. 4.—
Bülow, Frieda v., Kara. Roman   Geh. M. 4.—, Lnbd. M. 5.—
Burckhard, Max, Simon Thums. Roman. 2. Aufl. Geh. M. 3.—, Lnbd. M. 4.—
Busse, Carl, Die Schüler von Polajewo. Novell. Geh. M. 2.50, Lnbd. M. 3.50
—„— Träume. Mit Illustrationen von Aug. Meyer Geh. M. 2.80, Lnbd. M. 3.80
—„— Im polnischen Wind. Ostmärkische Geschichten Geh. M. 3.50, Lnbd. M. 4.50
Dove, A., Caracosa. Roman. 2 Bände. 2. Aufl. Geh. M. 7.—, in 2 Lnbbn. M. 9.—
Ebner-Eschenbach, Marie v., Bozena. Erzählung
    7. Auflage   Geh. M. 3.—, Lnbd. M. 4.—
—„— Erzählungen. 5. Auflage   Geh. M. 3.—, Lnbd. M. 4.—
—„— Margarete. 6. Auflage   Geh. M. 3.—, Lnbd. M. 4.—
Ebner-Eschenbach, Moritz v., Hypnosis perennis.
    Ein Wunder des h. Sebastian. Zwei Wien. Gesch. Geh. M. 1.—, Lnbd. M. 2.—

Eckstein, Ernst, Nero. Roman. 8. Auflage   Geh. M. 6.—, Lnbb. M. 8.—
El-Correi. Das Tal des Traumes (Val di sogno).
   Roman. 1. u. 2. Auflage   Geh. M. 4.—, Lnbb. M. 6.—
—,— Am stillen Ufer. Roman vom Garbsee   Geh. M. 3.50, Lnbb. M. 4.50
Engel, Eduard, Paraskewula u. a. Novellen   Geh. M. 3.50, Lnbb. M. 4.50
Ertl, Emil, Miß Grant und andere Novellen   Geh. M. 3.—, Lnbb. M. 4.—
—,— Liebesmärchen. 2. Auflage   Geh. M. 3.—, Lnbb. M. 4.—
—,— Mistral. Novellen   Geh. M. 3.—, Lnbb. M. 4.—
Fontane, Theodor, Ellernklipp. 3. Auflage   Geh. M. 3.—, Lnbb. M. 4.—
—,— Grete Minde. 5. Auflage   Geh. M. 3.—, Lnbb. M. 4.—
—,— Quitt. Roman. 3. u. 4. Auflage   Geh. M. 3.—, Lnbb. M. 4.—
—,— Vor dem Sturm. Roman. 9. u. 10. Auflage   Geh. M. 4.—, Lnbb. M. 6.—
—,— Unwiederbringlich. Roman. 5. u. 6. Auflage   Geh. M. 3.—, Lnbb. M. 4.—
Franzos, K. E., Der Gott d. alten Doktors. 3. Aufl.   Geh. M. 3.—, Lnbb. M. 4.—
—,— Die Juden von Barnow. Geschichten. 8. Aufl.   Geh. M. 3.—, Lnbb. M. 4.—
—,— Judith Trachtenberg. Erzählung. 5. Aufl.   Geh. M. 3.—, Lnbb. M. 4.—
—,— Ein Kampf ums Recht. Roman. 6. Auflage.
   2 Bände   Geh. M. 5.—, in 1 Lnbb. M. 7.50
—,— Leib Weihnachtskuchen u. sein Kind. 8. Aufl.   Geh. M. 2.50, Lnbb. M. 3.50
—,— Ungeschickte Leute. Geschichten. 3. Auflage   Geh. M. 2.50, Lnbb. M. 3.50
—,— Junge Liebe. Novellen. 4. Aufl. Min.-Ausg.   Geh. M. 2.—, Lnbb. M. 3.50
—,— Mann und Weib. Novellen. 2. Auflage   Geh. M. 2.50, Lnbb. M. 3.50
—,— Der kleine Martin. Erzählung. 2. Auflage   Geh. M. 1.—, Lnbb. M. 2.—
—,— Moschko von Parma. Erzählung. 3. Aufl.   Geh. M. 2.—, Lnbb. M. 3.—
—,— Neue Novellen. 2. Auflage   Geh. M. 3.—, Lnbb. M. 4.—
—,— Tragische Novellen. 2. Auflage   Geh. M. 2.50, Lnbb. M. 3.50
—,— Der Pojaz. Eine Gesch. a. d. Osten. 5.—8. Aufl.   Geh. M. 4.50, Lnbb. M. 5.50
—,— Der Präsident. Erzählung. 4. Auflage   Geh. M. 2.—, Lnbb. M. 3.—
—,— Die Reise nach dem Schicksal. Erzähl. 2. Aufl.   Geh. M. 4.—, Lnbb. M. 5.—
—,— Die Schatten. Erzählung. 2. Auflage   Geh. M. 3.—, Lnbb. M. 4.—
—,— Der Wahrheitsucher. Roman. 2 Bände
   3. Auflage   Geh. M. 6.—, in 2 Lnbbn. M. 8.—
Fulda, L., Lebensfragmente. Novellen. 3. Aufl.   Geh. M. 2.—, Lnbb. M. 3.—
Gleichen, Außwurm, A. v., Vergeltung. Roman   Geh. M. 3.50, Lnbb. M. 4.50
Grasberger, H., Aus der ewigen Stadt. Novellen   Geh. M. 2.50, Lnbb. M. 3.20
Grimm, Herman, Unüberwindliche Mächte.
   Roman. 3. Auflage. 2 Bände   Geh. M. 8.—, in 2 Lnbbn. M. 10.—
—,— Novellen. 3. Auflage   Geh. M. 3.50, Lnbb. M. 4.50
Grisebach, Ed., Kin-ku-ki-huan. Chines. Novellenbuch   Leinenband M. 4.—
Haushofer, Max, Geschichten zwischen Diesseits
   und Jenseits. (Ein moderner Totentanz)   Geh. M. 5.—, Hlbfrzbb. M. 7.—
—,— Planetenfeuer. Ein Zukunftsroman   Geh. M. 3.50, Lnbb. M. 4.50
Heer, J. C., Felix Notvest. Roman. 12. u. 13. Aufl.   Geh. M. 3.50, Lnbb. M. 4.50
—,— Joggeli. Geschichte einer Jugend. 10. u. 11. Aufl.   Geh. M. 3.50, Lnbb. M. 4.50
—,— Der König der Bernina. Roman. 31.—33. Aufl.   Geh. M. 3.50, Lnbb. M. 4.50
—,— An heiligen Wassern. Roman. 31.—36. Aufl.   Geh. M. 3.50, Lnbb. M. 4.50
—,— Der Wetterwart. Roman. 24.—26. Auflage   Geh. M. 3.50, Lnbb. M. 4.50
Heilborn, Ernst, Kleefeld. Roman   Geh. M. 2.—, Lnbb. M. 3.—
Herzog, Rudolf, Der Abenteurer. Roman.
   Mit Porträt. 11.—20. Auflage   Geh. M. 4.—, Lnbb. M. 5.—
—,— Der Graf von Gleichen. Ein Gegenwartsroman.
   7. u. 8. Auflage   Geh. M. 3.50, Lnbb. M. 4.50
—,— Das Lebenslied. Roman. 14.—16. Auflage   Geh. M. 4.—, Lnbb. M. 5.—
—,— Die vom Niederrhein. Roman. 12.—14. Auflage   Geh. M. 4.—, Lnbb. M. 5.—
—,— Der alten Sehnsucht Lied. Erzählgn. 5.—7. Aufl.   Geh. M. 2.50, Lnbb. M. 3.50

Herzog, Rudolf, Die Wiskottens. Roman. 31.—35. Auflage
Geh. M. 4.—, Lnbb. M. 5.—
Heyse, Paul, L'Arrabbiata. Novelle. 11. Auflage   Leinenband M. 2.40
—,— L'Arrabbiata und andere Novellen. 9. Aufl. Geh. M. 3.50, Lnbb. M. 4.60
—,— Buch der Freundschaft. Novellen. 7. Aufl. Geh. M. 3.60, Lnbb. M. 4.80
—,— Crone Stäudlin. Roman. 6. Aufl.   Geh. M. 4.—, Lnbb. M. 5.—
—,— In der Geisterstunde. 4. Auflage   Geh. M. 3.50, Lnbb. M. 3.50
—,— Über allen Gipfeln. Roman. 10. Auflage   Geh. M. 3.50, Lnbb. M. 4.60
—,— Das Haus „Zum ungläubigen Thomas"
    und andere Novellen   Geh. M. 3.50, Lnbb. M. 4.50
—,— Kinder der Welt. Roman. 22. Auflage. 2 Bände
                                 Geh. M. 4.80, in 2 Lnbbn. M. 6.80
—,— Himmlische und irdische Liebe u. a. Nov. 2. Aufl. Geh. M. 3.50, Lnbb. M. 4.50
—,— Neue Märchen. 4. Auflage   Geh. M. 4.—, Lnbb. M. 5.—
—,— Marthas Briefe an Maria. 2. Auflage   Geh. M. 1.—, Lnbb. M. 2.—
—,— Melusine und andere Novellen. 5. Auflage Geh. M. 4.—, Lnbb. M. 5.—
—,— Merlin. Roman. 5. Auflage   Geh. M. 3.60, Lnbb. M. 4.60
—,— Ninon und andere Novellen. 4. Auflage   Geh. M. 4.—, Lnbb. M. 5.—
—,— Novellen. Auswahl fürs Haus. 3 Bände.
    10. u. 11. Auflage   Geh. M. 7.50, in 3 Lnbbn. M. 10.—
—,— Novellen vom Gardasee. 5. Auflage   Geh. M. 3.60, Lnbb. M. 4.50
—,— Meraner Novellen. 11. Auflage   Geh. M. 3.50, Lnbb. M. 4.50
—,— Neue Novellen. Min.-Ausg. 6. Auflage Geh. M. 3.50, Lnbb. M. 4.50
—,— Im Paradiese. Roman. 18. Aufl. 2 Bde. Geh. M. 7.20, in 2 Lnbbn M. 9.20
—,— Das Rätsel des Lebens. 4. Auflage   Geh. M. 4.—, Lnbb. M. 5.—
—,— Der Roman der Stiftsdame. 12. Auflage Geh. M. 2.40, Lnbb. M. 3.40
—,— Der Sohn seines Vaters und andere Novellen. 3. Auflage
                                 Geh. M. 3.50, Lnbb. M. 4.50
—,— Gegen den Strom. Eine weltliche Klostergeschichte.
    1.—4. Auflage   Geh. M. 4.—, Lnbb. M. 5.—
—,— Moralische Unmöglichkeiten u. a. Novellen. 3. Aufl.
                                 Geh. M. 4.50, Lnbb. M. 5.50
—,— Victoria regia und andere Novellen. 2.—4. Aufl. Geh. M. 4.—, Lnbb. M. 5.—
—,— Villa Falconieri und andere Novellen. 2. Aufl. Geh. M. 3.50, Lnbb. M. 4.50
—,— Aus den Vorbergen. Vier Novellen. 3. Aufl. Geh. M. 5.—, Lnbb. M. 6.—
—,— Vroni und andere Novellen   Geh. M. 3.50, Lnbb. M. 4.50
—,— Weihnachtsgeschichten. 4. Auflage   Geh. M. 4.—, Lnbb. M. 5.—
—,— Unvergeßbare Worte u. a. Novellen. 3. Aufl. Geh. M. 3.60, Lnbb. M. 4.60
—,— Xaveri und andere Novellen   Geh. M. 3.50, Lnbb. M. 4.50
Hillern, Wilhelmine v., Der Gewaltigste.
    4. Auflage   Geh. M. 3.50, Lnbb. M. 4.50
—,— 's Reis am Weg. 3. Auflage   Geh. M. 1.50, Lnbb. M. 2.50
—,— Ein Sklave der Freiheit. Roman. 3. Auflage Geh. M. 5.—, Lnbb M. 6.—
—,— Ein alter Streit. Roman. 3. Auflage   Geh. M. 3.—, Lnbb. M. 4.—
Hobrecht, Max, Von der Ostgrenze. Drei Nov. Geh. M. 5.—, Lnbb. M. 6.20
Höcker, Paul Oskar, Väterchen. Roman   Geh. M. 3.—, Lnbb. M. 4.—
Hohe, Ernst v., Sehnsucht. Roman   Geh. M. 3.—, Lnbb. M. 4.—
Hoffmann, Hans, Bozener Märchen. 2. Auflage   Leinenband M. 3.50
—,— Ostseemärchen. 2. Auflage   Leinenband M. 4.—
Holm, Adolf, Holsteinische Gewächse. Aufgezogen
    und zur Schau gestellt (in Wort und Bild). Geh. M. 2.—, Lnbb. M. 3.—
—,— Köß und Kinnerbeer. Und sowat mehr. Zwei
    Erzählungen aus dem holsteinischen Landleben   Leinenband M. 2.40
Hopfen, Hans, Der letzte Hieb. 6. Auflage   Geh. M. 2.50, Lnbb. M. 3.50
Huch, Ricarda, Erinnerungen von Ludolf Ursleu
    dem Jüngeren. Roman. 7. u. 8. Auflage   Geh. M. 4.—, Lnbb. M. 5.—

Jugenderinnerungen eines alten Mannes
(Wilhelm v. Rügelgen). Original-Ausgabe.
Herausg. von Philipp von Nathusius. 24. Aufl. Geh. M. 1.60, Lnbd. M. 1.40
Junghans, Sophie, Schwertlilie. Roman. 2.Aufl. Geh. M. 4.—, Lnbd. M. 5.—
Kaiser, Isabelle, Seine Majestät! Novellen Geh. M. 3.50, Lnbd. M. 3.50
—,— Wenn die Sonne untergeht. Nov. 2. Aufl. Geh. M. 3.50, Lnbd. M. 3.50
Keller, Gottfried, Der grüne Heinrich. Roman.
    5 Bändr. 46.—49. Aufl Geh. M. 9.—, Lnbd. M. 11.40, Hlbfrzbd. M. 15.—
—,— Die Leute von Seldwyla. 2 Bände. 49.—58. Aufl.
                        Geh. M. 6.—, Lnbd. M. 7.60, Hlbfrzbd. M. 10.—
—,— Martin Salander. Roman. 29.—33. Auflage
                        Geh. M. 3.—, Lnbd. M. 5.00, Hlbfrzbd. M. 6.—
—,— Züricher Novellen. 49.—58. Auflage
                        Geh. M. 3.—, Lnbd. M. 9.60, Hlbfrzbd. M. 9.—
—,— Das Sinngedicht. Novellen. Sieben Legenden.
    40.—44. Auflage   Geh. M. 3.—, Lnbd. M. 9.60, Hlbfrzbd. M. 6.—
—,— Sieben Legenden. Miniatur-Ausg. 6. Auflage Geh. M. 3.60, Lnbd. M. 9.—
—,— Romeo und Julia auf dem Dorfe. Erzählung.
    6. Auflage. Miniatur-Ausgabe   Geh. M. 2.50, Lnbd. M. 9.—
Kassak, Marg., Krone des Lebens. Nordische Novellen Geh. M. 3.—, Lnbd. M. 4.—
Kurz, Isolde, Unsere Carlotta. Erzählung Geh. M. 2.—, Lnbd. M. 3.—
—,— Italienische Erzählungen   Leinenband M. 5.60
—,— Frutti di Mare. Zwei Erzählungen Geh. M. 2.—, Lnbd. M. 3.—
—,— Genesung. Sein Todkeind. Gedankenschuld.
    Drei Erzählungen   Geh. M. 4.—, Lnbd. M. 5.—
—,— Lebensfluten. Novellen. 1. u. 2. Auflage Geh. M. 3.—, Lnbd. M. 4.—
—,— Florentiner Novellen. 3. Auflage Geh. M. 9.60, Lnbd. M. 4.60
—,— Phantasieen und Märchen   Leinenband M. 9.—
—,— Die Stadt des Lebens. Schilderungen aus
    der florentinischen Renaissance. 3. Auflage.
    Mit 15 Abbildungen   Geh. M. 6.—, Lnbd. M. 9.60
Laistner, Ludwig, Novellen aus alter Zeit Geh. M. 4.—, Lnbd. M. 5.—
Langmann, Philipp, Realistische Erzählungen Geh. M. 2.—, Lnbd. M. 9.—
—,— Leben und Musik. Roman Geh. M. 3.50, Lnbd. M. 4.60
—,— Ein junger Mann von 1895 u. and. Novellen Geh. M. 9.—, Lnbd. M. 9.—
—,— Verflogene Rufe. Novellen Geh. M. 2.50, Lnbd. M. 9.50
Lindau, Paul, Die blaue Laterne. Berliner Roman.
    1.—4. Auflage. 2 Bände   Geh. M. 6.—, in 1 Lnbd. M. 7.50
—,— Arme Mädchen. Roman. 9. Auflage Geh. M. 4.—, Lnbd. M. 5.—
—,— Spitzen. Roman. 9. u. 10. Auflage Geh. M. 4.—, Lnbd. M. 5.—
—,— Der Zug nach dem Westen. Roman. 10. Aufl. Geh. M. 4.—, Lnbd. M. 5.—
Mauthner, Fritz, Hypatia. Roman. 2. Aufl. Geh. M. 9.60, Lnbd. M. 4.50
—,— Aus dem Märchenbuch der Wahrheit. Fabeln
    u. Gedichte in Prosa. 2. Aufl. von „Lügenohr" Geh. M. 9.—, Lnbd. M. 4.—
Meyer-Förster, Wilh., Eldena. Roman. 2. Aufl. Geh. M. 3.—, Lnbd. M. 4.—
Meyerhof-Hildeck, Leonie, Das Ewig-
    Lebendige. Roman. 2. Auflage Geh. M. 2.50, Lnbd. M. 3.50
—,— Töchter der Zeit. Münchner Roman Geh. M. 3.—, Lnbd. M. 4.—
Muellenbach, E. (Lnbach), Abseits. Erzählungen Geh. M. 3.—, Lnbd. M. 4.—
—,— Aphrodite und andere Novellen Geh. M. 3.—, Lnbd. M. 4.—
—,— Vom heißen Stein. Roman Geh. M. 3.—, Lnbd. M. 4.—
Niessen-Deiters, Leonore, Leute mit und
    ohne Frack. Erzählungen und Skizzen.
    Buchschmuck von Hans Deiters Geh. M. 3.—, Lnbd. M. 4.—
Olfers, Marie v., Neue Novellen Geh. M. 3.50, Lnbd. M. 4.50
—,— Die Vernunftheirat und andere Novellen Geh. M. 3.—, Lnbd. M. 4.—

Pantenius, Th. H., Kurländische Geschichten. 2. Tausend
                                        Geh. M. 3.—, Lnbd. M. 4.—
Petri, Julius, Pater peccavi! Roman Geh. M. 3.—, Lnbd. M. 4.—
Prei, Karl du, Das Kreuz am Ferner. 3. Aufl. Geh. M. 6.—, Lnbd. M. 6.—
Proelß, Joh., Bilderstürmer! Roman. 2. Aufl. Geh. M. 4.—, Lnbd. M. 5.—
Raberti, Hubert, Immaculata. Roman aus
    dem römischen Leben der Gegenwart. 2 Bde. Geh. M. 8.—, in 2 Lnbbn. M. 10.—
Redwitz, O. v., Haus Wartenberg. Roman. 7. Aufl. Geh. M. 3.50, Lnbd. M. 4.50
—,— Hymen. Ein Roman. 6. Auflage   Geh. M. 4.—, Lnbd. M. 5.—
Riehl, W. H., Aus der Ecke. Novellen. 4. Aufl. Geh. M. 4.—, Lnbd. M. 5.—
—,— Am Feierabend. Sechs Novellen. 4. Auflage Geh. M. 4.—, Lnbd. M. 5.—
—,— Geschichten aus alter Zeit. 1. Reihe. 3. Aufl. Geh. M. 3.—, Lnbd. M. 4.—
—,— Geschichten aus alter Zeit. 2. Reihe. 3. Aufl. Geh. M. 3.—, Lnbd. M. 4.—
—,— Lebensrätsel. Fünf Novellen. 4. Auflage Geh. M. 4.—, Lnbd. M. 5.—
—,— Ein ganzer Mann. Roman. 4. Auflage Geh. M. 6.—, Lnbd. M. 7.—
—,— Kulturgeschichtliche Novellen. 5. Auflage Geh. M. 3.—, Lnbd. M. 4.—
—,— Neues Novellenbuch. 3. Aufl. (o. Abbruch) Geh. M. 4.—, Lnbd. M. 5.—
Roquette, Otto, Das Buchstabierbuch der
    Leidenschaft. Roman. 2 Bände   Geh. M. 4.—, in 1 Lnbd. M. 5.—
Saitschick, R., Aus der Tiefe. Ein Lebensbuch Geh. M. 3.—, Lnbd. M. 4.—
Seidel, Heinrich, Leberecht Hühnchen
    Gesamtausgabe. 5. Aufl. (26.—30. Tausend) Geh. M. 4.—, Lnbd. M. 5.—
—,— Vorstadtgeschichten. Gesamtausgabe. 1. Reihe Geh. M. 4.—, Lnbd. M. 5.—
—,— Vorstadtgeschichten. Gesamtausgabe. 2. Reihe Geh. M. 4.—, Lnbd. M. 5.—
—,— Heimatgeschichten. Gesamtausgabe. 1. Reihe Geh. M. 4.—, Lnbd. M. 5.—
—,— Heimatgeschichten. Gesamtausgabe. 2. Reihe Geh. M. 4.—, Lnbd. M. 5.—
—,— Phantasiestücke. Gesamtausgabe Geh. M. 4.—, Lnbd. M. 5.—
—,— Von Perlin nach Berlin. Aus meinem Leben.
    Gesamtausgabe   Geh. M. 4.—, Lnbd. M. 5.—
—,— Reinhard Flemmings Abenteuer zu Wasser
    und zu Lande. Erster Band. 7. u. 8. Tausend Geh. M. 3.—, Lnbd. M. 4.—
—,— Dasselbe. Zweiter und dritter Band.
    1.—4. Tausend   Geh. je M. 3.—, Lnbd. je M. 4.—
—,— Wintermärchen. 2 Bände. 4. Tausend Geh. je M. 3.—, Lnbd. je M. 4.—
Skowronnek, R., Der Bruchhof. Roman.
    2. Auflage   Geh. M. 3.—, Lnbd. M. 4.—
Stegemann, Hermann, Der Gebieter. Roman Geh. M. 3.50, Lnbd. M. 8.50
—,— Stille Wasser. Roman   Geh. M. 3.—, Lnbd. M. 4.—
Stratz, Rudolph, Alt-Heidelberg, du Feine...
    Roman einer Studentin. 7. u. 8. Auflage Geh. M. 3.50, Lnbd. M. 4.50
—,— Buch der Liebe. Sechs Novellen. 3. Auflage Geh. M. 3.50, Lnbd. M. 3.56
—,— Die ewige Burg. Roman. 5. Auflage Geh. M. 3.—, Lnbd. M. 4.—
—,— Der du von dem Himmel bist. Roman.
    5. Auflage   Geh. M. 3.50, Lnbd. M. 4.50
—,— Du bist die Ruh'. Roman. 5. Auflage Geh. M. 3.50, Lnbd. M. 4.50
—,— Gib mir die Hand. Roman. 8.—9. Auflage Geh. M. 4.—, Lnbd. M. 5.—
—,— Ich harr' des Glücks. Novellen. 4. Auflage Geh. M. 3.50, Lnbd. M. 4.50
—,— Die törichte Jungfrau. Roman. 5. Auflage Geh. M. 3.50, Lnbd. M. 4.50
—,— Der arme Konrad. Roman. 3. Auflage Geh. M. 3.—, Lnbd. M. 4.—
—,— Montblanc. Roman. 6. u. 7. Auflage Geh. M. 3.—, Lnbd. M. 4.—
—,— Der weiße Tod. Roman aus der Gletscher-
    welt. 12.—15. Auflage   Geh. M. 3.—, Lnbd. M. 4.—
—,— Es war ein Traum. Berl. Novellen. 4. Aufl. Geh. M. 3.50, Lnbd. M. 4.50
—,— Die letzte Wahl. Roman. 4. Auflage Geh. M. 3.50, Lnbd. M. 4.50
Sudermann, Hermann, Es war. Roman.
    12.—16. Auflage   Geh. M. 5.—, Lnbd. M. 6.—, Hlblrzbd. M. 8.50